*Schuber, M*

# Meine Pilgerrei

Schuber, Maria. [

**Meine Pilgerreise über Rom**

Inktank publishing, 2018

www.inktank-publishing.com

ISBN/EAN: 9783747763681

# Meine Pilgerreise

über

## Rom, Griechenland und Egypten

durch die Wüste

n a ch

## Jerusalem

und zurück.

vom 4. October 1847 bis 25. September 1848.

Von

## Maria Schuber,

aus Graß in Steiermark.

Der Reinertrag ist einem menschenfreundlichen Zwecke
gewidmet.

**Graß, 1850.**
Eigenthum der Verfasserin.

Zu beziehen durch die **F. Ferstl'sche (J. L. Greiner)** Buchhandlung
in **G r a ß** und durch die **P. P. Mechitaristen** in **W i e n.**

# Sr. Hochwürden

dem Hochgeehrten Herrn Herrn

# Johann Nepomuk Krauss,

k. k. Gubernialrath, infulirten Propst, Doctor der Philosophie ꝛc. ꝛc.,

## ihrem Gönner,

aus Dankbarkeit und Achtung

gewidmet

von der Verfasserin.

# Vorwort.

Mit nie versiegendem Dankgefühle, in Jerusalem gewesen zu sein, welche Reise dahin und zurück von der Vorsehung Gottes geleitet, mir den Werth meines Lebens erhöhte, übergebe ich nun die getreue briefliche Mittheilung derselben, mit allen kleinen Begebenheiten, Beobachtungen und gemachten Bemerkungen, der öffentlichen Theilnahme, aber auch dem öffentlichen Urtheile. Es ist eben nichts Neues, woran ich mich wage, das Feld, von dem ich einige gesammelte Früchte in die Welt sende, ist sehr fruchtbar, und hat schon sehr viel und Gutes geliefert, das heißt: es gibt viele und gute Beschreibungen älterer und neuerer Zeit, nicht nur von Palästina, sondern von dem ganzen Oriente. Mir selbst liegen Deshayes, Chateaubriand, Geramb, Lamartine, Delaporte, Craigher, der Verfasser des Courtins, Prokesch, Hackländer, Salzbacher und Mad. Pfeifer vor, wovon jede Umfangreiches leistete; doch was will das sagen? Herr v. Chateaubriand gibt in seiner Herausgabe an, daß mehr denn 20 andere Beschreibungen des

Orients vor ihm lagen, die gewiß alle reichhaltig in ihren
Blättern waren. Franzosen und Engländer bereisen und be=
schreiben im Durchschnitte die orientalischen Gegenden wohl
zwanzigmal mehr, als wir Deutsche, darum kann man auch
nicht annehmen, daß derlei Beschreibungen der heil. Orte zu
vervielfältigt in Original deutscher Ausgabe vorhanden sind.
Auch ist das Feld so fruchtbar, daß es immer neue Sammlun=
gen abwirft, und die immer neue Zeit den neuen Menschen
sammt ihren Fortschritten immer wieder Neues bietet. Doch
nicht derlei Reflexionen bewogen mich zur Bekanntgabe meines
innigsten Seelenlebens, welches von meiner Wallfahrt in's
heil. Land so ganz unzertrennlich ist, sondern die gütige, freund=
liche Aufforderung hochgeachteter Herren, als ich glücklich in
meine Vaterstadt wiederkehrte. Auch wurde mir in mehreren
Städten das Wort abgenommen, meine Reisebeschreibung be=
kannt zu geben. Solch aufmunternden Herausforderungen,
die mich immerhin nur ehren, so wie ich sie nur achten konnte,
zufolge, sammelte ich auf das Genaueste meine Notizen, um
sie nach Muße zu bearbeiten. Nun währte es denn ziemlich
lange, bis ich mich entschloß, in den Nächten meine Muße zu
suchen, da ich sie bei Tage über's Jahr nicht finden konnte;
denn bei meiner Rückkehr sah ich meine Schule dem allgemei=
nen Verfalle Preis gegeben. Sie nun unter den zerworfenen
Zeitverhältnissen und zerrütteten Erziehungs=Ansichten wieder
aufzurichten, und die besten Stunden des Tages dem Unter=
richte zu widmen, ließen es nicht leicht zu, bei Tage in ruhi=
ger Geistesversammlung die Feder zu führen. Auch bedurfte

der Druck und die ganze Zusammenstellung der Herausgabe
seine Zeit, die nur nach Umständen konnte berechnet werden;
was nun zu Pfingsten 1850 beendiget wird. Dieses hier
mit Achtung überreichte Werk als Beschreibung meiner Pilger=
reise nach Jerusalem, tritt ohne literarischem Musterbilde und
kunstgewandter Umsicht in die Welt, daher bittet es um ein
nachsichtsvolles Auffassen seiner verfolgten Absichten: die Reise
nach Palästina nicht gar so beschwerlich oder beinahe unmög=
lich darzustellen; Nationen und Völker durch gegenseitige An=
erkennung ihrer guten Eigenschaften auszugleichen; Land und
Leute durch aufmerksame Beobachtungen bei jeder Art von
Reisen näher kennen zu lernen, und im unumwundenen Glau=
bensbekenntnisse die Liebe zum heil. Lande, durch richtige Dar=
stellung des gegenwärtigen Bestandes, im Vergleiche seines ge=
schichtlichen Bestehens, zu beleben. Als zweiter Beweggrund
meiner Reise, so wie deren Bekanntmachung, waren es die Er=
ziehungs=Institute in den verschiedenen Ländern und Städten, die
meine besondere Theilnahme und Aufmerksamkeit auf sich zogen'
und deren Besuch ich mir besonders angelegen sein ließ, theils
mich selbst durch Erfahrungen zu bereichern, theils anderen
Einsichten meine aufgefaßten Bemerkungen zur Vorstellung zu
bringen. Es ist sehr nothwendig, daß die Mädchen=Erziehung
durch wohl dazu eingerichtete Institute eine feste Haltung be=
komme, nicht nur wegen erlernten Kenntnissen, sondern mehr
noch, um der Characterbildung willen, deren Wanken durch
ungenügenden, herumirrenden und unterbrochenen Unterricht,
ohne Abschluß einer vollendeten Schulzeit, niemals zur Sicher=

heit gelangt. Es ist auch von höchster Wichtigkeit, daß gut organisirte und fest gegründete Institute nicht nur in klösterlicher Richtung, sondern auch in der Welt dastehen, um der weiblichen Jugend und selbst den Aeltern einen christlichen Haltpunct zu verschaffen, von dem aus die höhere Bildung der Menschheit bis in's Unendliche fortgeht. Um denn vielleicht mit der Gnade Gottes auch einen Stein zu diesem Gebäude zu legen, unternahm ich meine Pilgerfahrt in's heil. Land, um meine Kräfte hierzu zu stärken. Könnte ich alle meine Bitten, als Zweck meiner Reise, das ist: die Einheit der heil. Kirche Gottes, die weise Regierung der Fürsten sammt der kindlichen Unterwerfung ihrer Unterthanen die Erreichung der Mittel und Wege, wie dem noch mangelnden Erziehungswesen abzuhelfen sei, erfüllt sehen, wie ich mich der Aufrichtung meiner Seelen- und Körperkräfte erfreue, würde niemals auf Erden ein Mensch sich glücklicher geschätzt haben.

Gratz, im Mai 1850.

# Inhalt.

14

# Erster Brief.

## An den hochwürdigen Herrn Gubernialrath J. N. K.

Cilli, den 4. October 1847.

Gottlob! nun ist das Werk begonnen, heute Früh um 7 Uhr betrat mein Fuß zum ersten Male einen Waggon, um mit der Großartigkeit der Erfindung einer Eisenbahn in vorher nie gedachter Schnelligkeit dahin zu rollen. Es war mir immer etwas Herrliches, einen solchen Zug in seinem majestätisch gemessenen Vorüberfluge zu schauen, und ich konnte mich nie entschließen, eine sogenannte und viel gepflogene Eisenbahn=Lustfahrt zu unternehmen. Mein Vorgefühl sagte mir: einer bedeutenden Begebenheit sei es vorbehalten, um mich dem Sinnbilde der gegen Ende der materiellen Weltbegebenheiten immer schneller laufenden Zeit anzuvertrauen. Ich konnte mir nicht denken, welcher? am wenigsten jener, bei der es zutraf; denn nie in meinem Leben fiel es mir ein, eine Reise nach Palästina unternehmen zu wollen. Nach dem von Kindheit auf geliebten, geehrten Palästina! was mir so ferne wie der Himmel selber lag; mit dem ich mich in meinen jugendlichen Jahren durch die Geschichte der Kreuzzüge so vertraut fand, wie mit dem Monde, wenn er in meinen Träumen vom Himmel zu mir auf die Erde kam, um mit ihm zu spielen, und der mir unerreichbar blieb, wenn ich wachte. Was mich nun zu dem Entschlusse dieser glücklich unternommenen Reise brachte, erlauben Euer Gnaden, Ihnen heute mitzutheilen, heute, wo bei einer meiner liebsten und besten Schülerinnen, M. Sch., die mir als jugendliche Frau zur Freundin geworden ist, an deren festlicher Vermählung Euer Gnaden selbst so freundlichen Antheil nahmen, ich meinen ersten Pilger=Rasttag halte, und auch morgen, nach Marien's und ihres Mannes Einladung, noch hier verweile. Meine beinahe

1

fünfundzwanzigjährige Zeitverwendung am Schul-
tische, und der Erziehung der Mädchen in meiner
Privatschule, die ich im jugendlichen und leider in reiferen
Lebenstagen noch nicht abgekühlten Enthusiasmus unternahm, um
Etwas zum allgemeinen Besten für's Vaterland beizutragen, wozu
mir mein Lesebuch, als ich selbst noch Schülerin und ein kleines
Mädchen war, einen unauslöschlichen Eindruck hinterließ; reizte mein
nach ärztlicher Aussage sehr empfindliches Nervensystem, und dadurch
empfänglicher gemacht für geistiges Wahrnehmen im Bereiche des
physischen Lebens, oder auch für Einbildungen? seh' ich großes Unheil,
dem die Menschen entgegengehen im Laufe der kommenden Zeit. Es
thürmt sich zusammen wie schwere Wolken am Firmamente, um als
furchtbares Ungewitter loszubrechen. Auch unser Steiermark wird nicht
ganz verschont bleiben, denn es bildet in seinem Getriebe ein Miniatur-
Gemälde der großen Gesammtheit zwischen Kirche und Staat, zwischen
geistlichen und weltlichen Christen, und Christenthum ist doch nur eins!
Das Hinarbeiten auf solche Trennung wird Tag für Tag mehr
wahrnehmbar, ich sehe zum Voraus die Bürgerschaft und das
Priesterhaus in Conflict kommen, ich sehe, wie unserem greisen Bischofe so
manche Kränkung in seinen alten Tagen vorbereitet ist; ich sehe und fühlte
schon seit Jahren her die Vorbereitung eines religiösen Zerfalls, oder
vielmehr den Ausbruch des Unglaubens, der lange schon, gleich einem
Schlangengewinde, sich unter der Menge der gläubigen Christengemeinde herumdreht, und mit giftigem Hauche die fromme Sphäre
kirchlicher Aussaat schon so weit verpestet, daß es zur allgemeinen
Sorge der Aeltern geworden ist, ihre Kinder möchten etwa irgendwo
zu religiöse Eindrücke erhalten. Ich sehe und fühle nur zu sehr, wie
seit mehreren Jahren die Erziehungsansichten und deren Einwirkungen
in's Lehrfach sich verwirren. Was soll daraus werden? — Ein Verfall! Gutes steht uns einmal nichts bevor, wenigstens nicht in der
nächstfolgenden Zeit, das ist mir klar. Von allen hochgespannten Uebeln
aber, die ich drohend von allen Seiten zum Losbrechen bereit sehe,
ist mir das gewisse Verstummtsein der Gemüther noch das unerträglichste.
Wenn ich durch die Gassen ging, schien es mir, als wären die Leute
Automaten, die sich nur am Triebrade bewegen. Die edlere Selbst-
thätigkeit scheint der Gebundenheit unterlegen zu sein. — Ich meinerseits,
im Gefühle meiner empfindlichen Nerven, fühlte mich matt und erschöpft
an Leib und Seele. Was konnte ich thun? nicht einmal das Mindeste

beitragen, das Umsichgreifen der zerstörenden Uebel zu hemmten. — Mein Thätigkeitssinn fing an zu sinken, und meine körperliche Kraft hätte mich verlassen, wenn nicht, wie ein leuchtender Strahl der Sonne, der zugleich erwärmt, die Idee einer Pilgerreise nach Palästina in meine Seele gedrungen wäre. Doctor K. bestärkte mich ärztlicher Weise in meinem schnell aufgefaßten Vorhaben, und erhielt mich verflossenen Winter dadurch in gesundem Zustande, obschon mir ein Nervenfieber drohte. Den Sommer über machte ich ganz sachte meine Anstalten, um mein Hauswesen und meine Schule meiner Gehilfin, die sich dazu bereitwillig fand, in gutem Stande zu übergeben, und mich zu Anfang des neuen Schulcurses auf die Reise zu machen, was ich zu meiner Zufriedenheit erreichte. Ich fühle keine bange Scheu in der Seele, das Werk zu vollbringen. Freudiger Muth belebt meine Kraft, freundlich lächelt mir die weite Erde und lockt mich vorwärts. Mag schon ge= schehen, was da will, wenn ich meiner Vaterstadt den Rücken kehre, ich kann's nicht ändern; aber beten kann ich, und im lang bewährten kirchlichen Verband die Wallfahrt opfern für der Länder Wohl, für der Menschheit Glück in Einheit des Glaubens, auf daß ein Hirt und eine Heerde werde dessen, der ein Kind zu Bethlehem geboren, der da lehrte, litt und starb am Kreuze in der heiligen Stadt Jerusalem, der durch sein Blut geheimnißvoll die Menschheit erlöste von ihrem Sturze in's ewige Verderben. Daß die Menschen, daß Regierer und Regierte es erkennen möchten, wie nur in dem Gnadenschatze des Er= lösers, in der Nachfolge seiner Lehre das Heil des Einzelnen wie der Gesammtheit verborgen liege! Dieß ist die Veran= lassung, die Ursache meiner unternommenen Reise in das gelobte Land, an das Grab des Erlösers, an den Ort der Auferstehung, der den Urglauben geschichtlich, die Bürgschaft eines ewigen Lebens leistet. — Nebstbei hege ich noch die Absicht, mich an Leib und Seele zu erholen, um meiner Vaterstadt, in die zurückzukehren ich den festen Vorsatz fühle, durch Erziehung in einer erweiterten Töchterschule zu dienen, und zu diesem Endzwecke mich mit verschiedenen Instituten und auswärtigen Erziehungsansichten bekannt zu machen. Ich schließe mit dem Vorbehalt, von Euer Gnaden gütiger Erlaubniß Gebrauch machen zu dürfen, Ihnen meine Ansichten und Meinungen in frei= müthiger Offenheit im Verlaufe meiner Reise mitzutheilen.

1 *

## Zweiter Brief.

### An die Frau des Herrn Oberamtmanns M.

Cilli, den 4. October 1847.

Sie waren die Erste, der ich im Umkreis Ihrer lieben Familie meine Idee, eine Reise in's heilige Land zu machen, aussprach, um zu sehen, welchen Eindruck ein solcher Gedanke, nach Außen hin geworfen, etwa machen würde. Ich erwartete ein lautes Gelächter, oder wenigstens Belächeln einer so fernhin gestellten Ausführung, wenn sie dem Plane nach auch wirklich möglich gemacht werden könnte. Doch die feierlich ernste Miene des Herrn Oberamtmanns, die stille Aufmerksamkeit des Herrn Caplan T., das aufmunternde „Das ließ sich hören!" des Herrn Rentmeisters, das kindlich freudige Einstimmen Ihrer beiden lieben Töchterchen, endlich Ihr mit ausgebreiteten Armen mich halten wollender Ausruf: „Thun Sie uns doch das nicht an!" überzeugten mich in diesem mir unvergeßlichen Momente, daß diese Idee ein Geschenk Gottes sei und keineswegs ein Auswuchs der eigenen Fantasie. Das ausgesprochene Wort hielt die Probe. Ich war mir nun dessen bewußt, was ich mir früher nicht zutraute; wollte einstweilen keinen weitern Gebrauch davon machen, und lächelte und scherzte nun selbst über den Einfall: „eine Pilgerreise in's heilige Land" machen zu wollen. Daß ich mich jedoch vergebens bemühte, den ernsten Eindruck meiner Aussprache zu vertilgen, bewiesen Sie mir noch, als Sie mit der „Reise einer Wienerin in's heilige Land" zum Vorscheine kamen, von der ich kein Wort wußte. Diese Erscheinung war mir sehr interessant, und da ich, wie Sie sich vielleicht noch erinnern werden, Tags darauf wegen der Grippe das Bett hüten mußte, las ich die Herausgabe der Madame Pfeifer mit ununterbrochenem Eifer. Ich hieß sie eine gute Wegmacherin. Sie schreckte mich auch ganz und gar nicht zurück, meinen nun einmal aufgefaßten Gedanken zur Ausführung zu befördern. Ich schwieg darüber. Doch heute, da ich mich über's Jahr, nach glücklich begonnenem Unternehmen, in so behaglichem Ruhestand bei meiner lieben Freundin W. hier in Cilli als erste Nachtstation

befinde, und mich lebhaft an den Abschied erinnere, der Sie, so theil=
nehmend an meiner Reise, zu mir brachte, und mir der ganze Zeitlauf
eines Jahres mit seinem Lichtpuncte, der seither mein Leben erwärmte
und erhellte, so ganz besonders vor Augen schwebt, will ich mir selbst
Genüge leisten und Ihnen den Hergang der Sache vom vorigen Jahre
erzählen: Von den Zeichen der Zeit, die noch eine üble Wirkung mit
sich bringen werden, etwas trübsinnig gemacht, war ich leicht gereizt,
und meiner körperlichen Empfindung nach auch sehr unwohl. Da ergab
sich's, daß man mir von zwei Seiten übel nahm, von denen mir's am
meisten nahe ging, daß ich mich einer armen, an Leib und Seele ver=
laſſenen Frau annahm, die etwas irre geworden war. Dieß bewegte
mich ein wenig kränkend, und ich fühlte mich dadurch einer Bewegung
in freier Luft bedürftig. Ich rief meiner Magd und fragte sie: „Willſt
du mit mir eine Wallfahrt machen? es ist ein sieben Stunden weiter
Weg zu Fuß." Das gute Kind sagte sogleich: „Ich gehe, wohin Sie
wollen." Es war, wie Sie wiſſen, im vorigen Jahre im October,
als ich Sie besuchte. Ich liebe sehr den Gnadenort M a r i a H i m=
m e l s b e r g o b Weiz, dahin richtete ich meine Schritte, ich konnte
mir leicht ein Paar Ferientage vergönnen. Es war ein heiterer freundli=
cher Herbſttag, und der Zweck, meine Seele zu erheitern, war bald erreicht.
Meine gute Laune lebte auf, und ich wandelte ganz wohlgemuth mit
meiner Begleiterin die Straße entlang, ohne auszuruhen. Wir dachten
Beide, was wir wollten, ich das Meinige. Die Erde zeigte sich mir
von ihrer schönſten Seite, wie ich gewohnt bin, sie zu sehen, und der
Himmel lächelte im sanften Sonnenschein und heiterem Blau die schön=
ſten Hoffnungen eines besseren Lebens ohne Mißwachs mir entgegen.
Eine Stunde vor Weiz, im Abendscheine, mein Auge mehr im Blauen
des Aethers versenkt, als hin auf die Straße gelenkt, ging's in meine
Seele ein, als hätte ich's im Blau des Himmels gelesen: „M a c h e
e i n e W a l l f a h r t n a c h J e r u s a l e m." Süß und lieblich war der
Wiederklang in meinem Innern, und ich verweilte still und selig bei der
schnellen Entwicklung einer so leicht und plötzlich aufgefaßten Idee.
Die Reiseroute, die ich gestern zu verfolgen anfing, lag vor mir auf=
gedeckt, und in der Atmosphäre um mich fühlte ich versichernde Kraft
und Schutz, wenn ich das Werk unternehmen wolle. Nach Rom und
Egypten, von da nach Paläſtina, so lautete meine Vorschrift, die ich
bald auswendig wußte; d. h. mit der ich mich von Innen nach Außen
wendete, um die näheren Umſtände in Verbindung zu bringen. Ich

fühlte mich im vollen Einverständnisse. Was noch fehlt, das wird sich schon machen, dachte ich. Nur Eins konnte keinen zustimmenden Einklang finden, und das war? — den Weg allein zu machen. Für dieß war ich gänzlich unverständlich, meine natürliche Scheu und meine Lebensgewohnheit von Jugend auf stehen damit auch ganz im Gegensatze. In der vollen Ueberzeugung einer solchen Unmöglichkeit, wendete ich mich zu meiner Begleiterin, der ich jedesmal wie ängstlich zurief, ja fest mir zur Seite zu gehen, wenn Jemand auf der Straße an uns vorüberging, und sagte: „Weil du so gut Schritt halten kannst mit mir, ohne dich um's Ausruhen zu bekümmern, so werde ich dich einmal auf eine recht weite Wallfahrt mitnehmen." „Ja, Fräulein, ja, wo Sie hingehen, da geh' ich mit. Wo gehen wir denn hin?" „Nun, wir gehen in's heilige Land, sagte ich, willst du mitgehen?" Das gute Mädchen weinte beinahe vor Freuden, und so viel ich ihr die Sache nur als einen hingeworfenen Scherz wieder ausreden wollte, so hielt sie im Ernste fest daran, und wir unterhielten uns sehr angenehm als Pilgerinen auf der Reise in's heilige Land, bis wir auf einem unwillkürlichen Umwege ganz im Dunkeln im Markte Weiz ankamen. Das Uebrige wird Ihnen durch mein Schreiben jetzt klarer sein, als es Ihnen ohnehin durch meinen Besuch noch bekannt ist. Und da ich von Ihrer freundlichen Theilnahme an meiner Reise überzeugt bin, so werde ich Sie manchmal mit einigen schriftlichen Mittheilungen aus der Ferne überraschen; jedesmal zur Erinnerung, daß das hingeworfene Wort: „Ich werde eine Wallfahrt nach Jerusalem machen," welches in Ihrem Kreise so würdevoll aufgenommen wurde, keine leere Rede war.

---

## Dritter Brief.

### An den hochwürdigen Herrn Pfarrer F. Sch.

Cilli, den 5. October 1847.

Da ich nicht gerne mit meinen Briefen überlästig bin, und doch nach dem alten Sprichworte: „Getheilte Freud' ist doppelt Freud'," mein seliges Vergnügen mittheilen möchte, so wähle ich, nur an Jene

zu schreiben, von denen ich weiß, daß Sie an meiner Reise hinlängliches
Interesse nehmen. Nun zweifle ich nicht, daß mein Unternehmen Ihre
Glaubensliebe in Anregung bringe. Auch werde ich nie vergessen, wie
Sie mich einmal im Gespräche in den tiefsten Tiefen meiner
geheimnißvollen Lebenswege auffaßten. Deßwegen
wende ich mich auch mit inniglicher Freimüthigkeit an Sie, um die
reichhaltige Fülle meiner Empfindungen, wenn gleich mit ungereimten
kahlen Worten, ein wenig abzulagern, wozu mir die Geduld des
Papiers sehr gut taugt, da Zeit und Gelegenheit, sich in innerlicher
Gemüthlichkeit auszusprechen, immer nur im Sturme vorüberziehen,
oder vielmehr sich gar nicht finden. Wahrlich ist auch nicht jeder
Ort gleich geeignet, dem Laufe der Gedanken gleichen Aufschwung zu
gewähren. Darum zieh' ich nach Jerusalem. — Ein örtliches
Interesse muß vorbehalten, geehrt und bewährt bleiben. — Unläugbar
stehen großartige Gegenstände da, an denen ein mystisches Miß=
fallen oder eine mystische Gunst des Herrn der Weltregierung
wahrzunehmen ist, und ohne Zweifel kann und wird es der Mensch=
heit nie zum Guten gereichen, derlei Anzeigen gleichgültig zu
übergehen, oder sie gar wissentlich, gleich albernen Dingen, zu
unterdrücken. Das Erkennen, das Staunen, das Aufmerken auf jene
Winke, das Bereitsein der Nutzanwendung, sind nothwendige Vorberei=
tungen, um die Stimme Gottes, die in allen Sprachen, d. h. auf ver=
schiedene Art und Weise sich der menschlichen Seele verständlich macht,
zu vernehmen. Sehen Sie, hochwürdiger Herr! da ich mich nun von
dem Werthe eines Ortes so überzeugt denke, so ist es wohl leicht
erklärbar, warum mein Sehnen, mein Verlangen, das gar kein Hinder=
niß kennt, mich so freudig nach dem heiligen Lande lenkt. Welcher Ort
kann mir theurer sein?—Ich wüßt' es wohl! Jede Kirche, die in ihren
Tabernakel das geheimnißvolle Zurückbleiben des Mensch gewordenen
Sohnes Gottes schließt. Diesen Trost des Lebens, der Gottlob in aller
Welt schon ausgestellt — ich finde ihn im Orient wie im Occident.
Dieß aus der Gnadenfülle hervorgegangene Opfer an die Menschheit!
nun denken Sie sich aber hinzu die heiligen Stätten, wo die Hand=
lungen menschlichen Seins hervorgebracht die höchste Glaubensfrucht,
wo geschichtlich die Erinnerung in materieller Anschaulichkeit das Herz
bewegt, wo der Glaube sich nährt, stärkt und überzeugt an seines
Ursprungs Stelle. Mein Fuß wird sie betreten diese Stel=
len, wo Jesus, Maria und Josef wandelten, wo das

Evangelium geprediget wurde, wo die Apostel lebten und der Heiland seine Wunder wirkte. Wo Er das ungeheuere, allen Menschenverstand übersteigende, geheimnißvolle Werk der Erlösung vollbrachte, wo Er lebte, litt und starb! — Wo Er seine Auferstehung, seine Himmelfahrt vor so viel geschichtlichen Zeugen feierte! Ohne Ende könnt' ich mir die Orte nennen und mich freuen: „Auch ich werde dort sein!" — Ich vertraue sicher auf den unmittelbaren Schutz Gottes, der mich geleiten und hinführen wird. Eben so rechne ich darauf, daß Sie, hochw. Herr! die Ausbrüche meiner seligen Empfindungen, die meine Wallfahrt nach Paläftina in mir hervorbringt, und die ich wie einen überfüllten Blüthenbaum vor Ihnen abzuschütteln gedenke, gütig aufnehmen werden.

---

## Vierter Brief.

### An meinen Bruder Zeno, Caplan in F.

Cilli, den 5. October 1847.

Theurer Bruder! Hier, wo ich mein erstes Nachtquartier hielt, und in einer Stunde mit dem Eilwagen nach Trieft abzufahren gedenke, denke ich auch an Dich, und kann es nicht unterlassen, einen Abschieds=gruß an Dich und die Geschwister zurückzusenden, und Dir von meiner Abreise eine Anzeige zu machen. Du warst zwar vor wenig Tagen bei mir, ich erwähnte jedoch absichtlich kein Wort, weil ich wußte, daß Du, mit meinem Vorhaben nicht einverstanden, mich davon abbringen wolltest, wenn Dir's nicht Herr Director B. abgerathen hätte, wofür ihn der Himmel segnen möge, ich werde es ihm im Gedächtniße zu behalten wissen. Du erwähnteft demnach auch nichts, und wir schieden, als hätte ich nichts vor mir. Doch da das Unternehmen nun glücklich begonnen, und, wie ich nicht zweifle, auch ausgeführt wird, will ich Dir einen genauen Reisebericht liefern, mit etwa dazu kommenden Be=merkungen, von denen ich meine, daß sie Dein Interesse in Anspruch nehmen könnten. Nachdem ich Niemandem eine Mittheilung meines

Vorhabens machte, als wo es nothwendig war, oder wem ich es aus
innerlichem Andrange anvertrauen wollte, beschloß ich am Rosenkranz-
Sonntage, als am Feste „Maria vom Sieg," mit der Eisenbahn
meinen Weg nach Cilli anzutreten. Jedoch gestalteten sich die Dinge derart, daß ich aus Liebe zu den mir anvertrauten Kindern, die ich mit
Uebereinstimmung ihrer Anverwandten, der Gouvernante, die meinen
Hausstand übernahm, zurückließ, in die Kirche ging und den Sonntag
noch mit ihnen zubrachte, somit den 4. Früh um sieben Uhr meine Reise
antrat. So schweigend ich meine Vorbereitungen traf, weil ich jedes
Aufsehen eines solchen Unternehmens vermeiden wollte, so war doch
einige Tage zuvor die ganze Stadt voll davon, doch Jedermann ehrte
mein Stillschweigen und nahm meinen allgemeinen Abschied, einmal eine
Ferienreise nach Triest und Venedig zu machen, huldvoll auf. „Wenn
es mir gut geht," setzte ich hinzu, „bleibe ich etwas länger aus." Dieß ist auch wirklich mein Ernst: denn ich bekenne Dir,
nur wenn es mir gut geht, werde ich vorwärts dringen, um
meine Reiseroute zu verfolgen. Ich kann ja überhaupt nicht wissen, ob
mich die See trägt? eine Probereise von Triest nach Venedig wird es
zeigen; denn die Seekrankheit und die Quarantaine hielten mich nebst
der Vorstellung von Unmöglichkeit, allein zu gehen, eine Zeit lang im
Respect. Ich besorge keinen Aufenthalt, um meinen Vorsatz auszuführen,
doch stelle ich Alles der Erfahrung anheim. Die gute Schwester Tony
bot seit längerer Zeit, als sie mein Treiben erfuhr, so sehr ich ihr's auch
vorenthielt, alles Mögliche auf, um mich davon abzubringen, wie Du es
selber weißt, und versuchte es auf jede mögliche Weise, mich abreden
zu lassen, welche Mühe man sich von mehreren Seiten gab, weil man
mir's nicht zutraut, daß ich mein Ziel erreiche. — Ich wußte jedoch
ein Bollwerk um mich aufzurichten, daß man mir nicht zukonnte. Meiner Sache obrigkeitlicherweise gewiß, bestimmte mich
weiter kein zweifelndes Fragen. Im letzten Augenblicke des
Scheidens entlockte mir meine Umgebung doch einige Thränen, und die
Schwester machte mich weich. Es dient dazu, daß ich die Rückkehr in
meine Vaterstadt, so viel an mir liegt, desto gewisser in mir entschieden
fühle. Sonntag war ich wohl sechsmal an der Thüre der guten Schwester, um Abschied zu nehmen und ihr die Sorgen über mein Hauswesen
nochmals zu empfehlen. Als ich aber Abends um acht Uhr zum letzten
Male kam, erfuhr ich, daß sie ihr Kind mit sich genommen und fortgegangen sei, um heute nicht mehr heimzukehren, damit sie dem Schmerze

ausweiche, mich zum letzten Male zu sehen. Auch meine Hausgenossen
brachen des Morgens, als ich fortging, an der Thüre in lautes Weinen aus. Ich küßte Alle und eilte davon. Der Schwager gab mir
ein Billet von der Schwester in die Hand, mit erbärmlichen Klagen
über meine Abreise, die Magd begleitete mich an den Bahnhof. Hier
beschäftigte mich der ernste Eindruck, den die Eisenbahnfahrt auf mich
machte; es war das das erste Mal, daß ich mich ihr anvertraute. Ein
Hauptmann sammt seinem Säbel, den er mir zur Seite stellte, wurde
sogleich mein erster Reisegefährte. Nicht lange, so waren wir bekannt,
und unterhielten uns sehr gut von Neapel und allen möglichen Reisen.
Er erzählte von der schönen Aussicht im Kloster St. Elmo, was er
mir eifrigst auftrug, es ja gewiß zu besuchen. Ich versprach es auch;
denn ich gedenke mich in Neapel einzuschiffen, um dieß schöne Land mit
seinem Vesuv zu besuchen, jedoch ist dafür noch kein eigentlicher Entschluß gefaßt. Das Bestimmtere in mir lautet: Ueber den Ort,
mich einzuschiffen, werde ich in Rom klar werden.
Einstweilen habe ich bis dahin noch eine hübsche Route zu verfolgen,
die habe ich mir jedoch schon vorgezeichnet. Gestern Mittags um
zwei Uhr kam ich in Cilli an, wo ich gleich Herrn **W.** mit seiner
jungen Frau besuchte, und auf's Freundlichste als Gast aufgenommen wurde. Heute besah ich mir die Stadt, die für eine Kreisstadt
Steiermarks alle Anerkennung eines sehr angenehmen Aufenthaltes
verdient. Als ich in die Kirche kam, wurde eben das heil. Geist-
Amt gehalten, wobei mir die Orgelbegleitung bei dem feierlichen Altar-
gesange des Priesters besonders auffiel, weil es sehr heilig stimmte, es
ließ sehr gut. Bei uns singt der Priester sein Vere dignum et
justum est ohne Begleitung. Es dünkte mich, als sei ich schon in
fernen Landen, von denen ich Dir sogleich Bericht ertheilen werde, wie
ich sie erreiche.

# Fünfter Brief.

## An Bruder Zeno.

Triest, den 6. October 1847.

Ich berichte Dir nur ganz kurz, daß ich sehr gut und wohlgemuth heute um 4 Uhr Nachmittags hier angekommen bin. Beim Absteigen aus dem Postwagen nahm ich mir sogleich einen servo di piazza, der mich auf die Polizei führte, um meinen Paß unterschreiben zu lassen; eben so in die Kanzlei des österreichischen Lloyd, um der Aufnahme auf dem Dampfer versichert zu sein, mit dem ich heute Nachts um 11 Uhr nach Venedig abfahren werde. Ich besah mir wohl die Stadt, doch viel zu wenig, um mehr sagen zu können, als: sie gefällt mir recht gut! denn die Familie Ch. die ich nicht ohne Besuch übergehen wollte, war auf ihrer Villa, eine halbe Stunde vor der Stadt. Ich hatte mit meinem guten Giovanne genug herumzulaufen, um Alles in Ordnung zu bringen. Bei dieser mir sehr werthen, liebenswürdigen Familie hielt ich mich ein wenig auf, auch möchte ich gerne noch einen Brief besorgen, und deßwegen bin ich so gedrängt mit meinen Zeilen an Dich. Meine Reise von Cilli bis Triest war nicht unangenehm und hätte mir sogar interessant werden können, wenn ich nicht die ganze Tour vorhinein bezahlt hätte. Du weißt, wie Erziehungs-Institute zu besuchen in meinem Interesse liegt. Es traf sich, daß ich mit Herrn Med. Dr. V. im Postwagen zu sitzen kam, der seine Tochter in das Institut der Ehrw. Ursulinerinen nach Laibach führte. Von diesem Institute hörte ich schon viel Lobenswerthes sprechen, was mir der Hr. Dr. noch mehr bestätigte, und es wäre mir sehr lieb gewesen, es besuchen zu können, um so viel mehr, als sich hierzu eine so gute Gelegenheit bot. Der Herr Dr. V. war so freundlich, mich einzuladen, in Laibach bei ihm zu verweilen, und hat mir angetragen, mich nicht nur mit seiner Tochter in besagtes Institut, sondern auch in die bedeutend große Zuckerfabrik zu führen. Der Conducteur ließ mich jedoch nicht zurück, und ich wollte ein zweites Mal nicht wieder zahlen, und so mußte ich Laibach in der Nacht passiren. Ich denke, es sammt Triest ein andermal zu besehen.

# Sechster Brief.

## An Herrn Cameralrath L. und seine Frau.

Triest, den 6. October 1847.

Obschon mich die Zeit etwas drängt, kann ich doch nicht umhin, Ihnen und Ihrer Frau, die das Unternehmen meiner Reise in's heil. Land im Lichte des Glaubens und der Liebe zu Jesu Christo so fromm aufgefaßt, meine Freude mitzutheilen, daß ich mich nun im Seehafen von Triest befinde, der mich bald weiter befördern wird. Könnte mich irgend ein Unfall aufhalten, mich däucht, ich hätte es bis hierher wahrgenommen. Noch habe ich zwar die Probe auf der See zu bestehen, doch ich ahne, es wird mir auch da gut gehen. Der herrliche Anblick der wahrlich schönen Hafenstadt Triest mit ihren abwechselnden Umgebungen vom Optschina aus, erhob mein Gemüth zu Gott, und es bewegte sich immer freier und freudiger, als sich meine gewohnte Gebirgskette in leichte, mit Weinbergen, Oel= und Orangenbäumen besetzten Hügeln auflöste, um sich in die Ebene des Meeres zu verlieren. Da lag es nun vor mir ausgebrei= tet das Sinnbild meiner Seele, das ich mir von Jugend auf als selbes dachte. Spiegelglatt und ruhig leuchtete die See im Glanze der Sonne in unabsehbarer Fläche und wohlbedeckter Rhede von Schiffen aller Art, die mit ihren Tau= werken und Mastbäumen das Auge bewundernd festhielten, anderer= seits die zierlichen Landhäuser auf den grünen Hügeln hingesäet, daß sie aussehen wie eine Gartenstadt. Es war mir beschieden, eine so herrliche Villa heute noch zu besuchen. Die Familie Ch. war nicht in der Stadt, ich fand sie in ihrem Sommerhause. Nebst aller Freund= lichkeit, die ich dort genoß, traf mich ein innigliches Entzücken, welches mitzutheilen ich Ihnen eigentlich heute noch schreibe.. Frau von Ch. brachte einen Thaler mit dem Ansuchen, ich möchte am heil. Grabe des Erlösers eine heil. Messe lesen lassen; darauf kamen die Fräulein mit der Bitte, eine heil. Messe am Grabe der heil. Jungfrau zu be= sorgen. Ich glaube nicht, daß man sich glücklicher fühlen kann, als ich es mit diesen Aufträgen war. Sie galten mir wie eine Bürg=

schaft, daß ich mein Ziel erreichen werde; wie eine Aufmunterung, meinen Weg zu verfolgen, um mich ihrer zu entledigen. In einfach frommer Gesinnung wurden sie mir gegeben; mit sicherer Zuversicht, als vollziehe ich Gottes Absicht, hoffe ich sie zu vollbringen. Mit vielen Segenswünschen und ermuthigenden Zusprüchen verließ ich den romantisch schönen Garten dieser liebenswürdigen, fromm-christlichen Familie.

---

## Siebenter Brief.

### An Bruder Zeno.

Venedig, den 7. October 1847.

Venedig, die weltberühmte Lagunenstadt, möchtest Du wohl auch gerne sehen, nicht wahr? Nun ich bin einmal hier angekommen! Und obgleich den ganzen Tag darin herumgelaufen, daß ich sammt dem alten Francesco, den ich als Führer aufnahm, nicht Zeit fand, um nur an ein Mittagsessen zu denken, so scheue ich es doch nicht, Dir meine neuen Begebenheiten mitzutheilen. Hab' ich gleich nichts gegessen, so hab' ich desto mehr gesehen, was zum essen dient. Ich könnte mir nicht vorstellen, daß es irgend eine Stadt gäbe, die besser verproviantirt wäre. Ganze lange Gassen gibt es, die beiderseits voll Boutiken von allen möglichen Fleisch-, Fisch- und Mehlspeisen-Zubereitungen überfüllt sind. Kaffeehäuser und Obstständer, wo man nur hinsieht! Ich meinerseits war vom Sehen gesättigt, das heißt vom Sehen dessen, was diese ausgezeichnete Stadt Sehenswürdiges darbietet. Nach einer sehr vergnügten Fahrt auf dem Dampfschiffe „Marianna," wo ich mich die Nacht über auf dem Verdecke aufhielt, obschon ich den zweiten Platz gezahlt hatte, ankerten wir Früh um acht Uhr. Denke Dir mein interessantes Erstaunen. Als ich über die Schiffstiege hinab in die Gondel stieg, und der Ungewohntheit wegen ein wenig scheu umherschaute, reichte mir mein Reisegefährte, Herr Hauptmann S., die Hand, nahm mich in seinen Schutz und so schau=

kelte ich zum ersten Male auf einem so kleinen Fahrzeuge, das rechts und links das Wasser einzuschöpfen schien, schnurgerade an die Locanda della Luna. Ein wunderschönes elegantes Haus! Konnte mich jedoch nicht entschließen, ein Zimmer dort zu nehmen. Ich sah eine Menge Herren und ganz noble Cameriere; meine natürliche Schüchternheit, mich in einem Gasthofe zu wissen, machte mich davoneilen. Ich übergab dem Herrn Hauptmann, der mir einen servo di piazza besorgte, meine Reisetasche zur Aufbewahrung, und trat meine Wanderung nach dem weltberühmten St. Marcusplatze an. Mit der Eile, die mich beflügelte, stand ich plötzlich mitten darin, aber statt auf einem gutgepflasterten, freien großen Platze, wie ich ihn mir vorstellte, befand ich mich, wie es mir schien, in einem großen Saale, dessen hohe Wände mit der großartigsten Architectur bemalt sind. Vor mir die St. Marcuskirche. Der Platz ist auf allen Seiten mit Säulengängen umgeben, der Boden mit glatten Steinen belegt, die ihn zum schönsten Salon erheben; die Palläste von einer kaum erreichbaren Höhe. Das menschliche Leben scheint hier einen Versammlungsplatz seines Kunstsinnes aufgeschlagen zu haben. Es geht auch ziemlich lebhaft zu. Als ich in die Kirche trat, das erste weltberühmte Meisterwerk, was ich sah, war ich über ihre Größe erstaunt. Sie ist in runder Form gebaut, das Pflaster Mosaik. Nachdem ich meinem Gott dankte, hier zu sein, besah ich die Altäre, da brachte man ein Kind zur Taufe in einem artig geformten gläsernen Kästchen. Es war vermuthlich vornehmer Leute Kind, denn es standen sehr schön gekleidete Damen neben. Ich wohnte der heil. Handlung bei, freute mich des neu getauften Christenkindes, und zog dann weiter. Ich hatte noch viel zu sehen. Kirchen und Klöster, Spitäler und Arsenale, Palläste und Gärten, Plätze wo gefahren wird, Gassen und Straßen mit ihren schwarzen Gondeln, die mich unwillkürlich wie Särge ansprachen. Venedig ist nur Eines, aber da bleiben möchte ich nicht. Nach manchen Erzählungen meinte ich, man müsse von Haus zu Haus auf den Gondeln spazieren fahren, das ist aber nicht so. Man kann Tage lang in den bequemsten Straßen und breiten, freien Plätzen neben dem Meere, die eine schöne Ansicht gewähren, in der bedeutend großen Lagunenstadt sich trockenen Fußes hin und her bewegen, ohne daß man zu meinen braucht, sie stehe mitten im Meere. Die Wasserstraßen mit ihren Todtensarg-Gondeln, über die Brücken gezogen sind, sehen aus wie Canäle. Während meines Herumgehens begegnete mir der Herr

Doctor, mit dem ich mich auf dem Verdecke des Schiffes in ange=
nehmen Gesprächen sehr gut unterhielt. Ein Venetianer und hier zu
Hause, machte er mich auf verschiedene Sehenswürdigkeiten aufmerk=
sam; z. B. auf die große Brücke, die man wohl nicht unbeachtet las=
sen soll, wenn man in Venedig ist, so wie das Arsenal, welches als
das erste in der Welt bisher seinen Werth behauptet hat. — Im
Salesianer Kloster sprach ich eine geraume Zeit mit der Oberin, einer
in der Rede sehr geistlich liebenswürdigen Frau. Jedoch das Erzie=
hungs=Institut zu besuchen gehört zu den Unmöglichkeiten, weil es sich
innerhalb der Clausur befindet. Was ich von dem im Innern sehr
geräumigen Gebäude sehen konnte, gefiel mir so gut, daß ich bat, über
die Nacht darinnen verbleiben zu dürfen, da ich eine große Scheu habe
vor den Gasthöfen. Auch wollte ich im Hause keine Ungelegenheit
veranlassen, indem ich mich glücklich schätzte, im Vorzimmer vor dem
Klostergitter auf dem Boden, meinen Tornister unter dem Kopfe, mein
Nachtlager aufschlagen zu dürfen, was mir die sonst so gute Frau jedoch
standhaft verweigerte, weil man in den Klöstern Niemand be=
herbergen darf. Da habe ich mich schön verrechnet. Ich freute mich
so manchmal, in den geheiligten Mauern frommer Nonnen eine Nacht
meines Lebens verschlafen zu können, und den Gasthöfen auf meiner
Reise wenigstens manchmal auszuweichen. Als es Abend wurde, ging
ich mit Francesco in ein Kaffehhaus; der gute Mensch lief mit mir
den ganzen Tag herum, ohne sich einmal zu beklagen, oder von einer
Mittagszeit zu reden; dann führte er mich in ein Privathaus, wo
man Zimmer für Fremde vermiethet. Hier befinde ich mich in einem
sehr eleganten Gemache, habe mich auch so bequem gemacht, als sollte
ich hier verbleiben; der weißbraune und schwarze Mosaikboden spricht
das Auge gar freundlich an, bin jedoch Willens, morgen um 11 Uhr
mit der Eisenbahn nach Padova zu fahren. Dem guten Francesco
mußte ich einen Thaler geben, mein Nachtquartier kostet 1 fl., natür=
lich Alles in guter Münze.

# Achter Brief.

## An Se. Hochwürden den Herrn Gubernialrath J. N. K.

Venedig, den 8. October 1847.

Das Großartige und ganz Einzige seiner Art der venetianischen Hauptstadt, mitten im Wasser gebaut, und Hunderten von Jahren der Geschichte reichen Stoff bietend, fordert mich auf, Ew. Gnaden, ehe ich dieß Wunderwerk menschlicher Kunst und Erfindungen verlasse, zu schreiben. Nun, da ich daran bin, von Venedig abzureisen, wird mich hoffentlich nichts mehr verhindern, meine Reise zu vollenden. Gestern besah ich die Kirchen und merkwürdigeren Institute der Stadt. — Nebst der berühmten St. Marcuskirche zog die Jesuitenkirche mit ihrer Größe, ihrem schönen Baustyle und dem ganz eigenen Geiste, der ihr innewohnt und einen anweht, wenn man hineintritt, meine Aufmerksamkeit an sich. Auch St. Johann gehört unstreitig zu den schönsten Kunstgebäuden kirchlich frommer Andacht. Den alten Dogen-Pallast hätte ich gerne im Innern gesehen, wenn mich Zeit und Umstände dazu veranlaßt hätten. Der servo di piazza, der mich herumführte, lief durch alle Gassen, in den Kirchen aus und ein, und ich hinter ihm drein. Wenn ich ein Gemälde, Säulen, Mosaik, Einlagen oder Altäre näher beseßen oder ein wenig die ungewohnte Größe der Kirchen bewundern wollte, zupfte er mich sogleich mit dem Bedeuten, weiter zu gehen; von einem Institutsbesuche wollte er gar nichts wissen; er meinte, es lohne sich nicht. Ich war jedoch damit nicht zufrieden, und da mir, als wir darüber im Gespräche waren, ein ungemein großes Gebäude auffiel, so fragte ich trotz seiner Widerrede, die Wache, die am Thore stand, was das für ein Haus sei? Das Stadt-Hospital! war die Antwort. Ich fragte wieder: ob es erlaubt sei, hineinzugehen? worauf der Soldat auf die Seite trat und mir höflich mit der Hand den Eingang wies. Der gute servo di piazza mußte nun nach, wollte er oder nicht. Kaum in der weiten Hausflur vorgetreten, kam mir der Inspector der Anstalt entgegen, der mir mit aller Freundlichkeit Diener zuwies, die mich im ganzen Hause, sowohl Männer- als Frauenspital, herumführten. Ich war ganz stumm vor Erstaunen über die Weitläufigkeit und vollkommen ordentliche, äußerst nette, ganz practische Einrichtung für mehr als dreitausend Kranke. Eine bedeutende Abtheilung für Kinder, und ein großes Locale für die Irren. Die Säle lang, weit und hoch, die Betten rein und gleich; das bedienende Personale ist nicht starkzählig zu der großen Anzahl von Kranken, doch genügend durch das, was dem Auge geboten ist, gelassen und gefällig im Benehmen, und die, welche die Aufsicht führen, sicher in ihrem Benehmen. Capellen und Altäre in den Krankensälen zeigen von der vollkommenen Pflege der sich dort befindlichen Menschen, nämlich der nothwendigen Körperpflege und der nicht zu vernachläßigenden christlich frommen Seelenpflege. Ich möchte mir selbst dankbar sein, daß ich an diesem Hause nicht vorüberging, und vergebe es meinem eilenden Führer gerne, dem ich viel zu lange verweilte, daß er mich links und rechts zupfte, um diesem und jenem einen Zwanziger zu geben, worauf diese ehrenwerthen Personen, die Fremde mit offener Einfachheit zu behandeln wissen, gar keinen Anspruch zu machen schienen. Es spricht mich ganz besonders an, Ew. Gnaden meinen Besuch im Hospitale mitzutheilen, ehe ich Venedig verlasse, um das Gute anzuerkennen nach seinem Verdienste. Mich däucht, von derlei guten Einrichtungen, die eigentlich den Werth einer Stadt bestimmen und ihre schönsten Zierden sind, die zum Muster und zur Nacheiferung anderer löblicher Unternehmen zu dienen geeignet sind, wird viel zu wenig Erhebliches gesprochen. Um Schulen oder Erziehungs-Institute zu besuchen, ist die gegenwärtige Zeit nicht die günstigste, weil sie eine Ferienzeit ist.

---

## Neunter Brief.

### An den Herrn Med. Doctor K.

Padova, den 8. October 1847.

Ihr gütiges Empfehlungsschreiben an Herrn Doctor St. hier in Padova, welches mich an einen Führer in der alten Universitätsstadt hätte anweisen sollen, kann ich zu meinem Leidwesen nicht hinterbrin-

2

gen; denn Hr. Dr. St. besindet sich auf Ferienreisen und seine Frau auf einer Villa. Nun damit wäre ich fertig, und in dem alten gro-ßen Padova allein; doch zum Glücke fand ich Ersatz. Kaufmann P., dessen Frau mit ihren Kindern zur Luftveränderung vor Kurzem bei ihren Aeltern in Graz war, und die Mädchen zu mir in die Schule schickte, war, als ich ihn besuchte, um meine kleinen Padovanerinen zu grüßen, so freundlich, mich sogleich in sein Haus einzuladen, wo ich nun als Gast in bester Pflege und Bequemlichkeit lebe, mir die Stadt besehe und schreibe nach Belieben. Auch noch ein Ersatz; ein anderes Empfehlungsschreiben ward mir zu Theil. Als ich mit dem Omnibus von der Eisenbahn in die Stadt fuhr, interessirte sich der Hofmeister des preußischen Ministers in Florenz, ein katholischer Priester, der eben auch Ferienreisen machte, für meine Wallfahrt derart, daß ich die selige Freude niemals vergessen werde, die ich bei seinen Aeußerungen zarter Liebe für Jesum Christum, und der Verehrung der heil. Orte, die sein Fuß auf Erden betrat, empfand. **Gleiche Gesinnungen erheben den Muth, darum ist die inner= liche Aussprache in wohlverstandener Sphäre von so unberechenbarem Gewinne.** Sein Weg führte ihn ohne Auf= enthalt von Padova eilends weiter. In cruce d'oro angekommen, schrieb er mir sogleich ein Empfehlungsschreiben an seinen Freund in Bologna mit dem Auftrage, mich gleich dort zu melden und Alles zu sagen, was ich bedürfe. Eine andere Adresse gab er mir nach Florenz an die Jägersfrau des Ministers, damit sie sogleich auf das Landgut schicke, um ihm meine Ankunft in Florenz zu melden, denn er rechnete, früher dort anzukommen als ich, besonders da ich mich in den Städten aufzuhalten gedenke und im römischen Gebiete meine Reise zu Fuß zu machen Willens bin. Auch in Triest war ich so glücklich, dem Em-pfehlungsschreiben Ihrer Frau an den Herrn General=Consul v. L. in Alexandrien ein zweites beigefügt zu bekommen. Herr v. Ch., ein Onkel des Herrn General=Consuls, den ich besuchte, weil ich die Ehre habe, diese schätzbare Familie zu kennen, gab mir einen Brief mit, der mir gewiß eine freundliche Aufnahme bereiten wird. Auch bot mir Hr. v. Ch. sehr gütig an, mich nur auf seinen Namen zu berufen, wenn mir irgendwo ein Unfall begegnen, oder ich in eine Verlegenheit gerathen sollte. Da Ihre Theilnahme an meiner Reise und der letzte Besuch mit Ihrer Frau immer dankbar meiner Erinnerung vorschwe-ben wird, so weiß ich Sie Beide nicht besser zufrieden zu stellen, als

wenn ich Ihnen sage: daß es mir gut geht und daß ich
sehr gesund und vergnügt bin. Nun etwas von meiner
Ueberfahrt von Triest nach Venedig als Probe, ob ich das Schaukeln
des Schiffes vertrage. Sie werden sich vielleicht erinnern, daß ich
nach dem mir fast unmöglich scheinenden Alleingehen mich vor nichts
zu scheuen aussprach, als vor der Seekrankheit und der Quarantaine.
Die Unmöglichkeit des Alleinreisens ist verschwunden, die Quarantaine
fürchte ich auch nicht mehr, und wie ich mit der allergrößten Furcht
vor der Seekrankheit fertig wurde, das will ich Ihnen jetzt erzählen:
Ich fuhr mit dem nächtlichen Zuge und begab mich ziemlich frühzeitig
auf das Schiff, um mich mit der Einrichtung desselben ein wenig bekannt zu machen. Ich fand, daß es mir auf dem Verdecke am besten
tauge. Als das Schiff vom Stapel ging, — wer beschreibt wohl mein
Gefühl! ich vermag es nicht. Erhaben, ruhig war's mir in
der Seele. — Obschon es bei Tage regnete, und man eine Auf-
regung des Meeres erwartete, so gleitete der Dampfer in heiterer
Sternennacht, im Glanze des Wiederscheines auf spiegelnder See, in
brausender Eile ganz ruhig, wie spielend, dahin. Die
glühenden Funken, die aus seinem Schlunde sprühten, und in dem
Qualm des schwarzen Dampfes, der sich in dichten Wolken empor-
drängte, das schönste Schauspiel dem Auge boten, glichen einem
Feuerwerke, das Raketen und Leuchtkugeln in die Höhe wirft. Ich
blieb am Vordertheil des Schiffes und lehnte am Aufzug des An-
kers, mit einem venetianischen Rechtsgelehrten im Gespräche die Zeit
verkürzend. Gegen Mitternacht suchte jedoch der Schlaf seine Rechte
zu behaupten. Mich ein wenig bequem machend und den Kopf auf die
Hände gelegt, schlief ich ganz angenehm ein, noch immer die gefürch-
teten Uebelkeiten erwartend. Da kam im Traume ein Knabe zu mir,
etwa zwölf Jahre alt, und reichte mir ein Glas, bis in die Hälfte
mit einem mattgelben Getränke gefüllt; ich sah es etwas befremdend
an; denn ich liebe nicht Getränke oder Speisen zu kosten, am wenigsten Arzneien, der Knabe rieth mir's jedoch für das Seeübel zu nehmen, ich fühlte mich durch seine freundliche Weise überzeugt und trank.
Ich kann nicht sagen, was es war, es hatte einen milden, ölichten
Geschmack und hinterließ dem Halse ein angenehm stärkendes Etwas,
von dem ich gleich darauf erwachend wahrnahm, daß es mich vor Anfällen von Uebelkeit bewahre. Kaum war ich wieder ganz sanft ein-
geschlummert, fiel eine ganze Last auf mich, daß ich erschreckt erwachte.

2 *

Eine Frau, welche die Ueblichkeiten aus dem Schiffsgrunde heraufge-
trieben, stürzte durch das Schaukeln des Schiffes auf mich zu, hielt
mich auch gleich mit beiden Händen und klagte mir, sie wisse sich nicht
zu helfen. Plötzlich aus dem Schlafe geweckt, was für mich nie von guten Folgen ist, die Frau mit ihrem Erbrechen neben mir, regte meine
Furcht wieder an, ich versuchte ein wenig egoistisch zu denken, indem
ich mir vorstellte: du kannst ihr das Uebel nicht nehmen, sieh' zu, daß
du durch Ruhe dich selber bewahrest. Ich rieth ihr, sich über Bord
zu halten, und neigte meinen Kopf wieder zum Schlummer hin, wahr-
nehmend, daß die Erinnerung und das Mitleiden für diese Frau mich
ganz leicht in ihre Lage hineinbringen könnte. Der Knabe reichte mir
im Traume wieder jenes angezeigte Glas mit der gelben Substanz;
ich trank, und dessen angenehm stärkende Wirkung fühlte ich auch wachend im Halse, und mir blieb gut. Ist das nicht von ärztlichem
Interesse? Vielleicht wissen Sie es, Herr Doctor! was es war, oder
Sie möchten es gerne wissen? Ich dachte an Sie und nahm mir vor,
den Knaben im Traume zu fragen, was es sei, wenn er wieder kommen sollte; er kam aber nicht wieder. Dieselbe Frau, von der ich Ihnen
eben erzählte, traf ich wieder im Omnibus, der mich vom Bahnhof in die
Stadt nach Padova führte, und sie war es, die durch ihr Gespräch die
Aufmerksamkeit des erwähnten geistlichen Herrn auf mich zog. Etwa
um 3 Uhr erwachte ich etwas müde von meinem unbequemen Lager,
und da ich mich übrigens sehr wohl fühlte, und der ganzen Furcht von
Uebelkeiten enthoben, stieg ich in den Schiffsraum hinab, der so mit
Menschen angefüllt war, daß der ganze Boden voll mit den vornehmsten Herren lag. An der letzten Stufe der Stiege setzte ich mich nie-
der, legte den Kopf auf die zweite Stufe und schlief köstlich, bis der
Morgen anbrach und sich Alles auf die Füße machte.

# Zehnter Brief.

## An den hochwürdigen Herrn Chorvicar M.

Padova, den 8. October 1847.

Nun habe ich die vorgesetzte Grenze als Probereise, ob ich auf meiner etwas fernen Wallfahrt fortkomme, im besten Wohlsein überschritten; und ich wende mich nun brieflich im Triumphe an Sie, hochw. Herr! mich erinnernd an Ihr zweifelhaftes Zutrauen, daß es mir auch nur möglich wäre, so ganz allein nach Venedig zu kommen, viel weniger weiter. Und wie gerne Sie mich abgeredet hätten, mein Vorhaben auszuführen! Ich versichere Sie, mir sind bisher schon so viele Begünstigungen und Erleichterungen, dieß mein Vorhaben getreu in Erfüllung zu bringen, vorgekommen, daß ich mich mit jedem Tage mehr versichert finde, dem göttlichen Wohlgefallen gemäß in die weite Welt hinauszuwandern, bis ich das heil. Land erreiche. Nein, gewiß, solche Eingriffe läßt der himmlische Vater den schwarzen Buben nicht angehen, um Einem auf solche Weise irre zu führen. Schon der Gedanke, daß ich kommenden Winter der eisigen Kälte in Steiermark entgehe, macht mich vor Freude lachen. Ich fühle mich in Italiens warmem Clima sehr gesund und munter. Die ganze Nacht im Postwagen fahren und neben dem Cigarrenrauch sitzen, das macht mir Alles nichts. Den heiligen Antonius von Padova in Padova zu grüßen, ersetzt so kleine Ungemächlichkeiten reichlich. Eben komme ich aus dieser weltberühmten Kirche nach Hause und setze mich sogleich, um an Sie zu schreiben, weil ich ganz besonders darinnen an Sie, hochwürdiger Herr! erinnert wurde. Daß ich mit gespanntem Interesse in die St. Antoniuskirche in Padova eintrat, läßt sich ermessen, doch mein Horchen und mein Staunen, die heiligen Gefühle, die meine Seele zum Himmel erhoben, die lassen sich nicht bemessen; als die Paters Minoriten, die diese Kirche besorgen, und die eben im Chor waren, ihren volltönig, harmonisch-feierlichen Gesang anstimmten. Die vielen sehr schönen Männerstimmen erfüllten die im Nachmittage ganz leeren weiten Kirchenhallen mit himmlischem

Wiederklänge. Wenigstens meinem Ohre, das durch meine innere Seelenstimmung darauf vorbereitet war, erklang dieser Gesang so hold. Er dauerte eine geraume Zeit; ich hätte Ihnen gerne einen Theil davon hinüber geschickt über's Meer, in die Domkirche nach Graz. Ich gedachte Ihrer im Gebete, auch unseres Männer-Gesangs-Vereines gedachte ich, der mit halbwegs guter Richtung sehr viel zur Volks- bildung, zur Veredlung der Gemüther beitragen könnte. Darum freute ich mich auch sehr bei seinem Entstehen. Wenn die Her- ren auch nicht im geistlichen Chor singen, wie hier die Minoriten, ihre Ausflüge in den Wald können mit zarter Wahl der Lieder, im frohen Sinne und edlem Benehmen das Lob Gottes weit und breit verkün- den, indem viele Hunderte ihrer Zuhörer mit frohem Herzen und besser gestimmtem Gemüthe heimkehren.

## Eilfter Brief.

### An Se. Hochw. den Herrn Gubernialrath J. N. K.

Padova, den 9. October 1847.

Aus dem mit ihrer Universität ohnehin genug bekannten Padova gedachte ich nicht an Ew. Gnaden zu schreiben, wenn mich nicht die verlassene Kirche di Santa Justina in ihrer auffallenden Großartigkeit dazu vermocht hätte. Es ist wahrlich unbegreiflich, wie ein solches Meisterwerk von Kunst und Größe, ein Zusammenfluß von Allem, was einen Tempel Gottes anziehend und erhaben darstellen kann, in solcher abgeschiedener Einsamkeit dastehen kann! Dieses Gebäude, das nebst der werthvollen St. Antoniuskirche die Zierde einer Stadt Padova, so ausgedehnt diese auch ist, sein könnte, steht leer und unbeachtet da. Selbst die Gegend in ihrer Nähe ist wie todt, öde und unbesucht. Um den Umfang ihres inneren Raumes zu fassen, muß man sich vorstellen, wie ein Regiment Soldaten in Parade steht, um Revue halten zu lassen; denn nach Landessitte ist sie ohne

Kirchenstühle in ihrer Mittelhalle. Als ich mich in dieser Weitläufig=
keit erstaunend umsah, und die Altäre aufsuchte, kam ein Priester, der
Einzige, der täglich in dieser mit unzähligen Altären und Capellen be=
reicherten Kirche die Messe liest. Nach ihm kam der Meßner, wie sich
wundernd und ganz ungewohnt, daß Jemand dieses verlassenen Hauses
wieder einmal gedenke. Beide waren wortkarg, still und traurig, matt
und hager, wie Schatten einer anderen Welt. Wenn jemals
irgend eine Umgebung meine lebhafte Theilnahme erregte, so war es
die, in der ich mich befand. Der Priester entfernte sich gerührt, nach=
dem wir uns über den Eindruck, den diese so herrliche Kirche in ihrer
Verlassenheit auf mich machte, leicht verständigt hatten. Der
Meßner blieb, um mich mit den Kostbarkeiten und Schätzen der mir in
ihrer Einsamkeit mitten in einer so großen Stadt, so merkwürdig ge=
wordenen Kirche zu zeigen. Außer den vollständigen Gebeinen der hei=
ligen Justina in dem herrlichen, mit Stufen gebauten Altare in Mitte
der Kirche frei von allen Seiten, sind an den Seitenaltären noch vier=
zehn andere vollständige heilige Leiber. So reich an Reliquien
wird nicht leicht eine Kirche gefunden werden. Nebst
den werthvollsten Gemälden und kunstvollen Bildhauer=Arbeiten, welche
diese Kirche zu einer der prunkvollsten in Italien macht, so wie sie an
Größe zu den weltberühmten gehört, prangt eine Kreuzabnahme als
Meisterstück von Michel Angelo, aus einem einzigen Stück Marmor ge=
hauen, weiß wie Alabaster, die Personen in kolossaler Größe. Selbst
an Sonn= und Feiertagen bleibt diese Kirche leer, Niemand in der
Stadt kümmert sich um sie. Sie gehört dem Benedictiner=Orden. Das
dabei sich befindliche Klostergebäude ist zur Caserne geworden. Als ich
herausging, konnte ich mir's nicht verwehren, zu denken: Es ist ein
Verstoß der Regierung, wenn nicht gegen die Reli=
gion, doch gegen Kunst und Achtung dessen, was
unsere Vorfahren zur edlen Nachahmung uns hinter=
ließen, ein solches Gebäude verkommen zu lassen. Man
zeigte mir beschädigte Plätze, wo das Wasser eingedrungen. Ich ging
langsam die menschenleere Straße hin, da begegnete ich dem Bischofe,
der in Begleitung eines Priesters gegen mich zukam. Ach wie gerne
hätte ich ihm mein Leid um der verlassenen Kirche di Santa Justina
geklagt! Es war noch viel zu sehen für mich in Padova, was ich be=
nützte, um mich auf andere Gedanken zu bringen. Ich besuchte die
Schwestern du sacré coeur, wurde sehr freundlich aufgenommen und

im Hause herumgeführt. Man zeigte mir die ganze Einrichtung des Institutes, obschon Alles im Baue und neuer Einrichtung begriffen war. Uebrigens ist Ferienzeit, folglich keine Activität der Schule zu sehen. Das Benehmen der Schwestern und die Art und Weise, wie sie eine Fremde, die sie besuchte, aufnahmen und mit ihr sprachen, zeigt von höherer Bildung und dem eigentlichen Auffassen ihres Berufes, nicht nur für Erziehung, sondern auch ihres geistlichen Standes. Es macht keinen guten Eindruck, wenn sich die Kloster=bewohner vor den weltlichen Personen so schroff zurückziehen, am we=nigsten, wenn sie sich mit der Erziehung ihrer Töchter befassen. In einer Privatschule, wo man mich eben sehr freundlich aufnahm, sah ich einige Prüfungsarbeiten, welche die Mädchen noch nicht abgeholt hat=ten. Mir gefiel die Zierlichkeit, mit der die Sache geordnet war, noch mehr aber die Gegenstände der vorgelegten Arbeiten. Da sah ich Staubtücher und Servietten, sehr nett verstochen und mit feinen Näh=ten ausgestückt. Ich lobte mir die gute Schule, es waren auch Kinder da, die so freundlich um mich sich schmiegten, als wären sie aus mei=ner Schule. Eine ganz besondere Aufmerksamkeit und Würdigung ver=dient jedoch vor allen Anstalten das Blinden=Institut. Bei sehr ordentlicher, zweckmäßiger Einrichtung des ganzen Hauses und der Zeiteintheilung findet man die armen Blinden mit verwunderlicher Ge=schicklichkeit bei verschiedenen Arbeiten. Ein Mann mit einer leeren Augenhöhle, und das andere weiß ohne Augapfel, arbeitete ganz be=hende an einer Drechselbank. In einem Zimmer fand ich einige Kna=ben von 8—12 Jahren mit Korbflechten beschäftigt, und das nicht etwa mit ganz gemeinen Körben, sondern mit sehr zierlichen. Unter dem Thore traf ich einen blinden Menschen, der fegte die Hausflur und wies mir den Weg, als ich ihn um den weiteren Eingang in das Institut fragte. Es ist Ferienzeit und somit die Beschäftigung der Blinden in ihrer Verschiedenartigkeit nicht so im Gange. Gerührt und erstaunt verließ ich die Anstalt, in der ein so großes mensch=liches Elend auf solche Weise gemildert wird. Nach der freundlichen Einladung der Aufseher, die mich herumführten, ginge ich sehr gerne noch einmal hin, wenn ich dazu Zeit fände.

## Zwölfter Brief.

### An Bruder Zeno.

Padova, den 9. October 1847.

Fühle doch ein wenig mit mir die Freude, lieber Bruder! denn ich
schreibe Dir aus Padova. Wie stellt man sich das schon so wichtig
und ferne vor, wenn man vom heiligen Antonio von Padova spricht.
Diesem Heiligen verdankt die Stadt ihre Weltberühmtheit. Zwar tra=
gen auch die Doctoren von Padova einen Theil dieses Ruhmes. Diese
alte Universitätsstadt, die in der Ferienzeit, so wie ich mich überzeuge,
ganz einsam und öde mit ihren ziemlich breiten, in manchen Theilen
etwas grasigen Straßen dasteht, dürfte jedoch als eine sehr schöne
große Stadt in's Auge fallen, wenn die Häuser reparirt und renovirt
würden, wozu ich einen bedeutenden Anfang wahrnehme. Diese übri=
gens sehr interessante Stadt wird noch einmal
Epoche machen, wie es mir vorkömmt. Als großartige Neu=
bauten und wirklich verdienter Berühmtheit zeigt sie ihr Caffé Parocki.
Weil man denn gar so viel davon erzählte, und es mir im Vorüber=
gehen, unter einer Belagerung von vornehmen Herren, ganz leuchtend
herausblitzte, so wählte ich eine Zeit, wo es eben unbesucht war,
und ließ mich durch diese Reihe von Sälen führen, die ohne weiters
in ihrem grandiösen Raume und ihrer eleganten Einrichtung einen
Fremdenbesuch verdienen. Da ich mich hier bei Hrn. P. in freund=
schaftlicher Obsorge befinde, und ein Paar Tage verweile, so nahm
ich' mir keinen servo di piazza zur Begleitung auf. Gestern führte
man mich vom Hause aus, und heute verlegte ich mich ein wenig auf's
Fragen; da ich mir das Ziel und Ende meiner Wanderungen auf=
gezeichnet hatte, nämlich die Merkwürdigkeiten der Stadt zu besehen.
Als ich so durch eine einsame Straße zog, ging ein kleiner Seminarist
im geistlichen Kleide mir zur Seite. Der Knabe hatte kaum 13 Jahre.
Es war für mich die erste Erscheinung der Art. Nachdem ich den
kleinen geistlichen Herrn in seinem Talar mit breiter Binde etwas ver=
wundert anschaute, fragte ich ihn, wohin ich mich wenden soll, um
die Damen di sacro cuore aufzufinden. Der kleine junge Herr trug

sich sogleich sehr gefällig an, mich hinzuführen. Wir wurden gar bald die besten Freunde, und er ging wohl einige Stunden lang mit mir herum, indem er, wie er sagte, nichts zu versäumen habe. Ohne ihn hätte ich das Ziel meiner Wege nicht so leicht erreicht, indem man durch ganze lange Gassen gehen kann, ohne Jemanden zu begegnen, um fragen zu können. Ich wollte ihm beim Abschiede eine kleine Erkenntlichkeit geben, die er aber nicht annahm; sondern sein Vergnügen aussprach, einer Fremden dienen zu können. Dieser Knabe mit seiner liebenswürdigen Ernsthaftigkeit und seiner uneigennützigen Gefälligkeit, die seinem Kleide Ehre macht, wird mir auch unvergeßlich bleiben. Als ich nach Hause kam, war Herr **P.** so umsichtig und gefällig, mich zu mahnen, mein Geld einzuwechseln, was er auch sogleich selbst mit aller Aufmerksamkeit that, indem er mir meine Banknoten mit Napoleonsd'or und Fünffrankenstücke eintauschte, weil dieß eine im Oriente allgemein gangbare Münze ist. Dadurch ist wieder eine Versicherung und nöthige Vorkehrung für die weitere Reise getroffen. Morgen Früh geht's nach Ferrara. Von Venedig nach Padova fährt man auf der Eisenbahn nur eine Stunde, doch diese Stunde ist von bedeutender Wichtigkeit, wenn man beachtet, mit welchem Kunstgetriebe die Menschen diesen Weg über die Lagunen anlegten. Ich fand keine ansprechende Gesellschaft und war somit auf meine eigenen Betrachtungen beschränkt. Hingegen machte ich im Omnibus vom Bahnhofe bis in die Stadt eine sehr interessante Bekanntschaft. Ich hätte mich des Omnibus gar nicht bedient, wenn es nicht geregnet hätte. Kaum stieg ich hinein, setzte sich eine Frau mir zur Seite, die sich auf der Ueberfahrt von Triest nach Venedig ganz unverhofft an mich lehnte, um für ihr Seeübel Hilfe und Zuflucht zu suchen; sie erinnerte sich sogleich daran und knüpfte ihr Gespräch an das Vorhaben meiner Reise. Ein Herr, der mir gegenüber saß, horchte ganz aufmerksam, von einer Reise nach Jerusalem reden zu hören und gewann das eifrigste Interesse für eine Pilgerin nach Palästina. Er ist ein Preuße und Sprachenlehrer bei den Kindern des preußischen Ministers in Florenz, und Priester der römisch-katholischen Kirche. Wir stiegen im cruce d'oro ab, wo er mir eilig im nächsten Zimmer, weil er sich nicht aufhalten konnte, seine Adresse gab. Und im Falle ich früher nach Florenz käme, als er, oder er sich auf der Villa des Ministers befände, eine Adresse an die Jägersfrau des Ministers, daß man ihm sogleich Post sage, und er käme, um mich in der Stadt herumzuführen. Auch gab er mir ein Schreiben an seinen Freund in Bologna, hieß mich diesen bei meiner Ankunft dort sogleich aufzusuchen, und versicherte mich, daß ich mit Allem, was ich wünsche, versorgt sein werde. Dieß Alles ist mir sehr angenehm; denn ich komme mir in der Ferne jetzt nicht mehr fremd vor, da ich weiß, wohin ich mich in diesen großen Städten zu wenden habe.

---

## Dreizehnter Brief.

### An den geistlichen Herrn Chorvicar M.

Ferrara, den 11. October 1847.

Nun muß ich Ihnen schon die Freude machen, geistlicher Herr, und Ihnen erzählen, daß Sie es bald getroffen hätten, daß ich bei Zeiten zurückkommen werde, nur ist zum Glück nichts daraus geworden. Ich sitze fest und ruhig mit unterschriebenem Passe im römischen Gebiete in meinem Zimmer der annunziata della santa Maria in aller Bequemlichkeit, und während ich Ihnen zu berichten suche, wie es mir erging, ehe ich den Po passirte, spielt eine Violine eine sehr angenehme Ariette unter meinem Fenster. In Rovigo, wo zu Mittag gespeist wurde, mußte ich meinen Paß abgeben; als ihn mir der Wirth wieder zurück brachte, sagte er: „Sie werden nicht passiren." Wir werden's schon sehen", erwiederte ich, steckte meinen Paß in die Tasche und dachte mir: „So geschwinde lasse ich mich nicht erschrecken." Im Zollamte bei der Ueberfuhr hatte man viel mit Hufnägeln zu thun, wobei man mich eine Stunde lang als Dolmetscher verwendete, und meine Reisetasche sammt meinem Paß ganz unangefochten ließ. Der Schiffer über den Po sang mir ein gar freundliches Lied, und ich war glücklicher, als hielte ich den Besitz zweier Länder in meiner Hand. — Dießseits und Jenseits war in mir und um mich verschmolzen, was höher steht, als Oesterreichs und Roms Gebieterin zu sein. Wenn **ich** was zu **gebieten** hätte, ließ ich sogleich die Besatzung von Ferrara abziehen.

Was ich bisher in Italien abnehmen konnte, so sind es meist nur Mißverständnisse und journalistische Täuschungen, was die Italiener gegen uns Deutsche reizt. Doch genug von dem. Mein Paß ließ mich nicht so ganz ohne Besorglichkeit. Ich gab ihn dem Cameriere, um ihn auf die Polizei zu tragen, und blieb in gespannter Erwartung, bis er ihn mir vor einer Stunde sammt der Ausfertigung nach Bologna zurückbrachte, wofür ich ihm sehr gerne seine zwei Paoli gab.

---

## Vierzehnter Brief.

## An Bruder Zeno.

Ferrara, den 11. October 1847.

Nun, theurer Bruder, bin ich eingerückt in's römische Reich, und bewege mich darin so heimisch, als wäre ich bei uns zu Hause. Wie könnte aber auch einem Kinde der römischen Kirche, die hier ihren zeitlichen Regierungssitz aufgeschlagen hat, eine Fremdartigkeit fühlbar werden? Im Schooße der Mutterkirche Jesu Christi, verschmelzen sich die Nationen in Gleichberechtigung. Nein, ich fühle mich durchaus nicht fremd hier im Kirchenstaate, in dem ich auch meine Fußreisen beginnen werde. Gestern Früh um 9 Uhr empfahl ich mich bei Herrn P. und seiner lieben Familie, und fuhr in einer bequemen Postkalesche die ebene Straße, Ferrara zu. Eines Husaren Frau, die in Padova weilt, und die ihren Mann besuchte, der Thierarzt im österreichischen Husarenregimente in Ferrara ist, war meine einzige Gefährtin. Eine Deutsche, die wohl slavisch, aber weder französisch noch italienisch spricht. Sie hatte ein gutes Päckchen Hufnägel bei sich, welches sie unvorsichtiger Weise, oder vielmehr, weil sie gar nicht dachte, daß es einen Aufenthalt verursachen könnte, nicht selbst in den Händen behielt. Als wir schon abgefertigt aus der Kanzlei gingen, denn man machte am Grenz-Zollamte mit unserer Kalesche ohne Gepäcke nicht viele Umstände, trug ein Diener das Nägelpäckchen in den Wagen, merkte, daß es einiges Gewicht

habe, und trug es sans façon wieder in die Kanzlei zurück, aus der
sogleich der Befehl in den Wagen erscholl, wieder auf's Zollamt zu
kommen. Ich hütete mich wohl, auszusteigen; ich dachte, mich gehen
die Nägel nichts an, am Ende könnte es den Herren bei einer längern
fatalen Untersuchung einfallen, die Pilgerin aufzuhalten, oder sie gar
nicht passiren zu lassen; denn noch hatte man sich um mich gar nicht
bekümmert. Man fragte mich um nichts und ich sagte auch nichts.
Da sich aber die gute Frau nach einem langen deutsch und italienischen
Durcheinanderschreien nicht verständigen konnte, kam der Capitano mit
ihr zum Wagen, damit sie durch Verdolmetschung in's Gleiche kämen,
was eine gute Stunde dauerte, wobei wir uns Alle zusammen halb
todt lachten. Die Frau in ihrer Verlegenheit fragte mich mehrere Male:
„Wo haben denn Sie Ihren Paß?" was mir eben nicht erwünscht
war. Ich sagte: „Was kümmert Sie denn mein Paß, sehen Sie lie=
ber zu, mit Ihren Nägeln einmal weiter zu kommen." In der Kanzlei
hörte ich die Aufseher sagen: „diesen Frauen ist nicht zu mißtrauen, sie
sind zu unbefangen." Die wackere Husarenfrau ließ ihren Pack Huf=
nägel nicht mehr aus der Hand, und der Offizier wollte sie nicht mit=
geben. „Es ist strenges Verbot, irgend etwas, was zum
militärischen Gebrauche gehört, ohne Bescheinigung
des commandirenden Generals in Ferrara über die
Grenze zu lassen." Ich machte wiederholt den Vorschlag, die
Nägel morgen abholen zu lassen, da doch die Entfernung nicht so weit
wäre, was der Capitano für willkommen bestätigte, die Frau aber
nicht einwilligte; bis ein Loskaufungs=Vertrag gemacht wurde
und wir endlich weiter kamen. Gegen 7 Uhr Abends, ganz im Dunkel,
in Ferrara angekommen, speculirte die gute Frau, selbst unbekannt in
der Stadt, so gut wie ich, wo sie etwa ihren Mann finden möchte,
in der Kaserne wollte sie ihn nicht aufsuchen. Mir war jede Locanda
gleich, die Frau gefiel mir gut, und ich beschloß bei ihr zu bleiben,
und heute in ihrer Gesellschaft einen servo di piazza zu nehmen, der
uns Beiden nicht so viel kostet, wie einer allein, um die Merkwürdig=
keiten der Stadt zu besehen. Wir beschlossen, uns ein Quartier zu
suchen, und im Gasthofe den Herrn maréchal ausfindig zu machen.
Zuerst suchten wir den goldenen Stern, eine der Frau von den
Briefen ihres Mannes bekannte Locanda. Der goldene Stern leuchtete
uns zwar bald, doch weder war eine Spur des gesuchten Gemahls,
noch Zimmer, um zu übernachten, darinnen zu finden. Man rieth uns

die drei Kronen. Auch dieser interessante Fund war bald gemacht. Ein wunderschöner, nobler Gasthof. Wir verweilten beinahe eine Stunde, um ausgeschickte Boten zurück zu erwarten, die uns so viel wie keine Nachricht brachten. Auch in dieser Locanda war unseres Bleibens nicht. Man verwies uns zur Maria Verkündigung, wo wir auch freundlich aufgenommen, uns sogleich einlogirten, und unsere Nach=forschungswanderungen gegen die Kaserne hin wieder fortsetzten, um doch durch irgend einen Mann, der uns dort begegnen könnte, den im ganzen Regimente bekannten Ritter zu erfragen. Wie gedacht, so geschehen. Doch während der Bote das großartige Kasernengebäude durchlief, und wir in der Entfernung den ausgedehnten Platz vor dem=selben bewunderten, däuchte es der mit Sehnsucht ihren Mann suchen=den Frau, als sähe sie ihn mit einer andern Frau am Arme über die Ecke einer von uns so fernen Gasse sich wenden, daß ich kaum Ge=stalten wahrnehmen konnte, viel weniger Jemanden hätte erkennen kön=nen. Meine Gefährtin hielt mich fest am Arme, fragte um nichts mehr, vergaß die Antwort ihres abgesendeten Boten abzuwarten, dem sie zwar wohl auftrug, ihren Mann, wo er ihn auch finde, das Quartier zu sagen. Ich mußte mit ihr die beiden Gestalten verfolgen, die doch nie recht zu erkennen waren, und die sich unsern Augen ver=loren, wir konnten nicht darauf kommen, wohin, so wenig, als woher ganz unversehens der Herr maréchal hinter uns drein kam. Alles war vergnügt und begab sich in seine Behausung. Die meinige gefällt mir eben nicht sehr gut, doch war ich sehr froh, mich um halb 10 Uhr etwas ermüdet zur Ruhe zu begeben. Heute besuchte ich den alten Dogenpallast. Die Zimmer sind unbewohnt und werden den Fremden gezeigt. Alte Kunstarbeiten von Bernstein in Glasschränken, kostbare Plafonds und geschnitztes Seitentäfelwerk sind die hundertjährigen Zier=den dieser fürstlichen Gemächer. Das Castell, was der Cardinal be=wohnt, ist von immenser Größe und majestätischer Form, mit einem sehr tiefen und breiten Graben umgeben, über den man die Brücke aufziehen und ihn mit Wasser anlassen kann. Dann besuchte ich das Gefängniß des **Tasso**, wo er seine Dichtung vom befreiten Jeru=salem schrieb, und sieben Jahre zwei Monate lang darinnen einge=sperrt war, weil er die Schwester des Herzogs liebte. Dieß Gefängniß sieht eben nicht so fürchterlich aus. Ueberdieß erzählte man mir, daß der davor sich befindliche Hofraum damals ein Garten war. Andere alte Gefängnisse fand ich jedoch sehr schauerlich, besonders jene, wo der alte Herzog Borſi ſeine Frau und ſeinen Sohn eingeſperrt hielt. Die Herren Beamten, die da waren, wunderten ſich nicht wenig, daß eine Frau, allein wie ich war (denn ich konnte die Geſchäfte der Huſarenfrau nicht abwarten, und darüber meine eigenen Intereſſen verſäumen, ſpäter gingen wir zuſammen) ſich in die Tiefe dieſer gräulichen Gefängniſſe hinabzuſteigen getraue. Mir lohnte ſich's um meiner geſchichtlichen Wißbegierde willen; doch Gott behüte jedes Menſchenkind vor einem ſolchen Aufenthalt! Ein anderes Mal werde ich Dir mehr erzählen; heute habe ich noch Auswege, auch möchte ich noch mehrere Briefe ſchreiben.

---

## Fünfzehnter Brief.

### An Se. Gnaden den Herrn Gubernialrath J. N. K.

Ferrara, den 11. October 1847.

Mit jedem Schritte vorwärts athme ich neues Leben. Die Lebhaftigkeit der Italiener iſt etwas ganz Anderes, um die Menſchen in ihrer Beweglichkeit zu betrachten, als das Leben bei uns, wo man oft kaum weiß, ob man ſich auf der Gaſſe unter wandelnden Statuen, oder denkenden, lebenden Geſchöpfen befindet. Alles iſt in Bewegung, laut, mittheilend, die innern Regungen nach Außen kehrend, damit nicht die guten ſammt den böſen in luftloſen Räumen erſticken. Aber erſt hier in Ferrara, im Gebiete der Römer, beginnt dieſe Regſamkeit, ſo wie auch das Genialiſche der Kunſt. Die Bildergallerie, ein coloſſales, mit geregelten, ſpitz zugehauenen Steinen nach Außen, uraltes Gebäude, wird eben renovirt, und zeigt wenige Gemälde, doch lauter alte meiſterliche Originale. Ein Oelberg von Garofalo und Raſaelo zog meine ganze Aufmerkſamkeit auf ſich. S. Giovanni sembre vivente in quadro, dormente.*)

---

*) Der h. Johannes ſcheint zu leben, indem er im Bilde ſchläft.

Zu dieser italienischen Dichtung brachte mich die Begeisterung, in die mich der schlafende Johannes, der im Bilde zu leben scheint, versetzte. Italien ist von den Deutschen noch so wenig erkannt, als die Italiener die Deutschen kennen, und darum nicht zu schätzen wissen. Ich befinde mich nun tief genug im Lande, um dieß bemerken zu können, sowohl in Städten als auf dem flachen Lande. Nettigkeit, Fleiß, Eleganz finde ich allenthalben. Wenn die Italiener bei der Fruchtbarkeit ihres Bodens weniger genöthigt sind, sich mit schwerer Ackerarbeit zu befassen, so gehen sie wahrlich mit feinerer Thätigkeit voraus. Ihre öffentlichen Anstalten sind vollkommen gut eingerichtet. Und wenn man kleine Mädchen in den Schulen so schöne, feine Nähzeuge und Stopparbeiten liefern sieht, so können die Italienerinen unmöglich arbeitslose Frauen sein. Ich sehe in den Landesverhältnissen die nähere Lage an's irdische Paradies, wo man Künste und Kostbarkeiten besitzt, von denen jene kalten Länder, wo sich die Menschen ihr tägliches Leben mit schwerer Grundbearbeitung sichern müssen, keine Begriffe haben können, und somit jene Ausbeuten eines intellectuellen Aufschwunges für Unthätigkeit halten. Die weltberühmte Geschichte Venedigs schien mir noch nicht zu Ende, als ich diese merkwürdige Stadt mit ihren rothen Häusern und schwarzen Gondeln, geformt wie Särge, durchwandernd betrachtete. Die alte Padova hoffe ich verjüngt und kraftvoll in ihrer Würde wieder zu sehen. Es wäre ihr nichts als der Verschönerungssinn zu wünschen, der unser Graz belebt. Den Anfang dazu habe ich schon gesehen. Die Universität gewinnt in ihrem innern, uralterthümlichen Werthe durch Renoviren der Außenseite, und gibt dadurch der ganzen Stadt ein gehaltvolles Ansehen. Ferrara ist eine Stadt, wo gut zu leben sein soll, die aber für ihre Größe viel zu wenig bevölkert ist. Sie hat breite mit Gras bewachsene Straßen und große Gärten. Sie sieht aus, wie eine von Prunk und Größe herabgekommene, nun verödete Stadt. Was jedoch eine Stadt unter kirchlicher Regierung ist, zeigte sich gestern, als in der Octavfeier des Rosenkranzfestes. Beleuchtung und Prozession belebten die vornehmsten Gassen, und das Vivatrufen für Pio nono nahm noch lange am Abende kein Ende. Man verehrt diesen großen Mann mit ausgezeichnetem Eifer, und erwartet von ihm noch Vieles, was der Menschheit zum größten Nutzen gereichen solle.

---

## Sechzehnter Brief.

### An den Herrn Cameralrath L. und seine Frau.

Ferrara, den 11. October 1847.

Freuen Sie sich mit mir, nun hat Maria die Gnade erlangt,
Roms Gebiet zu betreten! Es ist ganz etwas Eigenes, mit
fühlendem Herzen für Gott und die Seinigen in dem Kirchenstaate sich
zu befinden, wo Alles vom Religiösen zeugt, ohne sich erst viel zu be=
kümmern, ob es etwa Jemanden anstößig sein dürfte. Wie
anmuthig die kleinen Capellen und Bilder an den Häusern sind, die
man in den Städten Italiens reichlich auch bei Tage beleuchtet findet,
werden Ihre frommen Herzen leicht verstehen. Die Kirchen sind zwar
leer, sie sind aber auch groß genug, um die Menschen darinnen kaum
zu bemerken. Hören Sie doch, ich werde Ihnen eine Geschichte er=
zählen, die mir begegnete, und Ihnen dann einige fromme Gebräuche
erklären. Heute Früh um halb 8 Uhr kniete ich im Dom am Speis=
altar, was die Fronte des rechten Seitenganges bildet, ganz in meine
Andacht versenkt; es war auch Niemand um mich, und in der ganzen
großen Kirche herrschte eine feierliche Stille. Auf einmal hörte ich
hinter mir aufmarschiren, ich dachte, es kommt Militär in die Kirche,
nur waren die Schritte zu wenig regelrecht und Stockstöße dabei. Ich
stand denn doch auf, als man schon ganz nahe an mich kam, um
seitwärts zu treten. Nun denken Sie sich mein Erstaunen. Als ich
mich umsah, standen Paarweise eine lange Reihe in rothe Habite
gekleidete, vermummte Gestalten, mit langen Stöcken, die oben ein
Kreuz bildeten. Der Kopf war mit einer rothen spitzen Kappe, und
das Gesicht ebenfalls mit einem rothen zugespitzten Tuche bedeckt, aus
dem die Augen durch eingeschnittene Löcher herausblitzten. Ich machte
mich in eine Ecke, um zu sehen, was denn nun hier weiter geschehe.
Die Gestalten stießen mit ihren Kreuzen auf den Boden, ließen sich auf
die Knie, um das Hochwürdigste zu veneriren, verweilten ein wenig,
standen auf und zogen an mir vorüber. Hinter ihnen kamen Weiße, in
der nämlichen Form verhüllt, und venerirten das Hochwürdigste eben so,
wie die Ersten. Nach diesen kamen Graue und Braune. Als sie Alle

3

an mir vorüber waren, machte ich mich hinten drein, um zu erfahren, was denn diese Aufzüge bedeuten sollen. Sie gingen durch die Sacristei in einen Hof, von da auf die Gasse. Ich getraute mich nicht aufzu= halten, um Jemanden zu befragen, aus Sorge, meinen buntfärbigen Zug aus den Augen zu verlieren, der seine feierlichen Schritte in der Kirche, auf der Gasse mit ziemlich schnellen eintauschte, so daß ich sie sammt meiner Vorsicht, bei Umbug einer Ecke wirklich aus dem Ge= sichte verlor. Ich ging in die Sacristei zurück, um mich über diese Erscheinung belehren zu lassen, und erfuhr, daß dieser Zug aus Bruder= schaften bestehe, die einen Advokaten zu Grabe begleiten. Es ist näm= lich in ganz Italien nicht gebräuchlich, die Todten zum Grabe zu be= gleiten. Doch um dieses leibliche Werk christlicher Barmherzigkeit zu verrichten, bestehen eigene Gesellschaften, die nebstbei auch zur Unter= stützung der Armen Almosen sammeln, ihnen auf alle Weise helfen und beistehen, und für die Begräbnisse der ganz Mittellosen sorgen. Bei diesen Bruderschaften betheiligen sich aus Frömmigkeit und christlicher Nächstenliebe sehr viele vornehme Herren, Fürsten, Grafen, Adelige jeden Standes, Beamte ersten Ranges, so gut wie Bürger und Die= ner. Den das Loos trifft, der geht mit seiner Büchse in die Samm= lung, und gibt es Leichenzüge, so geht Jeder nach seiner eingetheilten Ordnung mit. Um hierin ungenirt zu sein, bedient man sich der mit Augenöffnungen versehenen Gesichtsverhüllung. Als ich wußte, was ich zu erfahren wünschte, eilte ich, den Begräbnißzug aufzufinden, was mich nicht viel Mühe kostete; denn kaum kam ich in die Straße hinaus, so zog die ganze Feierlichkeit heran, mit Fackeln und Wappen um den Sarg, ohne einen einzigen Angehörigen, bloß nur von den Bruder= schaften begleitet. Die rothe nimmt sich am auffallendsten aus. Da scheinen so manche vornehme Herren darunter zu stecken. Sie heißt die Boromäus=Bruderschaft. Von da eilte ich aber nun weiter, denn ich hatte noch das Hospital und den campo santo zu besuchen sammt anderen Merkwürdigkeiten.

# Siebenzehnter Brief.

## An den Herrn Medicin Doctor K.

Ferrara, den 11. October 1847.

Gott grüße Sie, Herr Doctor! sammt Ihrer lieben Frau. Das Kuu=ku=ruh=ku des Hahnes wird immer harmonischer und vielsagender. Wie ich dieses in's Bereich der Gesundheit gehörig aufnehme, wissen Sie. Uebrigens begegnet mir wenig, was meiner Philisterkraft nach= theilig sein dürfte. Ich fühle mich sehr gesund, voll des guten Muthes und der Freude. Auch hier in Ferrara wurde ich über die Großartigkeit und zweckmäßige Einrichtung der Spitäler in Er= staunen versetzt. Die Weitläufigkeit der Gebäude, ihre Höhe, Breite und Länge der Säle, die freilich nur in einem Lande, wo die Hitze Kühlung, und der Mangel an Kälte keine Heitzung erfordert, möglich und anwendbar ist. Mehr noch aber als die freundlich geräumigen Localitäten, erquickten mich diese von dem Staate öffentlich aufgestellten Hilfs=Anstalten für die leidende Menschheit in ihrer engeren guten Einrichtung Bequemlichkeiten für Aerzte und Seelsorger, das Gemüth erhebende und das Auge ergetzende Altäre, eine auffallende Ordnung und Reinlichkeit am Boden, in den Betten und benützten Gefäßen, eine Ruhe, Stille und Freundlichkeit der handelnden Personen, daß es einem scheinen möchte, als geschähe Alles von selbst, ohne menschlicher Bemühung — dieß macht einen Eindruck, der ungemein beruhigend auf die Seele wirkt, wenn sie sieht, wie wohl= thätig die Pflege für ihren leidenden Körper besorgt wird. Nun muß ich Ihnen noch sagen, daß das Spital, von dem ich namentlich jetzt spreche, für 800 bis 1000 Personen, von barmherzigen Schwestern gepflegt ist. Ein Saal mit etwa 60 Betten mit blendend weißen Draperien und einem Altare mit einem gnadenvollen Madonenbilde, der in jeder Kirche prangen könnte, spricht den ihn Durchziehenden an, als möchte man (Gott bewahre Einem von der Erfüllung dieses Wunsches) mit Vergnügen darinnen krank liegen. Bei der innigen und wohlverstandenen Theilnahme, die mir die barmherzigen Schwestern bezeugten, hob sich das Herz, und Thränen füllten meine Augen, und

3*

ich mußte mich nur gleich festhalten an den äußeren Gegenständen
des Lebens, um nicht im Gebiete des Geistes unterzu=
gehen, und das Kleid der Außenwelt zu verlieren.
Die französische Oberin links, die italienische Schwester rechts, und
die deutsche Maria in der Mitte. Wir verstanden uns alle Drei in
dem Momente des Hinblicks auf den Erlöser sehr gut. Ehe man mich
entließ, führte mich die Hausinspectorin in die Kanzlei und legte mir
das Gedenkbuch der Fremden vor, in welchem hier, wo ich so seelen=
vergnügte Augenblicke erlebte, sehr gerne meinen Namen zurückließ.
In der Irren=Abtheilung erinnerte ich mich an eine merkwürdige
Begebenheit, die mir in der Irren=Anstalt in Venedig begegnete.
Diese Patienten bewohnen ebenfalls recht hübsche Krankensäle. So=
gleich als ich in den ersten hineintrat, eilte mir ein Mädchen etwa
von 16—19 Jahren zu, fiel mir um den Hals und rief: „Kennen
Sie mich nicht mehr, ich war ja Ihre Schülerin?" Ich, nicht wenig
erstaunt, machte mich mit Hilfe der Oberwärterin, die mich begleitete,
los, um sie zu betrachten und mich durch Fragen zurecht zu finden,
wie denn eine Schülerin von mir in diesem traurigen Zustande sich
in Venedig befinde. Das Mädchen sah mich immer höchst gerührt
und erfreut mit thränenden Augen an und erzählte in einem fort der=
art, daß ich es nicht unmöglich fand, sie einmal gekannt zu haben.
Nur die Versicherung der Wärterin, die das Mädchen besorgt und
vorsichtig in einiger Entfernung von mir zu halten suchte, daß sie in
Ferrara gebürtig, nie aus der Stadt gekommen, und beinahe im
Spital aufgewachsen sei, brachte mich von meinem Nachsinnen, eine
Schülerin in ihr zu erkennen, zurück. Als ich weiter gehen wollte,
zeigte sich das Mädchen traurig und verlangte, ich solle sie küssen,
was ich auch mit innigstem Mitleide that, worüber die Wärterin er=
schrack, das Mädchen ernst zurückwies und mich weiter führte, indem
sie mir erzählte, daß das arme Kind unter ihre bösartigsten und
schwersten Geisteskranken gehöre, und nicht selten gegurtet werden
müsse. Nun zum Schluße meines Briefes reihet sich zunächst an den
Doctor und das Spital der campo santo, den man in Ferrara
nicht übergehen darf, besonders wenn man, wie bei uns, von einer
solchen Begräbniß=Pracht gar keinen Begriff hat. Nicht sehr weit von
der Stadt, ein ungeheurer Raum im Viereck, faßt unterm Wasengrün
mit den zierlichsten kleinen und mittelgroßen Kreuzen, und den schön=
sten Orangen=Spalierbäumen in allen Formen, besonders an den Ecken,

die gemeinere und ärmere Menschenclasse. Dieser Friedhof unter freiem Himmel ist von allen Seiten mit einen Säulengang umgeben, wo die vornehmere und reichere Classe in gekaufte und dann verbleibende Abtheilungen eingegraben wird, welche Plätze an den Wänden mit den kostbarsten gemeißelten Steinen und Inschriften bezeichnet sind. Als ich durch diese Gänge ging, kam ich eben dazu, wie man einen Sarg unter dem Steinpflaster versenkte, was dann wieder ganz eben darüber zugedeckt wird. In diesem Sarge befand sich ein verstorbener Advokat, dessen Leichenzug ich heute Früh begegnete, darauf mußte ich ihn auch eingraben sehen. Ich gab ihm ein requiescat in pace mit und beeilte mich, die Kunstwerke in den fürstlichen und adeligen Gruft= gemächern zu bewundern. Diese Säle, an den Ecken des Gebäudes angebracht, sind wirklich bewunderungswerth. Hoch und kunstvoll gebaut, der Fußboden mit den schönsten Quadern belegt, die Eingänge mit Kunstwerken von eisernen Gittern mit vergoldeten Spitzen in ver= schiedenartigen Wendungen geziert, umschließen Sculpturen als Denk= mäler von allen Künstlern, von außerordentlichem Werthe. Meist von Michel Angelo, der unter allen Bildhauern noch immer der gefeiertste Mann bleibt. Sehr erstaunt war ich, als man mir in der Capelle das Grabmal des Herzogs Borsii, als Stifter und Erbauer dieses campo santo, zeigte, der vor 300 Jahren seine Frau und seinen Sohn in einem gräulichen Gefängnisse, welches ich im herzoglichen Pallaste besuchte, eingesperrt hielt. Gott der All= mächtige allein kann der Erforscher menschlicher Ge= sinnungen sein.

---

## Achtzehnter Brief.

### An den Herrn Pfarrer Sch.

Ferrara, den 11. October 1847.

Ehe ich Ferrara verlasse, in dem ich so Manches fand, was mir meine Reise anfinge interessant zu machen, wenn sie mir's nicht ohne= hin zur Genüge wäre, wende ich mich auch noch in einem Schreiben an Sie, hochwürdiger Herr! Die Dominicanerkirche und die darin vollbrachte Feierlichkeit der Octave des Rosenkranzfestes stimmten mich dazu. Schon wollte ich heute um 2 Uhr Nachmittag abreisen, dann hätte ich aber sehr wenig und auch Ihnen nicht geschrieben. Mein Verlangen, wo möglich alle zugänglichen Erziehungs=Institute zu sehen, führte mich in das von einer Herzogin neu errichtete Institut von den Damen della Rosa. Freundlichst von einer Schwester um 3 Uhr beschieden, die Anstalt zu besuchen, änderte ich sogleich meinen Ent= schluß und verschob meine Abreise auf morgen Früh. Diese Damen haben mich jedoch hübsch angeführt. Als ich hinkam, waren etwa 12 Mädchen da und eine gemeine Person, sie zu hüthen. Die Duchessa Oberin hatte das Fieber, und die Ministerin, die mich mit so vieler Freundlichkeit kommen hieß, und der ich sagte, daß ich nur um ihres Institutes willen heute noch in Ferrara verweile, weil es mir nach 3 Uhr zu spät wird, wegzureisen, hatte jetzt keine Zeit, um auch nur einige Worte mit mir zu sprechen, viel weniger mir ihre Anstalt zu zeigen. Dafür umringten mich die Kinder, küßten mich und wollten, ich soll bei ihnen bleiben, oder doch gewiß wieder kommen. Eigent= lich zu Hause bin ich doch nur dort, wo ich Kinder finde, obschon ich mich in sonstiger Gesellschaft auch zu bewegen weiß. Ich blieb ein wenig bei den Kindern und hätte ihnen gerne ihr Schulzimmer, das sehr ärmlich aussah, arrangirt, wenn mich mein Beruf hier festgehalten hätte; der führte mich aber weiter und ich kam in die Dominicanerkirche, auf die die Feroneser einen besondern Werth zu legen scheinen. Sogleich fiel mir der wunderschön gezierte Altar in die Augen, an dem eben die Octave des Rosenkranzfestes endigte. Ich verrichtete das Ablaß=Gebet und zog meine zwei, Ihnen, hochwürdiger Herr! bekannten, in einen Knoten verwickelten Rosenkränze aus der Tasche, um der Jungfrau Einen hier zum Opfer zu bringen. Ich konnte nur zwei Gesetzchen lösen, was mich jedoch nicht hinderte, den ganzen Kranz der Geheimnisse zu vollenden. Es wird Ihnen begreiflich sein, hochwürdiger Herr! wenn ich Ihnen sage, es war mir, als feiere ich ein Fest Maria vom Sieg. Auch daß ich mich dabei lebhaft an Sie erinnerte, und Sie in der Ferne eifrigst bitte, das so viel verschmähte Rosenkranzgebet durch Ihren Einfluß in Ehren zu erheben.

---

## Neunzehnter Brief.

### An Bruder Zeno.

Bologna, den 13. October 1847.

Glücklich und vergnügt in Bologna angekommen, muß ich Dir vor
Allem die Begebenheiten meiner ersten Fußreise erzählen. Ich hörte im
Dome zu Ferrara die heilige Messe und trat um 8 Uhr aus der
Kirche. In der linken Hand meine schwarzlederne Reisetasche, in der
Rechten mein Paraplui als Reisestock, wanderte ich dem österreichischen
Castelle zu, was das Ausgangsthor bildet. Ein sehr ansehnlicher Herr,
der mir sagte, mich gestern schon bemerkt zu haben, und der einen
wahrhaft rührenden Antheil an meiner Pilgerfahrt äußerte, begleitete
mich bis dahin. An der Brücke empfingen mich die Soldaten ganz
achtungsvoll und wiesen mich in's Thorzimmer, um meinen Paß noch=
mals zu besichtigen und einige Antworten von mir aufzuzeichnen. Ein
junger Herr, der dieses Geschäft führte, bezeigte ob meinem Vorhaben
ein so großes Staunen, das ihn um so liebenswürdiger machte, als
man bei uns an den jungen Leuten die Gleichgiltigkeit in reli=
giöser Hinsicht gewohnt ist. Er half mir den Riemen meines
Tornisters, den ich zum ersten Male zu tragen versuchte, über meinen
etwas langen Schleier umhängen, und begleitete mich in die halbe
Brücke mit theilnahmvollem Nachschauen der ganzen Thorwache, was
meine natürliche Schüchternheit ohne weiters aus aller Fassung ge=
bracht, wenn ich es nicht gewußt hätte, daß diese guten Leute einige
fromme Gedanken nach Rom und Jerusalem mitschickten.
Gegen Mittag sah ich rechts, ein Paar hundert Schritte Straße ein=
wärts, eine Kirche. Die sollst du als Pilgerin nicht vorübergehen,
dacht' ich. Ein wenig müde legte ich meinen Tornister ab und ruhte
aus. Als ich in Ferrara meine Fußreise antrat, nahm ich mir vor,
als Arme im Geiste zu reisen, und mit dem Mindesten und Letzten, was
mir vorkömmt, vorlieb zu nehmen. Meine Barschaft, wie Du mir leicht
glauben wirst, ist auch eben nicht sehr bedeutend, sondern nur für die
nöthigsten Bedürfnisse eingerichtet. Doch versichere ich Dich, es läßt
sich nicht erklären, was mir dieß mein entschiedenes Vorhaben für ein

frohes, freies, angenehmes Gefühl verschaffte. Es war Mittag. Nach
dem englischen Gruß Läuten ging ich aus der Kirche hinaus. Ich hatte
außer einer Weintraube noch nichts gefrühstückt, weil ich im Dome
zur heiligen Communion ging, mich in der Stadt nicht mehr aufhalten
wollte, und unter Weges keine Locanda fand, auch in keine hatte hineingehen wollen. Auch hier sah ich keine. Mir fiel ein: wie wäre es
denn, wenn du einmal versuchen möchtest, um ein Stückchen Brot zu
bitten; eine größere Buße wußte ich mir nicht aufzulegen, denn ich
hatte als Kind wie jetzt die Eigenheit, in die größte Verlegenheit zu
·gerathen, wenn mir Jemand ein Geschenk machen wollte, nicht erst,
daß ich Jemanden für mich um etwas bäte. Ich erinnere mich noch
genau an eine unüberwindliche Standhaftigkeit, mit der ich als ein
Mädchen von 5 Jahren ein Geschenk zurückwies. Auch jetzt verwies
ich mir meinen Einfall mit der Zurechtweisung, daß es sich nicht ge-
zieme, um etwas zu bitten, was man nicht benöthige, denn ich war
wirklich eben so wenig hungernd, als meine Tasche leer an Barschaft
war  Doch sah ich mich ein wenig nach der Gegend um; ich hätte
sehr gerne gewußt, wie ein italienischer Landpfarrhof aussieht. Da
bemerkte ich einen geistlichen Herrn, der gar freundlich auf mich zukam, mich nach meiner Wanderschaft fragte, und zur Mahlzeit in
die Pfarre einlud, was ich mir nicht zweimal sagen ließ. In
der kleinen gedeckten Hausflur ging ein ehrwürdiger, alter, kleiner
Herr, der Pfarrer, mit seinem Brevier auf und ab, grüßte mich und
wies mich in das nebenanstehende Gemach. An einem kleinen Tischchen
in der Hausflur schrieb ein Knabe, den der Pfarrer für seine höheren
Studien in der Ferienzeit unterrichtete. Dieß Alles sprach mich so ganz
vaterländisch bekannt an. Das Zimmer aber, in welches ich
eintrat, nicht. Es war das allgemeine Wohnzimmer mit Hühner-,
Tauben- und Vogelsteigen, Hunden und Katzen, die im besten Einvernehmen standen. Verschiedene Stellen und bequeme Geräthschaften beengt-
ten es, in der Mitte stand der Speisetisch, Alles sehr ärmlich, ländlich.
Oben an war der nach Landessitte gebaute ziegelhohe Herd, auf dem
gekocht und gebraten wurde. Eine sehr gute Reissuppe, schön und gutes
Rindfleisch, ein gebratenes Huhn mit Salat und Weintrauben kamen
zur Mahlzeit, die wir uns mit den freundlichsten und angenehmsten
Gesprächen von Gott und seinen Führungen würzten. Ich
dachte, dem Herrn Caplan gegenüber, besonders lebhaft an Dich, und
erzählte ihm auch, daß ich einen Bruder habe, der sich ebenfalls als

Landcaplan in Steiermark befinde. Dachte mir aber mit Vergnügen dabei, um wie viel Deine Anstellung vortheilhafter ist. Doch gefiel es mir bei diesen guten Menschen und ihrer ländlichen Weise so gut, daß ich mir ein hierortiges Berufsleben sehr angenehm vorstellen konnte. Die Hauswirthschafterin, die mit am Tische speiste und nicht weit sich zu entfernen brauchte, um ihre Gerichte auf den Tisch zu bringen, eine einfach fromme Landperson, beeiferte sich, mir gefällig zu sein, mir mein Paraplui zu bringen und meinen Tornister umzuhängen, was sie früher in ihre Verwahrung nahm. Ich dankte und nahm gerührten Abschied von einer Landpfarre in Italien, die meinen Vorstellungen davon so ganz entsprach. Abends ging's mir jedoch in einer andern Landpfarre etwas anders. Es wurde Abend, und Bologna, das ich zu erreichen gedachte, war noch ferne. Die Sterne erschienen am Himmel und ich konnte mich nicht entschließen, in einer Straßen-Locanda einzukehren. Ich kam durch ein Dorf, wo die Leute ihre Abendfeier hielten. Ein sehr mitleidiger junger Mensch nahm sich meiner an, und redete freundlich mit mir; ich fragte ihn, ob nicht ein Pfarrhof hier sei. O ja, sagte er, und schickte sich sogleich an, mich dahin zu führen. Eine kleine Strecke seitwärts im Grünen kamen wir an. Mein Begleiter läutete bei dem festverschlossenen Thor zum zweiten Male, endlich kam Licht an's Fenster und ein Getrippel von Männerschritten. Man fragte, was es gäbe; ich trat an's Fenster, um meine Bitte anzubringen, neben der Magd im Pfarrhofe die Nacht zubringen zu dürfen, ich sei eine Pilgerin nach Rom und habe hier meinen Paß. Man sagte mir, es sei zu spät. Ich dachte mir, wenn es nicht so spät wäre, hielt ich nicht um's Dableiben an. Vermuthlich war aber gar keine Magd im Hause, denn es standen mehrere Männer da, die aussahen wie Knechte, darunter ein ganz kleiner Herr, den ich durch die Fensterhöhe gerade noch am Collar als einen geistlichen Herrn erkennen konnte; er hatte aber so blitzende Augen, daß ich lieber auf freier Straße in die Sternen schaute, und ohne mir nochmal eine abschlägige Antwort zu erbitten, fröhlich weiter ging, obschon es aussah, als wäre es schon Mitternacht. Es war jedoch noch nicht 7 Uhr. Der gute Bauernbursche, betrübter über mein Schicksal als ich, begleitete mich noch eine Zeitlang auf der Straße, auf der ich dankbar dem himmlischen Vater für das so angenehme Geschenk, ganz allein in größter Stille und Ruhe auf freiem Wege unterm Sternenhimmel in seiner vollen Pracht zu wandeln, fortschritt. Es währte nicht lange, kam ein Cabriolet. Der Bauer lud mich ein, mitzufahren, ohne sich lange zu wundern, daß eine Frau allein so spät auf der Straße wandle, auf der man lange schon nicht mehr einen Landmann sah. Ich nahm sein Anerbieten sogleich mit Dank an, setzte mich freudig und sorgenlos auf seinen zweirädrigen Karren und ersparte eine geraume Zeit, meinen Tornister zu tragen. Als er seinen Weg rechts einwärts nahm, bat er mich statt allem Trinkgeld, zu Rom in St. Peter für ihn zu beten, was ich gewiß auch thun werde. Ich ging bei eitler Nacht weiter, und erreichte endlich um halb 10 Uhr das Stadtthor von Bologna, das verschlossen war. Doch als ob mir dieß schon zehnmal begegnet wäre, stieß ich mit meinem Parapluistock an dasselbe, welches auch sogleich von der Thorwache geöffnet wurde. Man forderte meinen Paß Der Chef, welcher französisch sprach, redete von oben wo herunter, daß ich mich von allen Seiten umsah, wo ich am füglichsten meine Antworten hinaufzusenden habe. Als ich abgefertigt war, ging ich in die Stadt. Es war todtenstill, kein Mensch zu sehen. Wo mich einquartieren? wo Herrn Mazetti finden? Ich ging zurück an's Thor und bat, mir einen Gensdarmen mitzugeben, der mich an meine Adresse führe; wozu man bereitwillig geneigt war, nur mußte ich noch eine Weile am Thore warten. Endlich schlug es 10 Uhr, und meine militärische Escorte führte mich durch alle Gassen, Herrn M. aufzusuchen, den er zu kennen meinte. Als wir hinkamen, war es nur eine Namens-Aehnlichkeit. Ich verlangte nun entschieden, mich in eine gute Locanda zu führen, indem es viel zu spät sei, Jemanden aufzusuchen. Im schwarzen Adler angekommen, finde ich mich sehr bequem logirt und gut bedient, und werde bleiben, bis ich mir Bologna genügend besehen habe.

## Zwanzigster Brief.

### An die Frau Oberamtmannin M.

Bologna, den 13. October 1847.

Auf meiner ersten Fußreise von Ferrara nach Bologna, die ich gestern in einem Tage zurücklegte, dachte ich vorzugsweise an Sie. Mir war's, als sähe ich mich auf meiner Wallfahrt nach Welz, wo ich vor einem Jahre die Idee meiner nun glücklich begonnenen größeren Wallfahrt am blauen Himmelszelt vor mir ausgebreitet sah, als das einzige Mittel, welches mir zu Gebote stände, dem unstäten Wogen eines herannahenden Umsturzes einen Damm aufbauen zu helfen. Wenn ich noch einmal so glücklich sein sollte, an dem runden Tische Ihres häuslichen Familienkreises zu sitzen, an dem ich Ihnen scherzend meine unterwegs aufgefaßte Idee vortrug, werde ich Ihnen ausführlicher davon erzählen. Jetzt nur, was Sie vielleicht als Reisebegebenheit interessiren könnte. Ich kann es leicht berechnen, daß Sie das am meisten Wunder nimmt, wie ich so ganz allein in die Welt hinausgehe. Da aber meine Reise den höchsten Werth des Lebens enthält, nämlich die Verehrung des Heilandes, so kann ich bei der Aufopferung meines Unternehmens auch ganz sicher auf die Hilfe und den besonderen Schutz Gottes vertrauen. Man muß nur so wie ich selbst meine Scheu kennen, auch nur um die Stadt zu gehen allein, viel weniger weiter hinaus; nun befinde ich mich allein im fernen Lande sehr gut. Wenn mich Räuber anfielen! höre ich Sie sorgsam rufen. Auch diese Furcht ist schon beseitigt. Mich meinen entzückenden Gefühlen überlassend, meinen Tornister übergehängt, marschirte ich gestern wackeren Schrittes weiter, als wäre mir die Straße keineswegs fremd; da ging ein Jäger mit seinem Stutzen und seinem Pulverhorn an mir vorüber, mit einem Gesichte, das mich nicht übel an einen Räuber hätte mahnen können. Ich sah ihm ebenfalls fest in's Auge, so wie er mir, und als er vorbei war, da nahm er den ganzen Rest von Furcht, die ich etwa noch hatte, mit sich. Mir war's, als könnte ich mich wie unter Kameraden bei Räubern einfinden und sie als amici miei*) anreden. Verlange mir jedoch gar nichts davon, eine solche Probe abzulegen. Bald darauf begegnete ich einer Bäuerin, die einen großen Korb voll der schönsten Weintrauben trug. Die Gute kniete vor mir auf dem Wege hin, um mir ihre Trauben zu präsentiren. Ich nahm eine, die ich zahlen wollte, was sie nicht nur nicht annahm, sondern nicht eher aufstand, bis ich mir noch eine schönere Traube genommen hatte. Sie hielt mich für eine Nonne und pries mich glücklich, daß ich der heiligen Roma zuginge. Nun sehen Sie, unter solchen Umständen dürfen Sie glückwünschend meiner ferneren Reise nachsehen.

*) Meine Freunde.

## Einundzwanzigster Brief.

### An den geistlichen Herrn Chorvicar M.

Bologna, den 13. October 1847.

Wenn Sie es nur hätten sehen können, hochwürdiger Herr! in welchem Triumphe ich durch Oesterreichs letzte Besatzung hinaustrat, um meine Fußreisen zu beginnen. Mir ist gar nicht, als ob ich unter fremden Menschen wäre. Wer mir begegnet, grüßt mich freundlich und ich grüße wieder. Geistliche, Beamte, Vornehme, arme, junge und alte Leute, Kinder, Männer, Weiber, in der Kirche, in der Stadt, auf der Straße, alle sind meine guten Bekannten. Ich bin in der weiten Welt viel heimischer, als ich es je in meiner Vaterstadt war. Wenn mich Jemand auf der Straße frägt, wo ich hin wandere, und ich sage: Vado à Roma per veder il nostro santo Padre Pio nono, quel grand' uomo *), schallt mir ein lautes bravo, bravo entgegen. Furcht kenne ich nun einmal gar keine mehr. Ich werde Ihnen sogleich eine Probe davon erzählen. Gestern Abends wanderte ich guten Muthes beim Sternenlichte unter dem langen Schatten der Bäume, welche die Landstraße zur zierlichsten Garten=Allee erheben. Mein Spazierweg war mir lieber, als jedes Haus sammt einem fremden Bett. Auch mein Tor= nister, der mich schon ein wenig zu Boden ziehen wollte, wurde mir auf einmal wieder leicht; daß ich meinen Stock mit beiden Händen hinter mir so schnell rauschend nachzog, gar nicht, als ob ich schon bei 30 Miglien zurückgelegt hätte. Auf einmal blendet mich etwas im Halbdunkel, ich schaue auf und sehe etwa 8 Mann Soldaten wie eingewurzelt mitten auf der Straße stehen. Zwei Herren im Civil standen seitwärts im Schatten der Bäume. Es war die Patrouille von Bologna, die, weil mein Stock so rüstig daherrasselte, stehen blieb, um abzuwarten, wer denn da komme. Glauben Sie etwa, ich habe mich erschreckt? o nein, ich ging ruhig vorüber. Die Leute haben sich aber vielleicht vor meiner schwarzen Gestalt erschreckt; denn sie riefen mich ganz leise an; worauf

---

*) Ich gehe nach Rom, um unseren heiligen Vater Pius zu sehen, diesen großen Mann.

ich mich sogleich umkehrte, und die Herren, die mir entgegen kamen,
fragte, was sie wünschen. Sie entgegen fragten mich, wohin ich gehe.
„Nach Bologna." Woher kommen Sie? „Von Ferrara." Wann sind
Sie von dort fort? „Früh um acht Uhr." Haben Sie einen Paß?
„Ja." Warum aber bleiben sie so spät auf der Straße? „Weil ich in
keiner Locanda bleiben wollte, und in einem Hause, wo ich um Auf=
nahme bat, man mich nicht behalten hat." Die Herren interessirten sich
für mich, verwunderten sich über meinen zu Fuß gemachten Weg und
über den, den ich noch bis Rom vor mir hatte. Es waren noch fünf
Miglien bis Bologna und auch nicht ein Haus auf dem Wege. Man
wünschte mir eine glückliche Reise und ich rasselte ohne geringster Scheu
mit meinem Stocke wieder weiter. Sehen Sie, hochwürdiger Herr!
wenn mein Muth so zunimmt, so werden Sie das Ende und Ziel mei=
ner Reise wohl noch erleben müssen.

## Zweiundzwanzigster Brief.

### An Se. Gnaden den Herrn Gubernialrath J. N. K.

Bologna, den 14. October 1847.

Die heilige Katharina von Bologna und die große berühmte alte
Universität, die der heiligen Theresia den Doctorhut zu=
schickte, sind Gegenstände, die mir bedeutend genug sind, um mich zu
einem Schreiben an Ew. Gnaden zu veranlassen. Ich wußte von bei=
den nichts; doch fand ich sie wie von unsichtbarer Hand geführt. Als
ich gestern Früh vom Dom aus nach Hause gehen wollte, um zu früh=
stücken, ehe ich meine weiteren Besuchungen antrat, sah ich eine Kirche,
in die ich im Vorübergehen hineintrat, um sie zu besichtigen, weil ich
dieß nicht gerne unterlasse, auch frage ich gewöhnlich, wie sie heißen,
und so erfuhr ich, daß dieß die Kirche der heiligen Katharina sei, die
ich wohl ihrer merkwürdigen Legende nach kenne, von der es mir aber
nicht einfiel, sie in Bologna zu suchen, und in ihrer Vaterstadt zu ver=
ehren. Darauf kam ich vor einem ungemein anziehenden Hause vorbei.

Es war alt, aber majestätisch, groß und schön. Unwillkürlich blieb ich stehen, der große Hof sah sehr einladend aus, auch standen mehrere ansehnliche Herren unter dem Thore. Ich trat wie gerufen hinein und fragte einen Einzelstehenden, was dieß für ein Gebäude sei. Er sagte mir sehr höflich: dieß sei die Universität antique, ich möge nur über den Hof gehen, ich würde gleich Jemanden finden, der sie mir zeige. Ich ging, und schon im Hofe kam mir ein Herr entgegen, der sich sehr freundlich anschickte, mich herumzuführen und der mir kein Gemälde unerklärt ließ, nachdem er meine aufmerksame Theilnahme wahrnahm. In einer Nische am Aufgange der breiten Marmorstiege sitzt in Stein ausgehauen Agnesi Gaetana auf ihrem Lehrstuhle. Eine Mailänderin, geboren im Jahre 1758 und gestorben im Jahre 1799. Sie verstand nebst ihrer Muttersprache die griechische, lateinische, französische, deutsche und spanische, die mathematischen Wissenschaften übte sie mit so glück- lichem Erfolge, daß ihr Papst Benedict IV. eine Lehrkanzel an der Universität zu Bologna antrug. Nur die Gemälde im Corridor und die Wappenschilde aller Städte in der Welt und ihrer Gelehrten in alterthümlicher Pracht zu sehen, ist mehr als eine Tage lange Fußreise werth. Die Säle der Bibliothek sind von einer solchen Menge und Größe, und durch die gerade Richtung des Gebäudes so gestellt, daß der letzte im Perspective wie ein kleines Fenster erscheint. Diese beinahe endlosen Räume fassen auch alle antiquen Werke und Manuscripte, wie man sie n i r g e n d s  i n  d e r  g a n z e n  W e l t  s o  b e i s a m m e n f i n d e t. In dem anatomischen Saale sind die Wände, der Plafond, Statuen und Gemälde auf Holz, von undenklichem Kunstwerthe. — In der Hauscapelle sind besonders meisterhafte Gemälde, von denen ich niemals eine Vorstellung hatte. Vor Allem herrlich prangt das Sinn- bild, wie F r i e d e  u n d  G e r e c h t i g k e i t  s i c h  k ü s s e n. Dieses Ge- mälde machte hinsichtlich seiner Bedeutung einen durchgreifenden Ein- druck auf mich. Gegenüber steht die nackte Wahrheit, darunter die Ge- burt der heiligen Jungfrau. Diesem gegenüber das Bild eines Ster- benden, das sich dem, der es ansieht, nach allen Seiten nachwendet. Wohl das richtigste Sinnbild des Todes, der dem Menschen von allen Seiten nachschaut. Es ist wahrlich schade, daß Reisende ihre Aufmerk- samkeit viel zu wenig auf die Merkwürdigkeiten, und besonders auf die g e h a l t v o l l e n, a l t e r t h ü m l i c h e n  K u n s t w e r k e  u n s e r e r V o r f a h r e n verwenden. Es gibt Gegenstände, die des K e n n e n s und W i s s e n s werth sind, die man aber leider kaum mehr beachtet. Auch

mein Interesse für die Jetztzeit ging in Bologna nicht leer aus. Ich
hatte eine Adresse abzugeben; im Suchen kam ich von ungefähr in
eine der in Italien vielen gewöhnlichen Privatschulen, und gewann da=
durch einen Ueberblick, wie wenig Ehre und Nutzen einer
Stadt der willkürliche Unterricht in Erwerbsschu=
len gewähre. Um nähere Erklärungen hiervon zu geben, spare ich
einstweilen die Zeit. Ehe ich nach Hause kam, begegnete ich ein klei=
nes Mädchen an der Hand einer Magd, die sah mir aus wie eine
kleine Schülerin; auch lächelte mich das Kind ganz bekannt an; ich
fragte es: wohin es gehe. „Zu den Ursulinerinen." Willst du mich
mitnehmen, Kleine? „O ja!" Nun so gehen wir zusammen in die
Schule. Ich dachte es schon gewonnen zu haben, auf gute Art in's
Kloster zu kommen, um den Ton hier kennen zu lernen. Da ich aber
als eine Fremde meine Rede an die Pforte brachte, erging es mir wie
in Triest bei den Benedictinerinen. Man machte mir ganz kurz ohne
weiterer Audienz, als daß man mich abwies, das Thürchen zu. Die
weiblichen Erziehungs=Klöster sind im Allgemeinen viel zu sehr für ihr
eigenes Privatleben abgeschlossen und dadurch der Menschenliebe ent=
zogen, so daß sie statt auferbauen, vielseitig abstoßen. Es
soll ihnen nicht nur erlaubt sein, sondern sie sollen aufgemuntert wer=
den, die leiblichen und geistlichen Werke der Barmherzigkeit mit mehr
Innigkeit zu üben, als die Weltleute. Dazu gehört auch:
Fremde beherbergen und ihnen rathen. Sie würden
dadurch mehr an die Menschheit und die Menschheit an sie gezogen,
und der Verband des Geistes und des Körpers, des inneren geisti=
gen, ewigen Lebens mit dem äußerlich weltlichen nothwendigen Leben,
welches ohne dem geistlichen zerfällt, ohne welchem aber auch das Gei=
stige nicht einmal bestehen kann, würde nicht nur in seinem kräftigen
Sinnbilde zwischen geistlichen und weltlichen Christen, sondern durch
die Gemeinschaft der Heiligen, in der die Verdienste der Gläubigen
einander zu Gute kommen, seine Festigkeit finden. Religiöse Erziehung
ist die Hauptbedingung, die Menschheit dorthin zu bringen, wo sie sein
soll. Für die weibliche ist im Allgemeinen noch mangelhaft gesorgt.
Vor Allem soll sie aus der Hand des Erwerbes ge=
nommen werden. Geistliche Staatsanstalten mit gu=
ter Einrichtung, und sich für Gott opfernde Indivi=
duen, das sind die Mittel, Großes in der Erziehung

zu erreichen. Ich fragte nach meinem schwarzen Adler, um nach Hause zu kommen, da trat mir eine Frau mit einem Mädchen, die schon eine Weile neben mir herging, an die Seite, redete mich zu meiner Verwunderung deutsch an, lud mich ein, sie zu besuchen, und trug sich an, mich zu begleiten, und wenn es mir gefällig wäre, wolle sie mich in die Gallerie führen, wo die Büste von Pio nono feierlich aufgestellt sei, welche die Römer den Bolognesern überschickten, welch letzteren Antrag ich sogleich annahm. Diese Frau war Madame Naldi, die seit vierzehn Jahren die erste Privatschule in Bologna führt. Die klagende Erklärung ihres Standpunctes ist ganz dieselbe, wie ich sie aus eigenen Erfahrungen in meinem Wirkungskreise kenne, und wie ich sie in Padova, Ferrara und hier in immer sich steigerndem Grade finde. In Bologna hält Schule wer will. Man soll diesen Erwerb schon deßwegen nicht dulden, weil dabei gar kein Erwerb herauskommt; denn noch ist keine Schule in zwanzig Jahren in einen finanziellen Aufschwung gekommen; und drängt eine die andere, so können sie nicht einmal mehr leben bei ihrem Erwerbe, mithin verlieren sie auch die Lust zu jeder Leistung. Madame Naldi gesteht wehmüthig: es sinke ihr Lust und Liebe, etwas Wesentliches in der Erziehung zu wirken; sie will Alles gehen lassen, wie es geht; das Beklagenswertheste, was man bei Personen, die einen guten Willen, Kraft und Energie besitzen, etwas zu leisten, treffen kann, und was mir schon so häufig begegnet ist. Was bei Ueberfüllung und Freilassung der Erwerbsschulen noch das Nachtheiligste ist, das sind die dadurch verwirrten und zerrissenen Ansichten der Aeltern, die dahin kommen, mit nichts zufrieden zu sein, und auch nichts bezahlen zu wollen. Man weiß nicht genug zu fordern, in wie kurzer Zeit die Kinder ohne eigene Mitwirkung Alles auf das Vollkommenste lernen sollen, sonst gibt man sie dort und da hin. Schulen, denen es nur um ihren Erwerb zu thun ist, die werden sich nach Kinder und Aeltern richten, so gut wie möglich, und Gutgesinnte und erfahrne Lehrer finden bei solcher Gestaltung der Dinge genügenden Grund, sich zu beklagen. Wie können durch die Vielheit des Erwerbes im gegenwärtig zerrütteten Standpuncte weiblicher Erziehung die künftigen Mütter herausgehen, um ihren Kindern einen gediegenen Character als getreue Staatsdiener mitzutheilen? — Setzt man Bäume für die Nachwelt, deren Früchte man nie genießen wird, darf einem doch gewiß die Aufsicht auf

Mangelhaftigkeit der kommenden Generation, und der Wunsch, etwas dagegen zu thun, verzeihlich das Herz bewegen.

---

## Dreiundzwanzigster Brief.

### An den Herrn Cameralrath L. und seine Frau.

Bologna, den 14. October 1847.

Der köstliche Kaffeh, den mir Ihre Frau zum Abschiede meiner Ab= reise aufwartete, und der in Gott so herzlich gut gemeinte fromme Wunsch, daß er mir für den ganzen Weg gedeihen möge, ist in Wahr= heit gesegnet; denn bisher geht er reichlich in Erfüllung. So laufe ich gestern zum Beispiele vom frühen Morgen, seit ich aus der Kirche ging, wo ich Messe hörte, bis Abends, da es schon ganz dunkel war, die Straßen von Bologna aus und ein, bald um jede Ecke begegnete mir etwas, was mein Interesse in Anspruch nahm und mir nicht Zeit ließ, meinen Gasthof aufzusuchen, weder um zu frühstücken, noch zu Mittag zu speisen. Gott sei Dank! daß der Mensch nicht vom Brot allein lebt. Ich dachte an den Kaffeh und den Segenswunsch der Frau Cameralrath L. und ich war gespeist. Als ich nach Hause kam, nahm ich Suppe mit Reis, und setzte mich gemächlich an meinen Tisch, um neben einem Fläschchen Wein, Wasser, Brot und Käse an meine lieben Freunde zu schreiben, die sich für meine Reise interessiren. Die Kirchen werden in jeder Stadt, die ich durchgehe, immer herrlicher und größer. Hier sind der Dom, die Kirche St. Petronio, St. Domenico von aus= gezeichnetem Werthe. Die Kirche der heiligen Katharina von Bologna ist eben nicht so ausgezeichnet in ihrem Baustyl, desto größer der Werth der Gebeine, die sie birgt. Am Eingange bemerkte ich auf einem Sei= tenaltare ein Gemälde, den Tod des heiligen Vaters Josef vorstellend; unter dem Beistande Jesu und Maria, so mit Geist und Leben gege= ben, daß ich niemals etwas Sprechenderes dieser Art sah. Der heilige Vater Josef, als Nährvater Jesu Christi, der nächste Mitwirker nach der heiligen Jungfrau am Erlösungswerke, einem schweren Tode unter=

4

worfen, den er nur unter dem perſönlichen Schutze Jeſu und Maria beſtehen konnte, bezeigt dadurch ſeinen Antheil, den er für die ſterbende Menſchheit auf ſich genommen, und flößt Vertrauen ein, ihn anzurufen. Gute Gemälde nehmen einen bedeutenden Einfluß auf das geiſtige Leben. Die päpſtliche Büſte Pio nono bringt heute ganz Bologna in Bewegung. In einem Saale aufgeſtellt auf einem von der ſtudirenden Jugend auf Blumenvaſen und Blumenge= winden ganz umhüllten Piedeſtal, lächelt ſie freundlich der ſich hin= drängenden Menge entgegen. Es iſt mir ſehr angenehm, mich eben an dieſen Tagen in dieſer Stadt zu befinden.

---

## Vierundzwanzigſter Brief.

### An den Herrn Doctor K.

Bologna, den 14. October 1847.

Das ſag' ich Ihnen, Herr Doctor! reiſen muß man, um zu leben, und Niemand, der den Beruf dazu hat, ſoll ſich von täuſchen= den Beſchwerden davon abbringen laſſen. Aber Fußreiſen muß man machen, um die Freiheit der Natur zu genießen. Gibt es gleich Beſchwerden, werden ſie reichlich von den Freuden aufgewogen, die ſich von ſelbſt darbieten. Wenigſtens mir geht es ſo. Ja, ja! ſo haben Sie gut reiſen, wenn Ihnen die Kutſchen und die Diligence auf die prompteſte Weiſe ohne Koſten zu Gebote ſtehen, werden Sie ſagen, wenn ich Ihnen werde erzählt haben, wie ſich das Alles ſo zugetra= gen. Auf meiner erſten Fußreiſe von Ferrara weg wurde mir nach ein Paar Stunden mein Torniſter ein wenig fühlbar, da kam ein ganz artiges Kabriolet hinter mir drein gefahren, blieb ſtehen und lud mich ein, mitzufahren. Ich fuhr eine gute Weile, ſo lange der Wagen auf der Straße blieb. Abends gings wieder ſo. Sie müſſen aber auch wiſſen, daß ich von acht Uhr Früh bis zehn Uhr Abends auf der Straße war und niemals ruhte, als im Wagen und in der Mittags= ſtunde, wo ich in guter Geſellſchaft ſpeiſte. In einer Stunde werde ich

mit der Diligence, ohne daß es mich etwas kostet, nach Florenz fah=
ren. Als ich an Herrn Mazetti, dem Herrn der Diligence, das Billet
des Herrn B., einem seiner Freunde, übergeben hatte, fragte er mich
sehr höflich nach meinen Wünschen, dagegen ich nichts anderes sagte:
als daß ich vom Herrn B. angewiesen sei, mich bei Herrn M. zu
melden, um nicht ganz fremd in Bologna zu sein, und von ihm fer=
neren Rath für meine Reise zu erhalten, weil ich meinen Weg zu Fuß
fortsetzen werde. Gut. Signor M. fragte mich, ob ich denn gar nichts
bedürfe; ich dankte, indem ich sagte: ich sei bei meinem schwarzen
Adler sehr zufrieden gestellt. Nun trug er mir an, mein Gepäck voraus
nach Florenz zu schicken. Ich sagte, das wäre mir sehr lieb, wie viel
kostet dieß? Das kostet Sie gar nichts! war die Antwort; Sie haben
es nur unter Ihrer Adresse auf der Post wieder abzuholen. Ich ging
in die Kanzlei, meine Adresse zu schreiben, indessen kam ein anderer
Herr und sagte: Der Weg ist doch zu beschwerlich für Sie, um ihn zu
Fuß zu machen, es gibt viele Berge. Morgen ist Platz für Sie im
Wagen. Ich sagte: der Platz im Wagen koste mich zu viel, ich habe
eine gar weite Reise vor mir, und Herrn B. möchte ich keine Kosten
verursachen. Man erwiederte mir: mich koste es gar nichts, und
Herr B. bekomme darum keine Last auf sich, ich möge nur um 4 Uhr
Nachmittags hier sein. „Wenn es so ist, so nehme ich Ihr Anerbieten
mit Dank an und lasse Gott für die Belohnung dafür sorgen.“ Was
mir aber noch mehr gilt als der ganze Platz im Postwagen, ist das
humane, gefällige und anständige Benehmen der Herren im Postbureau
des Herrn Mazetti, der sich selbst als ein Mann von Ansehen und
guter Bildung präsentirt. Meine dankbare Erinnerung wird bleiben. —
Zum Abschiede von Bologna werde ich nur noch, wenn ich über den
Platz gehe, die ungeheure Menge von kopsgroßen Zwiebeln und die
Berge von Maroni sehen, wie sie mit großen Holzschaufeln aufgewür=
felt werden. Es scheint, als ob die Leute hier nur von Zwiebeln und
Maroni lebten. Bei der armen Classe ist es auch so, sagte man mir.
Der Campo santo soll in Bologna noch prachtvoller ausgestattet und
größer sein, wie in Ferrara. Zweimal war ich auf dem Wege, ihn
zu besuchen, aber jedesmal hielt mich der weite Weg, über eine Stunde
vor die Stadt hinaus, wenn man schon beinahe eine Stunde durch
die Stadt ging, davon ab. Die Italiener scheinen einen Werth darauf
zu legen, den Fremden ihre Campi santi zu rühmen. Ich gebe ihnen
in jeder Hinsicht Recht.

4 *

## Fünfundzwanzigster Brief.

### An Bruder Zeno.

Florenz, den 15. October 1847.

Nun bin ich in Florenz und benütze die Abendzeit, um in der Locanda di santo Luiggi zu schreiben. Um eilf Uhr Vormittags ange=
kommen, besuchte ich sogleich die Kirchen. Kam zum Dom, der aus=
sieht wie eine Stadt, rund, mit einer ungeheueren Kuppel, mit Capel=
len, die wie Seitengebäude herumstehen, und einem nebenan ganz frei
stehenden Thurme, hoch, so wie die Babylonier den ihrigen gerne ge=
baut hätten. Er scheint ordentlich zu wanken, wenn man an ihn hin=
auf sieht. Die Bauten sind in Italien sehr großartig. Im Innern
wird die Kirche renovirt, folglich ist nichts von ihrem Ornement zu
sehen. Von St. Peter in Rom habe ich mir nun wenigstens Begriffe
gefaßt, was mir bisher nicht recht möglich war. Auch muß ich Dir
sagen: mit dem Dominicaner=Orden ist es bei weitem
noch nicht aus. Wenn man seine Kirchen in Ferrara, Bologna und
Florenz sieht, wie sie ausgezeichnet die schönsten, reinsten und ausge=
ziertesten sind, so muß man sagen: er steht auf festem Fuße. In Florenz
sind zwei große Kirchen und Klöster der Paters und vier von den
Frauen. Ich dachte an unsern Pater Thomas und betete für ihn. In
Bologna bewunderte ich die Wachskerzen bei den Dominicanern, die
nochmal so lang sind, wie unsere Pfundkerzen; in Florenz aber sah
ich heute Nachmittags bei den Dominicanern zu Maria Novella einen
Altar bestecken, der mich in Erstaunen versetzte. Er wird an dem mor=
gigen Ordensfeste in fünfhundert Lichtern schimmern. Die Kerzen, die
in der Reihe am Altare stehen, und deren nicht wenige sind, wiegen
44 Pfund, die kleineren eine Quantität nur, 4—6 Pfund. Ihre Oster=
kerze, von der sie mir erzählten, ist 120 Pfund schwer. Ich freue mich,
das hochwürdigste Gut in diesem Lichtmeere zu schauen. Von dem
Raume dieser Kirche magst Du Dir einen Begriff machen, wenn Du
Dir hinter dem Hauptaltäre in Mitte der Kirche noch zwölf Capellen
wie kleine Kirchen im Umkreise denkst. Die Leute beten von allen Sei=
ten, meist sieht man sich einige entgegen schauen, wenn man bei der
Thüre hineintritt.

# Sechsundzwanzigster Brief.

## An den Herrn Doctor K.

Florenz, den 15. October 1847.

Nach denen, mit Ihnen, Herr Doctor, öfter besprochenen Bemerkungen über psychologische Einwirkungen und Wahrnehmungen der Seele, ohne eigentlich materiellen Beweggründen, die dem Körper ihre Rückwirkungen oft recht empfindlich fühlbar machen, gestehe ich, auf eine ganz eigene Weise wahrzunehmen, daß ich nicht in Oesterreich und nicht in Rom bin. Zum ersten Male sehe ich mich fremd im Lande. Zum ersten Male wandelte mich die Sorge an: Wenn deine Barschaft nicht auslangte oder du sie verlieren könntest! Doch hält mein Muth noch fest und ich bin durchaus nicht zaghaft. Auch fand ich gleich wieder einen tröstlichen Anhaltspunct. Eine äußerst gemüthliche, in ihrem Geiste etwas über ihre Lebenssphäre hinausgestellte, gute Frau, die Jägersfrau des preußischen Ministers, an die mich Herr B. adressirte. Sie hält auf dem großen Platze hinter dem Dome eine Tabak-Boutique mit allen andern kleinen Boutique-Angelegenheiten. Sie schickte sogleich auf das Landgut des Ministers, doch Herr B. war noch nicht angekommen. Nun hatte ich Niemand, der mich in der großen Stadt herumführte, oder mir irgendwo Eintritt verschaffte. „Verlege dich auf's Fragen," war meine eigene Antwort. Nach einiger Rücksprache mit der guten Jägersfrau, die mich gleich ein- für allemal zum Speisen einlud, so lange ich in Florenz verweile, ließ sie mich durch ihre Magd in das Gasthaus führen, was ich bewohne, um darin zu schlafen und zu schreiben; und dann trat ich noch für den Nachmittag eine Menge Wanderungen an. Vor Allem merkwürdig ist die Basilica di San Lorenzo. Ein Kunstgebäude von Michel Angelo als Architekt erbaut, und geziert mit seinen besten Kunstwerken als Bildhauer und Maler. Die Basilika ist vom Militär, ehrenwerthe, tüchtige Männer, bewacht und versorgt. Man machte sich kein Schauen und kein Wundern über eine einzeln reisende Frau, die daher kömmt, um sich die Basilika zeigen zu lassen. Man führte mich durch eine dunkle Halle mit Säulen gestützt, in der Soldaten Wache hielten und die ganz unterirdisch aussieht. Ein Unteroffizier übernahm meine fernere Leitung; wir gingen Stiege aufwärts, und kamen durch einige Gänge in den Saal der erhabensten Kunst. Der unermeßlich hohe Kuppelgang, neu von Benevento gemalt, erregt Entsetzen und Erstaunen ob der Möglichkeit, diese Gemälde in solcher Luftregion anzubringen. Die Halle, nur für Bewunderer ihres classischen Daseins erhalten und geöffnet, behauptet eine Ehrwürdigkeit, in deren Umgebung ich mich sehr wohl fühlte. Ich verweilte ein wenig, und als ich vor die Thüre kam, regnete es so plötzlich und heftig, als hätte sich der Himmel aufgethan. Was war zu thun, als in die Basilika zurückzukehren und zu warten. Immer kann man selbst die Kunstwerke nicht besehen; ich setzte mich mit meinem Begleiter in die einzige Kirchenloge, die vorhanden war, um zu conversiren, so gut es ginge. Endlich meinte ich doch sehen zu müssen, ob denn keine Aussicht wäre, fortzukommen. Wir gingen hinaus, Regen und Sturm war wo möglich noch ärger. Mein Begleiter orientirte sich nach seiner Wetterkenntniß und sagte: der Wind käme von der Seite, wo heute an kein Aufhören zu denken sei. Wie denn fortkommen? Mein Paraplui hatte ich nicht bei mir, und hätte ich es gehabt, hätte es der Sturm nicht offen gelitten; die Straßen waren so voll Wasser, daß man bald leichter schwimmen hätte können, als gehen, so daß auch von einem Wagen holen gar keine Rede sein konnte. „Es wird schon anders werden," sagte ich zu dem wirklich sehr theilnehmenden Aufseher, „ich kann ja nicht da bleiben." „Wissen Sie was, ich gehe in die Basilika, um vor dem schönen Kruzifix zu bethen; wenn es aufhört zu regnen, rufen Sie mich." Dieser sah mich ganz gerührt an und sagte: „Gut." Ich übergab mich in vollkommene Ruhe, die ich hier allein in weiter Halle vor dem Bilde des Gekreuzigten pflegen konnte, der Andacht, zu der mich die Ehrwürdigkeit dieses Ortes bewegte. Mich däuchte es nicht sehr lange, so rief der wackere Soldat: „Sie haben gut gebetet, die Sonne scheint." Ich schloß ab, und mit unnennbarem Vergnügen sah ich in den blauen Himmel und in der holden Sonne freundlich Licht. Man geleitete mich an's Thor, und ich fand auf meinem Wege Maria nova, das größte Hospital. Es ward mir jedoch nicht so leicht, hineinzukommen. Erst schickte man mich an die Schwestern, die dieses Spital versorgen. Ich kam glücklich an ihre eigentliche Klosterpforte, die mir sogleich sorgfältig, damit mein weltlicher Fuß nicht darüber schreite, ohne weiterer Auskunft verschlossen wurde. Dieß reizte meine Neugierde erst recht an, zu wissen,

wie die Kranken hier bestellt seien; denn sie stehen wohl in ihren bei=
nahe unermeßlichen Räumen unter Schwestern, aber nicht unter
Schwestern des heiligen Vincenz de Paul. Da mir bei meinen
Kirchenbesuchen, gleich nach meiner Ankunft, zwei Minoritenpaters sich
anboten, mich nach Maria nova zu führen, so benützte ich deren
Namen, und ich fand Einlaß. In einem Saale, der sich über die
Ecke bog, von einigen hundert Betten, fand ich bei sonst gut bestellter
Einrichtung Aerzte und Geistliche in ihren amtlichen Beschäftigungen
bei den Kranken, zwei Schwestern in der Mitte des Saales, mit eini=
gen gemeinern Personen im Gespräche. Es ganz in der Ordnung
findend, sie zu grüßen, und zu ersuchen, als einer Fremden, auf die
Empfehlung des Minoritenpaters N., mir das Spital zu weisen, sahen
sie mich halb lächelnd vom Kopf bis zu den Füßen an, ohne in ihren
Aeußerungen den Besuch des Hauses zu wehren, noch weniger aber,
mich zu begleiten. Dieser Ton gefiel mir nicht. Kaum dacht' ich mir
dieß, so kam ein junges Mädchen, eine weltliche Wärterin, und bot
sich freundlich an, mich herum zu führen; was eine ganze Weile
dauerte. In der Irrenabtheilung bat mich eine arme Kranke, die sich
eben im leidendsten Zustande befand, ich möge ihr doch meine Hand
auf's Herz legen, was ich auch mit aller Theilnahme that, was jedoch
die Umgebung belächelte und mich von der Person zu entfernen suchten.
Sie mögen es gut gemeint haben, denn sie kennen ihre Leute besser,
als ich, mir mißfiel jedoch das Benehmen mit den Irrsinnigen eben so,
wie das ganze Uebrige. Auch an Pflege und Reinlichkeit ist dieses
Haus jenen, die ich unter der Obsorge der barmherzigen Schwestern
fand, gar nicht zu vergleichen. Die Magd, die mich herumführte,
schien ein gutes Mädchen zu sein, sie sagte mir jedoch, nicht bleiben
zu wollen, und was ich aus Allem wahrnehmen konnte, so fehlt dem
ganzen Hause, bei all' seiner Größe und sonstigen guten Einrichtung,
der gute Geist, es entsprechend zu versorgen. Darum preise ich meine
Vaterstadt, die barmherzige Schwestern hat. Wenn diese im
Geiste ihres Stifters wirken, kann und wird der
segensvolle Erfolg zur Erleichterung des mensch=
lichen Elendes nicht fehlen.

***

## Siebenundzwanzigster Brief.

### An die Frau Baronin v. B.

Florenz, ben 15. October 1847.

Sie, Frau Baronin! die Italien, den Garten Europa's, durchreist,
die Florenz kennt, die schöne Blumenstadt, die ihren Flora = Namen
nicht vergebens trägt, Sie werden es begreiflich finden, daß ich, als
Fremde hier im Lande, begeisternd mich heimisch finde, auf so zarter
Flur, die ihre Blüthen hinüber duften läßt in des Herbstes kalte,
düstere Natur. Ich liebe die Blumen. Auch von Ihnen weiß ich,
Frau Baronin, daß sie deren geheime Sprache verstehen, und ihre
magisch zarte Kraft erkennen, die sich anschmiegt an die Braut und
an das Grab, an die Verehrung des Heiligen und des Allerhöchsten,
wie an des Menschen täglich mühevolle Lebensbahn. Hier in Florenz,
wo Frucht und Blüthe herrlicher gedeiht, als ich es bisher gesehen,
fühle ich mich angesprochen, Ihnen zum ersten Mal ein Schreiben zu=
zusenden, und Ihnen zu danken für die innige Theilnahme, die Sie
an meiner Pilgerfahrt in's heilige Land bei meiner Abreise bezeigten.
Ich werde Ihnen in der Folge Mehreres mittheilen, Italien kennen
Sie ohnehin besser als ich. Nur der Rosensträuche, die über die alten
Mauern in voller Blüthe, jetzt, im halben October, an der Straße
herunter hängen, ehe man durch das Stadtthor von Florenz fährt,
kann ich nicht umhin, zu erwähnen. Als ich aus dem Postwagen
stieg, regnete es zwar, demohngeachtet war schon ein Knabe da, der
mir im zierlichen Körbchen noch zierlichere Sträußchen bot. Ich nahm
ihn auch gleich mit mir, um meine Reisetasche zu tragen und mir den
Weg zu zeigen. Bald schien die Sonne, und ich konnte mich an
Blumengewinden und Blumengruppirungen, herumgetragener Guir=
landen und Bouqueten genügend weiden.

## Achtundzwanzigster Brief.

## An die Frau Gubernialsecretärin K.

Florenz, den 16. October 1847.

So weit bin ich schon gekommen, um mich Ihrer aufmunternden Theilnahme an meiner Reiseunternehmung nach dem Oriente, wo die Sonne früher aufgeht, zu erfreuen. Mit Vergnügen gedenke ich des Abends vor meiner Abreise, wo auch Sie mit Ihren beiden lieben Töchtern mich mit einem Abschiedsbesuch beehrten, und mit eben so großem Vergnügen löse ich mein Wort, Ihnen von meinen Reisebegebenheiten Einiges im schriftlichen Verkehre mitzutheilen. Für's Erste wünsche ich Sie zu überzeugen, daß ich um meines religiösen Zweckes willen, das, was uns die Erde durch des Schöpfers Macht und Gnade im Getriebe des täglichen Lebens bietet, nicht etwa gleichgiltig übersehe. Gestern Abends, ehe ich mein forschendes Tagewerk vollendete, besuchte ich noch beim Kerzenlicht die Fabrik der berühmten Florentiner Strohhüte. Wäre ich auf der Rückreise, ich hätte mir einen mitgenommen, denn ich halte die Strohhüte in Ehren; für meinen gegenwärtigen Gebrauch jedoch ist mir mein schwarzer Schleierhut lieber. Man nennt mich damit die monache, und obschon ich widerspreche, und sage: non sona monache, so ist mir damit doch sehr gedient. Das Gedränge von Spaziergängern und Karossen wurde in den Hauptstraßen und Plätzen so groß, daß man sich von einem solch' unterhaltenden Gewoge gar keine Vorstellung machen kann, wenn man es nicht gesehen hat. Heute besuchte ich das Museum und die Bildergallerie, wo ich sehr viel an Fräulein Marie gedachte, besonders da ich auch eine Frau unter den vielen Malerkünstlern, die hier ihre Studien halten, und ihre Staffeleien aufgestellt haben, antraf. Pflegen Sie ja doch gewiß, Fräulein, Ihr so glückliches Talent für Oelmalerei, durch fleißige Uebung, da ein solches Talent eben so selten, als mühevoll in seiner Vollendung ist. Ihnen ist jedoch die nöthige Geduld und Zartheit des Geistes im gleichen Maße mitgetheilt. Sie vergeben gewiß, gnädige Frau, daß ich eine Phrase an Fräulein Tochter wendete; da Sie mein Verlangen kennen, die Jugend aufzumuntern zur

Benützung ihrer Gaben. Für mich selbst hin hätte ich jetzt das Ver=
langen, die Gabe zu haben, Ihnen durch schriftliche Darstellung einen
Gang durch die Kunstsäle der Bildergallerie in Florenz zu ersetzen, die
ich durchwandelte. Doch gehört dieß leider in die Gallerie der vergeb=
lichen Wünsche! — Im Saale der Niobe steht diese Statue da, daß
man laut ausrufen möchte: „Si vede la vità, trati nell' marmora.*)"
Ich versichere Sie, es fehlt wenig, daß die italienische Kunst und
Sprache nicht auch sogar mich zum Dichter mache! — Unter der bei=
nahe unabsehbaren Menge von Kunstwerken in Marmor ist besonders
eine Madonna mit dem Kinde merkwürdig, das im vierzehnten Jahr=
hundert von Luca di Berra gemacht wurde, und noch in solch glän=
zender Weiße, beinahe blendet, als wäre es erst heute aus seiner
Hand gekommen. Kein Meister ist mehr im Stande, einer Sculptur
diesen bleibenden Glanz zu geben. Da ich heute so ganz kunstsinnig
geworden bin, so kann ich auch unmöglich umhin, einer Hermaphro=
dite zu erwähnen, die mit Recht einen eigenen von ihr benannten Saal
bewohnt, und einen ausgezeichneten Hofstaat von andern Kunstwerken
um sich hat. An Antiken sieht man eine genügende Menge. Römische,
griechische und egyptische. Vasen und Laren, in verschiedenen Formen,
groß und klein. Schwerter und Harnische. Mumien, enthüllte und
eingemachte. Alles in pracht= und geschmackvoller Zierde geordnet, was
den Werth dieser Gegenstände, hinsichtlich des Anschauens, sehr vor=
theilhaft erhebt. Die Planchets und Plafonds, die Gestelle, Thüren
und Fenster, Alles trägt dazu bei, die von oben bis unten mit allen
Arten der schönsten Bilder, aus der alten und neuesten Geschichte,
behängten Wände noch anmuthiger und interessanter zu finden.

---

*) Man sieht das Leben mitten im Marmor.

---

## Neunundzwanzigster Brief.

### An den Herrn Cameralrath L. und seine Frau.

Florenz, den 16. October 1847.

Wenn ich die schönen großen Kirchen sehe, die so ziemlich leer sind, ohne etwa deßwegen irgend einer geistlichen Pflege zu entbehren; denn die Messen, Chorgesänge und alle andern geistlichen Verrichtungen werden hier nicht um eines versammelten Publikums willen mit Feier= lichkeit und Anstand gehalten, sondern um Gottes willen, zum Wohle der ganzen Christenheit (wenn Jemand daran Antheil nehmen will, ist's gut, wenn nicht, so verhinderts nichts), in diesen schönen, sehr gut gepflegten, andächtigen Kirchen will ich sagen, denke ich oft und viel an Ihre fromme Frau, um ihr ein Plätzchen darin zu wünschen, und ihr die Wahl zu lassen in diesen schönen Capellen, die sich meist um den Hauptaltar drehen. Sie würde ein solch' anmuthiges Plätz= chen gewiß besser zu benützen wissen, wie ich. Ich laufe nur immer herum, um rechts und links zu sehen, und nichts zu versäumen, was man etwa noch Merkwürdiges ausfindig machen könnte. Was ich denn da auch gefunden, darf ich Ihnen durchaus nicht vorenthalten, ver= möge seines besonderen Werthes. Ich kam in die Kirche dell' Annun= ziata santissima, sie gehört den Serviten; da bemerkte ich gleich bei dem Eingange einen Altar, der gegen den Hauptaltar aufwärts schaute, was in den großen Kirchen Italiens nichts Neues ist; dieser Altar nun birgt das Gnadenbild hinter dichter Damasthülle, die nur in der Octave des Festtages weggenommen wird. Als Garnitur um den Altar brennen immer 42 kleinere und größere silberne Lampen, in der Mitte drei von Gold, wovon die mittlere 10 Pfund schwer, von der schönsten und feinsten Arbeit. Die Capelle ist den ganzen Tag besucht, denn dieß Bild steht in ausgezeichneter Verehrung. Die Geschichte davon ist diese: Der Maler malte den Engel so schön, daß ihm selbst seine Fantasie und der Pinsel seiner Kunst erschöpft schien. Nun sollte er sich an die heilige Jungfrau machen. Da saß er vor seiner Staffelei, und sann, wie er es denn anfange, daß er die Jungfrau schöner noch wie den Engel male. Ob dieses frommen Sinnens schlief er ein.

Und erwachend sieht ein Bild ihn an, wie er es in seinem Sinne nicht finden kann. Staunend verehrte er die Jungfrau, die ein Engel hingemalt, weil an dem Engel selbst die menschliche Kunst sich erschöpft. — Daß von den frommen Ordensbrüdern, wie von dem Volke, vornehm und gemein, das Engelsgemälde authentisch angenommen ist, welches sich durch unzählige Wunderwerke als Gnadenbild bewährte, beweist wohl die große Verehrung, die man demselben bezeigt. Was mir in Florenz vor Allem gefällt, ist die ewige Anbetung, oder das vierzigstündige Gebet. In der Größe der Stadt, mit ihren vielen Kirchen, wird das hochwürdigste Gut abwechselnd durch das ganze Jahr, Tag und Nacht, alle 40 Stunden in einer andern Kirche angebetet; wobei kein Lichtglanz und keine auferbauliche Vorbereitung gespart wird. Ich fühlte mich mit dieser Einrichtung in meinem Herzen so zufrieden gestellt, daß ich die Florentiner dafür sehr in Ehren halte. Mir blieb nur Ein Wunsch, bei dieser nicht genug lobenswerthen Einrichtung einer Stadt, übrig. Und das ist: eine Gesellschaft von frommen Frauen, die zu Zweien, in Stunden abwechselnd, anbetend, als Ehrenwachen, vor dem Hochwürdigsten knieeten. Es traf sich einmal gerade zu, daß ich zur feierlichen Einsegnung in eine Kirche kam, wo das vierzigstündige Gebet gehalten wurde. Und nie werde ich den Eindruck vergessen, der majestätischen Orgeltöne, und des harmonisch andächtigen Volksgesanges, sammt der allerheiligsten Gegenwart Jesu Christi auf dem Altare, anerkannt von so vielen frommen, gegenwärtigen, christlichen Herzen.

---

## Dreißigster Brief.

### An den hochwürdigen Herrn Pfarrer Sch.

Florenz, den 17. October 1847.

Mit großer Freude berichte ich Ihnen, hochwürdiger Herr! daß ich nun schon ein Empfehlungsschreiben nach Rom bei mir habe; welches ich von dem Prior der Serviten an seinen General-Obern bekam, mit

Grüßen von allen Brüdern des Conventes. Ich wurde dort bekannt, weil ich in die Sacristei ging, um mich über die Geschichte ihres Gnadenbildes zu belehren, welches bei den Florentinern in sehr großer Verehrung steht. Die Frömmigkeit und Freundlichkeit dieser Herren rührte mich zu Thränen, ich erkannte sie als wahre **Diener Mariens**, als welche sie mir ihren Orden erklärten. Ihrer zwei boten sich mir an, mich in das Hospital Maria nova zu führen. Ich konnte es jedoch mit der Zeit nicht vereinen, und so besuchte ich es allein, da ich von ungefähr vorüber kam. Es kostete mich zwar einige Mühe, hinein zu kommen, und wenn sich nicht eine Magd des Hauses um mich angenommen hätte, hätte ich dieses, seiner Größe nach ausgezeichnete Spital, wohl nicht gesehen. Der Hauptsaal ist in Kreuzform gebaut. Die Reihe von Betten der Länge hinauf zählt 60, und als man mich in die anderen Säle, Gemächer, Corridore führte, deren einer zu ebener Erde eine freie Aussicht durch große Glasfenster in den Garten hat, meinte ich in einer kleinen Stadt zu sein, deren Einwohner alle im Bette liegen. Das war nur die Frauen= abtheilung, in die Männerabtheilung zu gehen, gönnte ich mir nicht mehr die Zeit. Ein so großartiges Institut Fremden nicht mit Zuvorkommenheit zeigen, ist ein Vergehen gegen seine eigene Stadt, der es Ehre macht, sich so ausgezeichneter und wohleingerichteter Institute rühmen zu können. Diesem wenigstens, denk' ich, sei nichts zu wünschen, als der Geist der Töchter des h. Vincenz de Paul zur Pflege. Auch das berühmte Erziehungs= institut, von der Herzogin gestiftet, hätte ich gerne besucht. Im Hause war ich; aber leider, da Ferienzeit ist, und sich die Meisterinen alle auf dem Lande befinden, konnte ich die Einrichtung desselben nicht sehen. Die Aufseherin, die im Hause war, und ein heranwachsendes Mädchen, ein Zögling, äußerten den mir sehr mißfälligen und nicht so ganz unbekannten Schulton. Auch die Judenschule ließ ich nicht un= besucht. Die Synagoge in Florenz ist bekanntermaßen eine der schönsten und vorzüglichsten. Oben an steht ein von Holz geschnitzter, in Säulen= arbeit geformter Altar, der den unserigen gleicht. Bequeme Kirchen= stühle, eben den unserigen ähnlich, von polirtem Holze und beinahe dicht an einander hängenden Glaslüstern, und schönen Lampen, machen die äußere Einrichtung. Ich kam noch vor dem Anfange ihrer Schule, die Abends um 6 Uhr beginnt. Als ich durch die Gänge des Hauses ging, versammelte sich ein Kreis von Knaben um mich, mit jener freundlichen Anhänglichkeit, wie ich sie von Kindern gewohnt bin. Einen kleinen, lieben Knaben küßte ich auf die Stirne, mit dem innigsten Wunsche: „ach, könnte ich für euch Alle die heilige Taufe. erbitten!" Die Kinder begleiteten mich in die Synagoge, wo ich sehr höflich empfangen wurde; man führte mich ganz voraus gegen den Altar zu, und wies mir an der Seite meinen Platz an. Bald darauf fingen die Knaben an, ihre Psalmen mit ganz gewaltigen Stimmen zu singen, nachdem vorher von den Meistern angestimmt wurde. Die Erwachsenen sangen hie und da mit. Uebrigens herrscht die feierlichste Aufmerksamkeit und Stille; d. h. Niemand spricht; denn sonst ist's bei diesem Geschrei nicht still. — Mir wurde etwas unwohl. Es war mir, als regte sich die Empfindlichkeit meiner Nerven. Auch zog es mich mit Allgewalt hinaus in die Kirche di santa Maria novella der Dominicaner, die heute Abends ein Fest feierten, bei dem das hochwürdigste Gut, bei einem Schimmer von mehr als 500 Lich tern, ausgesetzt ist. Ich freute mich, diesen Glanz zu sehen, und rechnete, nach dem Synagogenbesuch, noch zum letzten Segen recht zu kommen. Mehrere Male schon winkte ich der Magd, die mich beglei tete, doch diese hatte keine Lust, fort zu gehen und mich in der größten Eile nach Maria novella zu begleiten. Als ich aber beinahe ohn mächtig wurde, stand ich ohne ihre Zustimmung auf, um fort zu gehen, ich dachte: sie wird wohl nachkommen, was sie auch that. Ich eilte, in die Luft zu kommen, das Haus war leer. Nachdem ich einige Gänge durchschritt, öffnete ich etwas heftig eine Flügelthüre, in der Meinung, den Ausgang zu finden; kam aber in eine zweite, größere Synagoge; in der mich sogleich einer von den Herren, die an der Thüre standen, mit aller Höflichkeit vorwärts wies, wofür ich jedoch dankte, da ich mich nicht entschließen konnte, hier zu bleiben. Nach einer Weile empfahl ich mich auch. Doch meine Begleiterin brachte ich nicht mehr dazu, mit mir nach Maria novella zu gehen. Es war aber auch schon wirklich zu spät. Ich ging nach Hause, um zu schrei ben. Auf dem Wege fragte mich die Magd: „Haben Sie den Herrn nicht gesehen, mit dem Sie gestern so lange sprachen? er stand in der zweiten Synagoge fest neben Ihnen, nur konnte er Sie nicht ansprechen, weil die Juden in der Synagoge nicht reden dürfen." Dieser Herr ist mir eine merkwürdige Erscheinung. Im Tabakgewölbe bei der guten Jägersfrau, an die ich in Florenz adressirt war (Madame Pfeifer speiste auch dort, jedoch auf ihrer Rückreise), da kaufte sich ein junger, geistvoller, sehr gebildeter Italiener Cigarren. Die gute Frau, voll Interesse für ihre Pilgerin, erzählte ihm von meiner Wallfahrt in's heilige Land. „Also nach Jerusalem, in die alte Judenstadt, wollen Sie gehen?" fragte er mich ganz tiefsinnig, und wir knüpften ein Gespräch von anderthalb Stunden an, welches wir, nach gegenseitigen Darstellungen und Debatten über die gegenwärtigen Zeitverhältnisse, mit einem freundschaftlichen Handschlage zum Zeichen der Freundschaft Italiens mit Oesterreich, und einem einstimmigen enthusiastischen Rufe: „Viva, Pio nono!" schlossen. Und dieser Enthusiast für Pia nono soll ein Jude sein? — Er war der Erste, der mir meine Reise durch Italien als Deutsche ein wenig eindringlich gefährlich vorstellte. „Wie können Sie nur das unter diesen Zeitumständen wagen?" Die Leute halten mich aber durchaus für keine Deutsche. Ich muß es ihnen aufstreiten: „ma sicura sono Tedesca," und bin stolz darauf, eine Tochter Oesterreichs zu sein!" Man lacht, und wir sind gute Freunde, wie mit Herrn Aubert de Castiglione, der die österreichischen Minister zu Pulver zerreiben möchte.

---

## Einunddreißigster Brief.

### An den hochwürdigen Herrn Chorvicar M.

Florenz, den 6. October 1847.

Die maledetti Gesuitti! rief ein sehr gebildeter junger Italiener. Zwar ein Hebräer, was ihm jedoch weder an Sprache, noch in der Rede, noch im Benehmen anzumerken war. „Das glückliche Toscana," sagte er, „das gar keinen von ihnen birgt!" Was ist's denn nur mit den Jesuiten, daß man gar so gewaltig gegen sie loszieht? Das macht sie mir erst recht interessant; so, daß ich mir vornehme, sie in besondere Beobachtung zu ziehen, wo ich sie finde. Uebrigens sagte eben dieser Herr: „Was Gutes an uns ist, verdanken wir dem heiligen Vater Pius. Wir Florentiner waren verdorbene Leute, jetzt sind wir religiöse und tugendhafte." Und dieser Herr ist ein Jude. Auch die gute Jägersfrau, bei der ich ihn traf, eine Christin, äußert sich für ihre Landsleute eben so. Ueberall erschallt der Ruf und die Liebe für Pio nono. Heute sind es schon drei volle Tage, daß ich hier bin, doch morgen gedenke ich weiter zu ziehen. Es schien mir wie ein Vergehen gegen Kunst und jedes ästhetische Gefühl, wenn man hier nicht verweilte, um wenigstens einigermaßen einen Ueberblick über eine der vorzüglichsten und ihrem zarten Kunstsinne nach vielleicht ersten Stadt, zu gewinnen. Ob ich zwar einen solchen Ueberblick in seinem Werthe zu machen fähig bin, da zweifle ich sehr daran, indeß ward mir der Ueberblick über diese Stadt auf materielle Weise im vollen Maße zu Theil, und das auf die unverhoffteste Art. Herr B., der mich unterwegs auf sich selbst anwies, weil er früher in Florenz zu sein vermeinte, wie ich, ist noch nicht angekommen, und so muß ich mich allein zurecht zu finden suchen, was mir denn auch nicht fehlt. Als ich auf dem großen Platze vor der Bildergallerie stand, um mich ein wenig herumzusehen, und zu besinnen, ob ich wohl allein hinein= gehen soll in diesen ungeheuer großen Musenpallast (denn mich so fort mit den servi di piazza zu befassen, reicht meine Barschaft nicht hin), da sprach mich ein Theolog an, und erbot sich in größter Freundlich= keit, mich in die Gallerie zu führen, was er nach meiner dankbaren Annahme auch mit unermüdetem Eifer vollbrachte, mir Alles auf's Genaueste erklärte, ja verschlossene Zimmer öffnen ließ. Als wir fertig waren, empfahl er sich kurz und höflich. Jetzt sagen Sie mir, geistli= cher Herr! ob ich das nicht freudig annehmen darf, was der Inspec= tor der alten Universität in Bologna mit gerührter Stimme zu mir sagte: „Sie haben einen eigenen Engel, der Sie führt!" — Ich kam von ungefähr in die Mosaik=Fabrik, von welcher Kunst man bei uns keine Begriffe hat und haben kann, und weidete mich an den eingelegten Steinblumen mit vollem Erstaunen. Tischplatten und Bil= der, daß kein Maler sie reiner und feiner bemahlen könnte, nur sind diese künstlichen Steingebilde in ihren Farben viel heller, auch dauer= hafter. Von da weg kam ich an einem Hause vorbei, nicht groß aber nett, mit einem Buchhandel darinnen. Es fiel mir ein, zu fragen, ob vielleicht nicht etwa schon ein neuer Kalender zu bekommen sei. Diesen fand ich zwar nicht, aber was mir lieber war, eine freundliche Theil= nahme des Herrn Factors für die fremde Pilgerin, so daß er mich mit der genauesten Aufmerksamkeit in alle Abtheilungen des Hauses

führte. Ich kam, ohne es zu wissen und zu wollen, in eine vollkom=
mene Anstalt, um einen Bücherverlag zu präsentiren. Es war die
Buchdruckerei des Herrn Bertanolli, die es wahrlich verdient, ge=
nannt zu werden. So ausgezeichete Institute sind
Glanzpuncte einer Stadt. Dieses Institut enthält in wohl=
getroffener Einrichtung und schönster Ordnung: die Buchhandlung, die
Druckerei, die Schriftgießerei, die Lithographie, die Kupferstecherei
sammt Abdruck, die Malerei, die Zeichnungslieferung. Ich sah noch
keine so vollendete Einrichtung für einen Gegenstand, um ihn in seinem
Umfange zu behandeln; darum war ich so erfreut darüber. Ueber alles
das führte mich der Herr Factor eine Treppe nach der andern auf=
wärts, bis es schon ganz thurmmäßig aussah. Plötzlich stand ich aber
auf einer freien Terrasse, um mein Auge an dem vollen
Ueberblicke über Florenz in der Runde zu weiden. —
Ehe ich schließe, muß ich Ihnen noch Eines erzählen: Von Padua
her bemerkte ich in allen großen Kirchen, daß bei der heiligen Wand=
lung die Glöckleins sehr leise angeschlagen werden, ohne daß das Meß=
kleid dabei gehalten wird. Bei der heiligen Communion wird meist
nicht geläutet, ausgenommen, wenn die Gläubigen hinzutreten, was
gewöhnlich nach der Communion des Priesters geschieht. Nach der=
selben wird niemals der Segen mit dem Ciborium gegeben, der Prie=
ster ersetzt ihn mit seiner Hand, welches letztere ich eben nicht nachge=
ahmt wünsche bei uns. Ich denke, Einiges sollen wir
Deutsche schon nachahmen, Einiges sollen wir uns
aber nachahmen lassen. Die Orgeln tönen in Florenz herrlich,
die unserigen gefallen mir jedoch besser, obschon das vielsagende Fagott
in seiner Tiefe etwas Imposantes hat, und die Orgel in der Domi=
nicanerkirche Maria Novella mit ihrem Glockenspiel es einem leicht be=
greiflich macht, wie die Engel sich in die Chormusik hier
auf Erden einmengen und ihre holden Stimmen uns
manchmal vernehmbar machen. Die Musik, die allein in der
Orgel besteht, geht sehr schnell und ist von der Art, wie man bei uns
sagt: „diese Composition ist nicht kirchlich." Dafür sind
die Litaneien sehr kirchlich. Im Tone eines Chorgesanges, von dem
Volke in der lateinischen Sprache mitgesungen, erheben sie das Herz
recht feierlich zur Andacht. Auch ich sang freudig mein lang ersehntes
ora pro nobis mit.

———

5

## Dreiunddreißigster Brief.

### An Bruder Zeno.

Santa Lucia bei Tabernelli, den 18. October 1847.

Obschon es eilf Uhr ist, und ich den ganzen Tag zu Fuß ging, so kann ich doch nicht umhin, Dir heute noch zu schreiben. Zu sehr bin ich an Dich erinnert, weil ich in einer Landpfarre einquartiert bin. Ich danke Gott, daß auch Du Deinen geistlichen Be= ruf auf einer Landpfarre in Erfüllung bringst, und opfere wohl auch dafür zum Danke meine Wallfahrt auf. Höre doch, wie es herging, daß ich hierher kam. Erst um neun Uhr schied ich von Florenz, nachdem ich einen wahrlich rührenden Abschied von der guten Frau des caggiatore nahm. Ihr Mann gehört ebenfalls zu den edleren Menschen; er ist ein Deutscher. Mit männlicher Thräne im Auge bat er mich, nur Einen Vaterunser für ihn am heiligen Grabe zu beten, dessen ich ihm gewiß gedenken werde. Ich bin diesem edlen Menschenpaare, die einer Fremden um der Liebe Jesu Christi willen so viele Freundschaft bezeugten, unvergeßlichen Dank schuldig. Au geistlichen Herrn B. hinterließ ich meine Grüße, denn länger konnte ich doch nicht mehr in Florenz verweilen, um ihn etwa noch zu erwarten. Meine Fußreise machte mir den heutigen Tag zu einem meiner schönsten Lebenstage. Etwa vier von meinen schon be= kannten zweirädrigen Karren luden mich ein, mitzufahren; ich fand je= doch keinen annehmbar, besonders den letzten, der mich gar nicht ver= lassen wollte; er fuhr eine gute Strecke seinen langsamen Schritt neben mir her. Das rothe Gesicht und die funkelnden Augen, die immer wiederholten, etwas zudringlichen Fragen, ob ich mich denn nicht fürchte, so allein zu gehen, einige Begegnungen von Bekannten und Augenwinke an dieselben hätten mir meinen Wagenbegleiter bald ver= dächtig gemacht, wenn ich mich fürchtete. Doch Gott behüthe mich da= vor. Wenn ich mitten unter Räubern sein müßte, ich fürchtete mich nicht. Ich legte dem guten Manne Alles zum Besten aus und suchte mich gleichgiltig loszumachen. Endlich blieb ich doch zurück. Ich setzte mich auf einen flachen Stein der Straßen=Barriere, um auszuruhen und fah in die wunderschöne Gegend der fanft sich wölbenden Berge, bis es mich mahnte, daß der Abend heranrücke. So tief in's Dunkel hinein mochte ich nicht mehr gehen, wie das erstemal nach Bologna. Wo werd' ich wohl heute mein Nachtquartier finden? dacht' ich und sagte bei mir selber: „Angelo mio, bereite mir es, daß ich mich erfreue im Schutze des Herrn!" Es wurde finster. Poggi Bonsi konnte ich heute nicht mehr erreichen. Zum Glücke erreichte ich doch noch bei Zeiten den kleinen Ort Tabernelli. Noch immer ein wenig scheu, in ein Gasthaus zu gehen, besonders wenn mich nicht der Postwagen dort absetzt, fragte ich ein junges Mädchen, das mich freundlich grüßte, ob nicht eine Pfarre hier sei und ob ich nicht darin übernachten könnte. Es war dieß nur um zu reden und mir meine eigene Verlegenheit zu verbergen, weil ich bei mir selbst nicht wußte, wo ich mich hinwenden sollte. Ich hatte so wenig Lust, in einer Pfarre um Aufnahme zu bitten, als in eine Locanda zu gehen; beinahe wäre ich schon lieber auf der Straße geblieben. Die Pfarre ist noch eine halbe Stunde vom Orte entlegen, wo und wie sie finden? So wanderte ich durch die Straßen von Tabernelli, jede Locanda vorüberziehend, als hätte ich etwas gewonnen, wenn ich sie hinter mir wußte. Ich kam schon an's Thor. Vielleicht ist noch vor dem Thore eine annehmbare Locanda, dacht' ich; da eilten mir drei Mädchen nach und boten sich mir an, mich in's convento delle capuzzine zu führen. Was wäre mir wohl lieber gewesen! Nur das wendete ich ein, daß die guten Kinder in der Dunkelheit wieder den Weg zurück machen müßten. „Das hat gar nichts auf sich," sagte meine erste Freundin, die eine von jenen himmlisch frommen liebenswürdigen Seelen zu sein scheint, die kein größeres Vergnügen kennen, als sich für Andere zu opfern. „Sie werden mit Freuden aufgenommen sein," sagte sie; „der Prior ist gar so gut." Der Prior? ich werde nicht gut verstanden haben, corrigirte ich mich selber; sie sprach ja von einem Kloster der Kapuzinerinen. Sei es, wie es will, ich werde es wohl sehen. In frohen Pilgergesprächen kamen wir an. Die Jungfrau meldete mich, der Prior und nicht die Priorin stellte mir einige Fragen und nahm mich mit wohlthuender Freundlichkeit auf. Die guten Mädchen kehrten mit meinem Danke und dem zufriedenen Gefühle, ein gutes Werk vollbracht zu haben, zurück. In die Behausung des Pfarrers eingeführt, der allein ohne Caplan hier wohnt, erfuhr ich, daß man ihn deßwegen Prior nenne, weil sein Wohnhaus einmal ein Con-

5 *

vent der Kapuzinerinen war. Er wies mir seine Sofa an, um auszuruhen, hatte noch sein Brevier zu beten, und dann führte man mich
in den Speisesaal. Ich merkte sehr wohl, daß das einfache Mahl um
meinetwillen vermehrt wurde. Der Pfarrer, zwei Diener und die Be-
schließerin, die seine Schwester oder eine Verwandte zu sein scheint,
machten den Hausstand bei Tische aus; die Pilgerin obenan. Und
so verplauderten wir unter Gesprächen von Gott und seinen unabsehbaren Fügungen die Zeit so angenehm, daß es beinahe eilf Uhr wurde.
Die Zeit der heiligen Messe noch besprechend, führte mich dieser sehr
ehrwürdige Herr selbst mit einer von den ganz eigens geformten, mes-
singenen, mit Zänglein und Löschhörnchen an kleinen Ketten, zu vier
und sechs nach Belieben anzuzündenden Lampenlichtern, auch mir eine
gleiche in die Hand gebend, in den zweiten Stock des eben nicht weitläufigen, jedoch unbewohnten Hauses, in das ganz letzte Zimmer.
Durch den Corridor gehend, stellte ich mir die einstmal von frommen
Nonnen bewohnten, nun verschlossenen Zellen vor. Die meinige ist sehr
nett, obgleich einfach, doch mit allen Bequemlichkeiten versorgt, was ich
durch ganz Italien bemerkte. Morgen geht's wieder weiter. Italien
liegt noch ausgebreitet genug vor mir, um darinnen Bemerkungen zu
machen. In Siena und Viterbo halte ich Rasttage. Von da schreibe
ich Dir wieder.

### Dreiunddreißigster Brief.

### An den Herrn Med. Doctor K.

Siena, den 19. October 1847.

Was sagen Sie, Herr Doctor! zu diesem Ereignisse, was ich gesonnen bin, Ihnen mitzutheilen? Daß es eben nicht in das Bereich
Ihrer menschenfreundlichen Hilfeleistungen gehört, weiß ich schon durch
eine Frage, die ich einmal an Sie gethan, ob Ihnen derlei Dinge bei
Ihren geistesleidenden Patienten vorkommen. Ihre mir darüber gegebene Antwort mit „Nein" genügte mir bis heute. Jedoch erzähle ich
Ihnen die Geschichte, weil ich erwarte, daß Sie mir als Psycholog

helfen, die göttliche Vorsehung darinnen zu erkennen und sie zu ehren. Vor Allem muß ich Ihnen sagen, daß ich mich sehr wohl befinde und mit Lust und Freude vorwärts schreite, ohne irgend eine geistige Einwirkung benachtheiligend auf meinem Körper wahrzunehmen. Nicht einmal einen Hahn hörte ich noch krähen in Italien. Als ich gestern Früh meine fernere Fußreise antrat, nachdem ich ein erwünschtes Nachtquartier gehabt hatte, dachte ich mir: „Wo wirst du wohl die heutige Nacht zubringen?" Gestern trug ich die Bestellung dem heiligen Schutzengel auf, heute fand ich es aber ein wenig anmaßend, sich gleich so frequent auf dessen Sorgfalt zu verlassen. Ich werde wohl sehen, was ich finde. Da fuhr ein Wagen an mir vorüber, der rauschte mit seinen Rädern: Povera Maria! povera Maria! sta note, sta note, che fare sta note! — Eh che fare sta note! *) dachte ich und achtete der ganzen Sache nicht. Doch drangen mir die wiederholten Töne empfindlich in die Seele ein. Soll ich mich etwa fürchten? — Möglich wäre es ja, daß mich ein Ungemach treffen könnte! Nun wohl, dafür gibt die Verehrung der göttlichen Vorsehung das Vertrauen, daß Gott denen, die ihn lieben, jede unverschuldete, auch üble Begebenheit zum Besten leite. Ein Gebet, welches die Menschen viel tausendmal von den verschiedensten Uebeln und Gefahren bewahrt und befreit. — Diese Ueberlegungen hielten meine Seele vor jedem Eindrucke irgend einer Angst befreit. Ich übergab mich Gott vom Herzen und verlangte mit paradiesischer Freiheit, daß der heilige Schutzengel auch für diese Nacht mein Quartiermeister sein möge. So wandelte ich heiter meine Wege, und dachte nicht weiter daran, was mir diese Nacht begegnen könnte; denn ich hatte genug auf die fremden, sich vor meinen Augen immer neu entfaltenden Gegenden zu schauen. Nachmittags nun vier Uhr erhob sich ein Wind, der so zunahm, daß ich ihn nur unter dem Lobe Gottes, welches ich den sich schüttelnden Blättern der Bäume verkünden hieß, noch ertragen und ihm widerstehen konnte. Von einem Hause, in das man sich bei solchen Fällen retten könnte, ist oft bei drei bis sechs Stunden weit keine Spur, da die einzelnen Dorfbewohnungen in Italien nicht Sitte sind, so wie bei uns zu Lande. Auch begegnete mir den ganzen Nachmittag nicht ein

---

*) Arme Marie! arme Marie! diese Nacht, diese Nacht, wie wird es dir gehen, wie wird es dir gehen! Ei, wie wird es mir denn gehen diese Nacht!

einziges Kabriolet, so wenig als ein anderer Wagen; Zeichen genug, daß die Straße öde sei und daß ich zur jetzigen Stunde in Sturm und Wind keine solche Hilfsquelle zu erwarten habe. Meiner vorgezeichneten Marschroute nach konnte ich Siena heute nicht mehr erreichen. Der Tag ist kurz, um fünf Uhr ist es beinahe finster. Was beginnen? Da rollte ein zweirädriger Wagen mit einem bequemen Kaleschsitze hinter mir drein, hielt an und lud mich freundlich ein, mitzufahren, was ich wohl ohne Bedenken dankbar annahm. Meine Schuhe thaten mir weh und mein Tornister wurde mir schwer. Der Wagen fuhr nach Siena und setzte mich im englischen Gasthofe, dem ersten in der Stadt, ab, wo ich nun wohl geborgen in einem sehr netten Zimmerchen sitze und schreibe, was ich ohne diesem Wagen ganz gewiß nicht erreicht hätte. Als er mich aufnahm, waren wir noch sechs Miglien von Siena entfernt, die in anderthalb Stunden durchgefahren wurden. Auf dem ganzen Wege hin kein Haus an der Straße, wie wäre es mir wohl ergangen? povera Maria! Kaum war ich im Wagen geborgen, wurde Wind und Regen so heftig, daß der Bauer sein Pferd, und ich mich selbst beinahe nicht halten konnte. Auch wurde es sehr kalt. Der gute Mensch überhing mich mit seinen Kotzen. Das Unwetter ließ nach und um halb sieben Uhr erreichten wir noch so ziemlich wohlbehalten die Stadt. Unterwegs erzählte mir der gute Bauer von seinem gichtkranken Weibe, der er, einige Erleichterung zu verschaffen, sich auf den Weg gemacht habe.

---

## Vierunddreißigster Brief.

### An den hochwürdigen Herrn Chorvicar M.

Siena, den 20. October 1847.

Nachdem ich Florenz verließ, brachte ich die Nacht in einem alten Kapuzinerkloster zu, wo ich sehr gut schlief; denn ich war müde. Nach Gewohnheit verschloß ich die Thüre und sperrte mich ein. Ich versuchte so lange wieder aufzumachen, bis ich mir den Finger derb ver-

letzte; darauf meinte ich: bleib zu bis morgen Früh. Des Morgens
verwendete ich meine Versuche wieder vergebens, daß mir schon bange
wurde, die einzige Messe, die hier gelesen wird, zu versäumen. Bei der
tiefen Stille, die im Hause herrschte, hörte ich Erde umschaufeln. Ich
sah zum Fenster hinaus und gewahrte in der Tiefe vom zweiten Stock
ein von Mauern umschlossenes Klostergärtchen, in dem ein Diener ar=
beitete, der gestern Abends mit am Tische saß. Ich rief den guten
Freund und erklärte ihm, daß ich die Thüre nicht öffnen könne. Es
war ein Schloß, das, einmal abgegangen, sich nur von außen aufsper=
ren läßt; somit den Schlüssel in den Garten geworfen, und nach einer
kleinen Weile war ich befreit und ich trat mit dem Herrn Pfarrer zu=
gleich in die Capelle. Das ziemlich gut erhaltene, aber nicht bewohnte
Kapuzinerinen=Klösterchen gefiel mir recht gut. Wenn ich nicht eine Pil=
gerin nach Jerusalem wäre, ich wäre mit Vergnügen in Santa Lucia
verblieben. So aber wandelte ich mit noch größerem Vergnügen die
Straße von Tabernello nach Siena, welche sich in ununterbrochenem
abwechselnden Heben und Senken der Berge fortschlängelt, daß sich das
Auge an den auf ihren Spitzen ausgestreuten Landhäusern, Burgen und
Ruinen nicht genug weiden kann. Wahrlich! wenn ich so viel zahlen
müßte, um zu Fuße gehen zu dürfen, als ich zahlen muß, wenn ich
fahren will, ich zöge meinen Spaziergang ohne Bedenken dankbar vor,
wenn man mir die Wahl ließe, besonders wenn ich in einem Postkasten
eingesperrt sein muß. Ich bin ganz überzeugt, daß Sie, hochwürdiger
Herr! an meiner Stelle eben so dächten. Die Berge schwellen sich so
lieblich in einander, die Ebenen sind so fruchtbar, daß ich nur ausru=
fen kann: Das schöne Toscana! — Gestern Nachmittags fand
ich die Straße ziemlich einsam. Stunden lang war Niemand zu sehen,
noch zu hören. Ich ging allein in unaussprechlicher Seligkeit, daß ich
darüber zur Dichterin wurde. Und nachdem sich ganz unwillkürlich
meine Stimme zu einem Ave Maria, mich selbst überraschend, erhob,
sang ich weiter: „Wo ich wandle, da ist mein Glück, wo ich wandle,
da ist meine Freude, wo ich wandle, da seh' ich froh zurück, wo ich
wandle, ich mich weide. Wo ich wandle, find' ich meine Liebe, wo ich
wandle, find' ich meine Lust, wo ich wandle, ist's nicht trübe, wo ich
wandle, find' ich Gott in meiner Brust. Da wo ich eile, da wo ich
weile, da bist Du, mein allerhöchstes Gut." Ein kleiner Guß von
Thränen schloß dieses Wallfahrtslied. — Nach Art meiner Schwär=

mereien. — Ich versichere Sie aber, hochwürdiger Herr! ich vertausche diese meine **mehrseitig besprochenen Schwärmereien** nicht für alle **Nichtschwärmereien** in der ganzen Welt!

---

# Fünfunddreißigster Brief.

## An den hochwürdigen Herrn Pfarrer Sch.

Siena, den 20. October 1847.

**Um** Seligkeiten hier auf Erden zu fühlen, muß man eine Wallfahrt machen wie die meine. Von Florenz weg gab mir die gute Jägersfrau, bei der ich war, einen Rosenstrauß zum Abschiede. Mit diesem blühenden Geschenke, was mich sehr freute, und meinen Tornister auf der Schulter, zog ich fort, von einem Hochgefühle beseelt, das mir den Triumph verbürgte, das Ziel meiner Reise und meines Verlangens zu erreichen. Es war schon Triumph genug, mit solch' frohem Muthe aus den Thoren von Florenz hinauszutreten, da ich mich im Hineintreten ein wenig fremd fühlte, fremd und allein. — Ich könnte mir's zugänglich denken, wie man ein Heimweh fühlen kann, obschon mir außer dem großen Heimweh kein örtliches im Selbstbegriffe liegt. Mein bekanntes Weh von Jugend auf heißt: „Mir ist die Welt zu klein, und jeder Raum zu enge." — Darum auch fühle ich mich so wohl unter Gottes freiem Himmel. Fühle mein dreifaches Leben in Eines verschmelzen. Wollen Sie vielleicht wissen, hochwürdiger Herr! wie ich dieses meine? Ich verstehe darunter: das tägliche Leben des Menschen, sein kirchliches, oder das Glaubensleben, und das Paradieses-Leben, was nur aus dem einzig wahren, allein seligmachenden Glauben der Kirche Gottes hervortreten kann, um sich mit dem täglichen Leben auf Erden wieder zu vereinigen. Die Erfahrung lehrte mich jedoch, daß es seltener und mühevoller ist, die vollendete Vereinigung zu finden, als das eine oder das andere Leben ausschließender hervorgetreten zu fühlen. Das Paradieses-Leben allein

gleicht dem Tänzer auf dem Seile, der sammt seiner entzückenden Leich=
tigkeit, mit der er auch Andere vergnügt, doch seine Lebenszeit nicht auf
dem Seile zubringen kann; eben so wenig kann das Paradieses=Leben in
seiner abgesonderten Eigenthümlichkeit dauernd hervortreten. Das täg=
liche Leben allein zu fühlen, ist wohl das gewöhnlichste Loos, da viele
Millionen Menschen kein anderes kennen. Dem kirchlichen Leben den
Vorzug geben und darnach streben, kann wohl nicht gefehlt sein, jedoch
abgesondert von dem täglichen Leben, kann es nur selten und mühsam
bestehen, und wenn es sich nicht mit Paradieses=Leichtigkeit hinwegzusetzen
weiß über die Miseren des täglichen Lebens, und sich zu erheben über
die Tiefen und Versenkungen, über den Ernst der Wahrheit, den der
Glaube bietet, so würde es im ausschließenden Hervortreten gar nicht
zu ertragen sein. Daß es aber gut ist, sich im Einklange aller drei Le=
bensregionen zu bewegen, das kann ich bezeugen. So viel über
meine Reflerionen, als ich um neun Uhr Vormittags bei der porta
romana aus Florenz hinaus, den wunderschönen Weg betrat, der mich
erwartete. Mein Tornister wollte mir ein wenig lästig werden; da
fiel mir ein, alles Elend der Welt hineinzupacken und es in Rom
St. Peter zu Füßen zu legen, damit er es mit den Anordnungen des
himmlischen Vaters ausgleiche. Dafür wurde mir meine Last ziemlich
leicht, so daß ich wieder wacker auftreten konnte. Auch wurde sie mir
immer lieber. Da kam eine Bauernmagd mit ihrem bepackten Esel und
sprach mich an, ihr mein Päckchen tragen zu lassen. Ich sagte: ich
gebe es nicht gerne weg, denn ich trage das Elend der Welt zu
St. Peter nach Rom. Das gute Kind, der ich es wohl schon ansah,
verstand mich sogleich im innerlichen Sinne, und bat sehr inständig,
mir helfen zu dürfen. Sie hieß **Victoria**. Ich übergab ihr meinen
Tornister gerne und unterhielt mich bei dieser Erleichterung zwei Stun=
den lang im tieferen christlichen Verständnisse, was bei den einfachen
Laudbewohnern ganz leicht zu finden ist, in Toscana wie in Steier=
mark. Darum habe ich aber auch eine Vorliebe für das liebe Landvolk.

# Sechsunddreißigster Brief.

## An den Herrn Cameralrath L. und seine Frau.

Siena, den 20. October 1847.

Nun habe ich die Stadt der heiligen Katharina von Siena erreicht, dieser in der ganzen Christenheit bekannten und hochgeehrten Heiligen. Ich habe einmal, um ihre Schriften zu finden, einen ganzen Antiquar durchsucht. Sie reiht sich zunächst an die heilige Theresia, nur nimmt sie in der Kraft des Geistes eine etwas andere Richtung, indeß Theresia ihre hohen Begeisterungen durch die Zartheit ihres Gemüthes erfaßt. Katharina war eine Färberstochter und lebte als Terziarin des Dominicaner-Ordens im Hause ihres Vaters unter Verrichtung aller häuslichen Arbeiten, die sie nicht verhinderten, zugleich ein frommes, gottseliges Leben zu führen und nebst der Andacht im Gebete die geistvollsten Briefe und theologischen Aufsätze zu schreiben, so wie die Liebeswerke der christlichen Barmherzigkeit durch Krankenpflege, Armenbesuche, Tröstungen und Almosen zu üben. Ihre Laterne und ihren Stock, dessen sie sich zu diesen Zwecken bediente, habe ich gesehen. Ich bin lange schon eine Verehrerin dieser Heiligen, von Ihrer Frau Gemahlin bin ich es auch überzeugt, sie wird sich's vorstellen, mit welchen Empfindungen ich diese ehrwürdigen Andenken ansah, die in dem Zimmer, welches die Heilige bewohnte, und welches zur Capelle umgestaltet ist, mit noch einigen anderen kleinen Verlassenschaften aufbewahrt sind. An dieses Zimmer oder nunmehrigen Capelle stößt ein ganz kleines Kämmerchen, in welchem Katharinens Schlafstelle gezeigt wird, die ein roher Baustein ist, der unter einem eisernen Gitter aufbewahrt wird. Das ganze Haus ihres Vaters befindet sich im guten Stande. Es bildete sich in der Stadt eine Gesellschaft, die sich verbindlich machte, es immer darinnen zu erhalten, was mir sehr freudig zu vernehmen war; denn übrigens bin ich mit der Gleichgiltigkeit der Stadt Siena gegen ihren kostbaren Gnadenschatz, nämlich einer so ausgezeichneten Bekennerin und nunmehr als Heilige in der Kirche Gottes verehrten Landestochter, gar nicht zufrieden. Die Siener könnten sich durch mehr Erkenntniß und Dankbarkeit, das will sagen: durch eifrigere Verehrung ihrer

Katharina, nicht nur von Uebeln bewahren, sondern sich Glanz und Werth verschaffen. Siena ist nicht, was sie sein könnte; es geht ihr wie meiner Vaterstadt Graz. Ich hatte Gelegenheit, mich mit einem würdigen Geistesmanne darüber auszusprechen, der mir Recht gab und zugleich versprach, das Seinige zur größeren Verehrung der heiligen Katharina beizutragen. Was mir am meisten mißfiel, ist die verschlossene Kirche, in die das Gewölbe ihres Vaters umgewandelt ist, und die sich recht hübsch ausgestattet präsentirt, nur daß sie verödet ist. Um sie zu sehen, wurde erst, wer weiß wo, der Schlüssel geholt und alle Buben in der ganzen Gasse liefen mit, auch einige Mädchen begleiteten mich. Doch da ich die Kinder lieb habe, so genirte mich's nicht. Ich that in der Kirche mein Möglichstes, um sie zur Verehrung einer Heiligen anzueifern, die als ihriges Landeskind von Fremden mit solcher Liebe in ihrer Stadt besucht wird; denn ich weinte nicht wenig, als ich an den Stufen des Altars in diesem Heiligthume kniete. Katharina bearbeitete große Geheimnisse im Leben, nun ist sie eine große Vermittlerin im Himmel. In der Dominicanerkirche, die jetzt den Benedictinern gehört, ist ihr Haupt aufbewahrt, nicht nur in Bein, sondern eingetrocknet, unverwesen. Kaum flimmert zur Seite eine Lampe dabei. Sie starb in Rom. Ihre Gebeine liegen unter einem Altare in santa Maria sopra Minerva bei den Dominicanern. Den Kopf führte man zum Andenken nach Siena. Alle Glocken der ganzen Stadt fingen von selbst zu läuten an, als er ankam. Ich betete hier mit bewegtem Herzen und trug der heiligen Katharina das gegenwärtige Weltelend, das zum fürchterlichen Ausbruche zu kommen scheint, mit dem Versprechen vor, das Meinige wo möglich beizutragen, was den Glaubensartikel von der Gemeinschaft der Heiligen betrifft, besser in Erkenntniß und Verehrung zu bringen. Als ich mich zum Weggehen umsah, bemerkte ich eine Frau neben mir, die mich so ganz an die fromme Lebensrichtung Ihrer Frau Gemahlin erinnerte. Sie grüßte mich als eine Fremde und ich redete sie an, fand sogleich das vollste Verständniß und das feierlichste Versprechen, die Verehrung der heiligen Katharina in Siena aus dem Schlummer zu wecken. Auch die padrona in meiner locanda d'Inghilterra versprach mir dasselbe. Ich muß Ihnen doch noch eine kleine Geschichte erzählen, wie leicht es ist, sich in dem Character eines Menschen zu irren. Ihre Frau wird an diesem Zuge gewiß Antheil

nehmen. Eben von meiner Hausfrau ist die Rede. Eine große rüstige
Triestinerin, etwas rauh in ihrem äußeren Ansehen. Ich ging ohne
Frühstück aus, weil ich meine Ursachen dazu hatte. Als ich die Stiege
hinab ging, ereilte mich der cameriere, um mich zu fragen, was ich
zu Mittag zu speisen verlange. In einem großen Gasthofe mich auf
eine große Mahlzeit einzulassen, und in einer Stadt, in der ich den
ganzen Tag genug herumzulaufen hatte, um sie nur halbwegs kennen
zu lernen, das ist mir so fremd wie ein indischer Shawl, der mein
Interesse nie erregte. Ich faßte mich jedoch gleich darüber und sagte:
Mein Freund! die Pelegrine sind schlechte Passagiere, ich weiß nicht,
wann ich nach Hause komme. Wirklich kam ich erst um sechs Uhr
Abends heim, nachdem ich auf meinen Streifzügen in einem Kaffehhause gefrühstückt hatte. Sonst an ein Essen zu denken, fand ich den
ganzen Tag wahrlich nicht Zeit. Nun etwas bei Appetit, und daß ich
meine Hausleute nicht etwa gar zu böse mache, nahm ich mir vor, mich
im Tafelsaal zu melden und mir geben zu lassen, was man eben wolle.
Gäste waren keine gegenwärtig, nur einige Personen vom Hause und
die padrona, die ich sogleich grüßte und an die ich auch meinen
Speisevortrag hielt. Sie jedoch fing an, mich mit keiner kleinen Bitterkeit durchzulassen: „Ah! die Pelegrine brauchen nichts zu essen, die
speist der heilige Geist. Wenn man nur für den Himmel lebt, hat man
auf der Welt nichts zu suchen u. s. w. Dem guten Zimmermädchen,
eine gar fromme Seele, die mich gestern Abends bediente, wurde angst
und bange, daß sie mich dauerte. Nachdem ich zugehört hatte, bis
meine padrona ein wenig fertig war, um zu bemerken, wie sie's denn
eigentlich meine, klopfte ich sie lächelnd auf die Schulter und sagte:
ha ragione Signora *), mit den pelegrinen ist nichts zu machen, da
laufen sie herum den ganzen Tag, und Nachts sehen sie nur unter
Dach zu kommen. Zu denen aber, die nichts zu essen brauchen, gehöre
ich nicht; schicken Sie mir auf mein Zimmer, was Sie diesen Abend
für Ihre Gäste bereitet haben. Ich nahm sogleich wahr, daß dieß
Benehmen auf die gute Frau einen ganz besonderen Eindruck machte;
denn sie sah mich nicht wenig aufmerksam an. Sie fragte mich ganz
freundlich, ob ich nicht bei ihr im Zimmer speisen wollte, was ich mit
Vergnügen bejahte. Es kam Suppe mit Brot, ein Bischen Spinat,
zwei Vögelchen und kleiner Salat. Ich hätte für heute allenfalls für

---

*) Sie haben Recht, Frau!

etwas mehr Appetit gehabt, sagte jedoch geflissentlich nichts, der Wein
war mir zu scharf. Die Frau kam im Gespräche immer näher, sie
thaute auf. Bald entdeckte ich ein edles, unterdrücktes Gemüth in
ihr. Ich zeichnete ihr ihren Character und ihre Lage vor, und fragte
sie, ob ich mich irre. Da brach sie gerührt in Thränen aus, nahm
mich schweigend bei der Hand und führte mich durch mehrere Zimmer
und Gänge des Hauses in einen ganz schmalen, wie eigens geheim=
nißvoll gebauten kleinen Durchgang. An der Seite war eine Nische.
Sie hob einen weißen Vorhang, hinter welchem eine kleine Frauen=
statue, mit Blumen bekränzt, frische Blumen in Vasen und einer bren=
nenden Lampe in andächtiger Verborgenheit zu schauen war. „Hier,"
sagte die gute Frau, „ist meine ganze Zuflucht. Bei der Versorgung
meines großen Hauses und den Verdrießlichkeiten mit den Dienstleuten
kann ich weder in die Kirche gehen, noch Messe hören, und müßte in
meinem Gemüthe ganz verwildern, wenn ich nicht bei Maria, der göttlichen Mutter, Trost, Rath und Hilfe fände. Hierher gehe ich in
manch' betrübten Stunden, um auf Augenblicke mich zu versammeln
oder mein Gebet zu verrichten, ohne das Haus verlassen zu dürfen.
Oder ich grüße im Vorübergehen die heilige Jungfrau, weil dieß ein
Seitenweg ist, in den andern Theil des Hauses zu kommen, wohin
mich des Tages hindurch meine häuslichen Besorgnisse öfters führen.
Uebrigens geht hier Niemand durch und Niemand kennt meinen Haus=
altar, an dem die Lampe Tag und Nacht niemals verlischt und die
frischen Blumen Winter und Sommer niemals mangeln." Sie werden
ermessen, mit welch' gerührtem Herzen ich diese christliche Hausfrau
durch die Gänge ihres Hauses, in denen überall Fleiß und Nettigkeit
zu sehen war, zurückbegleitete. Sie führte mich in ein Nebenzimmer,
weil in dem Speisesaale schon Gäste waren, und wir unterhielten uns
noch lange Zeit in gemüthlichen Gesprächen christlicher Glaubensform.

# Siebenunddreißigster Brief.

## An den hochwürdigen Herrn Gubernialrath **J. N. K.**

Siena, den 20. October 1847.

Die alte Stadt Siena mit ihren Bergstraßen, und ihrer heiligen Katharina, als Landeskind, ist mir zu merkwürdig, um nicht durch Euer Gnaden einige Grüße an meine Vaterstadt zu senden. Sehenswerth in dieser Stadt ist die alte Sacristei der Domkirche, mit der geschichtlichen Vorstellung in etwa vierzehn Bildern mit lebensgroßen Personen, vom Papste Pius dem Zweiten, als Kunststücke von Raphael gemalt. Maler sind Bildner der Menschheit, denen man für die Aufbewahrung geschichtlicher Thatsachen nicht genug dankbar sich bekennen kann. Um so mehr kann diese Kunst mit Recht eine Tochter des Himmels genannt werden. Auch das Kunststück der göttlichen Gnade, als Originalwerk, das der Verwesung enthobene Haupt der heiligen Katharina hätte ich gerne gesehen. Ich fragte mich zu diesem Ende in der Sacristei der Benedictiner an. Man hieß mich an dem Altare warten, wo diese kostbare Reliquie in einem Tabernakel verschlossen ist, wozu zwei Schlüsseln nöthig sind. Einer, den der Abt bewahrt, und einer, den das Gubernium verwahrt. Der Abt, ein ausgezeichnet frommer, gelehrter, liebevoller Diener des Herrn, kam selbst zur Pilgerin in die Kirche herab. Auch halb gebrochen in fremder Sprache ist sich's mit wenigen Worten leicht zu verständigen, wenn man verstanden wird. Nach kurzem Wechsel der Rede wurde das Gespräch ein wenig umfassend, und der Abt führte mich an einen gelegenen Ort in der leeren weiten Kirche, um sich zu setzen. Meine Seele erquickte sich in geistlicher Rede eine geraume Zeit. Nachdem mir der Herr Abt erklärte, wie er den Kasten weder öffnen könne noch dürfe, ohne Beistimmung und Ueberschickung des Schlüssels vom Gubernium, lud er mich um zwei Uhr zu einer zweiten Sitzung ein. Im Fortgehen reflectirte ich ein wenig über den Schlüssel zur heiligen Reliquie beim Gubernium; es kam mir vor: geh' selber hin, ihn zu holen, sonst siehst du das Haupt nicht. Das wollte ich jedoch

nicht thun, weil der Abt sagte: Er wolle hinschicken. Als ich um zwei
Uhr voll Erwartung wieder kam, entschuldigte der Abt mit Bedauern:
er habe den Schlüssel nicht bekommen. Wir setzten uns in die Chor-
stühle und feierten das Lob Gottes eine Stunde lang in selbst verfaßten
Hymnen. Dieser geistreiche Herr wird mir unvergeßlich bleiben. Er
mahnte mich mit seiner eifrigen Frömmigkeit und tiefen Gelehrsamkeit
an die Aebte der Vorzeit, von denen uns die Legenden erzählen. Seine
Belehrungen sind mir auch Ersatz für den nicht erhaltenen Schlüssel.
Bald möchte man meinen: Was hat denn das Gubernium mit der
Verwahrung eines solch' ganz geistlichen Heiligthums gemein? Ich
erkenne jedoch darin das Bild der vereinigten Staats- und Kirchen-
gewalt, des harmonischen Ineinanderwirkens der geistlichen und weltlichen Obrigkeiten. Nur zum Schutze der Kirche, zur Aufrecht:haltung
der einmal gewonnenen Glaubenslehren, nicht als Eingriff in ihre
Rechte, steht die weltliche Wachhabung da. Daß die persönliche Arroganz und Ueberwachungssucht bei keinerlei Einrichtung jederzeit unter-
bleibt, ist ein unvermeidlicher Attribut der menschlichen Schwäche. Die
geistlichen Schätze der Kirche, ihrer Besorgung allein überlassen, dürften
ohne dazwischentretendem Schutze der Gerechtigkeit von Seite der Regierung sehr gefährdet sein; so wie ebenfalls durch anmaßende Eingriffe von dieser Seite die ausübenden Rechte der Kirche gefährdet sind.

---

## Achtunddreißigster Brief.

### An Bruder Zeno.

Viterbo, den 24. October 1847.

Bei der h. Rosa in Viterbo angekommen, schreibe ich Dir vor Allem,
wie es mir auf meiner weitern Fußreise erging, damit Du um mich ja
keine Sorge hast. Den 21. wanderte ich mit meinem Tornister bei
hellem Sonnenschein, nachdem es vorher tüchtig gewettert hatte, um
12 Uhr Mittag von Siena aus. Um halb sieben war ich, nach zurück-
gelegten sechzehn Miglien, in Benconvento. Ein düsterer Ort, wenig-

stens Abends, da es finster war. Ich logirte in einer echten Fuhr-
mannslocanda. Kostete mich einige Ueberwindung, einzukehren, was
wollte ich jedoch machen? im Stockfinstern angekommen, wollte ich doch
nicht wieder die Güte eines Pfarrhofes in Anspruch nehmen. Uebrigens
fange ich schon an, in den Gasthäusern ein wenig bekannt zu werden.
Wenn ich ankomme, frage ich zuerst um die Padrona, lasse mir ein
Zimmer geben, verlange, was ich bedarf, schließe mich ein und schreibe;
bin Frau auf meiner Kammer, die noch immer recht bequem und nett
eingerichtet war. Nur die fremden Betten, das primäre Entsetzen einer
Reise für mich, die seh' ich so mit halbem Auge an. Sie waren jedoch
alle noch sehr rein, ungeheuer groß und mit feiner Wäsche überzogen.
Ich mache das h. Kreuzzeichen darüber und denke mir: „In Gottes
Namen." Schlafe auch recht gut; denn ich bin so ziemlich müde, wenn
ich meine Station erreicht habe. Am 22. ging ich von Bonconvento
bis Radicofani, 26 Miglien, von 7 Uhr Früh bis 8 Uhr Abends.
Kaum erkannte ich bei blassem Sternenschimmer das graue Festungs-
werk auf dem Berge. Ich ging es auch vorüber; denn ich mochte
mir's nicht vorstellen, da oben wie in einem Arreste zu übernachten.
Eine kleine Strecke weiter bemerkte ich seitwärts an der Straße ein
ganz kleines Haus. Ich blieb stehen, und rief, was ich aus der Kehle
brachte: Nessuno qui?*) Nach einigem Rufen kam ein Junge von
etwa vierzehn Jahren, nahm mir sehr gefällig den Tornister ab, und
führte mich auf die Festung, als die letzte Post und Grenze von
Toscana an das römische Reich. Das war ein schauerliches Hinaufsteigen durch Bergstraßen, eng und dunkel wie Casematten. „Gott sei
Dank, daß ich nur eine Nacht hier bleiben darf," dachte ich, als mich
der gute Knabe in seine gerühmte, beste Locanda einführte, wo Alles
wie räubermäßig aussah. Ich dankte meinem Führer mit einem guten
Trinkgeld und überließ mich der göttlichen Vorsehung. Sogleich war
das ganze Hauspersonal, etwa sechs Burschen, da, ihren einzigen
Gast anzuschauen, und sich zu verwundern über dessen Ankunft bei eitler
Nacht. Mir war dieß Ansehen und neugierige Befragen nicht sehr
angenehm, jedoch mußte ich mit meinen Fragen um die Padrona und
um ein Zimmer lange zurückstehen. Endlich kam die etwa sechzigjährige,
ziemlich rüstige Hausfrau, die es für gut fand, daß ich noch eine
Weile in ihrer Gesellschaft bliebe. Auf einmal hörte ich läuten und

---

*) Niemand hier?

starkes Geräusch auf dem Platze. Ich ging an's Fenster, und sah, was mich ungemein erfreute. Man trug das letzte Abendmahl zu einem Kranken, unter Begleitung und Gebet beinahe der ganzen Einwohnerschaft der Festung. Sechs große Pechfackeln beleuchteten die schwarze Finsterniß unter den dunkeln, hohen Steingebäuden mit glühendem Roth. In einem Orte, wo so fromme Andacht herrscht, dachte ich, ist nichts zu fürchten. Auch lud mich die Frau morgen Früh zur Messe ein. Nachdem man mir den Weg, den ich vor mir hatte, recht fürchterlich und schlecht ausmalte, und besonders von einem Wasser ohne Brücke sprach, wo ich zu Fuße nicht durchkommen könne, mußte ich mich bequemen, weil ich wohl einsah, daß es die Leute so wollten, dem Angelo seinen Wagen zu zahlen, der ohnehin in der Nähe der nächsten Post Etwas zu thun hatte. Ich war's zufrieden, mit dem vorlauten Angelo, dem kaum siebenzehnjährigen Hauspatron, im Guten draus zu kommen. Schlief ziemlich gut, hörte die h. Messe, frühstückte, und fuhr mit Angelo in einer hölzernen Kalesche über die letzten Bergwölbungen von Toskana hinaus, die ich zehnmal lieber zu Fuße überschritten hätte; denn Angelo, ein zorniger, übermüthiger Mensch, schlug sein armes Thier dermaßen, daß es den Wagen mehr fortriß, als ihn führte, und man sich darin beinahe zerstieß. Ich erlaubte mir, einiges Uebergewicht über die Unbändigkeit meines Kutschers auszuüben, und erklärte ihm, daß er das Thier durch seine Behandlung stützig mache, was er mir wohl zuließ, sich selbst aber doch nicht bändigen konnte. Ich wollte aussteigen, was er aber nicht angehen ließ. Und so fuhr ich, ein wenig Geduld übend, drei Stunden lang, mich tröstend, daß ich doch etwas an der Zeit erspare; auch war es sehr windig und kalt. An dem Wasser angekommen, was dem Vorreden Angelo's nach, ohne seinem Wagen, meine Schwimmkunst hätte auf die Probe stellen müssen, sah ich ein unbedeutendes Bächlein ganz seicht über Kiesel fließen, die an vielen Stellen trocken heraussahen. Nicht einen Schritt weiter, als über den Bach, obschon der nächste Ort kaum ein Paar Steinwürfe weit entfernt war, blieb Angelo stehen, sprang vom Wagen und hieß mich aussteigen. Ich hieß ihn bis an die Poststation fahren. Er hielt sich jedoch so barsch, daß ich keine Lust hatte, ihm Trotz zu bieten. Als ich ihn bezahlte, forderte er noch Trinkgeld, ich wußte, daß ohnehin genug bedungen war und verweigerte es. Mein Angelo griff ganz keck nach meinem Paraplui, was ich jedoch nicht aus der Hand ließ,

6

und sagte: er werde es behalten, wenn ich ihm kein Geld mehr geben
wolle. Seine Manier war nicht viel beffer, als man sich's von einem
gewaltsamen Räuber vorstellt. Ich that jedoch, als verstünde ich nichts
davon, hielt ihm im freundschaftlichsten Tone eine derbe Lection in
christlichem Sinne, von der Allwissenheit Gottes, und erklärte fest, ich
sei nicht schuldig, ihm mehr zu geben, doch aus gutem Willen lege
ich noch was dazu, wenn er mir verspricht, Niemanden ungerechter
Weise anzuhalten. Da ich einiges Geld aus der Börse auf die Hand
nahm, erblickte er einen lichten Zehner, der mir noch von Oesterreichs
Geld übrig blieb, der ihm gefiel, und mit dem er sich auch ganz
bescheiden begnügte. Wir theilten ganz freundlich unsere Wege. Nach=
dem ich von Radicofani um 7 Uhr weg eine Post in der hölzernen Ka=
lesche hingeschleudert wurde, kam ich ganz wohlbehalten um 6 Uhr
Abends in Bolzena an. Heute ging ich von dort um 8 Uhr Morgens
weg und war Abends um 7 Uhr in Viterbo. Es schien ein Fest hier
zu sein, der Eingang am Thore war sehr belebt, es fielen einige
Freudenschüsse, doch übersah die Thorwache den Einzug einer Fremden
nicht. Man führte mich in die Amtsstube, war sehr höflich und theil=
nehmend für eine Pilgerin nach Rom; auch bot sich sogleich ein junger
Civico auf das Verbindlichste an, mich auf die Polizei zu begleiten,
um meinen Paß ausfertigen zu lassen, damit ich morgen nicht weiter
aufgehalten sei. Auch die Herren auf der Polizei kann ich mir nicht
genug loben. Nebst der gebildetsten und doch einfachsten Zuvorkommung,
ohne Verwunderung über meine alleinige späte Ankunft, fertigte man
mir meinen Paß nach Rom aus, und erzählte mir mit allem Vater=
landsstolz von der heiligen Rosa, die in der Clausur der Klarisserinen
aufbewahrt werde, weil die Kirche im Bau sei. Man forderte mich
eifrig auf, morgen Früh zum Bischof zu gehen, der mir gerne die
Erlaubniß ertheilen wird, sie in ihrem gläsernen Sarge im Kloster zu
sehen. Was auch morgen Früh nach der Messe mein erstes Geschäft
sein wird. Der jugendliche Civico mit seinem schneeweißen Gehenk=
riemen führte mich in ein sehr gutes Gasthaus, wo mir die Hausfrau
beim Eintritt gleich sehr wohl gefiel. Hier bin ich bequem logirt, habe
Musik und Gesang unter meinem Fenster, dem ich mit Vergnügen zu=
höre, so wie dem jubelnden Volksgeschrei: viva Pio nono!

# Neunundbreiszigster Brief.

## An den hochwürdigen Herrn Chorvicar M.

Viterbo, den 25. October 1847.

Ehe ich von Siena wegkam, wurde es Mittag. Auch hatte ich
mir nicht Zeit genommen, zu frühstücken, ich setzte mich daher an ein
steinernes Tischchen in einem Kaffehhaus, wobei ich mir gar nicht
fremd vorkomme. Es scheint auch Niemanden aufzufallen, weder einem
Marqueur noch einem Gast, auch wenn ich meinen Tornister neben
mir hinlege. Während ich nun in Siena zum Abschiede meine Choco=
lade nahm, brach ein ungeheurer Regenguß mit Blitz und Donner los.
„Nun bin ich einmal an ein so hübsches, steinernes Tischchen gebannt,"
dachte ich, „und wer weiß, wie lange, vielleicht bis mein Vergnügen
zur langen Weile wird." Es dauerte zwar kaum eine Stunde, wäh=
rend dem las ich im Volksblatt von Siena, und überzeugte mich durch
ein Paar dem Interesse meines Wissens eben anpassende Artikel, d a ß
d i e J o u r n a l i s t e n  a l l e r  O r t e n  d a s  M e i s t e  z u  d e m  u n =
g l ü c k s e l i g e n  Z e r f a l l  I t a l i e n s  m i t  O e s t e r r e i c h  b e i =
t r a g e n. Wenn ich hie und da Gelegenheit finde, hierin eine ver=
söhnende Sprache zu führen, was sich auch wirklich schon mehrere
Male ereignete, finde ich die Italiener zu meinem Vergnügen immer
sehr zufrieden gestimmt, wenn es nicht so wäre, wie sie meinen; denn
sie halten sich von unserer Gehässigkeit gegen sie, und von der Nicht=
achtung Pio nono unsererseits überzeugt. Auch liegt ihnen, Einem
wie Allen, ein einiges Italien im Kopfe, welcher Idee sie mit fan=
tastischem Enthusiasmus nachhängen. Als ich meine politische Uebersicht
getroffen hatte, schien die liebe Sonne wieder, und ich legte im besten
Wohlsein in 6 Stunden einen Weg von 16 Miglien zurück; ohne mich
auch nur Einmal zu setzen; sollen es die probiren, die meiner Gesund=
heit gar nichts zutrauen wollen, weil mich schon so manches Leiden,
bei unausgesetztem Schuleführen, im Bereiche eines reizbaren Nerven=
systemes getroffen hat. Ich tausche als Pilgerin mit N i e m a n d e n
in der Welt. Denken Sie nur, hochwürdiger Herr! wie gut es mir
geht; Tags darauf machte ich 26 Miglien mit zwei Weintrauben und

6 *

drei Gläser Wasser. Abends nach acht Uhr bekam ich ein Paar Eier, Salat und wieder eine Traube; denn es war Freitag. Schwarzen Kaffeh zu nehmen, kann ich mich immer noch nicht entschließen, eben so wenig, als zu Mittag in eine Locanda zu gehen. Auch komme ich gewöhnlich durch einen bewohnten Ort, wenn entweder noch nichts, oder nichts mehr Gekochtes zu bekommen ist. Das macht mich auch so leicht, daß die schönen Straßen mit ihren Alleen, die herrlichen, mit dreifacher Frucht bestellten Ebenen, und die unbeschreiblich schönen Gebirgswendungen Italiens, meine hölzernen Eigenschaften zur Sängerin, Dichterin und Malerin umwandeln könnten. Sagen Sie doch dem kunstsinnigen Fräulein v. B., nebst meinem herzlichsten Gruße, daß ich ihr's gerne gönnte, manchmal Ich zu sein.

## Vierzigster Brief.

### An die Frau Gubernial=Secretärin K.

Viterbo, den 25. October 1847.

Einmal ging ich eine Zeitlang in Gesellschaft zweier schon bejahrter, ehrenwerther Landbewohner. Nach einigen Einverständnissen, hinsichtlich der Mißhelligkeiten zwischen Italien und Oesterreich, und theilnehmenden Reden an meiner Wallfahrt, empfahl ich mich den beiden Leuten, denn ich mochte nicht immer mit ihnen gleichen Schritt halten. Ich ging geschwinder. Sie aber redeten noch eine Zeit lang hinter mir nach, und konnten sich nicht genug über meine Furchtlosigkeit, allein zu gehen, und meinen guten Schritt verwundern. „Das kann aber auch nur eine Deutsche," sagten sie, „die haben Muth," unsere Frauen wären das nicht im Stande." Darüber freute ich mich für alle deutschen Frauen und Mädchen, und möchte ihnen Allen zurufen: „Bewahret euern deutschen Muth, euere deutsche Kraft; deutsche Frauenwürde ist geehrt! Auch die Wirthin in Radicofani lobte mir die Deutschen wegen ihrer Höflichkeit, da sie um Alles bitten und dafür danken, sagte sie, was man

von den Franzosen niemals hört. Nun das wäre doch eine merkwür=
dige Neuigkeit, die ich Ihnen von Italien aus schreibe, daß die
Deutschen höflicher sind, wie die Franzosen. Ueber die=
sen Gegenstand lohnte sich's, ein wenig zu reflectiren. Vielleicht finde
ich irgendwo noch Gelegenheit hierzu. Jetzt werde ich mich ein wenig
bei der italienischen Nationalität aufhalten. Was ich mich am gewisse=
sten zu behaupten getraue, ist: daß die Deutschen die Italiener und
die Italiener die Deutschen viel zu wenig kennen, so wie Land und
Leute überhaupt genommen, viel zu wenig bekannt sind. Die schlim=
men Vorstellungen, die man sich noch im Allgemeinen von der Berei=
sung fremder Länder macht, und der unselige Nationalhaß, der leider
noch häufig vorherrscht, zeigen auch noch immer vom Mangel an
wahrer Bildung. Darum nur **Vorwärts** und der Beför=
derung von Volksbildung kein Hinderniß in den Weg
gelegt; denn so führt es auch der Strom der Zeiten mit sich, und
so ist es gut. Die fortschreitende Civilisation wird durch Veredlung
der Nationen ihr gegenseitig abstoßendes Weh immer mehr vermin=
dern, und durch Anerkennung des Guten wird sich die Achtung erhe=
ben, die zur Befreundung der Völker wie der einzelnen
Persönlichkeit unumgänglich nothwendig ist. Man stellte mir's
z. B mehrseitig und das vom distingnirten Stande, als eine reine
Unmöglichkeit vor, jetziger Zeit durch Italien zu Fuße zu
gehen. Ich fand bis jetzt noch nichts, was mir auffallend gewesen
wäre, oder woran ich mich gestoßen hätte, ich muß vielmehr bekennen,
daß ich mich kaum getraute, bei uns so ruhig die Straße allein zu
gehen. Man hört keine sittenverfänglichen Reden und sieht keine Be=
trunkenen. Ueber welche beiden Gegenstände ich mir vornehme, alle
Landpfarrer und Ortsrichter, mit denen ich zur Rede komme, aufmerk=
sam zu machen, und sie zu bitten, ihren Einfluß durch Belehrungen
und Vorstellungen auf den gemeinen Mann bestmöglichst anzuwenden,
damit solch' rohe Aeußerungen sich verlieren, die das Wandeln auf
freier Straße in einem Lande verkümmern. — So wie gewisse Roh=
heiten unter den Deutschen, so läßt sich's wohl auch nicht in Abrede
stellen, daß in der Volksmenge bei den Italienern Hinterlist und Be=
trug, Interesse un Geldgierde vorherrschen. Doch ist es im Durchzug
des Landes sehr wohl bemerkbar, daß die Nation auch hierin schon
sehr viel zu ihrer Veredlung gethan hat. Der Fleiß des Landmannes
ist groß. Die Agricultur, sammt dem segensreichen Clima und dem

fruchtbaren Boden, bewunderungswerth. Um das Samenkorn mit seiner aufkeimenden Frucht vor dem heißen Brand der Sonne zu schützen, sind die Felder reihenweise mit Bäumen besetzt, an denen sich die Wein-ranken in wunderschönen, von ihrem natürlichen Schwung sich ordnen-den Festons ineinander winden. Wein und Getreide, und fruchtbare Bäume, Alles auf demselben Grund. Ist das nicht ein geseg-netes Land! Doch gewiß fehlt es ihm auch nicht an Fleiß, das überzeugt man sich, wenn man die reinen Straßen, die vielfach be-bauten und zierlich geordneten Felder sieht. Komm' ich durch einen Flecken, seh' ich Weiber und Mädchen, Jung und Alt, kein Einziges ausgenommen, mit ihrer Spindel in der Hand. Seide, Wolle, Hanf und Garn wird gesponnen. Selbst Jene, welche vom Felde ihre Körbe auf dem Kopf tragend heimkehren, spinnen unterwegs. Selbst stricken seh' ich die Mädchen häufig, was man sonst den Italienerinen gänzlich abspricht. Müßig hab' ich noch Niemanden gesehen. In den Städten, besonders in dem österreichischen Italien, sieht man rechts und links, wo man geht, die Straßen und Buden fegen, auch die Gasthäuser, selbst die gemeineren, sind sehr rein gehalten. In keinem Zimmer fehlt die Kleiderbürste. Ziegelboden und Draperien sind etwas ganz Ge-wöhnliches. Auch sehr große, sonst kostbar eingerichtete Kirchen, sah ich mit rohen Ziegeln gepflastert. In jeder Kirche, besonders auf dem flachen Lande, sitzt hinter dem Thore, oder an dem nächsten Seiten-altare, eine Wächterin, die, als Arme, Almosen sammelt, und zugleich den Fremden Auskunft ertheilt. Auch diese Leute sind niemals müßig. Sie spinnen an ihrer Spindel, stricken oder nähen. Die kleinen Mäd-chen und die Bettelweiber auf der Straße spinnen. Männer sah ich von Hanf eine Art Stricke blos mit den Händen drehen oder flechten, auch grobe Socken stricken. Je näher man gegen Rom kömmt, desto mehr und größere Heerden Lämmer sieht man. Unwillkürlich find' ich mich bei dem Anblicke dieser lieblichen, sanften Heerden an die Worte des Heilandes an Petrus erinnert: „Weide meine Lämmer!" weil sich diese Worte, durch zunehmende Lämmerweiden in der Nähe von Rom, als Sinnbild lebendig darstellen. Rindvieh sah ich auf meinem ganzen Wege kein schöneres, wie in Bologna. Wenn vier Ochsen die Straße daher ziehen, so nehmen sie einen erstaunlich großen Raum ein. Oft blieb ich stehen, um diesen Schlag Thiere zu bewun-dern, dem unser schönstes steierisches Vieh weichen muß. Auch den Weinfässern, die häufig hin und her geführt werden, sah ich oft schon staunend nach, wegen ihrer Form. Die ganz gewöhnlichen sind so lange, wie drei an einander liegende Halbenfässer von uns, der mittlere Umfang jedoch nicht weiter, wie ein unseriges Halbenfaß, oben und unten laufen sie ganz enge zusammen. An fremdartigen Gegenständen fand ich außer dem unserem Gebrauche unbekannten Kamine, die Waschtischchen und die Lampen zur Hausbeleuchtung. An Zierde des flachen Landes geben die Cypressenalleen einen feierlichen Anblick, die den Weg zu den stattlich gebauten Schlössern führen. Des Bolzener See's zu erwähnen, darf ich nicht übergehen. An Landestracht ist mir nirgends etwas Auffallendes, oder bedeutend Unterschiedliches begegnet; dieser Abgang wurde mir jedoch reichlich ersetzt, als ich gestern gegen Mittag nach Monte fiascone kam. Da Sonntag war, gingen die Leute eben aus der Kirche, über den Berg herab, mit einer Kleibertracht, daß ich mich im Augenblicke in ein Feenmährchen versetzt meinte. Den Kopf hatten die Weiber mit weißen Tüchern nach Art der h. Hemma bedeckt. Röcke trugen sie, kurz und weit, vom schwarzen, rothen, grünen, blauen Wollenstoffe, mit zwei bis drei Reihen dreifingerbreiten, der Farbe nach, auffallend abstoßenden Seidenborten. Weiße Strümpfe und nette Schuhe. Feine, weiße, faltenreiche, eng gelegte Schürzchen, ebenfalls mit farbigen Seidenbändern gerändert. Mieder mit Gold-, Silber- oder Seidenschnüren an der Brust, von unten auf eng, oben weit geschnürt. Blendend weiße Chemisettchen, mit kleinen Halskrausen. Ueber den Arm hängt ein blutrother Shawl. Die Gesichtsbildung ist stark, aber hübsch, die Haltung edel. Auf der Straße gingen sechs der Schönsten und Reichgekleidetsten gegen mich, in einer Reihe aufgeführt. Ich wünschte nur, diesen wirklich imposanten Anblick durch meine schwache Beschreibung etwas anschaulich gemacht zu haben. Von Rom aus hoffe ich Ihnen über mehrere interessante Gegenstände einige Mittheilungen zu machen, da ich mich so lange aufzuhalten gedenke, bis ich wenigstens das Bedeutendste gesehen habe, was diese Stadt an Merkwürdigkeiten bietet.

# Einundvierzigster Brief.

## An den Herrn Cameralrath L. und seine Frau.

Viterbo, den 25. October 1847.

Es wird für Ihre Frau ohne Zweifel von angenehmen Interesse sein, wenn ich Ihnen erzähle, daß ich der heiligen Rosa hier in Viterbo in ihrem gläsernen Sarge die Hand küßte. Als Clarifferin gekleidet, liegt sie unverwesen, doch braun und eingetrocknet wie eine Mumie da. Sich diesen unverwesenen Zustand eines Körpers, mit weichem Fleische und zart rother Farbe vorzustellen, gehört wohl unter die zu hoch gespannten Erwartungen. Es genügt, daß sich die Säfte vertrocknen, und die ganze Gestalt nach hunderten von Jahren unter der gespannten Haut zusammen hält, ohne in ihren Gebeinen zu zerfallen. Ihre Hände und Finger sind zart, und zeigen von ihrer Jugend, denn sie war siebzehn Jahre alt, als sie starb. Ihr Gesichts-Ausdruck scheint von starken Zügen gewesen zu sein. In dem Kloster, wo man sie im Leben nicht aufgenommen hatte, wird ihr Körper nun nach dem Tode als größtes Kleinod aufbewahrt. Auch ihr Zimmer, was sie als fromme Terziarin des Franziskaner-Ordens, im Hause ihres Vaters bewohnte, welches an das damalige Kloster angebaut war, ist in das nunmehrige eingeschlossen und zur Capelle umgestaltet. Es ist klein und so anmuthig, daß ich darin, nebst Leßung ihrer auf einer Tafel in Versen ganz kurz verfaßten Lebensbeschreibung, Thränen der Rührung vergoß. Die Stadt Viterbo ist stolz auf ihre Heilige. Eine sehr schöne Statue der heiligen Rosa steht frei ober dem Thore, welches nach Rom führt. Das ganze Kloster, wo man mich durchführte, hat etwas sehr Einnehmendes in seinen weiten Gängen und offenen, gar nicht kleinen Gemächern; obschon überall nur Ziegelböden sind, ist doch Alles nett und rein gehalten. Die Nonnen, die ich begegnete und sprach, sind gleich den Engeln des Himmels, freundlich, unbefangen und gemüthlich; die Superiorin, die mich in den Chor zur heiligen Rosa führte, äußerte diese Eigenschaften in einem hohen Grade, vereint mit der ihrem Stande angemessenen Würde. Ich hielt mich ziemlich lange auf. Zur freundlichen Aufnahme

verhalf mir wohl nebst dem schriftlichen Erlaubnißscheine vom Consi-
storium, da der Bischof selbst abwesend ist, die Begleitung meiner
Hauswirthin und ihrer Tochter, die im Kloster bekannt sind. Die
Mutter jedoch mußte im Sprachzimmer warten, bis wir zurückkamen,
weil meine Ausfertigung nur für zwei Personen lautete. Die Hausfrau und ihre Tochter begleiteten mich in ihrem größten Putze. Ueber
die schön geflochtenen Haare wird ein gestickter, weißer, langer Schleier
in der Form eines Bajaders zierlich über den Kopf genadelt, was
sehr hübsch aussieht, mir gefällt es besser wie unsere Hüte. Auch von
meinen Fußreisen muß ich Ihnen etwas mittheilen. Als ich von Radico-
sani, der letzten Post in Toscana, wegging, hatte ich gute Eile, mein
Nachtquartier in Bolzena zu finden. Gegen Abend kam ich durch
einen kleinen Ort. Ein junges Mädchen bat mich angelegentlich, nicht
mehr weiter zu gehen. Es schien mir jedoch noch zu früh, um zu herbergen; ich dankte ihr für die gute Meinung und ging weiter. Die
Dunkelheit rückte heran und ich hatte noch weit; auch begegneten mir
Leute, die mir etwas mißfielen. Bald hätte ich es bereut, den Rath
des Mädchens unbeachtet gelassen zu haben; da kam ein junger Arbeits-
mensch hinter mir drein, gesellte sich zu mir, nahm mir meinen Tornister ab, um ihn zu tragen, der mir mit seinen Weltmiseren, die ich
einmal hineinpackte, um sie nach Rom zu bringen und dort ausgleichen
zu lassen, wirklich ein wenig drückend war, und geleitete mich unter
freundlichen Gesprächen den schönen See vorüber nach Bolzena. Der
gute Mensch konnte sich nicht genug verwundern, daß ich mich getraue,
allein zu gehen. Ich erklärte ihm hierüber, daß ich mich immer in
guter Gesellschaft befinde. Zur Rechten sei mir Gott der Herr, zur
Linken der heilige Schutzengel, und wenn sich gute Menschen an mich
schließen, so nehme ich ihre Begleitung dankbar als ein Geschenk aus
der Hand Gottes an. Ich sagte ihm, er sei jetzt mein sichtbarer Schutzengel; ich wolle auch zum Dank für ihn beten, daß er von seinem
Schutzengel zu jeder Zeit in der Noth bewachet werde; was den guten
Menschen sichtbar auferbaute und erfreute. Sehen Sie, so bin ich voll
des guten Muthes, rede wie's mir um's Herz ist, und bin verstanden,
wenn gleich nicht in meiner Muttersprache. Wie einen
der liebe Gott aber zum Scherz ein wenig erschrecken kann, das muß
ich Ihnen auch noch erzählen. Vorgestern zog sich der Weg ziemlich einsam hin. Da trat der Vollmond in seiner Pracht hervor. Das
schönste Schauspiel in der Natur. Von meiner Glückseligkeit läßt sich

gar keine Beschreibung machen. Ich summte mein Lieblingslied: „O Gott mit Dir allein in heilig tiefer Stille, da freut das Herz sich rein ꝛc." Da zogen sich aber auch auf einmal Wolken zusammen, daß ich mich nach allen Seiten umsah, wo sie denn herkommen, sie liefen so schnell, wie geschickte Boten. Der Mond verbarg sich, es war ganz dunkel; der Wind erhob sich, und wollte mich tragen: der Regen stürzte herunter und Blitze leuchteten. Von einem Paraplui öffnen war keine Rede, vielweniger noch von einem Regenmantel und einem runden, weichen Hut aus der Tasche zu neh= men, mit welchen Gegenständen ich aus Vorsicht meinen armen Tor= nister ganz überflüssiger Weise beschwerte. Ich konnte über das plötz= liche, ungewitterliche Hereinbrechen noch gar nicht zu Gedanken kommen, was denn zu thun sei, als ich ausrief: „Ach lieber himmlischer Vater, vergiß doch nicht, daß ich hier auf offener Straße bin!" Der Regen zuckte auf, die Wolken rissen entzwei, der Mond lächelte freundlich auf mich hernieder! der Wind legte und das Gewölke verlor sich. Ich fühlte mich ein wenig abgekühlt, denn es war bei Tage sehr heiß, und erreichte in der angenehmsten Abendstille die Stadt. Sie werden sich's denken, daß ich dankbar zum Himmel aufblickte, der seine fruchtbaren Regentropfen mitleidig aufbewahrte, um sie ein andermal herabzuschütten.

---

## Zweiundvierzigster Brief.

### An den hochwürdigen Herrn Gubernialrath J. N. K.

Rom, den 7. November 1847.

Vor zwölf Tagen in Rom angekommen, konnte ich mich bis heute noch nicht genug sammeln, um zu schreiben. Ich dachte mich nicht länger als zehn Tage aufzuhalten; doch diese vergingen, ohne daß ich zu Athem kam. Auch macht das Glaubensgebiet, in dem ich mich bewege, in Verbindung mit der alten Geschichte und den gegenwärtig bestehenden Thatsachen und Ereignisse einen mächtigen Eindruck auf mein Gemüth, das vollauf zu thun hat, um sich's vorzusagen und zu fühlen: „Ich bin in Rom." Nicht minder beschäftiget sind meine organischen Kräste, um meiner Anwesenheit in Rom ein wenig Genüge zu leisten. Die ersten Tage vergingen, um mich bei dem österreichischen Ambassadeur zu melden und auf der Polizei meinen Paß mit einem Aufenthaltsscheine anszutauschen, St. Peter und den Papst zu sehen. Der heilige Vater sieht einem recht kräftigen Manne gleich, sowohl im Geiste wie am Körper. Seinem Aussehen fehlt es nicht an Ehrwürdigkeit, obschon eine militärische Haltung vorherrschend ist; seine Miene ist im lebenden Originale sowohl für den Papst wie für die Persönlichkeit vortheilhafter, als man sie in den meisten Abbildungen findet. Sie behauptet einen festen, ruhigen, freundlichen Ernst, der in den Bildern in einen Zug übergeht, den man sich nicht recht erklären kann, der aber der Wahrheit nicht entspricht. Am Allerheiligentag sah ich in der päpstlichen Kapelle alle Cardinäle beim Aus- und Eingehen an mir vorüberziehen. Lauter anmuthige, ehrwürdige Herren, ohne Steifheit oder irgend einer Auszeichnung ihres Ranges, außer ihrem Cardinalskleide. Das Amt wurde bloß mit Singstimmen begleitet, was in ganz Rom mit Zusatz der Orgel eingeführt ist. Und statt einen Ersatz dieses Mangels bei großen Aemtern, finde ich mein Gemüth unwillführlich widerwärtig ergriffen und durch das Gehör beleidiget; von einigen Stimmen, die den Gesang angeben und ihn intoniren. Ich kann diese kreischenden Stimmen nicht erkennen, sollen es Knaben- oder Frauenstimmen sein; wohlklingende Männerstimmen sind es nun einmal nicht. Mir ist noch nie etwas vorgekommen, was mich bei dem feierlichen Anhören eines Gottesdienstes beirren könnte, keine zu schlechte und keine zu schöne Musik, jedoch diese Art Gesang könnte mich von der Feierlichkeit eines Amtes entfernt halten. St. Peter sammt dem Platz vor der Kirche mit seinem himmelanstrebenden Obelisk, dem das Kreuz von der Spitze leuchtet, seinen beiden Fontains, die ganze Regengüsse von der Höhe herunter in steinerne Becken schütten, daß sie Jeden kühlen, der ihnen in der Hitze des Sommers naht, und die vierfachen Säulenreihen an beiden Seiten, zwischen denen die Wägen fahren, sieht man zum erstenmale ganz staunend an; denn man sieht vor Größe die Größe nicht. Erst wenn man diese colossalen und zugleich so zarten Formen wenigstens sechsmal recht aufmerksam besucht hat, fällt einem die Größe der einzelnen Gegenstände und somit die Immensität des Ganzen auf. Fünf ungeheure Portale unter verzierten Säulengängen, zu deren Anhöhe

Stufen mit unterlegten Terrassen empor führen, bilden den Eingang
in die Kirche. Das letzte Thor zur rechten Hand, wenn man hinauf-
geht, ist das Jubelthor, welches sich nur zur Zeit eines Jubiläums
wie eine Fallbrücke nach innen zu öffnet, und wodurch der Papst wie
über eine Treppe einzieht und das ganze Volk von Rom hinter ihm,
begleitet von einer Menge Fremder von nah und fern, die alle genügend Raum in der Kirche finden, in der nicht ein Stuhl zum Sitzen
ist, außer denen der Domherren, die täglich ihren Chor halten, und
zwei hölzernen Stühlen in der Speiscapelle, in der Sirtus der **VI.**
unter einem braunsteinernen Denkmale liegt. Was die Denkmäler der
Päpste betrifft, dieß gehört in ein eigenes Studium. Nur die beiden
Löwen von Canova an dem Monumente Clemens **XIII.**, der Eine
schlafend, der Andere wachend, sind nicht zu übergehen. Es sind ihrer
so viele und so schöne, so kostbar in Marmor ausgehauen, in so ver-
schiedenartiger sinnbildlicher Vorstellung, von den ersten geehrtesten
Meistern und Künstlern, daß man mit Aufzählung derselben in einem
Briefe nicht leicht fertig würde. Dasselbe läßt sich auch von den Altären sagen, deren Bilder meist in colossaler Größe alle von Mosaikarbeit sind, deren Farben greller und schöner leuchten, als jedes Gemälde. Ein einziges Altarblatt am Eingange zur linken Hand ist
gemalt. Um all dieser Kunstgegenstände willen ist nicht zu übersehen,
daß oben am Hochaltare, ganz zurück in der Kirche, der hölzerne
Stuhl des heiligen Petrus als päpstlicher Thron aufbewahrt ist. Die
Höhe der Kirche ist von der Art, daß man die in der Kugel, von
handgroßen Mosaiksteinen geformten Figuren, im Hinaufschauen, als
seine Gemälde, kaum in Lebensgröße erkennt. Hingegen einem die
Leute in der Kirche, wenn man von einem der Corridore herabschaut,
deren zwei, wie zwei Stockwerke im Innern der Kuppel angebracht
sind, wie Kinder vorkommen. Auch die mehr als hundert Heiligen-
Statuen, die von Stein gehauen, frei die Façade begrenzen, sieht
man vom Platze aus kaum lebensgroß, und wenn man bei ihnen
oben ist, sieht man eine Hand, einen Fuß, bald so groß wie einen
Mann. Die Terrassen ober der Kirche bieten eine so herrliche Aussicht über die ganze Stadt Rom und ihre Umgebung, und sind in
ihrer Lage überhaupt so freundlich und gut gebaut, daß man sich dort
einlogiren möchte. Es wohnen auch die Wächter oben, die sich mit
Blumen ihre lustig hohe Behausung noch zu verschönern wissen. Der
Weg in den Kugelknopf hinauf ist gar nicht so beschwerlich, wie ich

ihn mir von einigen Erzählungen vorstellte; daß er ziemlich hoch hin-
aufführt, das ist gewiß, und daß Jemand, der am Schwindel leidet,
oder sich die Dinge schlimmer vorstellt als sie sind, ein wenig müde
wird, das läßt sich auch nicht widersprechen. Zuletzt muß man denn
noch, wenn man sein Ziel schon bis am letzten Puncte verfolgen will,
etwa zwanzig Sproßen an einer senkrecht stehenden, eisernen Leiter
hinaufsteigen; was mir ebenfalls noch zum Vergnügen diente. Wer
diesen Combel aller Wünsche nicht in Erfüllung setzen will, begnügt
sich ganz leicht in dem geschmackvoll angebrachten Cabinette, auf Ruhe-
bänken die herrlichste Aussicht schauend, die die Welt nur bieten kann.
Es war auch ein griechischer Erzbischof da, und mehrere geistliche
Herren. Mein Begleiter war der geistliche Herr B., ein Caplan
von dell' anima, der die Güte hatte, mich auch in den Vatican zu
führen, und die nöthigen Erlaubnißscheine dazu zu besorgen. Seelenvergnügt kam ich von dieser allerhöchsten Thurmbesteigung, ohne einer
Speise oder eines Trankes zu bedürfen, ganz wohlbehalten zurück.
Der Aufgang ist auch so gut gebaut, so rein, ja für einen Thurmweg
elegant gehalten, an den Wänden mit steinernen Gedenktafeln geziert,
die den Namen der hohen Herrschaften tragen, die die Kugel von St.
Peter besuchten, um sich an der herrlichen Aussicht zu erfreuen. Das
Grab der Apostelfürsten in Mitte der Kirche kann an E h r w ü r d i g -
k e i t und der t i e f e r n S e e l e n b e w e g u n g, die es erregt, nur dem
Grabe des Heilandes in Jerusalem weichen. Auch gebaut ist dieses
Denkmal des Christenthums, würdig des christlichen Sinnes. G r o ß -
a r t i g  u n d  e i n f a c h. Einige Stufen führen in die Tiefe hinab,
wo hinter dem eisernen, goldverzierten Gitter die Gebeine der Apostel
ruhen, doch nicht im ganzen Körper. Auch die Kirche St. Paul
außer der Stadt bewahrt Gebeine des heiligen Petrus und Paulus.
Eine marmorne Statue, die päpstliche Würde vorstellend, kniet vor
dem Gitter, welches nicht geöffnet wird. 92 Lampen brennen Tag
und Nacht, und bilden in goldenen Formen einen leuchtenden Kranz
um das Steingitter, welches das Grabmal einfaßt. Wenn an dem
unterirdischen Altare die h. Messe gelesen wird, so dürfen nur die betreffenden Personen mit dem Priester durch die Sakristei hinabsteigen.
Die ausgebreitete Gruft unter der Kirche wird nur des Jahres zweimal
eröffnet, einmal für die Männer, und einmal für die Frauen, um sie
zu besuchen. Ueber dem Altare, an dem der heilige Vater allein nur

die Messe liest, steht ein Baldachin von Bronce, reich mit Gold geziert,
den man beinahe wie ein Weltwunder an Pracht und Kunst anstaunen
möchte, und dem nichts zu wünschen übrig bleibt, als gute Zeiten zur
neuen Vergoldung. Wegen meiner Abreise von Rom habe ich meine
Beschlüsse schon gefaßt. Vor Allem warte ich, bis die Feste der consiglio di stati vorüber sind, dann geh' ich über das römische Feld
wieder aufwärts nach Ankona, um mich dort einzuschiffen. Wohl ging
meine frühere Meinung dahin, mich in Neapel einzuschiffen, die Schönheit dieses Landes zu bewundern und den Vesuv zu besuchen. Doch
bestimmte ich mir eigentlich auch dieses nicht; sondern ich dachte: in
Rom wird mir der fernere Zug meiner Reise klar werden, so wie es
von Alexandrien vor mir steht, bis dahin bin ich mir nun das Meinige bewußt. Als ich mich in der österreichischen Amtskanzlei meldete,
kam zufällig Graf Lützow selbst herein, der einer Pilgerin sehr freundliche, herablassende Worte schenkte. Er sagte: „Wenn ich Ihnen
rathen dürfte, so sagte ich: reisen Sie über Ankona.
An Graf Welsersheim kann ich Ihnen Empfehlungen mitgeben, und
auf dem Lloyd sind Sie wieder unter österreichischem Schutze, so können
wir Sie nicht schützen, wenn Sie durch Neapel gehen, was jetzt zu Tage
so unruhig ist, daß ich Ihnen keine Fußreise dahin rathen könnte.
Ueberhaupt leidet es der König schon mehrere Jahre nicht, daß die
Pilger durch sein Land ziehen. Auch auf englischen und französischen
Schiffen sind Sie ganz fremd.“ Diese wohlmeinende Rede bestimmte
meinen Entschluß. Ich hatte noch zwanzig Gulden österreichisch Geld,
das wechselte mir der gütige Graf mit eigener Hand aus. Auch Che-
valier Homst, der Gesandtschaftssecretär, ist ein sehr gefälliger, obschon sehr eifriger Geschäftsmann. Wenn ich ein Anliegen habe,
oder irgend einer Auskunft bedarf, so darf ich nur kommen. Uebrigens
bin ich in dell' anima, dem österreichischen Stiftshause für
Fremde, sehr gut aufgehoben. Lebe in Rom, wie mitten unter
österreichischem Schutze. Auch die römischen Herren auf der Polizei
kann ich nicht genug rühmen. Was ich auf der ganzen Reise in den
Aemtern schon wahrgenommen habe, ist mir bis hierher zur Versicherung geworden. So wie nämlich die Unserigen es gar nicht erwarteten,
daß die Römer eine österreichische Pilgerin werden passiren lassen, so wunderten sich die Römer, daß man einer Pilgerin unsererseits einen Paß ausfertigte, um sie allein

ziehen zu laſſen. Ich wurde noch überall gut aufgenommen, wo ich
mich in einem Amte ſelbſt vorſtellte. Mein Paß wird allenthalben
bereitwillig ausgefertigt, ohne daß ich etwas bezahlen darf, ausgenommen in Florenz, oder wenn ich ihn durch einen Cameriere ſchickte.

----

## Dreiundvierzigſter Brief.

### An Bruder Zeno.

Rom, den 10. November 1847.

Gott grüße Dich von Rom aus ſammt der ganzen Stadt Graz!
Ich zweifle nicht, daß deren Mehrere ſind, die meiner eingedenk und
der Kirche in Rom ergeben ſind, und ſich der Sendung eines
aufrichtigen Grußes von dorther erfreuen. Da Du aber nicht in Graz,
ſondern auf Deinen Gebirgen Dich befindeſt, ſo grüße ich herzlich auch
das ganze Land mit ſeinen einfach edlen, für Gott und den Kaiſer
gutgeſinnten Bewohnern. Drei Tage konnte ich gar nichts anders
denken, als: „Ich bin in Rom." Jeder Stein, jede Straße, jeder
Platz iſt mir heilig. Ohne Bedenken könnte ich hier verbleiben, ſo
heimiſch fühle ich mich; nur muß ich erſt meine Wallfahrt nach Jeruſalem vollenden. — Wenn ich Dich doch einmal mitführen könnte, lieber Bruder! wenn ich nach St. Peter gehe, über die Engelsbrücke,
unter der die gelbe Tiber, nicht ſo breit wie bei uns die Mur, hinun-
terwallt, in tiefer, majeſtätiſcher Bewegung. Die Engelsbrücke führt
auch geraden Weges zur Engelsburg, auf deren rundem Caſtell ein
ſteinerner Engel aufgeſtellt iſt, zum Andenken, wie einſtens der Engel
vom Himmel zur Zeit der Peſt das Schwert der ſtra-
fenden Gerechtigkeit in die Scheide ſteckte. Die Engelsburg ſteht durch einen gedeckten Gang in einer beinahe halben Stunde
weiten Entfernung mit dem Vatikan in Verbindung. Dieſer iſt an die
Peterskirche angebaut und entſpricht dem äußeren Anſehen nach keineswegs der Größe, Schönheit und Pracht, die er in ſeinen inneren Räumen behauptet. In ſeinem Hofraume bewegen ſich vierzig viergeſpannte
Staatskarroſſen. Mir ſcheint, es geht mit dem Vatican ſo wie mit

der Kirche zu St. Peter; man sieht vor Größe die Größe nicht. Nur wenn man die unabsehbaren Bibliothek-Säle, die Museen, die Gallerien, die Mosaikfabrik, die päpstlichen Gemächer, die weiten Gänge mit lauter meisterhaften Fresco-Gemälden sieht, staunt man, daß dieß Alles in Einem Gebäude Raum findet. — Doch nun höre von meinem Einzuge in Rom. Zu Mittag ging ich von Viterbo weg, und kam bis halb sechs in Ronciglione an, übernachtete in diesem sehr netten, freundlichen Städtchen, und machte mich Früh Morgens wieder auf den Weg. Von Siena weg beeilte ich mich sehr an den heutigen Tag, das war den 26. October, in Rom zu sein, um den Geburtstag von dem Kinde unserer Schwester, meiner kleinen Pathe, zu feiern. Doch drei große Posten von 42 Miglien standen als Unmöglichkeit vor mir, und ich begab mich meines Wunsches. Demungeachtet ging ich mit gutem Erfolge sehr stark, ohne einmal einem Wagen zu begegnen, durch den ich mir meinen Weg hätte erleichtern können. Um vier Uhr Nachmittags kam ich an einer Capelle vorüber; etwa hundert Schritte weiter sah ich eine Straßenlocanda, und davor einen Wagen. Die Zeit ist mir zwar kurz, dachte ich, doch Rom zu erreichen, ist unmöglich, so ungerne ich in der letzten Station verweile, und eine Pilgerin soll keine Capelle vorüberziehen, ohne ihr Gebet Gott darinnen aufzuopfern. Ich verweilte denn ein wenig in dieser freundlichen Capelle, da kam ein junger Mensch und fragte mich, ob ich nicht fahren wolle, ich könne heute noch in Rom sein. Ich dankte, weil ich mir dachte, wer weiß, was ich zahlen müsse, und was ich für Gesellschaft finde Als ich an dem Hause vorüber ging, grüßte mich ein sehr ansehnlicher Herr und lud mich ein, mit ihm zu fahren: „um sieben Uhr," sagte er, „sind Sie heute noch in Rom, ich fahre allein und eine gute Gesellschaft wäre mir sehr angenehm." Ich erkannte nun das Geschick Gottes und nahm es dankbar an. „Also heute noch wirst du in Rom sein!" Dieß Versprechen hatte ich gestern schon trotz aller Unwahrscheinlichkeit inner mir wahrgenommen. Da ich aber gegen diese Stimmen höchst mißtrauisch bin, so achte ich ihrer nicht viel, wodurch ich mir auch schon so manchen Nachtheil zuzog. Mein Seelenvergnügen, als ich so ganz wohlverwahrt im Wagen über das öde Feld fuhr, was, je näher gegen die Stadt, desto mehr einer Wüstenei gleicht, unbebaut, uneben, mit struppichtem, von der Sonne ausgebrannten Grase bewachsen, läßt sich nicht beschreiben. Der Herr des Wagens, ein Architect, Signor Gioseppo, leider habe ich seinen Familiennamen vergeffen und kann ihn, meinem Verfprechen gemäß, nicht besuchen, weil ich ihn nicht aufzufinden weiß, obschon ich mir alle erdenkliche Mühe gab — zeigte mir den Plaß, wo vor einigen Jahren eine Pilgerin, die von Baiern nach Rom wallfahrtete, ermordet wurde. Es ist dieß eine so bekannte Geschichte, daß sie mir schon viermal erzählt wurde, als Beispiel, wie es einem auf der Pilgerfahrt ergehen könne. Diefer Herr ist ein Römer, einer, der der Nation in all' feinen Gesinnungen Ehre macht. Stärke und Aufschwung des Geistes, finden in wohlverstandener Mittheilung der Gedanken, ihre Nahrung. Im Einverständnisse der Gesinnungen mit einem Römer, über die Stellung Oesterreichs mit Italien, zog ich ein in die dem Christenthume heilige Stadt Rom, durch die porta del populo, hinauf über den corso, bei leuchtenden und glänzenden Gewölbs-Auslagen, und belebten, in die Tiefe hinein mit Lampen erhellten caffe's vorüber. Der Wagen hielt, Herr Gioseppe hieß feinen Kutscher, mich in eine Locanda führen und rieth zur Minerva. Nun fing ich an, ganz lustig zu werden, denn schon wollte mich der feierliche Ernst, mich wirklich in Rom zu befinden, etwas zu h o c h stimmen. Nun, dachte ich, das ist hübsch! für's Erste werde ich in der Stadt Rom spazieren geführt, und das zur Minerva, einer Gottheit der alten Römer, die in ihrem kriegerischen Sinne, in ihrer Protection der Wissenschaften, Künste und schönen Handarbeiten, stets von meiner besonderen Aufmerksamkeit begünstiget ist. Doch Minerva hatte kein leeres Zimmer für mich. Der gute Kutscher bestieg wieder feinen Bock, sagend: „Macht nichts, wir fahren zu Santa Chiara." Gut, zu Santa Chiara, dachte ich, das klingt christlich; die heilige Clara halte ich schon um ihres Namens willen besonders in Ehren. Aber auch Santa Chiara konnte mir kein leeres Zimmer bieten. Alles war beseßt. Nun denn, studierte mein sehr geduldiger Kutscher: „Jeßt weiß ich's, wir werden's schon treffen!" und ohne zu sagen wohin, führte er mich durch alle Straßen der Stadt. Es währte mir schon ziemlich lange und ich wunderte mich, daß die Gasthöfe in Rom nicht wie bei uns einer an den andern stehen, und daß mich der gute Mensch so lange spazieren fährt, bis er mich irgendwo abseßt. Endlich hielt er, sprang ab, fragte, und der Gast war willkommen; mein erster Blick in's Thor war der Eindruck, als führte man mich in eine Kirche; denn eine schöne leuchtende Glaslampe, die mitten herunter hing, mahnte mich an das Hochwürdigste. Drei liebe freundliche Mädchen von zehn bis vierzehn Jahren

7

liefen an's Thor und führten mich wie eine lang erwartete Bekannte
in meine Behausung ; ein hohes schön gemaltes Zimmer mit Flügel=
thüren und einem ungeheuer großen Bette, das sogleich mit sehr reiner
Wäsche überzogen ward. Ich befand mich in einem Privathause bei
einer Witwe, die Zimmer an Fremde vermiethet. Zu essen aber, sagte
sie mir sogleich, könne ich bei ihr nichts finden. Obschon ich den gan=
zen Tag außer einer Chocolade zum Frühstück nichts genommen hatte,
so fühlte ich doch eben keinen Hunger, auch wollte ich, da es schon
ziemlich spät und finster war, Niemanden mehr fortschicken, besonders
da ich Niemanden sah als meine Hausfrau und ihre Kinder. Ich bat
um ein Glas Wasser und begab mich zur Ruhe, denn ich war müde.
Mittwoch Früh war mein erster Weg nach St. Peter. Doch ehe ich
fortging, wünschte meine padrona, ich möchte für die Zeit meines Auf=
enthaltes vorhinein bezahlen. Da ich die Miethe sehr billig fand und
mir die Mädchen gefielen, so beruhigte ich sie für zehn Tage; denn
länger vermeinte ich nicht in Rom zu bleiben. Man beschrieb mir den
Weg zur Peterskirche, den ich auch ohne zu fragen fand. Von der
Engelsburg weg gingen mir drei Offiziere nach; einer davon redete
mich auf dem großen Platze neben dem Obelisk an, und wir führten
in Kürze der Zeit das interessanteste politische, religiöse und antiqua=
rische Gespräch von der Welt. Er versprach mir, mich in die Engels=
burg zu führen, was derzeit im Allgemeinen für Fremde nicht erlaubt
sei. Er notirte sich meine Adresse und besuchte mich wirklich. Ich dachte
einen guten Freund gewonnen zu haben. Wir sprachen beinahe eine
Stunde von gegenseitigen Staatsverhältnissen, in denen ich mich in
vielen Dingen dadurch aufgeklärt finde. Auch von den besonderen
Schicksalen einzelner Individualitäten. Auf einmal zog er die Uhr
heraus und mit nassen Augen sagte er : er habe Dienst, und er habe
mich verkannt. Er komme aber morgen um eilf Uhr wieder, um mich
in die Engelsburg zu führen und mir eine Anweisung über Rom's
Merkwürdigkeiten zu bringen. Jedoch sah ich den Herrn Capitano
seitdem nicht wieder. Ich weiß nicht, ist er erkrankt, oder was ihm
widerfahren ist. Die Engelsburg werde ich mich schon begnügen müs=
sen, von außen zu sehen und den Fremdenführer in Rom habe ich mir
in einer Buchhandlung ausgeborgt. Ich versichere Dich aber, er ist
mir ganz umsonst. Erstens habe ich gar nicht Zeit, zu Hause zu blei=
ben und darinnen zu lesen, und zweitens ziehe ich stets lieber die
practischen Anwendungen der theoretischen Wissenschaft vor. Und so

bin ich den ganzen Tag auf den Füßen, in allen Straßen, und komme noch so ziemlich über Alles, was von altem und neuem Interesse ist. Ehe ich schließe, muß ich Dir auch noch ein Paar Worte von meinem ersten Eintritt in die Peterskirche, und von meinem gegenwärtigen Aufenthalte sagen. Als ich der Kirche näher kam, fingen die Glocken eben in ihrem herrlichen Getöne zu läuten an. Und als ich in die weite Halle trat und bis zum Grabe Petri hervorkam, war's mir doch, als wäre der Himmel offen. Ich kniete hin an die steinerne Einfassung, mit brennenden Lampen in gelbem Glase bekränzt, und legte, so wie ich mir's vornahm, das Elend der Welt St. Peter zu Füßen, damit er es ausgleiche am himmlischen Throne. Da erschollen in den weiten Räumen die Stimmen der Domherren im Chore in solcher Anmuth und Würde, mit so viel Kraft und Salbung unter der Begleitung von Orgeltönen, wie aus silbernen Röhren. Unvergeßlich wird mir dieser Gesang verbleiben. Nachdem er endete, suchte ich mir einen Beichtvater, sah gleich einen in dem nächsten Beichtstuhle, und mit dem Gedanken, italienisch spricht doch Jeder, ging ich hin. Er fragte mich sogleich, welcher Nation ich angehöre, und schickte mich zu dem deutschen Pönitenziar; er sei für die Griechen bestellt, sagte er. Jetzt erst bemerkte ich, daß für jede Nation ein eigener Pönitentiarius verordnet sei, und daß jede Nation ihren Namen am Beichtstuhle lesen kann. P. Brabanzer, ein Minorit, nahm sich meiner gleich freundlich an, fragte, wo ich wohne, und da er hörte, daß ich mir schon eine Wohnung bezahlt habe für die Zeit meines Aufenthaltes, sagte er: „Ei, warum haben Sie denn das gethan, Sie haben ja den ersten Anspruch, in dell' anima zu wohnen." Dieß ist eine gestiftete Anstalt, in der alle österreichischen Unterthanen aufgenommen und drei Tage verpflegt werden. Mit Erlaubniß des Directorats kann man wohl auch länger dort wohnen, jedoch ohne Kost. P. Brabanzer meinte: Lassen Sie der armen Frau das Geld und kommen Sie zu uns, ich werde Sie selbst dem Herrn Director aufführen. Was auch sogleich geschah und nun wohne ich in dell' anima, mit Erlaubniß des Ober-Directorats, so lange zu bleiben, als es mir gefällt.

## Vierundvierzigster Brief.

### An den Herrn Medicin-Doctor K.

Rom, den 11. November 1847.

Sie dürfen sehr triumphiren, Herr Doctor! über Ihre versichernde Voraussage, daß die Reise sehr vortheilhaft auf meine Gesundheit wirken wird. Ich fühle mich so wohl und stark, daß ich nicht einmal einen Krampf im Fuße wahrnahm, bei all' meinen anhaltenden Fußreisen. Vom 21. October Mittags von Siena weg machte ich bis 26. Abends in Rom angekommen 150 Miglien. In Viterbo hielt ich mich einen halben Tag auf und am 26. Nachmittags fand sich um vier Uhr eine gute Gelegenheit zu fahren, die ich benützte, und die mich sehr bequem und wohlbehalten nach Rom brachte. Da Ihnen unser österreichisch Italien so wohl bekannt ist, so ist es Ihnen gewiß auch von Interesse, die Poststraße durch Toscana nach Rom zu kennen. Von Siena nach Moncront, Bonconvento, Forrenieri, Poderino, Ricorfi, Radicofani, Pontecenteno, Aquapendente, San Lorenzo, Bolzena, Montefiascone, Viterbo, Montagua, Ronciglione, Baccano, Storto, Roma. Dieser Weg ist practisch durchschritten. Ich lasse mir von sachverständigen Personen die Poststationen von einer Stadt zur andern angeben, und weiß daher genau, wo ich hinzugehen habe, bleibe auf der Hauptstraße und so kann ich nicht fehlen. Um mit den Leuten, die mir begegnen, eine Ansprache zu führen, frage ich nach freundlichem Gruße: quante miglie sin? ꝛc. Che ora é? *) worauf einem Jedermann bei jedem Schritte auf's Genaueste zu antworten weiß. Und da mir die Namen der nächsten Ortschaften bekannt sind, [so scheine ich den Leuten auch ganz bekannt zu sein. Wenn mich Männer, die gemeinen auf der Straße, oder die vornehmeren in einem Wagen, staunend fragen: ob ich mich nicht fürchte, und ich ihnen lächelnd antworte: Io non ho paura di niente, **) habe ich dann die besten Freunde an der Seite. Gerne möchte ich Ihnen etwas von der Seligkeit mitthei-

---

*) Wie viel Meilen sind bis — wie viel Uhr ist es?
**) Ich fürchte mich vor nichts.

len, die ich fühle, hier in Rom zu sein. Ich mag essen oder nicht, her=
umgehen den ganzen Tag, bewegt sein in St. Peter bis in's Innerste
der Seele, selbst wenn mir das, was ich esse, nicht wohl bekommt, was,
seit ich in Rom bin, fast immer der Fall ist, so bin ich doch immer
gesund. Mein Körper ruht wahrhaft von allen Uebeln aus, während
meine Seele sorgenlos in Gott ruht. Mir scheint, als wolle der liebe
Gott mir zeigen, daß ihm das Fasten so wohl gefalle, wie das Wall=
fahrten, denn zu beiden finde ich Anleitung und großen Beistand. Mit
Nüchternbleiben bis sechs Uhr Abends befasse ich mich nicht selten. Ich
bin heiter und gesund, obschon ich nun bei vierzehn Tage weder Fleisch
noch Suppe aß. In die Hosterien zu gehen kann ich mich nicht ent=
schließen; die vornehmeren sind mir zu theuer, auch genirt es mich, mich
darinnen einzufinden, und die gemeineren, die ich wohl in jeder Gasse
finde, sind mir nebst meinem Geniren zu schmutzig; denn sie entsprechen
ganz dem mit keiner anderen Stadt zu vergleichenden Straßenschmutze
und dem Mist und der Unreinlichkeit in den Häusern. Die schönsten
brillantesten Auslagen der Verkaufsgewölbe sind bis auf das Glas, durch
welches man sieht, mit Koth und veraltetem Schmutze besudelt, daß sie,
wenigstens dem Anscheine nach, an ihrem Werthe verlieren. Es ist
wohl wahr, daß die Menschenmenge und das viele Fahren die Schuld
tragen, jedoch glaube ich zuversichtlich, es wäre für die Straßen und
Häuser Roms sehr gut, wenn sie von deutscher Reinlich=
keitsliebe ein wenig gemeistert würden. Die Caffé's
besuche ich hingegen, ohne mich zu geniren, sie sind auch gut gehalten.
Ueberhaupt bin ich seit einigen Tagen sehr gut etablirt. Mein Früh=
stück nehm' ich täglich im Jesuiten=Kaffehhaus, das heißt in dem Caffé
gegenüber der Jesuitenkirche auf dem Platze à Gesù. Ich bekomme
hier nach mehreren Erfahrungen den besten Caffé à la crème. Man
hält mich für eine Französin wie in ganz Italien, und bedient mich
sehr freundlich. Zu Mittag habe ich mich bei der Frau eingeladen, die
die Aufsicht über das Haus dell' anima hat. Sie ist eine Wienerin
und führt für ihre Person deutsche Küche. Ich zahle sehr wenig und
esse gut und genug. Abends begnüge ich mich gewöhnlich mit etwas
Wein und Brot, welches auf dem ganzen großen piazza navona in
einem einzigen Laden gesalzen zu bekommen ist. Das ungesalzene Brot
könnte mir die ganze Lust verleiden, Brot zu essen. Obst gibt es sehr
viel und gutes, doch genirt es mich, mir welches zu kaufen, um es auf
der Gasse in meinem täglichen Kreislaufe zu essen. Kirchen gibt es 360

in Rom, der vielen Hauscapellen, Altäre und Bilder mit brennenden
Lampen unter den Hausthoren und Straßenecken gar nicht zu gedenken,
wobei Abends sehr auferbaulich kleine Gebetsversammlungen gehalten
werden. Vor Allem muß ich im Allgemeinen des sehr reinen Weihwassers
und der eleganten Steingefäße, worin es aufbewahrt ist, erwähnen,
durchaus in allen Kirchen, vor und in der Stadt Rom.
Einer der interessantesten Wege, die man machen kann, ist der Besuch
der sieben Kirchen, auf der die kirchlichen Verdienste eines Besuches der
heiligen Orte in Palästina für die Wallfahrter nach Rom übertragen
sind, weil man nebst diesen geistlichen Gütern nicht nur die größten und
schönsten Kirchen sieht, sondern man begegnet auf diesem Wege einer
Menge bedeutender Merkwürdigkeiten. Um dahin zu finden, ist ein eige=
ner Kirchenführer bestellt, ein kleiner, sehr eifrig frommer Mann, aus
Leipzig gebürtig, ein Dichter und Redner, daß man seine Gesellschaft zur
angenehmen rechnen muß. Auch hält er ganz zuversichtlich auf seine Vi=
sionen. So hört er z. B. Kriegsgetümmel gegen die Jesuiten, und ist
voll Bangigkeit über den Ausgang, weil die Kanonen fürchterlich don=
nern. Ich tröstete ihn scherzend und sagte: Sorgen Sie nichts; die
Jesuiten haben schon gewonnen! ihr Sieg besteht nicht in
materieller Belagerung, noch Verfolgung oder Vertreibung, sondern in
geistigen Regionen, wo er schon so viel wie geführt ist, und da es ohne
Kampf keinen Sieg gibt, so müssen die Kanonen gegen sie wohl ein we=
nig brummen, wie Ihr geistiges Ohr vernimmt; meinerseits vernahm ich
am militärischen Allerseelenfeste in der Kirche à Gesù den herrlichsten
Triumph der Jesuiten, aus den sechs gegenwärtigen Musikbanden nebst
ihrer eigenen, herrlich besetzten, harmonischen Chormusik. Wirklich war
das ein Aufzug von Feierlichkeit, dessen Eindruck ich nie vergessen werde.
Ein Cardinal hielt das Seelenamt für die Verstorbenen der päpstlichen
Miliz, wobei die ganze Generalität und vornehmen Beamten des Mili=
tärstandes gegenwärtig waren, mit Offizieren, Militär in aufgestellter
Parade, und Musikbanden, so viel die große, lichte, äußerst nette und
prachtvolle Jesuitenkirche in ihrem Raume fassen konnte. Diese Kirche
birgt die Gebeine des heiligen Ignatius. In dem dabei sich befind=
lichen Convente zeigt man noch das Zimmer, welches der Stifter die=
ser großartigen Gesellschaft bewohnte. Der Altar gegenüber bewahrt
die Gebeine des heiligen Franz v. Xaver; seine Hand, die so viele
Tausende taufte und ihre Seelen erweckte zum ewigen Leben, ist un=
verwesen in einem Glaskasten eingeschlossen. Einmal winkte sie einem

Protestanten, der sie aufmerksam betrachtete, und neugierig den zweiten und dritten Tag wieder kam, bis er zum Glaubensbekenntnisse an die katholische Kirche durch die Gnade Gottes bewegt wurde. Dieß ist ohnehin eine bekannte Geschichte, so wie die Begebenheit des Juden Ratisbon, der vor dem Bilde der unbefleckten Empfängniß der heiligen Jungfrau sich durch innerliche Einsprechungen öffentlich und feierlich zum Christenthume bekehrte. Dieß geschah in der Kirche St. Andreo gegenüber der römischen Propaganda. Ich besuchte diesen Ort mit vieler Theilnahme und stand eine geraume Zeit vor dem Gnadenbilde, welches ununterbrochen bei brennenden Kerzen verehrt wird. Auch ich dankte Gott für ein so offenbar gnadenreiches Hereinragen der Geisterwelt in die unserige. Um auf meine Jesuitengeschichte sammt dem Kirchenführer wieder zurückzukommen. Die Gebeine des heiligen Aloisius ruhen in der Kirche St. Ignatius, der das große römische Collegium eigen ist. Kirche und Collegium sind von immenser Größe. Der jugendliche heilige Stanislaus ist in der zwar kleinen, aber äußerst reinen Noviciat-Collegiumskirche aufbewahrt. Die Jesuiten sind also im Besitze dreier Behausungen in Rom. Von irgend einer Verfolgung nehme ich durchaus nichts wahr. Nach der Kirche St. Peter besuche ich am liebsten die Kirche à Gesù, bin auch zu allen Zeiten des Tages darin, und sehe, daß in ganz Rom nirgends so viele Leute in der Kirche sind, wie hier. Man sieht die Priester von Morgens bis Abends in dem Beichtstuhle beschäftigt. Nun weiter mit meinem Kirchenführer. Er sagte mir: ich möge wohl Acht geben, er werde mir unterwegs eine Statue zeigen, dann soll ich ihm genau sagen, was ich daran bemerkte. Wegen der Menge von Gegenständen vergaß ich lange darauf, um seine Erinnerung zu erwarten, auch verstand ich nur etwas von einem Bilde. Wir kamen vor der Stadt an der Straße in eine ganz kleine Kirche welche eine Strecke von dem Straßenraume zur Verehrung einschließt, auf der Christus dem Petrus mit dem Kreuze begegnete, als sich dieser flüchten wollte. Man müßte wohl gänzlich verhärtet und glaubensleer sein, wenn man diesen, der frommen Christenschaar aufbewahrten Ort gleichgiltig beschauen könnte. In diesen Betrachtungen ehrfurchtsvoll auf die Seite tretend, fiel mein Blick auf ein blendend weißes Crucifix. Ein Meisterstück von Michel Angelo, schön, so schön, daß der ganze Begriff dieses Wortes dadurch aufgefaßt ist.

Kaum gedacht, bemerkte ich ein anderes Bild des Heilandes, im vollen Gegensatze. Elend, was das Wort nur zu fassen vermag. „Ach mein Gott! wie können Dich denn die Menschen so jämmerlich entstellen!" dachte ich, mich innerlich entsetzend; doch trat ich mitleidig näher, die Gestalt war gebeugt, im Momente der Kreuzaufsichnehmung, aber noch ohne Kreuz, und so erhöht gestellt, daß ich eben groß genug war, dem tief gesenkten Haupte in's Antlitz zu schauen. Ich schaute, und schaute wieder, und bald mir graute, wenn nicht hernieder, aus den in Thränen schwimmenden Augen des Himmels Trost in's Herz sich tief mir sänkte. Schweigend und in mich gekehrt ging ich zur Kirche hinaus. Nach einer Weile fragte mich der Kirchenführer, was haben Sie an dieser Statue bemerkt? „Daß sich das Auge in Thränen bewegte," sagte ich trocken. „Nun denn," sagte der gute Mann, seinen Aeußerungen nach, keinen kleinen Triumph feiernd; „dieß ist die Statue, von der ich Ihnen sagte; weil Sie ihr aber selbst zugingen, brauchte ich Sie nicht zu erinnern. Von so vielen Pilgern, die ich führe, sehen es einige, ich sehe es auch, und mögen die Andern, die es nicht sehen, sagen, was sie wollen, ich kann mir's nicht abstreiten lassen. Nun kam es noch heraus, daß ihn die Geistlichen in dell' anima und Frau Barbara deßwegen verlachen, und daß er es mit ihnen verwetten wollte: Unsere Pilgerin Maria sieht es gewiß. Wirklich, als wir nach Hause kamen, war sogleich der sehr heitere geistliche Herr B. bei uns, und machte sich mit Frau Barbara mit Fragen an mich und meinen Kirchenführer ein wenig lustig. Ich antwortete ganz trocken und einfach, was ich mit meinen Augen gesehen habe, worüber der geistliche Herr ein wenig stutzig wurde, und Frau Barbara nichts mehr sagte. Herr B. fragte, ob ich nicht noch einmal hinausgehen möchte, er und Frau Barbara würden mich begleiten. Auch der gute Portier Eduard, der schon das erstemal mit war, und meinem offenen Bekenntnisse eine stille Zustimmung beilegte, trug sich sogleich an, wieder mitzugehen, aber noch ist es nicht dazu gekommen, ich zweifle auch, daß es sich treffen werde, daß wir Alle zugleich Zeit dazu finden, denn das Kirchlein ist ziemlich weit von der Stadt entfernt. Nun überlasse ich die organische Bewegung in der hölzernen Körperwelt Ihrem weiteren Bedenken.

# Fünfundvierzigster Brief.

## An die Frau des Herrn Oberamtmanns M.

Rom, den 12. November 1847.

Den Namenstag Ihrer guten Lina war ich so glücklich in Rom zu feiern. Ich dachte ihrer auch ganz besonders bei den Reliquien des heiligen Carolus, welchen die Römer in besonderer Verehrung halten. An dessen Festtage ist sogar päpstliche Assistenz in der ausgezeichnet schönen großen Kirche San Carlo auf dem Corso. Die Feierlichkeit war von einer Großartigkeit, daß ich mich kaum getraue, Ihnen eine Feder-zeichnung darüber zu schicken. Militär und Bürger waren in voller Parade auf dem unabsehbar langen Corso aufgestellt. Die Bewohner der ganzen Stadt waren in Bewegung. Sie können denken, wie es da zuging, um durchzukommen, und welches Sinnen es mich kostete, wohin mich wenden? denn ich wollte weder in der Kirche noch auf der Straße etwas von dem Prachtaufzuge versäumen. Der heilige Vater wird in seinem Pallaste abgeholt, von da reitet er auf einem weißen Zelter bis zur Kirche, in die ich zum Glücke noch etwas früher hineinkam, um den Einzug zu sehen. Der Papst sitzt in seinem Ornate auf einem Thron-sessel, der von vier Männern getragen wird; zu beiden Seiten gehen Träger mit schützenden Luftfächern gegen den Sonnenbrand, von schnee-weißen langen Straußenfedern. Der heilige Vater schloß die Augen und ich meine mich nicht zu irren, wenn ich ihm's ansah, daß ihm ein solcher Aufzug als ärgste Buße seiner päpstlichen Würde dient. Abschaf-fen lassen sich derlei veraltete Gebräuche nicht leicht; denn das Volk würde seiner Meinung nach wer weiß was dabei verlieren. Uebrigens sind derlei Feierlichkeiten recht jangenehm und imposant anzuschauen, und scheinen mir nur als dauerndes Andenken einer einstmaligen Volks-erstase fortzubestehen. Was aber auch wirklich merkwürdig schön zu sehen ist, das sind die Wägen der Cardinäle, besonders wenn eine ge-raume Zahl hinter einander fährt, wie ich sie bei der Heimfahrt nach der heiligen Messe sah. Der Kasten steht sehr nieder am Boden auf der Achse und ist oben herum mit spannehoher, feiner Goldarbeit, wie mit einer Krone geziert. Um Ihnen im Allgemeinen von Rom etwas

zu erzählen, muß ich sagen: daß man sechs Wochen fleißig herumge=
hen darf, um diese Weltstadt mit ihren alten und neuen Merkwürdig=
keiten nur ein wenig kennen zu lernen. Auf meinen Kirchenbesuchen
vor der Stadt kam ich auch nach St. Paul. Diese Kirche ist noch
nicht ausgebaut und gibt an Größe der von St. Peter wenig nach.
Doch die vollendete Hälfte ist abgesperrt und vollkommen in herrlichem
Glanz und Pracht, von Marmor, Verzierungen und Gemälden herge=
stellt. Dreiviertel Stunden noch weiter von hier kommt man an den
Ort der Enthauptung des heiligen Paulus. Sein Kopf sprang zu
dreien Malen in die Höhe, und wo er hinfiel, entsprang eine Quelle,
die heute noch die drei Brunnen des heiligen Apostel Paulus heißen.
Durch die Kirche des heiligen Sebastian, eines Kriegers, der als christ=
licher Märtyrer mit Pfeilen zu Tode geschossen wurde, und dessen Ge=
beine in dieser Kirche auch aufbewahrt sind, dessen Ort durch ein Mei=
sterstück seiner Gestalt, von Marmor ausgehauen bezeichnet wird, führt
der unterirdische Weg in die Katakomben. Man geht darinnen in
engen Schluchten herum, wie in einem Bergwerke. Rechts und links
sieht man Vertiefungen, wo die Särge standen. So weit diese Grä=
ber bekannt sind, enthalten sie keine Gebeine mehr, doch wird immer=
fort darinnen gegraben und gesucht, wovon ich selbst Augenzeuge war.
Das kann natürlich nur bei Kerzenlicht geschehen, so wie man auch
nur mit brennender Kerze diese Gänge besuchen kann. Orte, wo be=
kannte Heilige gefunden wurden, wußte mir mein Führer keinen anzu=
geben, als den der heiligen Cäcilia. Doch kleine Capellen, worinnen
man auch noch Särge trifft, die Bischöfe und Päpste enthielten, von
denen noch die Namensaufschrift zu erkennen, fand ich mehrere, ja viele.
Daß sie den Gläubigen einstens zur Gebetsversammlung dienten, zeigt
die ganze noch erkenntliche Einrichtung, besonders aber die kleinen Ni=
schen, die man von den brennenden Oellampen geschwärzt sieht. Die
Kirche der heiligen Agnes, über ihre Marterkammer gebaut, die auch
gezeigt wird, befindet sich in der Stadt auf dem Verkaufsplatze von
Obst und Grünzeug, und gehört zu den größeren. Ich denke, die from=
men Herzen Ihrer lieben Töchterchen werden sich erfreuen, von den
Heiligen in Rom etwas zu hören, darum machte ich diese kleine Mit=
theilung; auch muß ich der guten Lina noch eine Anekdote erzählen, die
ich auf meinen Kirchenbesuchungen vor der Stadt erfuhr. Der heilige
Carolus Boromäus, Cardinal, fuhr einmal in einer offenen Kalesche
vor die Stadt, die sieben Kirchen zu besuchen, die die Ablässe eines

Kreuzzuges für sich haben. Es war früh am Morgen, da begegnete ihm der heilige Philippus Neri, der von seinem Kirchenbesuche heimging, den er gewöhnlich nächtlicher Weile hielt, da er am Tage mit vielen Geschäften beladen war. Philippus, ein äußerst heiterer, aufgeweckter Geist und guter Freund des Cardinals Boromäus, hielt ihn an, denn der Cardinal kutschirte selbst einen ganz leichten Kalesch und sagte: „Ho ho, Bruder! Du hast gut Kirchen besuchen in Deinem Wagen; steig' einmal aus und versuche ein wenig zu Fuße zu gehen." „Gut," sagte lächelnd der heilige Cardinal, „so machen wir einen Tausch, versuche Du einmal zu fahren." „Bin's zufrieden!" sagte Philippus, „das ist mir was Seltsames." Und um den Scherz zu vollenden, stieg der Cardinal aus und Philippus stieg ein. Kaum fuhr er aber einige Schritte, so merkte er, daß ihm der heilige Carolus Boromäus als Cardinal in seinem Wagen an Abhärtungs=Eifer und christlichem Bußgeiste nicht nachstand; denn der Sitz, ein leichtes Bret, nur mit Tuch überzogen, stieß ihn so, daß er dem rüstig zu Fuß voraneilenden Boromäus zurief: „He, Bruder! wart' ein wenig; steig nur wieder ein in Deinen Wagen und laß mich zu Fuße gehen, ich mag mit Dir nicht tauschen!" Meiner lieben sorgsamen Hildegarde mit ihrem Glas voll frischer Milch, was sie mir so gerne bot, und dessen ich mich auf meinen Fußwegen auch so gerne und oft erinnerte, um mich in der Erinnerung zu laben (denn Milch bekommt man in Italien nicht leicht), erzähle ich, daß es in Rom so liebe Limonadhüttchen gibt, denen sie mit ihrer lieben Milch= und Butterwirthschaft in Steiermark zur Seite stehen könnte. Nett aufgebaut, auf Räder zum Weiterführen, mit grünen Zweigen bedeckt, mit Blumen von innen und außen geziert, die Flaschen und Gläser rein gespült, Limonien und Pomeranzen in ihrem schattirten Gelb in Pyramiden aufgebaut, und ein kleiner Springbrunnen mit kühlem Wasser in einer Ecke unter künstlichem Gestein mit Moos bedeckt, hervorsprudelnd oder hoch aufspringend.

# Sechsundvierzigster Brief.

## An den hochwürdigen Herrn Pfarrer Sch.

Rom, den 13. November 1847.

Der hochwürdige Herr werden sich wohl denken, daß der Weg, von dem ich Ihnen jetzt erzähle, nicht mein letzter war, nachdem ich glücklich genug bin, mich unter den Alterthümern und Glaubensschätzen Roms zu bewegen. Ueber den piazza à Gesù bei der Jesuitenkirche vorbei geht es dem Campidoglio zu, auf dessen schönem großen Platze, wenn man ihn über einen geglätteten Steinberg erstiegen hat, die bekannte Statue des römischen Kaisers Marc Aurel auf einem prachtvollen Streitrosse sitzt. Wer Interesse für Statuen hegt, seien sie gegossen oder gehauen, der sieht dieses Pferd mit seinem Reiter gewiß eine geraume Zeit an. Links ist das bedeutend große Staatsmuseum, sehr gut geordnet und besonders durch eine Sammlung von Büsten aller römischen und griechischen Philosophen der Vorzeit, in ebenfalls vorzeitiger Sculptur-Arbeit merkwürdig. Links die ausgezeichnete Staats-Bildergallerie. Schon die Gebäude sammt den auf der Spitze des Berges mit Stufen erhabenen, und mit sprudelnden Springbrunnen erquickenden Campidoglio, sind selbst nur von außen anschauungswürdig genug. Deßwegen darf man aber den ara coeli nicht übersehen — das ist das Franciscaner-Kloster mit seiner Kirche, zu dem von unten auf, wo der Berg beginnt, eine breite Stiege mit über 100 Stufen führt, die jedoch nicht den gewöhnlichen Eingang macht. Dieser ist links vom Campidoglio, ebenfalls über hohe steinerne Treppen. Die Kirche ist groß aber leer. Wenn jedoch nicht zu jeder Zeit täglich Menschen in dieser Bergkirche sind, die ihren Namen ara coeli wahrlich nicht umsonst trägt, so sind darum ihre eigentlichen Bewohner, die ehrwürdigen Brüder des heiligen Franciscus, nicht weniger eifrig, sich in den Räumen ihrer großen Kirche zu heiligen. Den General des Ordens und seinen Secretär sprach ich zweimal, wahrlich nicht nur ehrwürdige, sondern in christlicher Einfalt fein gebildete, freundlich zuvorkommende Männer. Der General gab mir ein sehr gutes Empfehlungsschreiben an den Reverendissimus in Jerusalem mit, mit der Bemerkung,

mich an den Functionen der Brüder am heiligen Grabe in der Char=
woche Antheil nehmen zu lassen, und der gütigen Weisung, daß mich
mein Lebensunterhalt, so lange ich in der terra santa verweile, nichts
koste. Der P. Secretario las mir das Schreiben vor. An dem Segen
für meine Pilgerreise fehlte es mir von Seite dieses hochehrwürdigen
Generals der Väter am heiligen Grabe nicht. Ich wünschte nur, ihm
nach glücklicher Rückkehr noch einmal danken und freundliche Grüße
vom heiligen Lande bringen zu können. Wenn ich es einem Francis=
caner=Vater gut wollte, so müßte ich ihn nach ara coeli neben dem
Campidoglio in Rom wünschen. Von hier geht man wieder Stiege
abwärts, um über den Berg auf das forum romana zu kommen und
die majestätische Ruine eines Triumphthores des römischen Kaisers
Titus in ihrer hohen alterthümlichen Pracht zu grüßen. Ehe man aber
diesen Berg noch ganz hinter sich hat, kommt man links in das ma=
mertinische Gefängniß, worin der heilige Petrus eingeschlossen war. Ich
ließ mich hinab führen. Es ist ziemlich tief. Am Eingange zeigt man
einen in die Wand gemauerten aufbewahrten rohen Felsstein, in dem
das Profil eines großzügigen Männergesichtes eingedrückt ist. Dieser
Stein diente dem heiligen Petrus im Gefängnisse zum Kopfkissen, und
die darin eingedrückten Züge sind ein Andenken, von ihm für die Nach=
welt zurückgelassen. In der Tiefe des Gefängnisses sieht man den
Brunnen mit klarem Wasser, der darinnen entsprang, in Ermanglung
reinen Wassers, um seinen Gefangenwärter mit vierzig Gefährten zu
taufen, die sich durch die Lehren des heiligen Petrus zu Christus be=
kehrten. Das Gefängniß ist gänzlich unverändert, die Capelle ist über
dasselbe gebaut. Die Ketten, die den heiligen Apostelfürsten hielten,
sind in einer eigenen schönen, großen Kirche aufbehalten, wo jährlich
die St. Peter=Kettenfeier gehalten, und diese dem Volke gezeigt werden.
Weiter über das Forum bis an das Coliseum, wo die freundlichste
Lage ist, um in Rom, in Mitte der besterhaltenen Alterthümer, der
vorzüglichsten Andenken christlicher Heiligkeit, in ländlicher Sphäre zu
leben, da wandelt man rechts und links an kleineren, doch durch das
Andenken an jene Heilige, über deren Gebeine sie erbaut sind, anzie=
hende, und durch großartige Kunstwerke gezierte Kirchen. Endlich er=
faßt das Auge die kolossalen Ruinen des durch alle Zeiten berühmten
Amphitheaters. Machen einen diese hohen, festen Ge=
mäuer, diese noch wohlerhaltenen Bogengänge stau=
nen, was soll man sagen von der tiefen Gemüths=

erschütterung, wenn man als Christ den runden, weiten
Platz betritt, auf dem so viele Tausende von Christen
ihr Blut hier auf die grausamste Weise als Glau=
bensbekenner vergossen haben! — Unwillkürlich und von
selbst dürfte sich wohl Jeder von der Frage befallen fühlen: „Wür=
dest auch du deinen Glauben im Angesichte solcher
Martern treu bekennen?" — Der ungeheure abgerundete Raum,
in der Mitte das Kreuz aufgepflanzt, und im Umkreise mit vierzehn
kleinen Capellen, den Kreuzweg vorstellend, bezeichnet, die hohen fels=
steinigen, grauen Wölbungen des Amphitheaters, die mit Gras ver=
wachsenen Plätze gleich malerischer Verwilderung, die nischenartigen
Einstürze und davor aufgestellten Steinsitze um die Arena, bieten einen
Anblick, der jedes un= und irrgläubige Herz, wenn es nur noch das
Herz eines Menschen ist, in Bewegung und ernsteres Nachdenken ver=
setzen muß. Dieses aufgefaßt und den Gladiatorenkampf mit eingefaßt,
verfolgte ich begreiflicher Weise die wilden Thiere, die aus ihren Be=
hältern, deren Plätze noch gezeigt werden, hervorstürzten, um die heili=
gen Glaubensbekenner der Lehre Jesu Christi zu zerreißen, und die sich
wie oft und oft zu ihren Füßen legten und ihnen nichts thaten, bis
das Schwert ihrem Leben ein Ende machte. An einer Kreuzweg=
station fühlte ich mich wie eingewurzelt, und so lebhaft hatte ich den
heiligen Ignatius unter der Wuth der wilden Thiere vor mir, daß ich
ermattet einen Steinsitz am Rande der Arena suchte, von dem ich, in
meinen Betrachtungen versunken, wohl nicht so bald weggekommen
wäre, wenn mich Frau Barbara, meine Begleiterin, nicht schon ein
wenig angelegentlich zum Weitergehen ermahnt hätte. Als man mich
in dell' anima fragte, wie es mir im Colisseum ging, und ich's er=
zählte, sagte der geistliche Herr: „Dieß ist auch der Ort, der als Mär=
tyrerplatz des heiligen Ignatius verehrt wird." Unter den kleinen Kir=
chen, die man auf dem Wege nach dem Colisseum findet, ist auch die
Bruderschaftskirche, von der der wöchentliche Kreuzweg auf der Arena
gehalten wird. Nun ist dieß aber nicht etwa so was ganz Gemeines.
Ein Cardinal fährt hinaus bis zur Kirche, nimmt ein mittelgroßes
Kreuz und trägt es der Prozession vor, die auch ich, als ich ein zwei=
tesmal hinausging, begleitete. Hinter ihm geht eine Fürstin, eben=
falls ein mittelgroßes Kreuz tragend, als Vorsteherin der Bruder=
schaft, von ihren Frauen begleitet, denen die andächtigen Verehrer fol=
gen. Dieß erbaute mich sehr. Man ist in Rom vornehm und

reich, und schämt sich nicht, ein hölzernes Kreuz, als
Zeichen der Verehrung des Kreuzes Christi, dem
Volke vorzutragen.

---

## Siebennndvierzigster Brief.

### An den Herrn Cameralrath L. und seine Frau.

Rom, ben 15. November 1847.

Die schöne lichte Kirche dell' anima, wo das Bildniß unserer lieben
Frau mitten im kaiserlichen Adler Oesterreichs ober dem Hauptaltare
aufgestellt ist, um dessen zarten Gedankens willen allein schon das Haus
Oesterreich des Schutzes der heiligen Jungfrau in Anführung seiner
Heeresmacht niemals ermangeln wird, und das daran gebaute österreichische Pilgerhaus sind meine Heimat in Rom. Das heißt, ich wohne
dort in freundlich sicherem Frieden, unter heimatlichem Schutze. Uebrigens sind' ich mich in ganz Rom daheim. Um Ihnen aber zu sagen,
wie glücklich ich mich in einem eigentlichen benannten Pilgerhause
finde, dem würde die Feder schwach entsprechen. Wenn ich mir's vorstelle: nun bist du angenommen als Maria, die Pilgerin, so
habe ich mein ganzes Glück schon beisammen. Wer bietet mir
etwas Besseres, als das, was mich freut? — Kaum
zwanzig Schritte von unserer Kirche ist die Kirche Maria della pace,
das ist des Friedens. Sie ist die Pfarrkirche von dell' anima, dunkel und klein. Ich besuche sie jedoch nicht ungerne. Ihr Hauptaltar
birgt hinter einem goldenen Bilde, das ebenfalls verhüllt und nur an
Festtagen sichtbar ist, ein von Holz geschnitztes Frauenbild der Mutter
Gottes, als Alterthum, aus der Hand des heiligen Evangelisten Lucas,
der als Arzt sein Evangelium schrieb, und nebstbei Maler und Bildhauer war. Die Nachwelt bewahrt noch mehrere Bilder, die er gemacht; sowohl im Gemälde als in Schnitzwerk. Die gegenwärtig besondere Verehrung der Römer vereinigt sich aber ganz besonders bei
einer mehr als naturgroßen, geschnitzten, sitzenden Frauenstatue bei den

Augustinern. Sie hält das Kind stehend auf dem Schooße im linken Arm, ist braun und sieht sehr alt aus, doch von majestätischer, schöner Form. Die Römer erzählen: Dieses Bild sei seinem Ursprunge nach noch zur Zeit der Heiden als Mutter des Nero in göttlicher Verehrung gewesen. Die Christen haben es alsdann auf die Abbildung der Mutter Jesu übertragen, was das stehende Kindlein leicht begreiflich macht, das man der majestätischen Frau auf den Schooß stellte. So viele Kirchen es in Rom und ganz Italien gibt, die mit Opfergaben geziert sind, so gleicht doch keine dieser Maria bei den Augustinern. Sie ist zwar nicht sehr groß, doch nach der gewöhnlichsten Art, mit Pfeilern gestützt, die nach Kirchenhöhe von oben bis unten mit silbernen Opfergaben, meist Herzen, so dicht behangen sind, daß man auf den ersten Blick meint, die Kirche sei mit silbernen Pfeilern gestützt. Eben so glänzen die Seitenwände neben den Altären. Das verehrte Bild selbst befindet sich gleich am Eingange der Kirche, dem Hauptaltare gegenüber, mit vielen brennenden Kerzen und Lampen beleuchtet. Diese ausgezeichnete Aufmerksamkeit für dieses Bild schreibt sich von einer ganz gemeinen Frau aus dem Volke her, die die Gottes-Mutter bei dem Bilde hinter der Kirchthüre anrief und verehrte, welche ihr im Gebete zu verstehen gab, daß es ihr mißfalle, daß man ihrer hier mit keinem Lichte gedenke. Die gute Frau, in ihrem Innern bewegt, ging sogleich in die Sacristei und bat um eine Lampe, die man ihr auch gewährte. Ihre gute Meinung, einigen Bekannten mitgetheilt, brachte Kerzen zu dem Bilde, und die dabei gefühlte Andacht nach häufig zunehmendem Besuche und viele wunderbare Heilungen und andere merkwürdige Abhilfen des menschlichen Elendes, durch die Vorbitte der Gottes Mutter und dem Vertrauen zu ihr, machten diese Kirche bald zu einer der reichgeziertesten, an Zeichen gläubiger Zuflucht und frommer Dankbarkeit. Für Jemanden, der es durch den Glauben versteht, die materiellen Gegenstände hinüber zu reichen in's übersinnliche Leben, um sie in ihren feineren Bestandtheilen mit Jenseits zu verbinden, und dafür das Hereinragen geistiger Wesenheit aufzufassen, der fühlt sich gewiß bis in's Innerste erfreut, wenn er das Aufgebot der menschlichen Kräfte zur öffentlichen und allgemeinen Gottesverehrung mit eigenen Augen sieht, besonders aber, wenn es die ewige Anbetung des Allerheiligsten betrifft, die nirgends so wie hier in Rom und in Florenz geübt wird. Alle vierzig Stunden wird das

Hochwürdigste in einer anderen Kirche zur öffentlichen Anbetung aus=
gesetzt, wobei sich's jede betreffende Kirche zur größten Ehre rechnet,
nach Vermögenskräften eine solenne Beleuchtung aufzustellen. Außerdem
ist das Frauenkloster der ewigen Anbetung am monte cavallo, über die
Ecke an der Gasse dem Quirinal gegenüber, mit seiner kleinen, dunkeln,
nur von dem Lichtglanze der Kerzen erhellten Kirche, zu jeder Stunde
Jedermann offen. Ich freute mich sehr, die ununterbrochene, öffentliche
Anbetung des Hochwürdigsten in einer offenen Kirche unter der Pflege
eines Frauenordens zu finden; jedoch mehr würde es mich freuen, es
zu erleben, das Allerhöchste Gut auf dem hohen, lichten Berge
della trinità in der großen, mit dem schönen eisernen Gitter, ganz dazu
geeigneten Kirche aufgestellt zu sehen, und die französischen Damen mit
ihrer gegenwärtig in Italien beliebten Mädchenerziehung der vollende=
ten Menschenerziehung, nämlich der Erkenntniß des Allerhöchsten, ge=
wichen zu wissen. Daß diese Schwestern du sacre coeur, die sich aus=
schließend der feineren Lebensbildung in der Mädchenerziehung widmen,
ihren Posten in Rom, gerade auf dem erhabensten Platze, in einer Höhe
von mehr denn hundert Stufen einer Stiege, die um ihrer Breite willen
in mehreren Abtheilungen von dem schönen, großen piazza della
Spagna, wo alle Nationen ihre großen Locanden gleich Pallästen fin=
den, aufwärts zum wunderschön gelegenen Kloster sammt Kirche füh=
ren; daß die französische Schule für edlere Frauenbildung ihren Sitz
gerade dort aufgeschlagen hat, scheint zweifelsohne ein sinnbildlicher
Vergleich höherer Geheimnisse zu sein, nämlich: um die Aufmerk=
samkeit auf die Erziehung und vollendete Ausbildung
der Mädchen zu lenken, die eigentlich, und auf dem ge=
radesten Wege, die Erziehung und Ausbildung des
Menschengeschlechtes bezweckt. Denn die Mutter ist es, die
dem Kinde, dem Knaben wie dem Mädchen, die ersten Eindrücke edlerer
Gesinnungen gibt. In der jugendlichen Entwicklung geistiger Kraft ist
es wieder die Jungfrau, die dem Jünglinge ein Eden schafft, das er
nimmer ruhend in seinem Leben, unaufgehalten in dem Grade wird
verfolgen, als die Leuchte wahrer Tugend und frommer Glaubens=Er=
kenntniß, aus dem dunklen Bereiche der Wahrheit, seinen strebenden
Geist zu erhellen verspricht. — Ein Domherr sagte einmal zu mir:
„Der Mensch hat nichts als seinen Glauben." Ich füge
zu dieser tiefen Wahrheit meine erweiterte Betrachtung. Ein einmal
bestehender Gegenstand, eine einmal sich ereignete Begebenheit, kann

8

nicht öfter als **e i n m a l** wahr fein. Das religiöſe Gefühl, was die
Menſchheit im Allgemeinen belebt, kann ſich nur im Glauben an **E i n e
W a h r h e i t h i n b e w e g e n**; der Menſch kann nur das glauben,
was **w a h r** iſt, oder was er für **w a h r h ä l t**; glaubt er **w a h r**,
**w o h l i h m**! glaubt er **f a l ſ ch**, **w e h i h m**! denn **i m m e r i r-
r e n d u n d ſ u ch e n d**, wird **ſ e i n G e i ſ t** nie **r u h e n i n d e r ſ e l i-
g e n B e ſ ch a u u n g d e r e w i g e n G o t t h e i t.** Um nun den jugendlichen Geiſt von Kindheit auf ſowohl durch die Gnade, wie durch
das Gehör der alleinigen Glaubenswahrheit der chriſtlichen Lehre zugänglich zu machen, ſteht die weibliche Erziehung oben an. — Santa
Maria sopra Minerva, eine große Kirche der Dominicaner, die über
den einſtmaligen Heidentempel der Minerva gebaut wurde. — Vor
all' dieſen Alterthümern der Vorzeit, über die das Chriſtenthum ſeinen
Triumph feiert, iſt das Pantheon oder die Rotonda merkwürdig, ein
noch ganz wohl erhaltener und nur durch die hohe Weihe und unſere
Altäre, mit Heiligenbildern, umſtalteter Heidentempel, einſt allen heidniſchen
Gottheiten insgeſammt gewidmet, nun aber zum Gegenſatze zu Ehren
aller Heiligen Gottes eingeweiht. Er iſt ganz rund, mit zwölf Altären, von vier Stock Höhe, wovon ganz oben das Licht durch dazu
geeignete Oeffnungen hereinfällt. Unter vielen anderen Grabmälern
und Inſchriften berühmter Männer, findet man auch die, des in ganz
Italien durch ſeine Kunſtgemälde unſterblichen Raphaels. Was bei
Kirchenbeſuchungen noch beſonders intereſſant iſt, das iſt, die in den
Legenden bekannten Gegenſtände aufzufinden, wie die Stiege des heiligen Alerius, der ſeiner Braut entwich, nach Jahren in Armuth zurückkehrte, und von der Dienerſchaft ſeines Vaters genährt, unter dieſer
Treppe zwanzig Jahre lang lebte, bis er im Wohlgeruche ſeines Gott
wohlgefälligen Körpers todt gefunden und durch viele Wunder verherr-
lichet wurde. Sein Vater, ein reicher Mann in Rom, ließ die Kirche
bauen, in der die Stiege noch ganz wohlbehalten, gleich am Eingange,
zum Andenken aufbewahrt iſt. Er wurde bald nach ſeinem Tode cano-
niſirt. Zum Schluſſe meines Schreibens behielt ich mir noch die Kirche
der heiligen Francisca Romana vor, die für Ihre Frau als Namens-
Patronin von beſonderem Werthe ſein wird. Sie liegt auf dem Wege
nach dem Colliſeum, eine ſehr nette, mit Säulen zierlich ausgeſtattete,
nicht große Kirche, die gerade über dem Begräbnißorte der Heiligen
gebaut iſt, der in Mitte der Kirche gleich dem Grabe der Apoſtelfür-
ſten in St. Peter eine unterirdiſche Kapelle bildet, die mit ihren

halbrund abwärts führenden Stufen dem ganzen Gebäude ein impo=
santes Ansehen verleiht, besonders wenn man weiß, welch' geistlichen
Schatz sie birgt. Auch das von ihr gestiftete Kloster besuchte ich, mit
dem originellen Namen: Specchio delle donne (Frauenspiegel). Was
ich bei dem Eintritte in's Sprachzimmer überzeugend sah; schon das
Benehmen der Klosterfrau, die mich empfing, zeigte in Wahrheit ein
Spiegel frommer, thätiger, geschmackvoller, Reinlichkeit und Ordnung
liebender Frauen zu sein. In ihr Sprachzimmer, frei ohne Gitter, ein=
fach und doch Damenmäßig möblirt, mit schönen Gemälden und Blu=
men geziert, einzutreten und darinnen zu verbleiben, ist ein sehr ver=
zeihlicher Wunsch. Auf dem Forum romanum gibt es so viele, ganz
eigens liebe, anziehende Kirchleins, daß ich sie gerne Alle nennen
möchte; es gehörte jedoch eine gute Muße dazu, um sich diese Samm=
lung zu verschaffen. Nur das der heiligen Martina muß ich noch er=
wähnen; es scheint auch besonders ausgezeichnet zu sein. Wenigstens
zeugen davon zwei Marmorstatuen von Thorwaldsen: auf einer
Seite Christus, das Kreuz neben ihm, auf der andern Seite
die heilige Kirche als Frau repräsentirt. Hier kann ich
nicht umhin, mich über den Mißbegriff des menschlichen Auffassungs=
vermögens etwas lustig zu machen. Die Vorstellung der heiligen
Kirche in Frauengestalt, nach einer beliebten Art der Maler, so wie
ich oft, besonders an kostbaren Plafond=Gemälden, gesehen habe, gibt
häufig zu der kaum zu widersprechenden Meinung Anlaß, daß es ein=
mal eine Päpstin oder eine Frau als Papst in Rom gegeben habe,
unter dem Namen Julia oder Johanna. Zu solch' schwachsinnigen
Muthmaßungen könnte das Bildniß der heiligen Helena mit dem Kreuze
als Kaiserin, auch Veranlassung geben. Als ich über das Campidoglio
zurückkehrte, ging ich in die Kirche Ara coeli, in der eben eine feierliche
Litanei mit Segen zu Ende ging, bei einem hell beleuchteten Jesukind=
lein, das nach geendetem Gebete vom Altare genommen und in Be=
gleitung der Convents=Geistlichen, die gegenwärtig waren, in die Sa=
kristei getragen, und dort in einen wohlverwahrten Kasten gesperrt
wurde. Auch ich begleitete die Prozession, um zu sehen, was geschieht,
und bekam das Kindlein zu küssen. Ueber das Merkwürdige, was hier
zu Grunde liegt, erfuhr ich, daß, so wie es viele Gegenstände gibt,
durch die Gott der Herr dem menschlichen Elende auf dem Wege des
Vertrauens und des Glaubens Abhilfe leistet, auch dieß Kindlein durch
viele Wunderwerke in die Hunderte von Jahren berühmt sei. Einmal

8 *

fiel es einer Frau ein, es vom Altare weg und mit sich nach Hause
zu tragen. Sie sperrte es in ihren Kasten und wollte es allein in
ihrer Verehrung aufbewahren. Die Franziskaner gewahrten noch
Abends den Verlust, und klagten sich in ihrem nächtlichen Gebete der
nachläßigen Verehrung an, weßwegen das wunderbare Kindlein sie
verlassen. Am Morgen jedoch, zu ihrer größten Freude, sehen sie ihr
Kindlein auf dem gewohnten Platze am Altare. Als der Tag vollends
angebrochen war, kam auch jene Frau, die im phantastischen Irrthume
das Kindlein allein haben wollte, und gab sich dem Quardian an als
die Entwenderin des Kleinods, welches sie am Morgen in ihrem
Kasten grüßen wollte, in den sie es Abends gesperrt, jedoch nicht mehr
gefunden habe. Darüber erschreckt, lief sie in die Kirche, und zu noch
größerem Staunen sieht sie es auf dem Altare, wie gewöhnlich. Die
arme Frau ging in sich und erkannte ihren Irrthum. Die guten Pa=
ters aber freuten sich ihres wunderbaren Kindleins, begrüßten es mit
einer feierlichen Prozession, und sperren es seither selbst sorgfältig in
einen Kasten in ihrer Sakristei ein, wenn es nicht gerade zur Andacht,
unter Bewachung der Geistlichen, ausgesetzt ist, so wie ich von unge=
fähr so glücklich war, es zu finden. Ich ermangelte auch nicht, um
die Gnade zu bitten, glücklich den Geburtsort des Christkindleins in
Bethlehem zu erreichen.

---

## Achtundvierzigster Brief.

### An den hochwürdigen Herrn Chorvicar M.

Rom, den 16. October 1847.

Von der Engelsbrücke, hereinwärts der Stadt zu, kommt man an
ein großes Palais, an dessen Eck der einstmalige Eigenthümer, Pas=
quilus, ohne Hände und Füße sitzt, daß es einem wundert, daß er
nicht schon ganz verwittert herunter fällt. Er hält jedoch noch einige
Säcula aus, so steinig fest sitzt er auf seinem Stein. Aber auch die
Engelsbrücke mit ihren steinernen Engeln, denk ich, soll der kom=

menden Zeit noch einige Stürme abtrotzen. Hat unter Gregor dem Großen der Engel sein Racheschwert in die Scheide gesteckt, wie es, von Stein gemacht, die Engelsburg zeigt, so können die Engel ja noch einmal thätig auf ihrer Burg in Rom sich zeigen. Wer weiß zur jetzigen Stunde, was sich noch unter Pio nono ereignet! — Doch ohne zu laboriren, was nicht gewiß ist, habe ich Ihnen eine Menge Dinge zu erzählen, die gewiß sind: Für's Erste von den Hügeln der Siebenhügelstadt. Da ist am Eingange der Stadt, durch die porta del populo, der monte picino der beliebteste Spaziergang der Römer. Auch ich ging eines Sonntags Nachmittags hier spazieren, und weidete mein Auge von oben herab an dem Ueberblicke der Stadt und ihrer wunderschönen nächsten Umgebung. Da ich derlei Spaziergänge allein nicht finden kann, und mir die Ciceroni zu kostspielig kommen, so versorgt mich das liebe Ungefähr mit Allem, was ich bedarf. Wenn ich einen Buben oder ein Weib um eine Straße frage, bekomme ich gewöhnlich eine ungesuchte, artige Begleitung, und auf solche Art besuchte ich auch den monte picino. Ich muß versichern, von einer solch' aufmerksamen Gefälligkeit für Fremde, wie ich sie in Rom finde, hatte ich gar keine Begriffe. Ich erfahre auch auf diese Art eine Menge Merkwürdigkeiten der Stadt, und nähere Umstände derselben, die mir die papiernen Fremdenführer vergebens erzählen, weil ich sie doch nicht aufzufinden weiß. Das geht zwar nicht immer so, und ich muß oft lange genug durch die Gassen kreuzen, bis ich mein Ziel erreiche; Jedermann ist aber so gefällig, Rede und Antwort zu geben, ohne einem einmal irre zu führen, um die sieben Hügel aufzufinden. Der monte Vaticano, mit dem päpstlichen Palaste und der Peterskirche, so wie der monte Cavallo mit dem Quirinale der gegenwärtigen Residenz des h. Vaters, mit der schwarz-gelb-rothen Schweizergarde am Thore, und dem hell sprudelnden Springbrunnen, über dem sich die schönsten Pferde bäumen, die je noch aus Stein gehauen wurden, sind leicht zu finden. Nach St. Peter gehe ich täglich, um zu beten; im Quirinal finde ich meine Freunde. Unbekannt jedoch sind mir, und selbst dem Namen nach nicht ganz gewiß, der monte Aventino, monte Esquilino, monte Citorio und monte Cenicolo. Bekannter und gewiß benannter sind mir jedoch die sieben Hauptkirchen, die ein redlicher Wallfahrter in Rom besucht. Es sind: die Kirche zu St. Peter, St. Paul, St. Johann Latteran, Santa Croce,

St. Sebastian, St. Lorenzo, Santa Maria maggiore, oder die bei uns bekannte Kirche Maria Schnee, eine der größten und schönsten Kirchen, von innen und von außen, mit dem höchsten Glockenthurme der Kirchen Roms. Ihr Mittelgang ist auf Säulen getragen und bis in die Höhe mit den schönsten Gemälden decorirt. Ihre Seitenkapellen sind groß wie Kirchen. Eine davon birgt die Krippe von Bethlehem, in die die h. Jungfrau das Kind Jesu legte. Diese Reliquie wird nur zur Weihnacht gezeigt. Ich habe sie nicht gesehen. Einige sagen, es seien nur einige Stückchen Holz davon, in Silber gefaßt, mehr übrig. Dafür sah ich am Kirchweihfest in St. Peter, in Gegenwart des Papstes, vom Balkon herab, wo diese Schätze aufbewahrt werden, ein großes Stück Holz vom h. Kreuze Jesu Christi in Gold gefaßt, das Schweißtuch der h. Veronika, in goldener Rahme, wie ein Spiegel, und die Lanze, die die Seite des Herrn durchstach, ebenfalls in goldener Fassung, und bekam damit den Segen. In Santa Maria maggiore ruhen auch die Gebeine des h. Apostels Mathias, unter einem über seinem Sarge erbauten Altare in Mitte der Kirche. Die Kirche St. Paul, vor der Stadt, die in ihrem halb verfertigten Neubau nach dem Brande an Größe und Pracht der Kirche zu St. Peter nicht gerne weichen möchte, wird noch in langen Jahren ihre Vollendung nicht erreichen. St. Johann Lateran, mit ihrem päpstlichen Pallaste, ist ebenfalls eine der schönsten und größten Kirchen. Auch bewahrt sie mehrere von den kostbarsten Reliquien. Hier ist die Tafel, an der Jesus Christus mit seinen Jüngern das letzte Abendmal hielt, und dessen eine Ecke, wo Judas saß, abgefault ist. Die Tafel ist 9 Schuh lang und 3 breit, berechnet für 13 Personen, die sich an der langen Seite nicht gegenüber sitzen. Wie einem zu Muthe wird, der die Liebe Jesu kennt, und diese Tafel, als aufbewahrtes Heiligthum zum ersten Male sieht, das lasse ich Ihnen, geistlicher Herr! und jedem Andern selbst erfassen. — Auch der hölzerne Altar, an dem der h. Petrus Messe las, ist hier aufbewahrt, so wie die steinerne Stiege vom Hause Pilatus, die Jesus sechs Mal auf und ab stieg, als er zum Tode verurtheilt wurde: Das erste Mal, als man ihn von Pilatus auf den Richtplatz führte; das zweite Mal, als ihn Pilatus zu Herodes schickte; das dritte Mal, als ihn dieser im weißen Kleide zurückschickte; das vierte Mal, als ihn Pilatus zur Geißelung schickte; das fünfte Mal, als er, ganz zerschlagen und mit Dornen gekrönt, wieder zu Pilatus geführt wurde, und dieser voll Entsetzen zu dem Volke sagte: Ecce homo! das sechste Mal, als er, zum Tode verurtheilt, hinab ging, um das Kreuz auf sich zu nehmen. Und diese Stiege sollte nun auch ich berühren! — Ich kniete hinauf. Als ich oben war, hatte ich's mit mir zu thun, um meine Kraft zu sammeln, und mich auf den Füßen zu erhalten. Für den Altar Petri und andere, sich hier noch befindliche merkwürdige Reliquien hatte ich keinen Sinn mehr. Diese Stiege schaffte die Kaiserin Helena über's Meer herüber nach Rom. Sie ist mit andern Steintreppen überkleidet, doch hat jede Stufe seitwärts zwei Oeffnungen, bei denen man die wahren Stufen mit den Händen berühren kann. Ich bemerkte dieß sogleich, und unterließ nicht, bei jeder Stufe mit meinen Händen die innern Stufen zu suchen, obschon ich durch einen Wust von Staub kam, um die bedeckten Steine zu berühren. — Man führte mich in einen Garten, wo jetzt noch, im halben November, die schönsten Rosen und Blumen aller Art blühen und Alles herrlich grünt. In Mitte des Gartens steht der Brunnen= rand, an dem Jesus mit der Samaritanerin sprach. Er ist bei 4 Schuh hoch und eben so viele im Durchschnitte breit, von runder Form und fein mit Zierde ausgearbeitete Steine; an und für sich selbst würdig, einen Garten in seinem Mittelpuncte zu zie= ren. Das Verhältniß der Dinge ist jedoch hier verkehrt; der Garten steht zur Zierde des Brunnenrandes hier. Wenn man mich nicht gerufen hätte, ich weiß nicht, wie ich mich von diesem Brunnen hätte losreißen können, um weiter zu gehen. Ich war von dem Gedanken: „Jesus sah dieses Steingefäß, er stand nahe dabei, ja er lehnte sich an selbes," wie gefesselt. Der Brunnenrand, und Alles, was ihn umgab, schien mir so schön, als hätte ich nie etwas Schö= neres gesehen. Man rief mich, weil man mir eine andere Merkwür= digkeit zeigte. Der Garten ist in Mitte des Klosters, und um den= selben sind gemauerte Gänge angebracht. Was man mir zeigte, war ein von der Zeit verwitterter Altar, in einem dieser Gänge; in dessen Steinplatte ein rundes Loch, in der Größe einer mittelgroßen Hostie; wovon dieselbe Größe an der senkrechten Marmorwand vorne am Altare einen Fleck bildete. Die steinerne Platte hat einen mehr als spannen= breiten Vorsprung von der Wand oder dem antipendium. Die Ge= schichte davon lautet so: Ein Priester, der das Geheimniß der Ver= wandlung nicht glauben konnte, las hier die heilige Messe, und wäh= rend er vor der heiligen Communion mit seinem Unglauben kämpfte,

entglitschte die heilige Hostie seinen Händen, schlug durch den Altar=
stein und blieb vorne an der senkrechten Wand, wo man den Flecken
sieht, eben so gegen alle Naturgesetze, wunderbar hängen, als sie die andert=
halb Zoll dicke Steinplatte durchschlug, daß heute noch das runde Loch zu
sehen ist. Der Priester mußte seinen Unglauben der beliebigen Ge=
walt Gottes gefangen geben. In Santa Croce, wo zuerst das Kreu=
zesholz aufbewahrt war, ist noch der Kreuzestitel, einige Dornen von
der Krone Christi und ein Kreuzesnagel zu sehen. In St. Sebastian
geht man in die Catacomben, und bei St. Lorenzo ist der Friedhof
der römischen Bevölkerung. Um die Allerseelenzeit ist es hier Sitte,
wie ich es selbst gesehen, daß man Abends bei heller Beleuchtung
ganze Geschichten von lebensgroßen Wachsfiguren in pompöser Kleidung
aufstellt; wofür man den damit betheiligten Leuten eine willkürliche
Gabe reicht, wenn man um diese Zeit die Friedhöfe besucht. Diese
bestehen aber etwa nicht aus aufgeworfenen Erdhügeln, wie bei uns.
Es ist ein steinerner Boden, den man betritt. Jede Leiche wird unter
einer Steinplatte versenkt, die über sie wieder festgemacht wird. Die
Deutschen, unter denen man in Rom insbesonders die Oesterreicher
versteht, haben ihren eigenthümlichen Friedhof bei St. Peter, mit
einer anmuthigen Kirche, in der durch neun Tage Abends das Aller=
seelenfest gefeiert wurde. Dieser Friedhof hat noch den besondern Vor=
zug, daß er Erde vom h. Lande hat, die die h. Helena nach Rom
bringen ließ. Das wird einem so neu und theilnehmend erzählt, als
wäre diese Erde höchstens vor zehn Jahren hierher gekommen, die h.
Helena lebte im vierten Jahrhunderte. Man kann aber daraus auf
die Sicherheit der Ueberlieferung rechnen, die die Liebe und Ehrfurcht
von Mund zu Munde bringt.

---

## Neunundvierzigster Brief.

### An die Frau Baronin B.

Rom, den 18. November 1847.

Ihr zartes, meine Reise betreffendes Interesse, Frau Baronin! was
Sie mir so rührend bezeigten, und was meinem Herzen auch einge=
drückt bleiben wird, mahnt mich, Ihnen von Rom aus freudige Grüße

zuzusenden, damit Sie mich glücklich schätzen, daß ich nun einmal hier bin. Ein Ereigniß, das sich zunächst an meinen Kreuzzug nach Palästina reiht, und was mein Verlangen nach Theilnahme besonders anregt, will ich Ihnen vor Allem angelegentlich mittheilen, weil ich überzeugt bin, daß es bei Ihnen Frau Baronin harmonischen Anklang findet. Ich besah mir die Franziskaner-Kirche Ara coeli; sie war leer. Im Ansehen aller Gegenstände kam ich zunächst der Sakristei an ein freistehendes Monument. Das ist ein Altar, der auf Säulen einen Baldachin über sich trägt, nach Art, wie man einen kleinen Tempel malt, mit Stufen, die an den Altar hinaufführen, der einen Sarkophag formte, auf dem die Steinplatte zur h. Messe lag. Unwillkührlich zog es mich an, die Stufen hinaufzugehen; ich kniete im Heiligthume, und mich umwandelte die Nähe heiliger Gebeine, an die ich gar nicht dachte; denn erst jetzt bemerkte ich den Sarkophag. Ein tiefer Eindruck durchgriff mein Gefühl bis zur körperlichen Empfindung. Vor Rührung weinte ich, daß ich mich kaum fassen konnte. Allein, wie ich mich wußte, ließ ich der Andacht innerlicher Regung freien Lauf, und legte mein Gesicht zur Erde hin. „Sollen etwa hier die Gebeine der h. Helena ruhen, die mir die Orte aufbewahrt, die mein Heiland auf Erden als Mensch geheiliget, damit ich sie noch finde?" So klang's in mir, und ich hörte nahe Schritte, die brachten mich dazu, um mich aufzurichten. Ich trocknete mir die Augen, um hinwegzugehen, trat aber einem Ordensbruder gerade entgegen. Diesen fragte ich nun, ob dieses Denkmal über Reliquien gebaut sei? Er erwiederte mir, es seien hier die Gebeine der h. Helena, der Mutter Constantins, aufbewahrt. Ich weiß nicht, was mich in meiner Seele mehr bewegte, das frühere dunkle Wahrnehmen oder das spätere gehörte Wissen. In die Kapelle zurückgekehrt, brachte ich dieser großen Kaiserin und großen Heiligen, bei ihren letzten Ueberresten hier auf Erden, meine Verehrung, meinen Dank, daß sie es war, die mit der Gnade des Herrn in ihrer Frömmigkeit, und mit ihrer kaiserlichen Macht, der alle Mittel zu Gebote standen, die durch das Erlösungswerk geheiligten Orte, im h. Lande, der Nachwelt durch würdige Denkzeichen aufbewahrte. Was sie gethan, oder Gott durch sie, mag die Christenheit kaum erfassen, und undankbar genug, kann man sie vergessen lassen; ja vergessen. Wer spricht von ihr, und ihrem Verdienste um die Christenheit? Diejenigen, die sich ärgern, daß sie Kirchen gebaut, und die ihr dadurch jedes Verdienst entreissen." Es wäre viel klüger gewesen, die h. Orte unbezeichnet, in ihrem naturgemäßen Zustande belassen zu haben," sagt man, und bedenkt nicht dabei, daß man sie ohne dieser frühzeitigen kaiserlichen Bezeichnung durch den Verfall der Zeiten lange nicht mehr fände, oder daß sie wenigstens der Zweifelhaftigkeit noch mehr unterworfen wären, wie heut zu Tage, wo man sie mit lauter Hypothesen und gelehrten Streitigkeiten lieber gar in das Bereich einstmaliger Mythen versetzen möchte, als mit einfach klarem Sinne dem geschichtlichen Glauben zu folgen, und sich solcher Schätze auf Erden zu freuen. Wenn man es doch erfassen möchte, was das heißt, und welchen Segen es der Menschheit bringt, die heil. Orte mit Liebe und Ehrfurcht zu betreten, oder sie zu verehren! Die h. Helena hat als Kaiserin ihr Möglichstes gethan, um es begreiflich zu machen, und man achtet sie nicht einmal dafür! Warum? Die Antwort von der besten gläubigen Seite lautet so: „Weil wir der heil. Orte nicht bedürfen. Ihrer Ablässe und ihrer Verdienste kann man allenthalben theilhaftig werden; man braucht dazu die chimärischen Ideen eines Kreuzzuges nach Palästina nicht." Wohl und gut. Die Gegenantwort kann aber nur diese sein: „Man soll für das Eine dankbar und gegen das Andere, wovon das Eine herkömmt, nicht undankbar sein." Zum Schlusse dieser meiner Mittheilung empfehle ich Ihnen Frau Baronin, da ich mich hinsichtlich des h. Landes wohl verstanden wähne, die Vertheidigung der h. Helena, die mit Aufgebot aller geistigen und materiellen Kräfte die Verehrung der h. Orte erhalten hat. Ich meinerseits gelobte bei ihren Gebeinen, das Meinige wo möglich beizutragen, daß ihre Verdienste besser anerkannt werden, und ihr Andenken der Vergessenheit nicht verfalle. Was von Rom aus für Sie, Frau Baronin, noch von Interesse sein dürfte, wäre wohl die Aeußerung der zärtlichsten Liebe von den Römern gegen ihren Souverain, Pio nono. Das muß man nur sehen, um davon gerührt zu werden. Gibt er Anordnungen, die an die Thore und Kasernen angeschlagen werden, so sieht man sie mit Blumen bekränzt. Als ich heute früh nach St. Peter ging, fiel mein Auge auf eine so zartsinnig angebrachte Verordnung an der Kaserne, die ich vorbei mußte. Der wachestehende civico verstand mit triumphirender Miene meine theilnehmende Bewunderung, und ich verstand seine Seligkeit, vor der

Verordnung des vielgeliebten Pio nono Wache zu halten. Die ersten Tage, als ich in Rom angekommen war, bezog die neue Guardia der Ludwigskirche gegenüber ein Haus als Kaserne. Nun machten sie auf dem ziemlich weiten Platze vor demselben ganze Gartenbeete von den schönsten Herbstblumen, die abgeköpft in Fülle die Einfassung der zierlichsten Rabatten bildeten, die im Innern mit einer Fülle von Obst in geschmackvollsten Formen ausgelegt waren, worunter, in wiederholten Zügen, das bei den Römern unersättlich zu hörende und zu sehende Viva Pio nono sich schlang. Von außen war der ganze Garten mit den schönsten blühenden Blumentöpfen gerändert, und mit Sesseln zum beliebigen Aufenthalte, oder gefälliger Assemblee, eingefaßt. Wenn der h. Vater auf seine Villa fährt, so harren des Abends zu Tausende vor dem Pallaste seiner Heimkehr, und ein nimmer endendes viva Pio nono erschallt, bis sich der Vielgeliebte am Balkone zeigt. In den ersten Tagen meiner Ankunft in Rom erging das päpstliche Verbot: daß man seiner Heimkehr nicht mehr warte, noch viva rufe. Die Römer gehorchen. Ich kann jedoch nicht umhin, in diesem Verbote einen Mißgriff zu ahnen. Mißstimmig scheint es jedenfalls zu sein. Diese enthusiastischen Volksaufwallungen sind ein Geschenk aus dem Paradieses-Leben; seit sie verstummen, scheint mir die Stimmung Roms mit Oesterreich ganz ähnlich zu sein. Was übrigens die Merkwürdigkeiten Roms betrifft, sind die zwölf Obelisken, die mehr als hundert Fontains, eine Fontana Trevi und so viele andere, die der Bekanntmachung ihres Namens werth wären, wovon auf dem piazza novana eine schöner und größer wie die andere.

---

## Fünfzigster Brief.

### An die Frau des Herrn Gubernial-Secretärs K.

Rom, den 19. November 1847.

Das schönste Fest, was Rom gesehen, ist es, was meinem Schreiben an Sie die Richtung gibt. Das Fest des consiglio di Statti. Die Römer behaupten einstimmig, von aller gewohnten Solennität ihrer Stadt, nie etwas so Großartiges gesehen zu haben. Ich wünschte auch sehr, daß Sie, Gnädige Frau, mit Ihren beiden Fräuleins mir zur Seite gestanden wären, als dieser Zug der kirchenstaatlichen Provinzen, mit ihren Gubernatoren im Gefolge der ersten Beamten, und unter Vortragen ihrer ganz nach eigener Art ausgestatteten Standarten feierlich, unter einem Zusammenflusse der Bewohner Roms, die jeder Stadt ihren besonderen Beifall zuriefen, in die St. Peterskirche einzog. Die Messe wurde an dem Hochaltar ganz am obern Ende der Kirche gelesen. Der Zufluß von Menschen, Damen im Putze, die Pracht der verschiedenen Uniformen der Militär- und Civilbehörden, mußte man nur selber sehen, um zu wissen: man hat viel gesehen. Beschreiben läßt sich's wohl nicht leicht. Von der Größe der St. Peterskirche können Sie sich einen Begriff machen, wenn ich sage: Bei dieser Masse von Menschen, die man sich in einer so großen Stadt, bei einem solchen Aufzuge wohl denken kann, konnte man in dem rückwärtigen Theile noch spazieren gehen, und in den vordern ganz leicht vordringen, um der Function näher zu sein. Oben am Altare war der hölzerne Stuhl sichtbar, auf dem St. Peter in den ersten Tagen der Christenheit präsidirte. Eben so muß man die Pracht der Equipagen und ihrer Kutscher gesehen haben, die zu vierzig im Viergespann im Hofe des Vatikans standen, um die Größe dieses Hofes durch seinen noch leeren Raum erst bemerkbar zu machen. Der Rath wurde im Vatican gehalten, nach welchem die Vornehmen des Staates von da nach Hause fuhren. Bis hin zur Peterskirche bewegte sich der Zug vom Quirinale aus zu Fuß, doch ohne den h. Vater, der in seiner Residenz zurückblieb. Der Weg, bei drei Viertelstunden weit, war großentheils mit Bäumen wie Alleen, den geschmackvollsten Blumenfestons, mit Statuen und Triumphpforten geziert. In allen Gassen und Plätzen der Stadt, besonders aber auf dem corso hingen aus den Fenstern von einem Stocke zu dem andern Teppiche und Tücher von allen Farben. Die Balkons zeigten die zierlichsten Draperien in Weiß und Roth oder Weiß und Gelb. Selbst über die Straße von einem Hause zum andern wurden Draperien von färbigen Teppichen gezogen. Diese Häuser-Decoration sah ich auch einmal auf dem piazza novana, als sich die Römer an einem Sonntage Nachmittags mit ihrer Tombula unterhielten. Um aber bei meinem gegenwärtigen Fest zu bleiben, muß ich noch weiter erzählen: Abends war Stadtbeleuchtung und großer Ball. Theater sind in Rom sieben. Die Beleuchtung ist ganz eigener Art: Nebst sehr geschmackvoller Zierde unserer bekannten Lämpchen hängen die Fenster von oben bis unten voll Festons von öhlgetränkten Papierlampen in allen Farben. Abends vorher sah ich sie in den Gassen der Stadt in kleinen Wägen aufgethürmt herumführen, ohne zu ahnen, wozu diese farbigen Papierkugeln dienen sollten. Die Pechfackeln, die aus den großen Pallästen wie aus Höllenschlünden hervorflackern, und die Pistolenschüsse aus den Fenstern auf dem Corso, sind bei den Beleuchtungen nicht zu vergessen Nebst den ohnehin sehr bekannten Museen, Pallästen, Villen, Gärten und Wasserkünsten Roms, sind mir die auffallendsten Palläste der fürstlichen Privaten: Doria und Borghesi mit ihren Bildergallerien, und Ruspulli mit seinem Caffé. Auch das muß man nur gesehen haben, denn die Beschreibung entschwindet der Feder. Um dessen ausgezeichnete Größe, Pracht und Einrichtung zu sehen, besuchte ich es in Begleitung unsers vaterländischen Bildhauers Meirner, den ich mit Vergnügen hier in Rom antraf; eigentlich suchte er mich in dell' anima auf, weil er hörte, es sei dort eine Pilgerin aus Graz einlogirt. Ich besuchte sein Atelier auf der Straße nach Maria Schnee, und erfreute mich seines Künstler-Talentes, welches er im großen Maße besitzt, wovon seine Werke, sein Muth und seine Ausdauer zeugen, sich hier unter den studierenden Künstlern fortzubringen, und als Deutscher sich zu behaupten. Mein, wie er es nannte: „frommes Vorhaben," in's h. Land zu pilgern, schien ihn zu begeistern, und seine Seele für das Erhabenste im menschlichen Leben, für Religion, zu erwärmen; wofür ihn die h. Jungfrau auf seiner Künstlerbahn auch beschützen und befördern wird. Die päpstlichen Gärten des Vatikan und Quirinals begnügte ich mich, aus den Fenstern zu sehen, obschon ich sie bei meiner Bekanntschaft im Quirinal ganz leicht dem ganzen Inhalte nach hätte sehen können; es wurde mir aber immer die Zeit zu kurz, und letzter Tage fiel wohlthätiger Regen vom Himmel, den die Römer nach obrigkeitlicher Anordnung in 24 Stunden erbeteten, weil eine schon lange anhaltende Trockenheit und Hitze für diese Jahreszeit das Feld zum Anbau untauglich machte, und hierzu die höchste Zeit war. Möchten die Menschen doch einsehen und dankbar erkennen lernen, woher solche Gaben kommen! Sie bitten, wenn sie in der Noth sind, und sie erhalten. Sie nehmen die Gabe und denken weiter nicht, woher sie kam. Die fernern Spaziergänge um Rom sind die Villen: Borghese, Medicis, Panfili und die Tiburtinische Straße nach Tivoli. Vor Allem schön ist die porta dell' popolo mit ihrem großen Platze, dem schönsten Obelisk und den drei Hauptstraßen, welche von da aus die Stadt durchziehen. Die mittlere ist der Corso. Beiderseits stehen, mit Säulen umgeben, zwei gleiche Kirchen, die ein würdiges Portale zur Kirchenstadt bilden. Vor dem großen Platze, gleich am Thore dell' popolo, steht eine sehr schöne Kirche, Maria dell' popolo, als Beschützerin des Volkes Gottes. Unter den vielbesprochenen Alterthümern der Hauptstadt fielen mir besonders die Säulen auf, an die sich das jetzige Zollamt lehnt. Würdig, einen Tempel alt römischer Bauart geziert zu haben, ragen sie in kolossaler Höhe und Dicke, unzerstörbarer Festigkeit und seiner Zierlichkeit ihrer Bearbeitung, an's dritte Stockwerk eines hohen Hauses. Die Säule des Antonius mit seiner ganzen Geschichte und seinen Feldzügen in Stein gehauen, von unten bis oben in eine bald unerschaubare Höhe, bleibt wohl einer der merkwürdigsten Gegenstände alter Kunst.

---

## Einundfünfzigster Brief.

### An Bruder Zeno.

Rom, den 20. November 1847.

Gott zum Gruß, lieber Bruder! Ich feiere meinen Abschied von Rom, indem ich Dir nochmal schreibe. Lieb war mir mein Aufenthalt hier, so lieb, daß ich mich nur trennen kann, da mein Zug nach Jerusalem geht, und mir's in der St. Peterskirche, gleich einem Versprechen in der Brust erscholl: „Ich komme wieder." Das Jubeljahr wäre wohl die rechte Zeit. Nicht nur jede Kirche, die ich besuchte, jede Straße, jeder Stein, den ich betrat, wird mir theuer, wird mir unvergeßlich bleiben. Ich war mir kein Fremdling hier, ich war mir wie zu Hause. Und noch könnte ich länger bleiben, und sollte auch, um den h. Vater näher zu sehen und seinen Segen zu meinem Kreuzzug in's h. Land zu empfangen, denn bis jetzt ließen es die äußern Geschäfte der vielbewegten Stadt nicht zu. Jetzt kann ich mich aber trotz aller freundlichen Aufforderung in dell' anima nicht mehr aufhalten. Ich erfuhr, daß am 1. Dec. der österr. Lloyd von Ankona nach

Alexandrien fährt, und um zu Fuße dort zu sein, habe ich gute Zeit, mich auf den Weg zu machen. Gestern gab mir die Schwester des Schweizerkaplans Mons. de C. einen von Sammt mit Gold gestickten Pantoffel des h. Vaters zum Kuß, um wenigstens dieses Ablasses theil= haftig zu werden, und mir selber sagen zu können: „Ich habe den Schuh der Nachfolger auf Petri Stuhl geküßt." Nachdem ich mir in aller Ehrfurcht Genüge geleistet, gab ich den Schuh lächelnd zurück, und sagte: Das rechne ich mir einstweilen unter die verdienst= vollen Entbehrungen des Lebens. Ich werde schon noch kom= men, um den Fuß zu küssen, weil ich mich jetzt mit dem Pantof= fel allein begnügen muß. Es kostete mich ein Losreißen, einen Abschied wie von lieben Verwandten. Ich könnte ohne Bedenken hier verbleiben, wenn ich mich dazu berufen fühlte. Wie viele großartige Geister, die die Kirche Gottes als Heilige verehrt, lebten hier, und leben noch! ich ehre Pio nono als solchen. Einer der ausgezeichnetsten Männer, sowohl seines Aeußern als seines gelehrten und frommen Geistes nach, soll von hier aus als Patriarch nach Jerusalem geschickt werden. Ich habe ihn nicht gesehen. Wenn ich denke, wie ein Ignatius Lojola, ein Franz Xaver, Aloisius, Stanislai, ein Carolus Boromeus und Phi= lippus Neri, der den Römern noch so im Gedächtnisse steht, daß man bald dort bald da eine Anekdote von ihm erzählen hört, wie solche Männer fast zu gleicher Zeit in Rom lebten, wie sich ein Franz von Assisi und ein Dominicus, im Geiste verwandt, auf den ersten Anblick erkannten, und sich auf dem Corso umarmten. Der auffallendsten Merkwürdigkeiten aller Art ist in Rom kein Ende. Lebe vergnügt in Deinen Bergen, theurer Bruder, in Ausübung Deiner geistlichen Verrichtungen! Ich wandere morgen das römische Feld aufwärts nach Ankona zu, von dem man mir, bei uns im Hause, gerne einigen Schreck einjagen möchte. Es kam eine Frau aus Wien von dieser Seite her, die sich über acht Tage nicht erholen konnte von ihren ausgestandenen Verfolgungen (auf einer Reise im Stellwagen nota bene) über alle „morti ai Tedeschi!" — und nie= derschießen wollende Bewegungen. Ich fürchte mich gar nicht. Es kommt sehr viel darauf an, wie man die Dinge nimmt.

---

# Zweiundfünfzigster Brief.

## An den hochwürdigen Herrn Chorvicar M.

Foligni, den 26. November 1847.

Ich muß Ihnen schon den Triumph gönnen, hochwürdiger Herr! daß es mir bald ein wenig enge auf der Reise in fernen Ländern ergangen wäre, aber zum Glück nur in der Einbildung. Doch hören Sie, ich werde Ihnen eine interressante Nachtherberge erzählen: Als ich am 22. um 1 Uhr Mittags in Begleitung des Portiers von dell' anima, des guten Eduards, eines Deutschen, die Stadt Rom verließ, wurde dieser von einem deutschen Protestanten, der uns schon einige Zeit nachfolgte, in meiner Begleitung abgelöst. Er schien mir ein Handwerksmann zu sein, bat um meinen Tornister, und sagte, er wolle mich eine Strecke begleiten. Ich wäre es ganz zufrieden gewesen, nur mißfiel mir seine Verwunderung über den Entschluß, allein und zu Fuße zu reisen. Doch schien ihm dieser Entschluß sein ganzes Gemüth überzukehren, und es fehlte wenig, daß ich nicht bald Beichtvatersstelle hätte vertreten müssen. Ich sagte ihm hinsichtlich des Glaubens, was mir für gut dünkte, er nahm es auch gut auf, obschon er sich immer mehr bewegt und unruhig äußerte, so daß ich schon viel lieber meinen Tornister selbst getragen hätte, und allein gegangen wäre. Wir kamen an einer Straßenlocanda vorüber, und der gute Mensch fühlte heißen Durst, doch um unser Gespräch nicht zu unterbrechen, ging er vorbei. Wir kamen zur zweiten, da hielt er etwas heftig an, ich sollte auf ihn warten. Ich sagte jedoch eben so entschieden: meine Zeit sei mir zu kostbar; denn ich wollte noch Storta, die erste Post von Rom, erreichen. In der Meinung, mir leicht nachzukommen, konnte er seinen Durst nicht noch einmal bekämpfen. Und ich, mit meinem Tornister beladen, eilte wie halb in der Luft mit eiligen Schritten davon, an Gebeth mich haltend, daß dieser Mensch mich nimmer einhole. Nach einer kleinen Stunde war ich mir dessen beruhigt. Da kam ein anderer Wandersmann, ein citadino, der sich an mich anschloß, nach meinem Tornister verlangte, und mein treuer Gefährte zu sein versprach. Er ging nach Loretto und schien ein ganz guter Mensch zu sein,

wenigstens vertrug ich mich ganz gut mit ihm. Nur als wir an ein
Haus am Wege kamen, was ich mir als jenes denken konnte, wovor
man mich in Rom dringend warnte, nicht darin zu übernachten, da
fühlte der arme Mensch einen unwiderstehlichen Durst. Ich sagte ihm,
ich könne mich nicht aufhalten, der Tag neige sich zu Ende, und ich
will im Posthause nolla Storta bleiben. Ja ja, sagte er, nur ein Glas
Wasser, und ich komme gleich. Das konnte ich ihm doch nicht verwehren, und ich überlegte, was zu thun sei; der gute Mensch kam nicht
heraus, und ich wollte mich nicht leicht entschließen, in der Dunkelheit
einen vielleicht noch langen Weg auf der gefährlichsten Straße allein
zu machen. Ich trat in die Hausflur, wo sich mein Begleiter bei Wein
und Braten ganz gütlich that. „Nun, was macht ihr denn," sagte ich,
„da muß ich allein fort, um heute noch Storta zu erreichen." Nein,
nein, sagte er mit seiner gutmüthigen Gefälligkeit, ich bin schon fertig,
die Sonne steht hoch genug, wir kommen schon noch hin. Ich setzte
mich einstweilen auf die Bank, die Zeit verlängerte sich; bald war ein
Aufenthalt, um zu zahlen, bald trug man mir zum Essen und zum Trinken
an, und auf einmal war das Thor geschlossen. Ich wollte darüber
aufbegehren und fortgehen, es war aber nichts mehr zu machen. Es
sei der Hausgebrauch, um diese Zeit das Thor zu schließen, hieß es,
und ich sah mich als alleinigen Gast unter einer Zahl von Männern
und einer alten, kleinen, dicken Hausfrau, die Alles zu dominiren schien.
Was war zu machen? Ich behauptete indessen meinen eingenommenen
Platz, und dachte, vor der Hand die Hausflur gar nicht zu verlassen.
Doch da es immer später und dunkler wurde, die ganze Gesellschaft
sich im Zimmer nebenan versammelte, und im Ab- und Zugehen mich
nichts weniger als unbeachtet ließ, und ich auch vernahm, daß man mich
im Zimmer zum Gegenstande des Gespräches gemacht hatte, entschloß
ich mich, mit der versammelten Hausgesellschaft Compagnie zu machen.
Mein Begleiter hatte sich verloren. Ich nahm meinen Tornister und
mein Parapluie und ging ganz beherzt in die Küche zur Padrona, um
zu sehen, ob mir etwas zu essen tauge. Die gute Frau hielt sich ziemlich kurz und trocken gegen mich, so daß einem dieß Benehmen allein
genügen konnte. Die Männer, ihrer acht an der Zahl, der ältere davon
bärtig und seines ganzen Aussehens nach wie ein Modell, um einen
Räuber aus Gyps nachzugießen, waren alle aufmerksam auf meinen
Eintritt. Ich setzte mich an den Tisch, der zum Abendmahl gedeckt war,

9

und mischte mich ganz unbefangen in ihre Gespräche; die ferner saßen, sprachen in einem fort von ammazzare und erzählten eine Mördergeschichte über die andere. Endlich kam die Padrona mit der Suppe, und setzte sich neben mich; gegenüber gewahrte ich zu meinem Troste einen Knaben mit etwa zwölf Jahren. Wo Kinder sind, sind die Engel auch nicht weit, dachte ich, und reichte meinen Teller hin, denn die Wirthin übersah mich ganz. Darauf aber wurde sie auffallend aufmerksam, und fragte, ob ich mich denn gar nicht fürchte; und alle Männer hielten im Essen inne, und streckten die Köpfe nach mir, mit verschiedenartig wiederholten Fragen der Art. „Ich fürchte mich nicht," sagte ich ganz ruhig, „und wofür etwa? ich bin mir des Schutzes Gottes bewußt, und der Begleitung seines h. Engels, auch finde ich überall gute Menschen, so wie hier, oder bin ich nicht gut geborgen unter euch?" — Nun sprachen Alle mit mir, auch die Padrona wurde gesprächig. Ich fragte, wo denn mein Begleiter sei. Sie bedeutete mir, der liege im Stalle, und ich solle mich seiner nicht mehr bekümmern, er sei ein Furbante. „Möglich!" sagte ich ganz verwundert, „ich hielt ihn für einen seelenguten Menschen." Hierauf bekam ich eine Belehrung mit nachdrücklicher Wendung der Hand, und Erklärung, daß derlei Dinge sich wenden, so und so, wie man die Hand umkehrt, und das soll ich mir merken. War ich früher nicht ganz ohne Vorstellung, wie es sein könnte, , daß mein Blut den Kessel füllete, der unweit des Tisches stand, so steigerte sie sich jetzt bis zur Möglichkeit, und ich überlegte nur, ob ich in ein Zimmer gehen, oder die Nacht hier verbleiben sollte. Ich wählte das Erstere. Die Männer verloren sich, und ich mußte warten, bis die Küche in Ordnung gebracht war. Die Reinlichkeit, die ich fand, beruhigte mich ein wenig. Darauf führte mich die gute Frau in den oberen Stock durch einen großen Saal in mein Schlafgemach, mit dem gemessenen Auftrage, das Licht auf den Boden zu stellen. Ich schloß mich ein, verrichtete mein Nachtgebet, und wie sich es wohl denken läßt, legte ich mich nach genauer Untersuchung des ganzen Zimmers angekleidet auf's Bett, und schlief — so gut, daß die Sonne schon am Himmel stand, als ich erwachte. Ich machte mich auf, ging durch das ganz leere Haus hinunter, keinem Rufen ertönte eine Antwort, endlich fand ich die Padrona in der Küche, bei einem Glutöschen auf dem Boden kauernd, und ihr Frühstück kochend. Ich verlangte mir keines, denn ich war froh, hinauszukommen. Sie forderte mich auch gar nicht auf, welches zu nehmen, und schien überhaupt um mich gar nicht bekümmert, bis ich ihr mit einem bon giorno Signora auf die Achsel klopfte, und um meine Schuldigkeit fragte. Sie sah mich dann ernst an und sagte: „Sie zahlen nichts, gehen Sie, meine Tochter, und beten Sie für mich." Mein Erstaunen wollte sich äußern, sie brach jedoch kurz ab, und ich war froh, dem hellen Tage aus diesem Hause entgegenzugehen. Auf der Straße spazierte jener bärtige Mann von gestern mir entgegen, ich sagte ihm guten Morgen und fragte, wie viel Uhr es sei. Es war zwei Uhr, das ist so viel wie bei uns acht Uhr Früh — Ich ging ganz wohlgemuth weiter. Zum Glück hatte ich noch eine Limonie und etwas Zucker bei mir, das gab ein herrliches Frühstück. Etwa um zehn Uhr sah ich Feuer auf der Straße, und mit freudiger Eile kam mir mein Gefährte von gestern entgegen, mit den freundlichsten Fragen: wie es mir gehe, und wo ich denn so lange geblieben wäre; er sei schon um vier Uhr fortgegangen, und habe nun auf mich gewartet, wobei es ihm so kalt wurde, daß er sich Feuer anzündete. Er war nun gleich über meinen Tornister her, und wir wanderten weiter. An diesen langen, so ganz einsamen Straßen gibt es so verborgene und verbergende Laubenhütten, denen der gute citadino gerne zuging, weil er dort zu trinken finde, wie er sagte. Ich nahm ihm aber jedesmal meine Reisetasche ab, wenn er feldeinwärts ging, und wünschte sehr, meinen Weg allein zu gehen; doch so schnell ich auch gehen mochte, so holte er mich wieder ein. Endlich kam eine Art Botenwagen mit einem leeren Sitze; man lud mich ein, ihn einzunehmen, was ich mir nicht zweimal sagen ließ. Die Fahrt dauerte nicht lange, und mein Gefährte wußte mich wieder zu finden, es begegnete mir schon zum vierten Male binnen drei Tagen, daß der gute Mensch immer wieder zu mir kam. Schon ergab ich mich, ihm bis Loretto zur Seite zu sein, doch recurirte ich noch an die obere Leitung, und bat recht angelegentlich, mich von ihm zu befreien. Während ich wieder eine ganz gute Fahrgelegenheit fand, nachdem ich ihn Abends vorher verloren hatte, sah ich ihn auf einmal auf einem hoch aufgepackten Fruchtwagen ganz oben sitzen, und mir mit seinem Hute zuwinken und zurufen, daß ich vom Herzen lachen mußte. Den seh' ich nun wohl nicht mehr, dachte ich; nur war mir leid, daß ich ihm für sein Tornistertragen nichts geben konnte, weil ich meine Erkenntlichkeit dafür bis zum Abschiede aufsparte, der nun auf ganz erhabene Weise eintraf. Ich war wieder überglücklich, meine Straße allein oder nur in vorübergehender Begleitung zu wandern.

9*

# Dreiundfünfzigster Brief.

## An den Herrn Doctor K.

Foligni, den 26. November 1847.

Nur ein Paar Worte heute noch an Sie, Herr Doctor, denn es ist schon sehr spät und ich bin ermüdet in Foligni angekommen, auch habe ich mir mit Briefeschreiben die Zeit schon verkürzt. Meine Fuß=reisen im römischen Gebiete werden mir immer angenehmer, auch weiß ich mich immer besser darein zu finden. Ich kenne jede Post von Rom nach Ankona, und frage die Leute so bekannt nach näherer Auskunft, daß sie glauben, ich gehöre zu ihnen in das Land. Mein erstes Nacht=quartier von Rom weg hielt ich in einem Hause noch vor der ersten Post la Storta, den andern Tag erreichte ich civitta castellana, nach=dem ich Baccano, Monterosa und Nepi passirte. Baccano ist nur ein Ort, wo man Pferde wechselt, Monterosa ein sehr hübscher Postort, und Nepi eine kleine Stadt mit einem wunderschönen Wasserfalle, und antiken Gemäuern, die man allenthalben sehr häufig sieht. Wer ein Freund derselben ist, muß von Rom nach Ankona reisen, um seinen Blick daran zu weiden. Civitta castellana ist auf einem bedeutend hohen Fels gebaut, so daß ihre nächste Umgebung ein entsetzliches Präcipitium bildet; am Fuße des Berges läuft die Friglia, welche man auf einer Brücke überschreitet, die nur mit ganz entsetzlicher Kühnheit erbaut wer=den konnte, denn man bedarf derselben, um darüber zu gehen. Ich fand es eben nicht gar so arg, weil ich mich nicht leicht fürchte, jedoch die Angabe aller Wegweiser bezeichnet sie so. Das ist aber ganz gewiß, daß die Stadt einen ganz ausgezeichneten, originellen, ernst antiken Anblick behauptet. Ich zollte ihr zum Abschiede auch meine Bewunde=rung, und zog diesen Tag durch Borghetto, Otricolo, Narni, Terni bis Strettura, welche Post ihren Namen durch ihr Ansehen vollkommen behauptet. Borghetto ist ein Dorf, man passirt hier die Tiber auf einer prächtigen steinernen Brücke, sie heißt Ponte felice, weil sie Felix Peretti, Papst Sixtus der V., hat bauen lassen, und zwar auf eine Art und Weise, daß sie der Aufmerksamkeit wißbegieriger Reisender würdig ist. Otricolo ist das alte Otriculum. Die Gegend gegen Narni ist wal=

dig; die Stadt selbst eine der altrömischen Städte, erhebt sich schnecken=
förmig auf einem Berge, und bietet durch die Niara, welche am Fuße des
Felsens in einem weiten Becken vorüberfließt, einen imposanten Anblick.
Narni rühmt sich als Vaterstadt des römischen Kaisers Nerva. St. Pro=
culus, Bischof zu Narni, wurde hier auf Befehl Totilas, des Gothenkönigs,
enthauptet, und ist nun als Patron der Stadt verehrt. Terni ist eine
ganz außergewöhnlich hübsche, kleine Stadt, welche sich schon von wei=
tem durch ihre Lage, und je näher und näher durch ihre natürlichen
Reize empfiehlt, und ihr Ansehen durch antiken Werth behauptet. Die
Domkirche soll etwas Ausgezeichnetes an sich haben, wie man sie mir
empfahl, mir war jedoch die Zeit zu kurz, mich besser damit bekannt
zu machen. Um meine Tagereise dort zu vollenden, war es mir noch
ein wenig zu hoch am Tage, und um noch eine Station zu erreichen,
durfte ich auch keine Zeit verlieren. Ich eilte fort, obschon ich mit
einem ansehnlichen Garde = Offizier in ein sehr interessantes Gespräch
über die Angelegenheiten Oesterreichs mit Italien verwickelt wurde,
daß es mir leid war, mich davon loszumachen, und mich eine gute
Frau in der Domkirche auf's Freundlichste einlud, bei ihr zu bleiben.
Eine andere Frau in einem Hause, wo ich nach der Straße fragte,
wollte mich beinahe durchaus nicht mehr entlassen, indem sie mir mit
mütterlicher Sorgfalt die einbrechende Nacht vorstellte. Kann man nicht
mit Recht urtheilen, daß in dieser Stadt sehr gute Leute sind? Ich
nahm in einer Kaffehschänke Chocolate und zog weiter. Der Abend
kam, die Sterne zogen am Himmel herauf, denn die Tage sind zu
Ende November auch in Italien sehr kurz. — Die nächste Post
war weiter entfernt, als ich mir's vorstellte; von einem Hause zum
Verbleiben war keine Spur zu finden, ich war jedoch ganz seelenver=
gnügt. Mond und Sterne, die aus ihrer glänzendsten Fülle ihr Licht
über die Erde ergoßen, beleuchteten meine Schritte, um mich war Alles
still und ruhig, als wandelte ich allein auf Gottes Erdboden; da trappte
ein Postillon mit seinem Handpferde hinter mir d'rein, sprach mich
freundlich an und blieb mein Begleiter. Von da an wurde die Gegend
wilder, die ganze Natur schien sich zu verdüstern. Ungeheuere Felsen=
stücke in grotesken Formen auf der einen Seite, dunkle Gebirgswal=
dungen auf der andern vergrößerten ihre Schatten im täuschenden
Mondenlichte bergauf, bergab, durch schauerliche Thäler in dunkle
Gebirgswälder eingeschlossen, aus deren Höhe herab rauschende Gieß=
bäche die Todesstille unterbrachen, zeigte sich die Natur immer groß=

artiger in ihrer Nachtgestalt. — Kurz, ich befand mich auf jener von Reisenden viel besprochenen Straße, welche die Postwägen bei hellem Tage fürchten. Mein mich mit zarter Aufmerksamkeit begleitender Postillon ritt so langsam neben mir her, als ich schnell gehen konnte. Er tröstete mich mit einem Hause an der Straße, was wir doch um eine Stunde früher erreichen konnten, als die Post. Wir kamen endlich hin — doch die schauerliche Straße unter den sich wölbenden Felsenmassen war mit Fuhrwägen dergestalt überfüllt, daß wir kaum vorbeikamen, und die Leute schrien und sangen nach Art der Italiener, und hatten einen solchen Lärm, daß ich lieber allein im Walde, als in diesem Hause übernachtet hätte. „Guter Freund,“ sagte ich, „hier bleib' ich nicht, ich gehe lieber noch eine Stunde neben eurem Pferde her, ich sehe, daß ihr ein guter Mensch seid.“ Bene, und ich machte längere Schritte, um weiter zu kommen. Um 10 Uhr Nachts trat ich etwas müde in das Posthaus von Strettura. Das Haus, seiner Station ganz entsprechend, ist doch bei Nacht dem müden Wanderer sehr willkommen. Ein junges Mädchen lief mir freundlich entgegen, und mein Aufenthalt schien mir angenehm. Man röstete mir schnell ein Stück Fleisch auf glühender Kohle, und brachte Brot und Wein; in einigen Minuten war die Stube ein Gesellschaftszimmer von allen Postknechten im Hause, die die muthige Fußreisende anstaunten, welche bei Nacht in Strettura ankam. Es wurde viel von den italienischen Ansichten und Plänen gesprochen; eilf Uhr war vorüber, als ich in einer Art Boden-Vorkammer in einem ungeheuer breiten Bette zur Ruhe kam. Ich schlief sehr wenig, um halb sechs war ich schon wieder auf der Straße, und blickte nun auch am Morgen zu dem sternenbesäten Himmel auf — um Gott in seiner Allmacht zu loben. Von Strettura weg führt der Weg über einen sehr hohen Berg, beiderseits durch Waldungen. Damit mir jedoch die Straße nicht gar zu öde würde, fuhr ein Bauer mit seinem Karren hinter mir drein, und blieb in meiner Nähe, bis der helle Tag anbrach. Auf einmal fiel es mir ein, mich mit meinem Tornister an einen Stein zu lehnen, um auszuruhen, denn der Berg war sehr steil, da gewahrte ich, daß mein Filzhut fehlte, den ich unter dem Deckel meiner Reisetasche für allfälliges Regenwetter aufbewahrte, weil denn doch ein nasser Schleier eine etwas unangenehme Kopfbedeckung ist. Ich suchte, ob nicht noch was fehle, und fand meine schwarzen Sammt-Stiefletten nicht, die ich mir eigens mitnahm, um in der heil. Grabeskirche damit herumzugehen, und sie dann in der Heimat

in Ehren zu halten, als Schuhe, die den h. Boden betraten. — Nun,
Hut und Schuhe waren weg, was war zu machen, ich war
schon drei Stunden weit entfernt. Ich schwenkte meinen Tornister zum
Weiterschreiten ganz rüstig über die Achsel und dachte: „Wohl gut, daß
du um ein Paar Sachen leichter geworden bist, nun geht's nochmal
so schnell vorwärts." Nachmittag jedoch wurde ich so ziemlich müde,
so daß ich's einem guten Menschen Zeit Lebens dankbar gedenken werde,
der mir durch mehrere Stunden meinen Tornister mit freiwilligem An-
bote trug, ohne später etwas dafür anzufordern. Er begleitete mich
mit vieler Aufmerksamkeit nach Foligni, und führte mich dort auf die
Post, eines der besten Hôtels. Es war 9 Uhr, denn ich konnte vor
Müdigkeit kaum Schritt vor Schritt weiter gehen. Doch entging mir
der Anblick der vielen altrömischen Bergschlösser und Ruinen nicht, der
sich mir auf der heutigen Tagereise darbot, und den ich mit Ihnen,
Herr Doctor, und jedem Alterthumsfreunde gerne getheilt hätte. Ich
dachte Ihnen Anfangs nur ein Paar Worte zu schreiben, es ist aber
ein ziemlich langer Brief geworden, und die Mitternacht mahnt zur
Ruhe. Morgen Früh führt mich mein Reiseplan nach Assisi. —

## Vierundfünfzigster Brief.

### An den hochwürdigen Herrn Pfarrer Sch.

Foligni, den 27. November 1847.

Obschon Sie, hochwürdiger Herr, den Namen Franz Xaver, des
Seeleneiferers, mit vollem Rechte führen, so bin ich doch auch überzeugt, daß Franz Seraph von Assisi Sie nicht minder sammt seiner
Geburtsstadt interessirt. Ohne vorgefaßte Meinung und Uebertreibung
kann ich nur kurz sagen: Alles, was Franz von Assisi betrifft, ist von
solch' großartiger Eigenthümlichkeit, daß man sie nirgendwo anders,
auch nur ähnlich findet. Von ihm selbst schweige ich gänzlich, ich besuchte nur seine Stadt, klein und unbedeutend, seitwärts von der Hauptstraße auf einem Berge gelegen. Der Weg dahin führt durch abwech-
selnde Flurebene, dunkelsteinige festungsähnliche Ortschaften und liebliche Bergeshöhen, für jeden Reisenden einladend und sicher lohnend.

Die Ferne, wer schon einmal diese Straße zieht, nicht sehr bedeutend; ich ging um 6 Uhr Früh zu Fuße von Foligni weg, und trat mit dem englischen Gruß-Geläute um 12 Uhr Mittags in die Kirche der h. Clara in Assissi ein. Der Priester stand noch beim Altar, und eine Frau wies mir sogleich mit zuvorkommender Freundlichkeit den Ort, wo die Gebeine der h. Clara ruhen. Die Kirche ein altgothischer Dom. Wenn man von da die Straße hinauf geht, sieht man vom Berge, worauf die Stadt gebaut, hinunter in's Thal, wo großartig, gleich einem runden Tempel, die Kirche **Maria** zu den Engeln steht, diese denkwürdige Kirche Portiuncula, von der jener Ablaß ausging, der noch in unseren Tagen, nach mehr als 600 Jahren, seine ungeschwächte Kraft bewährt, daß Tausende von Landbewohnern aller Orte zusammenströmen, um eine Kirche St. Francisci zu besuchen. Auch mir ist der 2. August immer ein sehr werthvoller Tag, an dem man mitten in der physischen Hitze eines heißen Sommertages die geistige Kühlung eines Nachlasses des höllischen Feuers fühlt, das Einem im Fegefeuer erwartet, und wodurch man seinen vorangegangenen leidenden Mitbrüdern Erleichterung verschaffen kann. Mir dünkt, es kann keinen schöneren Anblick geben, als von der Stadt Assissi aus, über die im weiten Thale stehende Kirche Portiuncula, auf das gegenüberliegende Gebirge. — Das Auge ist überrascht, es ist, als öffnete sich eine neue Welt in einer Ecke der Verborgenheit hinter den uns bekannten Gegenständen. Und so wie die Natur ihre Eigenthümlichkeiten hier aufgestellt, um einen Franziscus Seraphicus als Sohn zu begrüßen, so hat auch die Kunst, um diesen Heiligen in seiner Geburtsstadt zu verehren, das ihrige nicht versäumt; denn drei Kirchen, eine über die andere gebaut, und jede in so ausgezeichneter Form, daß ich sie mit 100 anderen Kirchen, die ich in ganz Italien gesehen, nicht zu vergleichen vermag. In die mittlere und gewöhnlich besuchte Kirche geht man ebenen Weges von der Straße hinein. Antike Glasmalereien geben ihr ein dunkles, doch feierlich angenehmes Ansehen, und die Abtheilung, in zwei große Hallen, benimmt ihr die gewöhnliche Kirchenschiff-Form. Ober dieser Kirche ist eine andere gebaut, so wie man einen zweiten Stock eines Hauses auf den ersten baut, ohne der colossalen Höhe einer großen Kirchenhalle Eintrag zu thun. Man geht von innen über eine Stiege hinauf, von außen kommt man andererseits, weil die Stadt auf einem Berge steht, ebenfalls von ebener Straße hinein. In die unterste, oder unterirdische

Kirche, die die Gebeine des Heiligen birgt, welche erst im Jahre 1833 in einem Felsen sind gefunden worden, geht man von der mittleren Kirche Stiege abwärts. Viele Lampen, die um den Altar brennen, der die h. Reliquien enthält, erhellten den geheimnißvollen Ort. Der Minoriten Pater Thomas, der mich mit huldvoller Freundlichkeit herumführte, schob eine Doppelleiter hervor, damit ich hinaufsteigend in den Fels den h. Leib konnte liegen sehen. Ich möchte Ihnen, hochwürdiger Herr, so gerne den herrlichen Anblick der Stadt Assisi und ihrer Merkwürdigkeiten mittheilen, doch lohnt mein schwaches Schreibgemälde den Aufwand meines guten Willens nicht, ihn anschaulich darzustellen. Die Kapuzinerinnen, an die ich von Rom aus eine Empfehlung hatte, nahmen mich als Pilgerin ungemein liebevoll und freundlich auf; sie luden mich sogleich zum Essen ein, was ich mit Freuden annahm, und bewirtheten mich so höflich, daß ich es Zeitlebens nicht vergessen werde. Die Oberin ist eine Deutsche. Ihrer zwei kamen an's Sprachgitter; es war, als ob Engeln hinter der Verborgenheit des materiellen Lebens einen Schimmer ihres wirklichen Daseins verbreiteten.

---

## Fünfundfünfzigster Brief.

### An den hochwürdigen Herrn Chorvicar M.

Foligni, den 27. November 1847.

Noch Etwas für Sie, geistlicher Herr, obschon es ein wenig spät ist; doch meine romantische Rückfahrt von Assissi kann ich unmöglich so unbeachtet lassen, ohne sie Ihnen zum Besten zu geben, besonders weil ich Ihre Prophezeiungen von den Gefahren einer Reise meiner Art in Ehren halte, obschon sie sich zum Glücke bis jetzt nur in meiner Einbildung in Erfüllung brachten. Da ich keine Stunde zu verlieren habe, um bis 1. December in Ankona zu sein, um mich einzuschiffen, so mußte ich heute noch von Assissi nach Foligni zurück, um morgen Früh von hier weiter zu reisen. Ich ließ mich demnach weder von mir selbst, so gut es mir in Assissi gefiel, noch von dem freundlichen Zureden Anderer zurückhalten. Doch wurde es durch den Aufenthalt in den

drei aufeinander gebauten Kirchen zu Ehren des h. Franziscus, so spät,
daß mir der gute Pater Thomas, der mich herumführte, dringend die Unmöglichkeit vorstellte: heute noch nach Foligni zu kommen, jedoch
vergebens; ich versprach ihm, ein andermal drei Tage in Assisi zu
verweilen, heute müsse ich aber fort. Er sah mir im überirdischen Vertrauen auf Gott nach, das sah ich ihm wohl an. Gott befohlen,
und ich eilte den Berg hinunter in das schöne weite Thal, in dem ich
noch die Kirche zu den Engeln besuchen wollte. Schon fing es an zu
dämmern, doch mein Entschluß, der wankte nicht. Ehe ich
noch die Kirche erreichte, lief mir ein Weib nach, mich fragend, ob ich
nicht fahren wollte? Was wäre mir lieber und erwünschter gewesen,
als dieß? Ich bejahte sogleich, und sie beschrieb mir eine Kalesche,
die meiner vor der Kirchthüre warten würde. Zwei andere Weiber waren
auch gleich an der Hand, die bedauerten, daß die Kirche schon verschlossen sei. Ich fühlte ein kleines Leidwesen, über das ich mich ein
wenig fassen mußte. Auf einmal fiel's mir ein: die Weiber halten dich
nur auf, überzeuge dich selbst; ich entkam ihrer vorwitzigen Wortkrä-
merei, und hörte eben die Schlüssel drehen, um das Schloß zu sperren,
als ich an dem großen Thore stand. Mit Eile und Eifer stieß ich mit
meinem Parapluiestab an's Thor, das sich alsogleich wieder öffnete,
und ein freundlicher Bruder des h. Franziscus führte mich in jenes
Heiligthum von so großem Werthe. Die Kirche ist eine beinahe unabsehbare Rotonda, welche erst nach ihrem Brande wieder
neu aufgebaut wurde, mit einer Pracht, die den Gaben so vieler Länder, als: Böhmen, Polen, Baiern und noch mehrerer, große Ehre
macht. Das Wunderbild und der ursprüngliche Ort der Kapelle lassen
eine eigenthümliche Satisfaction in der Seele als Eindruck zurück;
eben so der Besuch jener Kapelle, in der der h. Vater Franziscus verschieden ist, und in der die Thüre seines Zimmers angebracht und aufbewahrt ist. Ich lehnte mich daran, und fühlte eine wohlthätige Kühle.
Während ich mich an den Altarstufen hinkniete, um zu beten, ging der
Bruder weg, kam jedoch bald wieder mit Rosenblättern, die er mir zum
Angedenken mitgab. Das sind Blätter jenes Rosenstrauches ohne Dornen, der noch immer als Abkömmling des Original-Dornbusches, der
zur Rose heranblühte, und seine Dornen verlor, nachdem sich Franziscus hinein warf, um die Dornen der Versuchung darinnen abzustoßen.
Die grünen Blätter haben rothe Flecken, wie Blut oder Rost. Wenn
ich nach Hause komme, werde ich Sie Ihnen zeigen. Als ich mit

vielem Danke von dem guten Bruder Abschied nahm und auf die
Straße kam, war's schon ganz dunkel, doch der Wagen stand bereit,
und ich fuhr voll der Gewißheit, heute noch in Foligni zu sein, guten
Muthes fort. Das Weib saß bei mir im Wagen, der Mann kutschirte.
Nach einer Weile fand ich die Vorsicht nicht überflüssig, meine Kleider-
tasche mit der Hand festzuhalten; denn ich hatte in Rom gelernt, daß
man im Gedränge von Leuten hierin sehr aufmerksam sein müsse. Meine
Nachbarin saß auch, wie im Gedränge neben mir, und ich fühlte ihre
Hand an meinem Kleide. Es wurde Verschiedenes gesprochen, und
unter Anderem bildete ich mir ein, daß das Weib zu dem Manne
sagte: „tacquiamo, greifen wir an." Ich wurde darüber höchstens
etwas lauter, und vielleicht ein wenig übermüthig. Auch der Mann,
der früher ganz stumm war, wurde gesprächiger. Des Fragens, ob ich
mich nicht fürchte, wurde kein Ende, und das Erzählen von Räuber-
geschichten auf dieser Straße und ihrer Unsicherheit nahm immer zu;
ich hingegen äußerte nicht die geringste Furcht, indem ich mich sehr
wohl bewacht, und von guten Leuten verwahrt erklärte.
Endlich fing der Mann an, seine Furcht zu bekennen, und sagte,
daß er in dem nächsten Orte, was ich schon kannte, und in dem ich
bei dem hellsten Tage nicht hätte verweilen mögen, einkehren wolle.
„He amico mio, *) das geht nicht," sagte ich, „das ist geradezu gegen
den Vertrag; wenn ich das gewollt hätte, wäre ich in Assisi geblieben, weil ich aber heute noch in Foligni sein will, so nahm ich eure
Gelegenheit an; bleibt ihr im Orte, so gehe ich meinen Weg zu Fuße
weiter, ich bleibe nicht. Der Mann blieb bei seiner Furcht, weiter zu
fahren. Am ersten Hause in jenen steingrauen Festungsmauern stand
ein Wagen. Ich seufzte nicht wenig im Stillen, hier gut durchzukommen. Endlich, Gott sei Dank! fährt der Wagen hinter uns d'rein.
Der Mann sammt seinem Weibe sagen kein Wort vom Hierbleiben,
der fatale Ort war schon weit zurück, und der Wagen begleitete uns
bis an die Stadt. Die Gespräche nahmen ein Ende sammt der Furcht,
und ich befahl kurz, mich bis an das Posthaus zu führen, weil
der Mann noch den Vorschlag machte, gleich am Thore einzukehren.
Um 10 Uhr befand ich mich ruhig auf meinem Zimmer.

*) Ach, mein Freund.

# Sechsundfünfzigster Brief.

## An die Frau Baronin B.

Monte della Trave, den 28. November 1847.

Wie angenehm ist doch das Reisen in all' seinen Formen! — Da sitze ich heute Abends in einer steinernen Landstube, so wie sie Italiens Flecken bieten. Ein ziegelhoher Kamin verbreitet Licht und Wärme, und an den kleinen Reisigprügeln kocht die Hausmutter ihr einfaches Mahl. Ich sah, daß man für mich eine Eierspeise zubereitet. Neun Kinder stehen herum, und der Hausvater, der mich mitgebracht, geht ab und zu, und versorgt noch seine Pferde, und sieht, wie's im Hause steht, ehe er sich ein wenig Ruhe gönnt. Ich saß eine Zeitlang am Kamin und unterhielt mich mit den Kleinen, die sich um mich her mach=ten; auch die Hausfrau sprach sehr freundlich. Der Mann lud mich ein, mit ihm zu fahren, weil er mich zu Fuß begegnete, was ich sehr froh und dankbar annahm, denn ich war müde und das Wetter ganz regnerisch. Ich freute mich schon unterweges, unter so grundehrliche Landleute zu kommen; denn der gute Mann wollte nicht anders, als daß ich in seinem Hause verbleibe. Man brachte Licht auf einen Tisch, der in der Mitte des Zimmers stand, und ich machte mich sogleich da=ran, Ihnen, Frau Baronin, von meinen verschiedenartigen Reise=Auf=enthalten einige Zeichnungen mitzutheilen, Sie versichernd, daß Ihnen bei bequemen Postreisen, und in großen Hotels, dieses Vergnügen, was ich nach meiner Art Reise finde, niemals zu Theil werden kann. Sie werden mich zwar n i c h t b e n e i d e n darum, das kann ich mir leicht denken, denn für das sind Sie viel zu g r o ß m ü t h i g, daß Sie aber in Ihrer großmüthigen Seele ganz geeignet und geneigt wären, meine Art Reise zu unternehmen, und sich darinnen zu gefallen, das bin ich mir ganz überzeugt, besonders wenn es mir gelänge, auch nur ein kleines Bild zu entwerfen von einer Fußreise über die Appeninen, an einem Sonntage Nachmittag, wo die Natur, selbst zur Feier ge=stimmt, sich auf den Höhen der Berge noch höher erschwingt, um den Geist hinüber zu führen in das Elysium seiner Ruhe. Allein und ohne Jemanden zu begegnen, wandelte ich den Bergrücken entlang, wissend, daß ich mich auf der höchsten Bergesspitze befinde, ohne in die Tiefe der Ebene schauen zu können. Bedeutend näher fühlte ich mich dem Himmel, die Atmosphäre schien mir beinahe erreichbar. Von Foligni weg den Berg hinan, wird die Gegend wild und furchtbar, waldig einsam. Mit Mühe und Gewalt ziehen die Pferde ihre Last. Eines dieser Thiere sah ich stürzen, und schon meinte ich, es würde sein Leben eher enden, als wieder auf den Füßen stehen. Ueberhaupt dachte ich mir auf den Straßen Italiens oft, wenn ich einmal Gelegenheit finde, mich an den Thierquäler=Verein in Deutschland zu wenden, so werde ich bei ihm anhalten, daß er den armen Lastthieren in Italien leichtere Sattel verschaffe, denn wenn man eine so große hölzerne Maschine dem Thiere auflegen sieht, so möchte man es gerne der darauf gehörigen Last enthoben sehen.

---

## Siebenundfünfzigster Brief.

### An Bruder Zeno.

Monte della Trave, den 28. November 1847.

Sieh nur, lieber Bruder! wie mir das Glück wohl will, oder mit andern Worten, meine Reise von der göttlichen Vorsicht selbst geleitet wird. Am 1. Dec. fährt das Schiff von Ankona ab. Wohin mit meiner Fußreise, um bis dahin dort zu sein! In Loretto muß man sich doch auch aufhalten, wer wird denn diesen Ort nur im Fluge passiren. — Doch trotz aller Unwahrscheinlichkeit werde ich mich genügend in Loretto verweilt haben, und zu guter Zeit in Ankona eingetroffen sein. Nun wie? ich ließ mich nun einmal nicht irre machen, mein Möglichstes zu thun, um nichts zu versäumen. Ich ging wacker drauf los, und jetzt, da ich sammt allem tapfern Marschiren nicht mehr auskäme, kömmt morgen Früh der Postwagen nach Monte della Trave, welchen ich benützen werde, um morgen in Loretto zu schlafen und übermorgen mit einem Lohnkutscher in Ankona anzukommen; da bleibt mir noch Zeit genug, mich nach Muße einzuschiffen. Um in Assissi und Loretto gewesen zu sein, will ich gerne den Anblick des Vesuvs verschmerzen, der mich früher mit meinen Gedanken nach Neapel lockte. Sicilien hätte ich auch wohl gerne gesehen. Vor Allem aber die Felsenhöhle der h. Rosalia. Doch wenn ich an den Zielpunct meiner Reise, an das h. Grab meines Erlösers in Jerusalem denke, so schwindet jeder andere Wunsch, jedes andere Verlangen. Denke nur, nun bin ich schon nahe an der Schiffahrt. Heute war Sonntag, ich hörte keine Messe. Das wird mir auf der See wohl öfter begegnen; doch heute dient es mir gleich einer Parabel, die ich zum Andenken an diese ganz sonderbare Stadt Foligni mitnehme, in der an jedem Hause, wenigstens mit Kohle aufgeschrieben steht:*) viva Pio nono il liberatore, und in der selbst an Sonntagen die Kirchen leer sind. Das ist zwar nicht die Ursache, daß ich keine Messe hörte, daran bin ich ganz allein selber Schuld, die ich auch sogleich büßte. Ich dachte nämlich, das Reisen leidet so manche Ausnahme von der Regel, ich gehe sehr frühe fort wie der Tag nur graut, an der nächsten Station komme ich vermuthlich zur Hochmesse. Weil ich aber den Weg nicht wußte, nicht einmal, wo ich mich zum Thor hinauswenden müsse, so ging ich, da im Hause Alles noch schlief, in das nächste Kaffehhaus. Der Herr, der selbst zugegen war, wies mich ans nächste Thor, nach Loretto. Froh, nicht erst durch die Stadt passiren zu müssen, wanderte ich raschen Schrittes vorwärts. Der Tag kam herauf und ich schaute, und mir kam die ganze Gegend so bekannt vor, als hätte ich sie schon einmal gesehen. Meine Eile ließ mir nicht Zeit, mich mit Fragen aufzuhalten, auch begegnete ich anfangs wenig Leute; endlich fingen die Kirchwege an, und mir war's immer unsicherer, ob ich recht daran sei. Ich fragte, und nach langem Mißverstehen gewahrte ich, daß man mich durch's Römerthor wieder hinausgewiesen hat, bei dem ich hereingekommen war. Beinahe 4 Miglien hin und dieselben wieder zurück, um durch die ganze Stadt zu wandern und am entgegengesetzten Ende hinauszukommen. Da ich wohl sah, daß sich der Kaffehsieder einen Scherz erlaubte, wollte ich ihm im Vorbeiziehen seinen Triumph ergänzen. Ich ging zu ihm und sagte: Mein Herr, damit sie nicht vielleicht einen andern Fremden auch wieder irre weisen, so komme ich, um ihnen zu sagen, daß dieses Thor auf die Straße nach Rom führt und nicht nach Loretto. Der Mensch wurde beinahe blauschwarz im Gesichte

---

*) Es lebe Pius der IX., der Befreier.

und suchte einige Entschuldigungen herauszustottern. Ich dankte schön und ging fort, indem ich gleich vor der Thüre nach meiner Straße fragte. Als ich etwa nach hundert Schritten um die Ecke bog, stürmten ein ganzer Zug Leute hinter mir drein sammt dem Kaffehsieder, über den die Andern sich hermachten, um ihn mit Vorwürfen zu überhäufen. Ich dachte mir, weil ich nun die muthwilligen Leute in der Stadt Foligni ein wenig mußte kennen lernen, so will ich auch einige Kirchen im Vorübergehen besuchen, deren ich genug sah, um auch Messe zu hören, da ich in der nächsten Station so spät keine mehr erwarten dürfte. Doch die Kirchen waren leer an Zuhörern, wie an Priestern. Endlich, da ich schon aus Neugierde, ob es denn überall so sei, in jede Kirche trat, die ich sah, fand ich denn eine ganz verborgene Dominikanerkirche, in der ich auf einmal Alles fand. Am Hochaltar eine Messe, an dem einen Seitenaltar eine Predigt und an dem andern Seitenaltare wurden 2 Personen abgespeist, etwa fünf bis sechs andere machten das ganze Auditorium aus. Meine Reise ging den übrigen Tag sehr vergnügt weiter; nur hätte ich meine verlorne Zeit, die ich des Morgens, die Messe nicht zu hören, gerne erspart hätte, nicht mehr eingebracht, wenn mich nicht Nachmittags ein guter Landmann in seiner Kalesche aufgenommen hätte. Eines noch liegt mir sehr an, ehe ich diese Gegenden im Schreiben an Dich, lieber Bruder, verlasse, nämlich Dich aufmerksam zu machen, und Dich zu mahnen, wenn Du irgendwo Gelegenheit findest, Jedermann aufzufordern, der einmal durch Foligni reist, die Straße nach Assissi nicht vorbeizuziehen, ohne diese wunderschöne, durch Franciscei wunderbare Stadt, zu besuchen. Der Weg dahin soll zwar sehr unsicher sein, das macht aber die einsame abseitige Lage und der seltene Besuch von Fremden.

----

# Achtundfünfzigster Brief.

## An den hochwürdigen Herrn Gubernialrath K.

Loretto, den 30. November 1847.

Diese h. Wallfahrtsstadt, die seit Jahrhunderten der Zusammenfluß aller Reisenden ist, um sie zu besuchen, und in ihrem wunderbar sich

hier befindenden Häuschen aus Nazareth im Glauben an die Mensch=
heit des Sohnes Gottes zu stärken, sie, die ihr ganzes Bestehen nur
dem Wallfahrten verdankt, ist es wohl werth, daß ich von ihr aus
ein Schreiben an Euer Gnaden sende. Die Stadt ist dunkel und nicht
sehr groß, wenigstens erscheint sie mir so, denn mich hat heute ein reg=
nerischer Tag getroffen; jedoch erkennt man allenthalben, wohin man
schaut, den Gnadenort, dessen sich die Einwohner mit h. Stolze be=
wußt sind. Die Kirche mit ihren Säulengängen von Außen, steht ma=
jestätisch da. Sie kann unter die größten Kirchen Italiens gezählt wer=
den. In ihrer Mitte steht das Häuschen, welches die h. Familie in
Nazareth bewohnet hat, und welches auf übernatürliche Weise hierher
in einen Wald versetzt wurde, worüber Lauretta, die Eigenthü=
merin des Grundes, die erste Kirche baute, um welche sich bald Häu=
ser und Ansiedlungen von Menschen einfanden, bis die berühmte Stadt
Loretto entstand. Das eben so in der ganzen Christenheit bekannte im=
mer schwarz gemalte Mutter = Gottes=Bild Maria Loretto, worüber
man sich verschiedene Geschichten erzählt, hat sein Entstehen in dieser
Farbe von der Natur des Holzes, aus dem es geschnitzt ist. Es ist
eine ganz kleine, etwa wie unser Maria=Zeller Gnadenbild, gar nicht
kunstvoll geschnitzte Statue, welche noch der h. Evangelist Lucas aus
Ebenholz gemacht hat, der als Arzt, Maler und Bildhauer bekannt
ist; weßwegen dieses Bild mit vollem Rechte als ein alterthümliches
Andenken, aus solcher Hand nicht genügend in Ehren gehalten werden
kann. Auch unser steiermärkisches Gnadenbild in Maria = Straßengel,
welches während den Kreuzzügen von Palästina herauskam, ist ein Ge=
mälde aus der Hand des h. Lucas. Jedoch Niemand denkt daran, so wenig
wie an den Reliquien=Schatz, den diese Kirche bewahrt, nämlich die voll=
ständigen Gebeine des h. Bonifacius, der die Lehre Jesu Christi zuerst
in die verwildeten Gebirge der alten Taurisker, in unsere Steier=
mark brachte. Das wäre Grund genug, einen Ort, wo solche
Schätze aufbewahrt sind, mit Aufmerksamkeit in eifriger Verehrung
zu erhalten, was bei uns aber leider in gleichgültige Verges=
senheit übergeht. Da ich Euer Gnaden reele fromme Gesinnungen
kenne, so bin ich auch überzeugt, daß Sie es mir nicht ungütig neh=
men werden, wenn ich aus der Ferne durch Erinnerungen an die Hei=
math gezogen, mit eiserner Liebe Ihren Einfluß in Anspruch nehme,
um die Theilnahme meiner Landsleute von Neuem anzuregen für
die Kleinodien, wie sie Straßengel besitzt. — Diese von der Na=

tur selbst auserwählte Stelle verdient ein vielbesuch-
ter Wallfahrtsort von den Landeseingebornen zu sein.
Das Häuschen in der Kirche zu Loretto ist so hoch in Ehren gehalten,
daß Militär-Ehrenwache mit gezogenem Säbel, während die h. Messe
darinnen gelesen wird, an dem beiderseitigen Eingange steht. Der Pater, dem ich beichtete, war so freundlich, mich hineinzuführen. Ich communicirte darinnen, wie gewöhnlich in Italien nach der Communion
des Priesters während der Messe. Nach derselben kam ein Domherr,
öffnete mit einem Schlüssel einen kleinen Wandschrank, und zeigte mir
ein braunes rundes Gefäß, mit den Worten: „Küssen Sie die
Schale, aus welcher der kleine Jesus speiste." Ich
könnte es niemals beschreiben, um mich darüber mitzutheilen, wie es
mir in diesem überraschenden Momente zu Muthe war. Ich küßte
die Schale. Die Gestalt bleibt mir bekannt. Ein für die Weiber ganz
eigens ergreifender Andachtsort ist der Kamin, wo die h. Jungfrau
ihre Mahlzeit kochte. Es ist eine Opferkiste für die Armen dort angebracht. Zwei Frauen können dabei knien. Im ersten Eindrucke von hoher Ehrfurcht ergriffen, getraute ich mich nicht zu nahen. Nach einer
Weile jedoch, als ich sah, wie die frommen Seelen, ganz in Thränen
gebadet, eifrig sich ablösten, um dort zu bethen, kniete auch ich mich
hin, unter einem Strom von Thränen, aus gerührtem Herzen, mich
kaum fassen könnend. Die Außenseite des Häuschens ist eine Ueberkleidung von den größten Kunstwerken aller Art, besonders aber von Mar-
mor-Sculptur, in der es von Engeln und Propheten umgeben ist. Das
Domcapitel und die Minoriten-Paters besorgen die Kirche. Ansehnliche
sehr gebildete Männer. Ich sprach mit mehreren. Einer führte mich in
die Schatzkammer, und zeigte mir einige Kunstgemälde. Es gibt an
Alter und Pracht sehr werthvolle fürstliche Geschenke hier, jedoch mit
unserer Maria Zeller Schatzkammer, weder an Menge, noch
an materiellem Werthe bei weitem vergleichbar. Der Vetturino, der
mich heute nach Ankona führt, meldet sich, doch kann ich nicht umhin,
der schönen in allen Farben und Stoffen kunstvoll verfertigten Rosenkränze zu erwähnen, die in Menge und abwechselnden Formen nirgends so wie in Loretto zu sehen sind.

10

## Neunundfünfzigster Brief.

### An den Herrn Doctor K.

Ankona, den 31. November 1847.

Nach allen möglichen Arten von Reisen glücklich in der Hafenstadt angekommen, von der aus ich über das Meer schiffen werde, um Jerusalems Mauern zu schauen und deren heiligen Boden zu betreten. Morgen um 4 Uhr Nachmittags stößt der österreichische Dampfer Erzherzog Ludwig vom Anker. Von Rom weg ging ich mit großem Seelenvergnügen meist zu Fuße. Ich hatte nichts zu besorgen, mir lag kein Steinchen im Wege, obschon man diese Seite in Italien als lebensgefährlich für die Deutschen schildert. Gegen Ankona zu, sind die Leute ein wenig schlimm, das ist wahr, jedoch könnte ich meinethalben keine Klage führen. In Monte della Trave traf ich zum Glück mit dem Postwagen zusammen, der von Rom nach Bologna fährt, denn mir wurde die Zeit schon zu kurz, um zu Fuße zur rechten Zeit in Ankona anzukommen. Ich bath mir den Sitz im Cabriolet aus, um vor mich hinsehen zu können, werde auch niemals einen andern Platz im Postwagen einnehmen, wenn sich dieser anders behaupten läßt. Wir rollten so lustig davon, als wäre es eine übernatürliche Fahrt. Sechs muthige Pferde angespannt, und zwei bildhübsche Postjungens darauf, Kinder etwa mit 16 bis 17 Jahren, mit ihren hochrothen Jacken ganz neu, der Eine mit einem runden Filzhütchen gerade so wie der meine, den ich in Strettura verlor. Mir fiel's auch immer ein, wenn der gute Junge so recht festlich und unermüdlich in sein Posthorn blies: „Ei wie steht doch mein Hut einem Postknecht so gut." Der Weg führte über Valcimare und Tolentino nach Macerata, eine sehr hübsche Stadt in einer wunderschönen und gut gebauten Gegend, die ich von meinem Platze im Cabriolete übersehen konnte, jedoch von der Stadt sah ich nicht gar viel; hier machte ich einmal die Probe, nach Art der vornehmen Herren, oder der Geschäftsleute zu reisen, das heißt: ich stieg vom Postwagen in einem der ersten Hotels in der Stadt ab, ließ mich sogleich zur table d'hote führen, denn es war Mittagszeit, wartete hier ein wenig langweilig, bis sich die Gäste versammelten und die

Zeit zum Speisen herangekommen war; denn fortgehen, um etwa die
Straßen der Stadt oder sonst etwas Merkwürdiges in derselben zu se=
hen, das macht allseitigen Schreck und Besorgniß wegen Versäumniß
des Abfahrens. Ich speiste mit einigen Herren sehr gut, denn die tables
d'hotes sind in großen Gasthäusern recht herrschaftlich bestellt; ich hätte
meine langweilige und etwas überflüssige Mahlzeit auch recht herrschaft=
lich bezahlen können, wovon ich sonst drei Tage gelebt hätte, wenn
der Conducteur, ein Ehrenmann, es nicht von selbst auf sich genommen
hätte, dem Cameriere zu sagen, daß ich nicht den ganzen Tisch=
antheil, wie auch keinen Wein genommen habe. Kaum hatten wir unsere
vollkommene Tafelruhe vollendet, blies der Postillon, man eilte, seine
Habschaften in die Hände zu nehmen, um in den Wagen zu kommen
mit dem Bewußtsein, in Macerata, oder wie denn die Stadt etwa heißt,
durch die man fährt, gewesen zu sein. Wenn man nun so recht,
im tiefsten Sitz eines Postwagens, auf einer langen Reise eingepackt
sich befindet, wie in einem Koffer, dann kann man gerade so viel wis=
sen, als einem etwa Abends, wenn man übernachtet, irgend ein Ca=
meriere erzählt, der sich niemals so viel Zeit nehmen kann, um auszu=
reden. Reisen, mit Nutzen, um Land und Leute kennen zu lernen, und
reisen, um weiter zu kommen, mit vielem Geld=Aufwande, um sagen
zu können, ich war dort und da, ohne etwas davon gesehen zu
haben, als die table d'hote, bei der man speist, oder das Zimmer, in
dem man schlief, das ist ein großer Unterschied. Ohne Beschwer=
den und Unbequemlichkeiten bleibt auch die letztere Weise nicht, ich
meinestheils vertausche die erstere Weise nicht damit, wenn ich ruhig
wandelnd auf der Straße, den Feldbau schaue, an Fluren, Wald und
Bergen mich ergötze, irgend einem Gießbach horche, oder an des Flus=
ses Rauschen mich verweile. Wenn des Landmanns freundlich Wort
auf der Straße mich begleitet, und ich mich überzeuge, wie der Mensch
in seiner Vielheit doch nur Einer ist! Wenn ich Sonntags früh
im Dorfe, wo ich übernachtet, furchtlos, ob der Postwagen mir ent=
fährt, in die Kirche komme, und mich an des Volkes Festlichkeit und
Frömmigkeit erbaue, gewahrend die Verschiedenheit der Tracht*) und der
Gebräuche, da trag' ich mir doch lieber selbst mein Ränzchen, und wenn

---

*) Nie werde ich vergessen, wie am letzten Sonntage die weibliche Dorf=
gemeinde, in blendend weiße Schleier gehüllt, gleich frischgefallenem Schnee
den Boden der glänzend reinen Kirche bedeckte.

10*

ich gleich ermüde, ist's doch nicht schlimmer, als wenn ich mich im
eingeschloßnen Wagen, vor Hitz und Staub, mitten im Cigarrendampf,
vor Ueblichkeit kaum retten kann. Das ist wohl wahr, die Herren fragen ganz charmant, ob sie auch rauchen dürfen; doch wer wird es ihnen denn verwehren, viel lieber noch Cigarrendampf, als ein finsteres
Gesicht an seinem nächsten Nachbar sehen; oder vielmehr irgend Jemand
an seiner Behaglichkeit störend sein. Abends, da es schon ganz finster
war, kamen wir über Sambuchetto und Recanati in Loretto an. Herr
Fortunato Pendaluchi, der Conduttore, ein gemüthlicher, gegen eine Pilgerin sehr aufmerksamer christlicher Mann, dem ich meinen Dank in
die weite Welt nachsende, empfahl mich seinem Freunde, dem Gastwirth
Herrn Gemelle, zur guten Obsorge in Loretto. Man behandelte mich
auch mit aller Aufmerksamkeit, und bestellte mir einen Betturino, mit
dem ich über Osimo, einer wunderschönen Straße, in Ankona ankam.

## Sechzigster Brief.

### An die Frau Oberamtmannin M.

Ankona, den 1. December 1847.

Nun bin ich glücklich hier angelangt, um mich von da aus der offenen See anzuvertrauen. Ich fürchte mich nicht, ich freue mich. Sie
dürfen auch gar nicht sorgen für mich, sagen Sie nur Allen, die sich
nach mir erkundigen, daß es mir gut gehe. Ich befinde mich im ersten
Gasthofe bei Herrn Stella. Seine Frau ist eine so liebenswürdige, sein
gebildete Dame, daß einem ihre Gesellschaft unvergeßlich angenehme
Lebensstunden verschafft. Ich wurde von Seiner Excellenz den Herrn
Consul, an den ich von unserem Ambassadeur in Rom ein Empfehlungsschreiben hatte, in das Haus des Lloyd'schen Agenten Herrn Stella
angewiesen, mit dem nachdrücklichen Bedeuten, meinen Beutel nicht aufmachen zu dürfen. Die Hausfrau nahm mich sehr freundlich auf, die
regnerische Abendzeit brachte ich in ihrem Zimmer zu. Es kam auch
noch eine liebenswürdige Dame, Beide wackere Mütter, die die Erziehung und die Sorge für ihre Kinder von der rechten Seite zu beur-
theilen wissen. Ich erquickte mich so recht vom Herzen, mit ihnen über

diesen Gegenstand gleiche Gesinnungen über das Allgemeine der weibli=
chen Erziehung in Klöstern, weltlichen und Privaten, wie in eigenen
Familienkreisen auszutauschen. Die Gesinnung für klösterliche Erziehung
hat hier den Vorzug. Man findet ihn in ganz Italien; obschon jede
Stadt, so wie überall, von weltlichen Privatunternehmungen überfüllt
ist. Bei jeder freien und unbefangenen Ansicht spricht sich der Gewinn
für das Beste der Erziehung, für das Einzelne wie für das Allge=
meine, durch geschlossene Gesellschaften, das ist für geist=
liche Ordensstände aus. Möge jede Stadt darinnen bewahrt
bleiben, deren klarer, frommer Sinn darauf hinführt, und die sich
wohl eingerichteter Institute erfreuen kann. In derlei umsichgreifen=
den Gesprächen verfloß der Abend, der mir stets in angenehmer Erin=
nerung verbleiben wird. Die beiden Frauen geleiteten mich auf mein
sehr elegantes Zimmer. Wir unterhielten uns noch eine Weile mit dem
beschlossenen Vorsatze: Für das Beste der weiblichen Erzie=
hung nach Möglichkeit in unsern Lebenskreisen beizu=
tragen. Die Meinungen ansehnlicher Mütter, die ihre
Töchter an Institute übergeben, sind keineswegs von
geringem Einflusse in's Getriebe des Ganzen. Der
Bediente kam, und führte mich an die table d'hote. Ich hätte das
Abendmahl leicht entbehrt, besonders ganz allein in einem so großen wohlge=
zierten Saal unter einigen Herren. Doch die Freundlichkeit des Benehmens
und der Gedanke, bei guter Zeit unter so günstigen Umständen sich einigen
Muth durch Erfahrungen zu sammeln, bestimmten mich, dem Cameriere zu
folgen, und mich an einen Platz zu setzen. Ich versichere, es gewährt
ein ganz eigenes Vergnügen, da französisch, hier italienisch, dort eng=
lisch sprechen zu hören. Die Herren, welche ich traf, sind alle so be=
scheiden, ungekünstelt, unbefangen, achtungsvoll im Umgange, man
macht kein Aufhebens und Schauens, wenn eine Frau einzeln im Reise=
kleid unter ihnen erscheint. Einfache verbindliche Fragen, kurze, bün=
dige Antworten, haben ein angenehmes Reisegespräch geknüpft, man
hört, lernt, und erfährt manches, was wieder zu brauchen ist. Ich
kehrte auf mein Zimmer zurück und schlief sehr gut. Besah mir heute
Früh die Kirchen, die Plätze, Häuser und Straßen der Stadt, und
frühstückte in einem Kaffehhause, schreibe in meinem angenehmen Zimmer
und erwarte die Zeit zur Abreise.

# Einundsechzigster Brief.

## An Bruder Zeno.

Ankona, den 1. December 1847.

Noch einen Gruß an Dich, lieber Bruder! vom festen Lande, bald schaukeln mich des Meeres Wellen. Meine selige Freude darüber kann ich Dir nicht mittheilen. Ich kenne keine Scheu, kein fremdes Gefühl. Noch finde ich mich überall daheim. Nur das Einzige begegnete mir hier in Ankona zum zweiten Male, was mich in Florenz anwandelte, das ist, die Sorge, ob ich mit meiner Barschaft auslange, ohne etwa irgendwo in Verlegenheit zu gerathen. Der Consul Graf Welsersheim, ein ausgezeichnet edler Cavalier, an den mir Graf Lützow von Rom aus ein gütiges Empfehlungsschreiben mitgab, nahm die Pilgerin aus Steiermark so huldvoll auf, daß ich es nie vergessen werde. Er schenkte mir Zeit mitten in seinen Geschäften, ermuthigte mich, mein Vorhaben auszuführen, erzählte mir Manches und machte mich auf Verschiedenes aufmerksam, weil er selbst in Palästina war. Auch gab er mir ein Empfehlungsschreiben an den Herrn Minister Baron Prokesch in Athen mit. Der edle Herr weckte mein ganzes Vertrauen. Ich legte ihm meine Barschaft auf den Tisch, um ihn zu fragen, ob ich es wohl wagen könne, bei der Kostbarkeit der Dampfschiffe meine Reise fortzusetzen. Er ließ den Herrn Agenten zu sich rufen, rechnete mit ihm den Preis des dritten Platzes von Ankona nach Alexandrien aus, tröstete mich, und empfahl mich der weitern Sorge des Herrn Stella, mich auf das Schiff zu bringen. Ich zahlte mit meinem in Padua eingewechselten Napoleonsd'or und erwartete nun ruhig das Weitere, was ich Dir wahrscheinlich auf den schaukelnden Wellen des Meeres unter der schwankenden Bewegung des Schiffes mittheilen werde.

# Zweiundsechzigster Brief.

## An Bruder Zeno.

Auf dem Vapor Erzherzog Ludwig in
Griechenland, den 4. Dec. 1847.

Theurer Bruder! meine Versuche, Dir zu schreiben, scheiterten bisher
einer nach dem andern. Auf schaukelnder Woge läßt sich nicht ruhig
sitzen. Auch packte mich das Seeübel sehr gewaltig an, seit gestern bin
ich jedoch davon befreit, und heute liegt unser Schiff vor Patras im
Anker; und ich kann Dir ungestört erzählen, wie es mir erging. Herr
Stella begleitete mich selbst um 4 Uhr Nachmittags auf dem Kahn an
das Schiff, übergab mich mit den besten Empfehlungen dem Herrn
Capitän, der mich sehr gütig und freundlich, wie zu Hause zu sein
aufmunterte. Als ich aus dem schwankenden Kahn die Schiffsstiege hin=
aufstieg, stellte ich mir die Turnschule lebhaft vor, der ich häufig Ge=
legenheit hatte, in meinem Garten zuzusehen, und der ich dadurch man=
ches abzulernen suchte, wenn ich meine Mädchen hinführte, und zur
Obsorge dort verbleiben mußte. Ihre Mütter, die mit waren, unter=
hielten sich oft seelenvergnügt, und ich dachte mir: „diese Erin=
nerung wird mir vielleicht noch mancher Gefahr trotzen
helfen." Sie half mir auch wirklich. Ich versichere Dich, es ist nicht
gar so was leichtes, zum ersten Male über der weiten Wasserfläche auf
schwankenden Gegenständen sich zu befinden. Man reichte mir zwar sorgfältig
die Hand, und der sichern Gewandtheit vertrauend, hatte ich auch keine
Furcht. Und steht man dann vollends auf dem Verdecke des festgebauten
Hauses, mit seiner soliden, bequemen, eleganten Einrichtung, dann schwin=
det sogleich jedes fremdartige Gefühl. Als mich Herr Stella verlassen
hatte, kam der Cameriere des zweiten Platzes, führte mich höflich in
das Zimmer hinab, zeigte mir alle Bequemlichkeiten und wies mir
meine Schlafstelle an, die ich mir gar nicht bezahlt hatte. Ich nahm
in der ganzen höflichen und freundlichen Behandlung die huldvolle Sorge
des Herrn Grafen Welsersheim für die Pilgerin aus
Steiermark wahr. Mein Dank wird auch lebendig bleiben. Der
Capitän=Lieutenant, Herr Constantini, ein herzensguter, jovialer, ge=

müthlicher Mann, führte mir sogleich, als er nach der Abfahrt ein
wenig Zeit gewonnen hatte, ein junges Mädchen auf, als eine Deut=
sche, die sich in keiner andern Sprache zu helfen wußte, und von
Wien ganz allein nach Athen reiste, um dort dem Kanzler der kaif. ruff.
Legation zu dienen. Es war auch eine Gouvernante mit bedungen, wel=
che sich aber nicht entschließen konnte, diese Reise zu unternehmen. Herr
Constantini bath, mich des Mädchens anzunehmen, und es unter mei=
ner Obsorge dem Orte ihrer Bestimmung zuzuführen, da ich mich ohne=
hin in Athen aufhalten müsse. Einige Stunden befand ich mich sehr
gut; und ich meinte, das Seeübel gar nie kennen zu lernen. Da mir
die Limonade jederzeit sehr angenehm ist, und oft als Arzneimittel diente,
und ich mich deßwegen mit Limonien versah, nahm ich Abends ein
Glas voll, worauf mich plötzlich eine solche Ueblichkeit befiel, als sollte
ich meinen Geist aufgeben. Man sagte mir, im ruhigen Liegen sei es
besser, ich suchte mich denn mit meiner Bettstelle bekannt zu machen,
in der ich glücklicher Weise noch so ziemlich gut schlief. Als ich am
Morgen wieder froh war, mich auf dem Verdecke zu bewegen, um
meinem Verlangen gemäß die weite See zu betrachten, und meine
Seele an dem mir neuen Anblicke der Schöpfung zu weiden und zu
erheben, da schloß mir eine Anwandlung von Ohnmacht die Augen,
so oft ich sie zum Schauen in die See erheben wollte. So oft Jemand
auf mich redete, oder ich selbst scherzend lachte, konnte ich vor Ueblich=
keit nicht schnell genug den Bord erreilen. So lag ich stundenlang, ohne
mich zu regen, auf einer Bank. Im halb wachen Zustande mit geschlof=
senem Auge, ertrug ich mich selber noch am leichtesten, und so blieb
es, ohne daß ich auch nur an's Essen denken konnte, bis am dritten
Tage zur Mahlzeit, das ist um 5 Uhr. Da kam Herr Constantini mit
seiner heitern, freundlichen Art, sich zu benehmen, und sagte: „Das
ist nichts, mein Fräulein! Sie müssen essen, 's geht Allen nicht besser."
Er führte mich ganz befehlsmäßig zur Tafel, zu der er mich für jedes=
mal einlud, obschon ich wartig genug war, gleich das erste Mal da=
von wegzulaufen, um schnell genug an Bord zu kommen. Indessen
machte sich ein Ungewitter zusammen, der Wind stürmte von unten
herauf, und stieß und schaukelte das Schiff, daß es sich von einer
Seite auf die andere warf. Ich fand in der Mitte des Verdeckes am
obern Mastbaume, an den ich mich lehnen konnte, einen etwas erho=
benen Sitz leer, den ich einnahm, um die tintenschwarzen Wogen an=
zuschauen, die sich rechts und links am Schiffe aufthürmten, und mit

zischenden Getöse über dem Verdecke zusammenschlugen, daß ich ganz durchnäßt wurde. Dieß herrliche Schauspiel der stürmischen See weckte meine Lebensgeister, und je länger ich hinaussah in die vielbewegten Wogen, die im schneeweißen Schaume auf schwarzer Unterlage, wie bewegliche Felsenspitzen, sich zu Berge thürmten, desto besser wurde mir. Ein Hochgefühl, das sich über das Toben der Meeresfluth und über das Brausen des Sturmes hinaussetzte, ergriff meine Seele durch alle Fibern bis zur körperlichen Empfindung. Mir ward wohl, ich befand mich vollkommen gut. Das Ungewitter währte nicht lange, die See spiegelte bald wieder aus klarer Fläche, und im Spät-Abende unterhielten wir uns im Gespräche bei freundlichem Monden-scheine. Herr R., ein Ungar, der seine Reise als Schiffscadet machte, und in seiner Jugend, denn er zählt kaum 20 Jahre, schon so viele außerordentliche Schicksalsstreiche erlebte, auch in seinem Character etwas Ausgezeichnetes äußert, gibt genügenden Stoff zur stundenlangen Unterredung und wirklich interessanten Theilnahme. Er ist eine lebendig romantische Geschichte. Während ich mich auf dem Verdecke bis Mitternacht unterhalte, schläft meine gute Amalia, die mir als Gefährtin recht herzlich zugethan ist, auch recht herzlich gut auf ihrem Schiffslager in der Kam-mer, auf welches ich mir immer noch früh genug komme, besonders seit ich mich wieder so ganz gut befinde, und auf dem Schiffe herum-gehe, als wäre ich einer der Matrosen. Nur den Mastbaum möchte ich nicht erklettern, für diesen Anblick bin ich ohne Schauder noch immer nicht stark genug. Da laufen sie hinauf wie die Katzen auf den steilen Stamm, in eine Höhe, vor der es einem im Hinaufschauen schwindelt, um ihre Geschäfte zu verrichten. So vergeht ein Tag nach dem an-dern unter abwechselnden Gegenständen, mir wird im Schiffe auf offe-ner See die Zeit nicht lange. Die schönsten Inselstädte fahren wir vor-über, oder wir liegen vor ihnen im Hafen. Von Ankona weg nahm unser Schiff den Weg über Brindisi, Corfu und Patras, herrliche Städte in wunderschönen ländlichen Umgebungen, die man im Vor-überzug von der Ferne gleich einem lebendigen Gemälde mit einem Blick überschauen kann, was im Besuche derselben wegfällt, weil der Ueberblick des Ganzen, in kleinen Parthien unmöglich ist. Die Ankerketten rasseln, von Athen aus schreibe ich Dir wieder.

# Dreiundsechzigster Brief.

## An Bruder Zeno.

Athen, den 7. December 1847.

Das hätten wir uns wohl nur bei unsern Kinderspielen im Garten, wo uns kein griechischer und kein römischer Feldherr ferne stand, denken können, daß Dir Schwester Mirja aus Athen, dem damaligen Zielpunct Deiner Ideen, einen Brief in materieller Wirklichkeit zusenden werde! Nun denn, die Sache hat sich glücklich ereignet. Und wie glücklich ich hier in Athen lebe, wird Dir die Folge meiner Erzählungen aufdecken. Von Patras weg bekamen wir das Schiff voll Griechen. Das ganze Verdeck am obern wie am untern Theil war so voll Menschen, die sich auf ihren Päcken und Polstern lagerten, daß es zur Kunst gehörte, sich zu bewegen oder etwa gar einen Weg auf und ab zu unternehmen. Männer, Weiber, Kinder in Menge, in verschiedenartig fremder Kleidung und Sprache, wimmelten um mich her. Zum Glück befand ich mich sehr wohl, ich hatte dem Seeübel meinen Tribut auch genügend bezahlt, und konnte nun unangefochten die häufigen Anfälle um mich herum ansehen, auch wenn zufällig mein Kleid ins Mitleid gezogen wurde. Wir schifften Corinth vorüber! da denkst Du doch, daß mein Auge weilend diesen Ort beschaute, wo Paulus die Lehre des Christenthums erklärte und sie uns in seinen Briefen hinterließ. Wenn die Welt sich eines großen Mannes rühmet, der die Weisheit Gottes je erkannt, um sie aufklärend an seine Brüder mitzutheilen, so war es Paulus, der Erkenntnißreiche, der Unermüdete und Unerschöpfliche in seiner Liebe und Weisheit, um die katholische, alleinseligmachende Lehre an die Nachwelt mitzutheilen. Die allgemein seligmachende Lehre für alle Menschen aller Zeiten und aller Orte. O Bruder! möchtest Du mit reichlichem Segen Deinen Standpunct benützen, und deinen Zuhörern den großartigen Begriff: Katholisch sein, verständlich machen. — Wir landeten in Lutrachi, um hier ans Land zu steigen, über den zwei Stunden langen Isthmus zu fahren, und in Calamaika

auf einem andern Schiffe wieder weiter zu fahren. Ein junger Schwei=
zer, der von Patras aus unsere Gesellschaft vermehrte, kam in den
Wagen zu sitzen, wo ich mich mit meiner treuen Gefährtin Amalia be=
fand. Die Wägen sind wie Stellwägen geformt, Du kannst Dir den=
ken, daß deren mehrere sind, um eine ganze Schiffsladung von Paf=
sagieren zu übersiedeln. Man fuhr sehr langsam, und mich freute es
nicht, lange zu fahren, um langweilige Reden und Scherze zur Zeit=
verkürzung anzuhören, ich mochte lieber an dem erhabenen Mittelpuncte
des Isthmus die Verbindung zweier Meere schauen, und bath Capitän
Constantini, der uns begleitete, ob es mir nicht erlaubt werden könnte,
zu Fuße zu gehen. Der Sohn hoher Schweizer=Alpen stimmte sogleich
in meinen Vorschlag ein, den die ganze Gesellschaft auch in den an=
dern Wägen nachahmte. Ein allgemeines Seelenvergnügen belebte und
verkürzte uns den Weg. Der Schweizer, ein wissenschaftlicher Sohn
der Natur, war mir von nun an bis zur Ankunft in Athen ein an=
genehmer Gesellschafter. Obschon im Monate December, schien die
Sonne so angenehm heiter und warm, daß man bei uns in den schön=
sten Junitagen zu sein meinte. Auf dem Wege über den Isthmus erfaßte
mich ein Gefühl von Freude, dem Hirtenfeld in Bethlehem nun bald
näher zu kommen, gleich einem Kinde, wenn es die Erlaubniß hat,
einen halben Tag mit seinen Gefährten zu spielen, und welches sich
auf dem Weg dahin befindet. Die guten Hirten, die den Gesang der
Engel hörten: „Ehre sei Gott in der Höhe und Friede den
Menschen auf Erden, die eines guten Willens sind!"
sie schienen mir noch zu leben, und ich meinte sie noch zu finden, die,
mit denen ich in vertrauter Liebe um das Kindlein Jesu meine Kin=
dertage verlebte, und mich das ganze Jahr hindurch auf die Zeit des
Krippleins freute. Dieses Vorgefühl, mich an heil. Stelle wirklich zu
befinden, wird meine Erinnerung an den Isthmus stets beleben, mit
seiner Verbindung zweier Meere, als ein Sinnbild mit der Verbin=
dung abstrahirter Vorstellungen und dem wirklichen
Bestande materieller Gegenwart. In Calamaika ange=
langt, besah ich mir den für uns Abendländer schon etwas fremd=
artigen Ort des Morgenlandes; mir gefiel es dort ungemein gut.
Die Lloydsche Gesellschaft baute sich ein großartiges Locale, um die
Passagiere aufzunehmen, und ihre Uebergabsgeschäfte zu führen. Drei
liebe Kinder des Inspectors waren gleich um mich, und ich verkürzte
mir mit ihnen, mit Spazierengehen und Besehen der Häuser und Leute

in diesem freundlichen Orte, die Zeit des Wartens sehr angenehm. Ich dankte Herrn Constantini für seine Sorgfalt um die Pilgerin, versprach nach seinem Verlangen, am h. Grabe für ihn zu beten, Amalie an ihren Bestimmungsort selbst hinzubegleiten, nahm Abschied und stieg zum zweiten Male über eine Schiffsstiege, um auf Baron Kübeck weiter zu segeln. Die gute Empfehlung des Herrn C. an den Cap. Lieutenant v. L. bereitete mir auch hier die günstigste Aufnahme. Meine Bettstelle und der Platz an der Tafel wurden mir sogleich wieder angewiesen, und die achtungsvolle, feine Behandlung krönte das Werk christlicher Liebe. Ueberhaupt kann ich Dir das solide und humane Benehmen der Capitäns sammt dem ganzen Schiffsvolke, die Haltung, die sie der reisenden Gesellschaft mit Bestimmtheit und Leichtigkeit zu geben wissen, nicht genug anrühmen. — Nun höre aber auch, was man im Archipel für Neuigkeiten von Gratz erfahren kann. Ich habe es wohl vorgesehen, daß solche Conflicte kommen werden. Der Lloyd Baron Kübeck kam directe von Triest, und der Maschinist, ein Deutscher, glaubte mir, als einer Gratzerin, eine interessante Neuigkeit mitzutheilen, wenn er mir die Geschichte des fatalen Leichenbegängnisses, was in Gratz so viel Aufsehen machte, erzähle. Hätten sich nur nicht so viele angesehene Personen damit betheiliget, so wäre diese Sache eben nicht von so vieler Bedeutung. Doch eben das ist es, was sich schon lange vorbereitete, nämlich bei irgend einer Veranlassung offenbar gegenseitig aufzutreten. Daß die Geistlichkeit eine ganz gerechte Ursache hatte, jenem Menschen, der absichtlich bekanntermaßen in seiner Lebenszeit wie bei seinem Tode jede priesterliche Zusprache von sich wies, nicht kirchlich begraben wollte, liegt wohl ganz klar am Tage. Denn welcher Vernunftschluß wird es behaupten wollen, daß man dem Todten, der sich nicht mehr widersetzen kann, dasjenige aufdringen soll, oder müsse, was er bei dem Gebrauche seiner freien Willenskraft mit Haß von sich wies. Wohl hat die Kirche Gottes selbst für diesen Fall noch ein Mittel in der Gemeinschaft der Heiligen. Wenn das Gebeth der Gläubigen eines dem andern zu Gute kömmt. Doch dieses Mittel anzuwenden, dachten die Herren Widersacher nicht; nach der Erzählung, die ich hörte, war es nur ein Trotzbieten, und ein Bemühen, die kirchlichen Anordnungen eines Unrechtes zu überweisen. Nun, diese offenbaren Gesinnungen konnten doch nicht in der Meinung der Gläubigen aufgenommen werden, besonders da sich Niemand von seiner Verwandschaft für ihn um ein christliches Begräbniß

verwendete. Warum will man denn durchaus als Christ begraben wer=
den, wenn man nicht als Christ leben will? Doch nur, weil eine ge=
heime Glaubenskraft durch das h. Sacrament der Taufe in dem Men=
schen verborgen liegt, die sich gegen seine verwirrten Ansichten regt,
weil sie die Furcht der Verworfenheit in sich trägt! — Nun, nun,
weil nur der Anfang die Bahn gebrochen hat, es wird schon noch
besser kommen. Ich möchte zwar nicht gerne als Prophetin auftreten,
denn da dürfte es etwa nicht gar gut aussehen; besonders wenn die
Bedingnisse nicht eingehalten würden, unter denen eine Prophezeiung
ihr Morgenlicht in die Gegenwart wirft, um irgend ein Unglück zu
verhüten. — In Piräns angekommen, als in dem Hafen von Athen,
von wo aus noch eine gute Stunde in die Stadt zu gehen ist wartete
schon der bestellte Wagen, um Amalien abzuholen. Ganz natürlich war
ich mit dabei, anstatt der erwarteten Gouvernante von Wien, die ich
dem russischen Herrn Legationssecretär und seiner Frau Gemahlin, nach
Aufforderung, von Gratz aus zu ersetzen versprach. Ich lernte hier ein
sehr liebenswürdiges Haus kennen, sowohl seiner Bewohner als sei=
ner materiellen Lage nach. Es hätte keinen gar so großen Entschluß
gebraucht, um hier zu bleiben; wenn nicht Jerusalem vorwärts und
Gratz rückwärts ziehend ihre Ansprüche zu sehr behaupteten. Von da
ging ich in die österreichische Amtskanzlei, um mich bei dem Herrn Mini=
ster Baron Prokesch zu melden, an den ich Briefe hatte. Kaum hatte
er sie gelesen, führte er mich zur Frau Baronin, mit dem Ausrufe:
„Stelle dir vor, hier bringe ich dir eine Steiermärke=
rin als Pilgerin nach Jerusalem!" Als sich eben ein Ge=
spräch beginnen wollte, kamen zwei Damen auf Besuch, und die Pil=
gerin empfahl sich. Auf der Straße ein wenig umhersehend, wohin ich
meine Schritte wenden sollte, um in die mittlere Stadt zu kommen und
mir ein Quartier zu suchen; da eilten von allen Seiten der Gensdarmes,
der Gärtner, der Bediente herbei, mich zurückrufend, weil mich die
Frau Baronin zu sprechen wünsche. Als ich an die Treppe kam, trat
mir der Herr Baron schon freundlich entgegen, und sagte: seine Frau
wünsche die Pilgerin bei sich zu behalten, da sie aber eben Besuch hat,
und die weitern Anordnungen Sache der Frauen sei, so solle ich einst=
weilen im Garten bei den Kindern und bei Dada, das ist auf grie=
chisch die Bonne, mich unterhalten, bis die Baronin zu mir herunter
käme. Man zeigte mir die ganze wunderschöne Gartenanlage, die müh=
same Wasserleitung, ich konnte beides nicht genug bewundern. Schon

die erften Eindrücke in diefem Haufe hatten für mich etwas Paradiefi=
fches. Die Stiege von glänzend weißem Marmor, die Gemächer blu=
menreich, der Herr Minifter und feine Frau engelsmild und herzlich,
gerade fo wie fich der wahre Adel in feiner Natur beweift.
Die Kinder, ein Fräulein und zwei junge Herren, liebenswürdig, die
Dada eine feelengute, gemüthliche Frau, die durch lange Dienftjahre
ganz einheimifch im Haufe ift. Der Gärtner ein wiffenfchaftlich gebil=
deter Mann, ein Baier, der für alle Alterthümer Athens das wärmfte
Intereffe hegt. Die Kammerjungfer, ein frommes, liebes, junges Mäd=
chen, ereiferte fich, bei Ueberlegung, wo man die Pilgerin einquartieren
foll, fie in ihrem Zimmer zu belaffen, indem fie gar gerne auf einem
Kanapee die Zeit über fchliefe; das gute Kind äußerte fich, nur gar
zu glücklich zu fein, einer Pilgerin nach Jerufalem ihr Bett überlaffen
zu können. Diefe Freude wurde ihr nun auch zu Theil, und ich bin
verfichert, daß ihr diefe kindliche Luft, mit der fie einige Nächte, um
einer Pilgerin willen, mit dem beengten Raume eines Kanapees fich
begnügt, diefelben Verdienfte bringt, als könnte fie aus Liebe den Weg
felbft unternehmen. Nun fieh, lieber Bruder! ift mir unter folchen Ver=
hältniffen mein Aufenthalt in Athen nicht angenehm? ift mir Griechen=
land nicht günftig? Wie freue ich mich, meine Rundreifen um feine
alten Merkwürdigkeiten anzutreten! —

### Vierundfechzigfter Brief.

#### An den hochwürdigen Herrn Gubernialrath K.

Athen, den 9. December 1847.

Laut ausrufen möchte ich hier in den Straßen Athens, der alten
und neuen Hauptftadt Griechenlands, daß es in eines jeden Griechen
Herzen wiederhalle: „Griechen, edles, ftolzes, unzerftörbares, ältestes
Volk! Das an Geftalt und Haltung, Kleidung und Sitte noch feft an
feinem Urfprunge hält. Athener! die ihr vorzugsweife und ausgezeich=
net die Spuren des hohen Alterthumes eurer Vaterftadt bis heute
kräftig noch bewahret, auf! um euch zu retten in eurer urfprünglich

großartigen Eigenthümlichkeit. Das Unglück hat euch verfolgt und der
Einfluß so vieler Völker auf eure Nation seit Tausenden von Jahren
euch gestört, doch nicht zerstört. Sammelt eure letzte Kraft, um
euch herauszureißen aus dem allgemeinen Drucke, indem ihr von nun
an eurem Untergange nicht entgehen werdet; denn schon ist es nicht
mehr an der Zeit, euch durch Waffenübungen zu helfen, ohne daß ihr
selber Hand an's Werk leget, euch bis auf den letzten Mann noch auf-
zureiben. Eure Religion ist euer Verderben. Losgerissen aus
Hochmuth und frommen Trug von der reinen Christuslehre,
durch den göttlichen Geist belebt, macht sie euch hart, ver-
stockt, falsch, gleißnerisch, nur den äußeren Bewegungen vom Kopfe bis
zu den Füßen ergeben, ohne das Herz zu erwärmen und es zu Gott
zu erheben!" — Auffallend unterscheidet sich die Nation der Griechen in ihrer edlen Haltung von der Religion der Griechen,
deren Ausüber alle Spuren derselben auf dem verhärteten, gleißnerischen
Ausdrucke ihres Gesichtes tragen. Uebrigens bemerkt sich in Athen das
Einschlafen religiöser Gefühle so wie religiöser Ausübungen sehr auffallend. Und Lamartine bemerkt in seiner Reisebeschreibung in den
Dreißiger-Jahren sehr wohl, daß der Geist von Religion in Griechenland ausgelöscht ist, und sein unwissender Clerus der Verachtung Preis
gegeben dasteht. Meine Erfahrungen in den Vierziger-Jahren sind Wort
für Wort von dieser Aussage überzeugt. Man darf sich nur um die
Kirchen in Athen interessiren, oder ihren Popen begegnen, um sogleich
einige Beispiele davon einzusammeln. Eben so wahr sagt Lamartine:
„Die Griechen sind ein thätiges, muthiges Volk, mit ausgezeichneten
individuellen Eigenschaften, jedoch ohne gemeinsamer Verbindung." Der
Grieche ist äußerst mißtrauisch, was ihm im Allgemeinen nicht zu verargen ist, nachdem er von dem Schicksale wie von allen Nationen seit
Jahrtausenden, von der Poesie bis zur reelen Wirklichkeit, verfolgt ist.
Dieß große Reich ist zu einem Miniatur-Gemälde geworden, das, so
klein es ist, doch die Züge seines Originales enthält. Daß die Hand
Gottes, sowohl im Drucke wie in der Aufrechthaltung auf dem grie-
chischen Volke ruht, ist durch die Geschichte im Verlaufe der Zeiten bis
auf den heutigen Tag anschaulich gewiß; und gewiß ist es auch, daß
Nichts das große Werk seiner Auferstehung vollenden wird, als die
Wiedervereinigung mit der römischen Kirche. Diese
Kirchenspaltung war von ihrem Bruche her die bitterste; keine Heresie
war es mehr, und noch heute steht sie als die hartnäckigste Abweichung da,

daß man sich kaum davon zu reden getraut. Die Vereinigung scheint unmöglich zu sein, weil hierzu die Herzenswendung des Volkes nöthig
ist. Nun erklären aber Erfahrungen aus dem Centrum und dem Vertrauen des Volkes: worüber ich auf dem Schiffe Vieles zu sprechen
Gelegenheit hatte, daß es sich selbst in seiner unvermögenden Wirksam-
keit erkenne, und in der Wiedervereinigung mit der römischen Kirche seine Rettung sieht. Doch erklärt es sich mit
diesen Worten: „Der Stolz der Griechen wird niemals einen
Schritt hierzu entgegen thun; kommt aber eine Anforderung oder eine
Veranlassung von Außen an sie, so stehen sie ohne Widerrede bereit."
So die Aeußerung von Männern, die ihr Volk genauer
kennen. Ferner fühlt sich dieses Volk unter dem nachtheiligen Einflusse einer dreifachen Religions-Ausübung im Staate, bedrängt, verwirrt und ermüdet, sich durch religiöse Erhebung hinauszufinden. Es
ist auch wirklich ein Erbarmen, den religiösen Gegenstand in Athen zu
betrachten. Der König katholisch, die Königin protestantisch, das Volk
griechisch. — In der Residenz eine Hauskapelle und ein Hofkaplan, der
liest um 8 Uhr die Messe, welcher der König Sonntags beiwohnt. Um
10 Uhr hält der Pastor Sonntags für die Königin und ihren Hofstaat
die Predigt, das ist im Winter. Sommerzeit hält er sich mit seiner
Familie auf dem Lande auf, und es fehlt auch die Predigt. Die Engländer in der Stadt haben ihren eigenen Tempel, und führen Schule,
die ich gerne besucht hätte; nach aller Verwendung jedoch lassen sie
einem durch Ausreden nicht hinein. Die katholische Pfarrkirche in der Stadt,
mit einem italienischen Pfarrer und zwei Kaplänen, ist eine lange,
schmale Hauskapelle, nett und rein, mit aller Sorgfalt gepflegt. Eine
kleine Sakristei, die zugleich Schule mit sieben Kindern führte, wovon
mitten darin ein Mädchen zwischen beiderseits drei Knaben saß, fand
ich auch, nachdem ich durch die Hauswirthschaft durchkam, Hühnerhof,
Küche ꝛc. Oberhalb ist das Wohnlocale der geistlichen Herren, die
den ganzen Abdruck der Religions-Vernachläßigung in ihrem warmen
katholischen Gefühlsleben in sich tragen, und als lebendige Zeugen
Dessen da stehen, was ein forschendes Auge im Ganzen bemerkt. Einer
der Herren lehrte die einigen Kinder, als ich die katholische Pfarrkirche
in Athen aufsuchte, der andere kam bald dazu; beide Herren erquickten
sich, ein theilnehmend katholisches Herz und eine Erkenntniß ihrer Lage
zu finden. Früher schon erzählte man mir und klagte, daß kirchlicher
Weise für die Deutschen so schlecht gesorgt sei. Drei Predigten des

Jahres wäre ihre Zufriedenstellung, und die italienischen Sonntags=
Predigten enthielten nichts als Jammern und Seufzen. Was sollten
sie unter solchen Umständen wohl anders enthalten? Die geistlichen
Herren sprachen mit großer Hochachtung vom österreichischen Minister
Baron Prokesch, der sein Möglichstes thue, um die Religion im Leben
zu erhalten. Er und seine edle Frau sei noch ihr bester Trost, sagten
sie. Oesterreichs Minister hat in Piräus und in der Umgegend von
Athen sieben Kirchen erbaut und zur gegenwärtigen Benützung einge=
richtet, um die magere Geistesnahrung der deutschen Katholiken im
Lande zu vergüten, die den Abgang der Seelensorge wohl empfinden.
Und wenn sie sich darüber nicht laut beklagen, so ist es nur, weil der
Mensch im innerlichen Leben am wenigsten zu sagen weiß, was ihm
fehlt. Die alten griechischen Kirchengebäude mit ihrer wunderschönen
Architektur und romantisch lieblichen Zeichnungen an Gestalt und Ver=
zierung, sollen nicht nur als Denkmäler früherer Zeiten, sondern wirk=
lich als Zierde der Stadt in unverändertem Zustande erhalten werden;
sie werden der neuen Schönheit, oder ihrer Symmetrie, wo sie auch
stehen mögen, niemals im Wege sein. Ihre innere Einrichtung konnte
ich nicht sehen, weil sie außer ihrer feiertäglichen Gottesdienste immer
fest verschlossen sind. Ich denke nicht zu irren, um als Ueberblick über
Griechenland zu behaupten, daß dessen Auferstehung allein von Religion
und Erziehung abhängt, und daß sich ohne diesen beiden Einflüssen
andere Nationen vergebens opfern werden. Die Univer=
sität scheint ein gut gelungen aufgestelltes Werk zu sein. Wo aus einer
gut bestellten Universität wohl unterrichtete und gediegene Männer her=
vorgehen, da ist mit der Zeit schon zu erwarten, daß den Mängeln
einer sonst so klugen Nation abgeholfen werde. Die Mädchen=
Erziehung bedürfte hier wie allenthalben die sorg=
samste Pflege, um Mütter zu gewinnen, die ihre Kna=
ben von Kindheit an für Gottes= und Vaterlandsliebe
empfänglich machen, und ihnen Glaube und Tugend im
zarten Alter der Jugend einprägen. Uebrigens, obschon das
Volk seine Constitution, die es gerne wieder zurückgeben möchte, im
Revolt errungen hat, so liebt und ehrt es König Otto sehr, nur hält
es ihn für zu schwach in seiner Güte, um von ihm den großartig noth=
wendigen Umschwung und Aufschwung zu erwarten. Dieß dürfte Auf=
forderung oder Anregung genug sein zu einem nicht drückend herr=

11

schenden, doch fest und energischen Fordern und Handeln,
was mit Treue und Liebe zum Besten des Volkes erkannt
wird! —

————

# Fünfundsechzigster Brief.

## An den hochwürdigen Herrn Pfarrer Sch.

Athen, den 11. December 1847.

Cicero: „Wir suchen in der Geschichte nicht die Revolutionen auf,
welche die Menschen beherrschen und zermalmen; sondern die Menschen,
welche den Revolutionen gebieten, und mächtiger sind, als das
Glück. Das durch Barbaren unter und über sich gekehrte Weltall flößt
nur Abscheu und Verachtung ein; ein Zwist zwischen Sparta und
Athen kann uns unaufhörlich nach Jahrtausenden noch angenehm beschäftigen." — Ich werde mich nicht täuschen, wenn ich meine, daß es
Sie interessire, hochwürdiger Herr! wenn ich Ihnen einen seelenvollen
Blick von der alten Akropolis aus, über Griechenlands Berge nach
Steiermark schicke. Da steh' ich oben mitten in den Kunstgebäuden, die
der mächtigen Zerstörung der Zeit durch Jahrtausende schon trotzen,
und sehe auf den Umkreis der Gegenstände, wie aus dem Mittelpuncte
einer Krone auf den sie umgebenden Kranz. Oestlich der Hymetus,
nördlich der Pentelicus, der Parnas nordöstlich, der Icarus
westlich, über seinen Gipfel erblickt man den Cythäron. Gegen Süden
das Meer und den Hafen Piräus, die Küsten von Salamis,
von Aegina, von Epitaurus und die Citadelle von Korinth.
In der von den Bergen eingeschlossenen Ebene kann man den größten
Theil der Denkmäler Athens übersehen: den Hügel des Musäus,
den Felsen des Areopags, des Pnyr und des Lycabettus,
den kleinen Berg Anchismus, die Anhöhen, an deren Fuß sich die
alte Rennbahn befand, und den Lauf des Ilissus. Keine Beschreibung
von der hohen Akropolis aus kann richtiger, herrlicher, rührender sein,
als die des Herrn v. Chateaubriand. Doch was derlei genaue Angaben
von rechts und links sind, die finden Sie zur Genüge in den unveränderlich geographischen Angaben. Mich dünkt, ich werde mich Ihnen in

meinem Schreiben angenehmer machen, wenn ich Ihnen erzähle: Frau
Baronin Prokesch, bei der ich der freundlichsten Aufnahme in ihrem
Hause mich erfreue, ertheilte gestern ihrem ganzen Hofstaate einen Feier=
tag, um mich zu begleiten auf meiner Rundreise, um die Merkwürdig=
keiten Athens zu schauen. Der junge Herr mit seinem Hofmeister, der
Gärtner Herr B., Beide wohl unterrichtete, passionirte Alterthumsfor=
scher, die sich's sehr angelegen sein ließen, mir die genauesten Erklärun=
gen von allen geschichtlich bekannten Gegenständen mitzutheilen. Und
um das gemüthliche Vergnügen voll zu machen, entäußerte sich die edle
Frau Baronin auch einen guten halben Tag sogar ihrer Kammer=
jungfer und ihrer Garderoberin, Beide junge, herzensgute Mädchen, die
Eine von Wien, die Andere von München, die sich so selig fühlten,
daß sie es in ihrem Leben niemals zu vergessen, öftermalen ausriefen.
Wo es vergnügte Herzen gibt, da bin ich beglückt! —
Nun kommt noch dazu die Bewunderung des Aeolstempels, der
uns seine unverwüstliche, runde Bauform mit seiner wunderschönen
Sculptur, als erster Gegenstand unserer Beobachtungen entgegenstellte.
Von da weiter hinaus über Sand und Stein und Schutthügeln, die
die Musenstadt wohl mehrere Male begruben, sieht man in der Ebene
den ebenfalls zum Theile noch gut erhaltenen Marstempel, mit
bewunderungswürdigen Colonnen, mit einem ganzen Museum von Sculp=
tur=Arbeiten der herrlichsten Künste, besonders einer Menge Ruhestühle,
die im Freien stehen, deren steinerne Größe aber so schwer ist, daß sie
nicht leicht Jemand fortträgt. Was jedoch die Höhe und alte Pracht
betrifft, übertrifft aber auch keine die noch übrigen des Tempels
Jupiters, der einstmal als Stadtthor Athens in seiner uralten
Pracht seinen ausgezeichneten Bauwerth behauptete, so daß noch heute
seine letzten Spuren nur Ideale eines Architekten sein
können. Auf einer dieser 3 Stock hohen Säulen, die noch einen
Theil des Gesimses trägt, wohnte in den zwanziger Jahren ein Einsied=
ler, der an einem Strick seinen Korb herunterließ, in den ihm wohl=
thätige Menschen seine Nahrung legten. Wundern Sie sich nicht, hoch=
würdiger Herr, in unseren Tagen einen Stiliten aufzufinden? — Auch
sieht man unter den Gebäuden mitten in der Stadt ein ganz kleines,
rundes, oben zugespitztes Häuschen, welches die Laterne des Dioge=
nes heißt, die Athener nehmen aber lieber an, die des Demosthe=
nes. Noch ist ein Tempel der Diana an der alten Rennbahn merk=
würdig. Wir kamen an die vielbekannte und bewunderte, bewunderungs=

11*

würdige Citadelle, an deren Füßen die grotesken Überreste des Theaters des Bachus und des Herodes Attikus zu sehen sind. Man staunt über die schönen Wölbungen und Mauern. — Doch was soll man sagen, wenn man die Höhe erstiegen, und bei dem Tempel der Pallas Athene angelangt ist? — Minervens Geist im Auffassen ihrer sinnbildlichen Vorstellung ist hier wie sichtbar vergegenwärtigt. Kein mühevolles Klettern über verschüttete Bergeswege und den Ruinen entrollten Steinen, kein Wind, der uns über die Höhe des klippenvollen Berges hinunter zu stürzen drohte, könnte Einem zu beschwerlich fallen, um an einer dieser Säulen gelehnt zu stehen, über den Berg, der Zeugnisse uralter Geschichte hinunterzuschauen in die Ebene von Marathon, und sich die Vergänglichkeit alles Irdischen vor die Seele zu führen! — Auf den Trümmern unnachahmlicher Größe sich selbst ungekannt und vergessen von der Erde verschwinden sehen! — Sogar Gemälde sieht man noch in den alten Gemäuern sammt einer Menge von wohlgeordneten Sculpturen, deren Unzahl man sich in ihrem einstigen Vorhandensein denken kann, wenn man liest, wie viel davon, von allen Nationen, zu allen Zeiten, besonders von den Venetianern und Engländern weggeführt wurden, wenn man sich die Museen in der ganzen Welt mit diesen Kunstwerken angefüllt denkt. Daß der Sinn für Bildhauer-Arbeit in Athen heute noch fortlebt, kann ich als Augenzeuge beweisen, denn mit Vorliebe für diese Kunst, aus Steinen Bilder zu schaffen, und wissend, daß die alte Zeit ihren Sitz hierzu hier aufgeschlagen, bemerkte ich mit Vergnügen in den Straßen des heutigen Athen sehr viele Werkstätten dieser Art, und wenn ich darinnen auch nichts weiter fand, als Arabesken zu Thürgesimsen, so interessirt es mich doch sehr, hineinzugehen, um die noch vorhandenen Spuren einer einstmals so blühenden Grundpraxis zu beschauen. Ein Tempel der Ceres, noch gut erhalten, auf der alten Akropolis, ist von zarten Säulen in colossalen Frauengestalten mit Blumen und Fruchtkörben auf dem Kopfe getragen. Auch steht noch eine wohlerhaltene Terrasse eines Wohngebäudes auf der Citadelle, die wir durch den Schutt der zerfallenen Ruinen erstiegen, um von den höchsten Höhen einer Mauer die Rundschau zu machen. Endlich mußten wir doch diese steinernen Denkmäler verlassen und sehen, wie wir mit getreuer Aeolshilfe, die uns mehr trug, als wir gehen konnten, wieder über den Berg hinunter kamen. Wir erreichten den Areopag, von dem ich mir zum Andenken der Rednerbühne

des Demosthenes und später des Apostel Paulus an die Athener, ein
rothes Marmorsteinchen mitnahm. Das Andenken der Akropolis wird
mir ein glänzend weißes bezeichnen. Den Areopag weiter entlang kommt
man an eine geräumige gut ausgehauene Felsenhöhle, in der Sokrates
seinen Giftbecher geleert. Es liegt ganz was Eigenes darinnen, die Dert-
lichkeit bekannter Begebenheiten selbst zu betreten, und sie zu kennen.
Jeder Schritt in Athen führt eine Erinnerung mit sich.

---

## Sechsundsechzigster Brief.

### An die Frau Baronin B.

Athen, den 12. Dec. 1847.

Da Sie bei allen Ihren Reisen, Frau Baronin, Athen doch nicht gesehen haben, so wird es Ihnen vielleicht sehr angenehm sein, etwas
davon zu hören. Das neue Athen, auf den Trümmern des alten erbaut,
steht hoffnungsvoll und lieblich anzuschauen da. Von Vielen hörte ich
es zwar schon tadeln, daß es keine regelmäßigen Straßen habe, und
ihm bis jetzt die Auslagkästen von den abendländischen Städten fehlen.
Ich dächte aber, die Städte müssen ja nicht alle nach einer Form gemodelt
sein, — am Ende würde man sie in ihren bevorzugten Eigenthümlichkeiten gar nicht mehr zu unterscheiden wissen. Athen, erst im Beginne
des Baues, hat mit seinen zerstreuten Häusern, von Gärten umgeben,
und seinen mit Schutt überladenen Ebenen im Zwischenraume, ein länd-
liches Jydillen - Ansehen, was seinem eigenthümlichen Character ganz
angemessen ist. Besonders mit dem Hervorragen seiner alten Säulen-
Ruinen, den idealisch geformten kleinen antiken griechischen Kirchen,
und den großartig sich erhebenden Bauten der Neuzeit. Die Residenz —
die ich so glücklich war, auch in ihren Gemächern zu besehen, und die
breiten glänzend weiß marmorenen Stiegen zu bewundern, steht königlich
lich auf einer Anhöhe da. Nicht weit von der Residenz steht die Universität; das Hotel d'Orient als Neugebäude ist einer Stadt Athen würdig. Die Kaffehhäuser sind gar sehr einladend. Die Straßen belebt
durch die regsame Lebendigkeit der Nationalität, die Eßwaaren - Ver-

kaufs-Boutiquen, besonders von Grünzeug, mit ihrer ungeheueren Menge erstaunlich großer Carviol-Rosen, sind wie freundlich geschmückte Garten-Einsatzhäuser anzuschauen. Auch die mit Fleisch und anderen Gegenständen, sind nach einer uns ganz unbekannten Form eingerichtet; ähnlich unseren breternen Hütten bei Kirchweihfesten. Meiner Begleitung war sehr viel daran gelegen, mir ihren Rezenath, das Lieblingsgetränk der griechischen Frauen, kosten zu lassen, von dem sie gewöhnlich zwei Acre des Tages trinken. Das ist nach unserem Maße etwa drei Halbe. Dieser Rezenath, ein mit einer Art Pech zubereiteter Wein, ist so bitter und widerwärtig, daß ich mich über das Kosten davon eine gute Weile nicht erholen konnte. Die Frauen sieht man wenig auf der Straße, da die Sitte hier schon ganz orientalisch ist. Sie liegen zu Hause auf ihren Pölstern, und amusiren sich mit der Langeweile, oder besuchen sich aus der Nachbarschaft, um zu schwätzen. Die gemeinen Weiber sitzen oder stehen gewöhnlich an ihren Hausthüren, und sind gar nicht hübsch, doch kann ich nicht umhin, Ihnen, Frau Baronin, auch von einem Ideal einer griechischen Dame ein Bild zu entwerfen, die ich auf dem Schiffe kennen lernte. Sie schiffte sich in Corfu ein, von mehreren englischen Offizieren begleitet. Ein nicht mehr jugendlicher schwarzgallichter Engländer blieb als Gesellschafter bei ihr zurück, sammt einem wunderschönen, fein gegliederten Reitroß, einem Schimmel, der mit keiner kleinen Mühe in einem eigenen obenhin offenen Verschlag an Bord gebracht wurde. Gräfin Theodoki, ich weiß es nicht einmal ganz gewiß, ob Griechin oder Engländerin, eine in jeder Hinsicht ausgezeichnete, einnehmende Dame, an einen Griechen verheirathet, in fränkischer Kleidung, etwas melancholisch, groß, schön, sanft, von ihrer Kammerzofe als ein Engel an Güte gerühmt, und von meiner Wenigkeit als ein Ideal von Liebenswürdigkeit in ihrem Umgange wie in ihrer Person anerkannt. Sie lud mich Abends zum Thee, und unterhielt sich auf dem Verdecke gerne mit mir. Ihr Begleiter, der Engländer, dem meine gleichmäßige Ruhe und Heiterkeit, wie er sich ausdrückte, ein unbegreifliches Räthsel war, suchte mich öfter mit Worten in irgend eine Collision zu bringen, und ärgerte sich nicht wenig, wenn es ihm mißlang. Die Gräfin scheint sehr reich zu sein. Ihr Hund und ihr Pferd, mit dem sie in Athen spazieren reiten wird, dienen ihr zum Vergnügen. In der Malerkunst soll sie nach Aussage ihrer Zofe eine Meisterin sein; eben so an Sprachen, griechisch, französisch, englisch, italienisch, wie auch in der Musik. Ich weiß nicht, was dieser liebenswürdigen Dame an irgend einer ausgezeichneten Eigenschaft fehlte, und doch ist es unverkennbar, daß sie nicht glücklich ist. Oft dachte ich mir: „Du bist reich, begabt an den Gütern der Erde, doch Gott füllt dein Herz nicht aus, nach dessen Erkenntniß vielleicht dein Geist sich sehnt, ohne zu wissen, wo zu suchen, wo zu finden. Die sanfte Frau zog mein Interesse an sich, ich werde ihrer nie vergessen. Sie lud mich zu wiederholten Malen freundlich ein, sie in Athen zu besuchen, doch heute Abends reise ich, und in den Tagen meines Aufenthaltes im Hause des Ministers konnte ich niemals Zeit finden. In den 6 Tagen, die ich hier bin, sah ich zwei große Feste im Hause. Am 9. war diplomatische Tafel, mit Anwesenheit der ersten Personen, von der die siebzehn Speisen, an denen zwei französche Köche sammt dem griechischen Hauskoch acht Tage arbeiteten, auch an unseren Tisch kamen. Sie entnehmen daraus, Frau Baronin, daß es mir auf meiner Pilgerreise eben nicht schlecht ergeht. Am 11. war der Geburtstag des Hrn. Baron und ebenfalls ein ansehnliches Familienfest. Auch hatte ich in Athen viel zu schauen, und einige Tage gab's Regen. Der Hofmeister und ich, wir liefen sammt dem Regenschirm von einem Ende zum andern, um ja gewiß alle alten Gemäuer und colonen aufzufinden.

## Siebenundsechzigster Brief.

### An die Frau Gubernial=Secretärin K.

Athen, den 12. December 1847.

Auch noch an Sie und an Ihre lieben Fräulein meinen Gruß aus der Stadt antiker Kunst. Fr. Marie, die jugendliche Künstlerin in Oelgemälden, soll es nicht verwerfen, sich einen Griechen als nationalen Gegenstand zum Ideal aufzustellen, mit seiner faltenreichen blendend weißen Fustanella, und dem rothen fest angeschlossenen Leibchen mit engen Aermeln, und halblangen weit geschlitzten darüber mit Goldschnüren verziert, und den eben so kunstvoll mit Schnüren vernähten und bugvoll geschnittenen, eng anschließenden Kamaschen, mit netten Schuhen am kleinen schmalen Fuße, den seitwärts das lockige Haupt bedeckenden rothen Feß, und den engen Gürtel mit zwei Pistolen und einigen Dolchen gut besetzt. Etwas Schöneres an Costume kann es nicht geben, als den eines Griechen, der in seiner Haltung, Gang und Geberde die Eigenthümlichkeit einer an Geist und Körper gewandten Nation behauptet. Der Diener wie der Herr, der von seinen Gütern Lebende wie der sich seinen Unterhalt Erwerbende, Alle sind sich gleich an Kleidung und Gestalt. Der gemeine Mann, der hinter seinem Wagen mit der Geißel drein geht, wirft seine Füße mit Schnüren besetzten Kamaschen und engen Schuhen, gleich jedem Tanzmeister, wenn er in seinen Zirkeln seine Complimente macht. Ein reitendes Heer von griechischen Fustanellen müßte ein herrlicher Anblick sein. Um der bessern Bequemlichkeit wegen hat man das Militär jedoch nach französischer Sitte costumirt. Abendländer, Griechen und Türken machen einen großen Unterschied. Letztere habe ich noch wenige gesehen. Einen sehr pfiffigen, das ist gewandten Griechen lernte ich auf dem Schiffe kennen, als wir im Hafen in Piräus landeten. Bei solchen Gelegenheiten kommen die Gastwirthe, um sich der Passagiere zu bemächtigen. Es ist für Passagiere wirklich ein angenehmer Gebrauch, da seine Gepäcke mit Schnelligkeit und Sorgfalt an's Land kommen, ohne daß er lange zu suchen braucht, und selbst weiß man sogleich, wo man zu Hause ist. Nun ein solch griechischer Gastwirth kam an Bord. Ich wußte nicht, wer er war, und da er sich so vertraut und gewandt mit den Herren unterhielt, nahm ich ihn lange für einen vornehmen Herrn, der zum Besuche da war. Er sprach mit gleicher Leichtigkeit nebst seinem Griechischen, französisch, italienisch und englisch. Auch mit mir hielt er unterhaltende Gespräche und lud mich endlich in sein Haus ein. Ich wußte nicht recht, wie ich daran war. Endlich kam's heraus, daß er der Herr des Hotel Anglais sei, der gekommen ist, um sich Gäste zu holen. Er bot mir ein schönes Zimmer mit aller Bequemlichkeit, und die ganze Versorgung in seinem Hause an, mit der Versicherung, daß mir nichts mangeln solle, ohne daß ich dafür bezahlen dürfe. Das war doch ein großmüthiger Anbot von einem griechischen Gastwirth gegen eine lateinische Pilgerin. Ich meinte: Es könne schon möglich sein, daß ich ins Hotel Anglais einkehre, sah jedoch diesen freundlichen Griechen nicht mehr, da ich das Glück hatte, bei Baron Prokesch wie ein Kind im Hause versorgt zu werden. Ich lernte nicht einmal das griechische Geld kennen. Dafür habe ich heute in der Hofcapelle bei der h. Messe den König Otto gesehen, das edle Opfer deutschen Blutes für Griechenland. Er war in griechischer Kleidung. Mit innigster Theilnahme

an dem Volke wie an den Regenten, sah ich ihn an, ich bethete für
Beide, weil ich mehr nicht thun kann. Auch die Königin, die Viel=
getreue, hätte ich gerne gesehen, doch ihr war unwohl, und sie kam nicht zu
ihrem Gottesdienste. Durch die Dienerschaft war es mir ein leichtes, in
den Garten zu kommen, um die Königin dort zu erwarten, es ist mir
unvergeßlich leid, ich sah sie dort wieder nicht. Ich mußte
mich begnügen, die schöne griechische Gartenanlage gesehen zu haben,
die neu gesetzten Palmen, welche der Königin zu Liebe von Syrien sind
herüber gebracht worden, eine Menge junger Hirsche und Rehe, und
einen antiken Saal mit seinem noch wunderschönen Mosaikboden,
der eben im Ausgraben ist, worüber ein Sommerhaus neuester Zeit
gebaut wird.

## Achtundsechzigster Brief.

### An Bruder Zeno.

Sira am Bord des Elleno,
den 16. December 1847.

Während das Schiff hier ruhig vor Anker liegt, benütze ich die
Zeit, an Dich zu schreiben. Den 12. Abends um 8 Uhr verließ ich
Athen. Die Stunde war um 3 Uhr gegeben, doch verlängerte sich die
Zeit durch Expeditionen von äußerster Wichtigkeit. Was Hände für die
Kanzlei bieten konnte, war genügend beschäftigt, doch schenkte
mir der Herr Minister noch freundliche Worte zum Ab=
schiede, der mir aus seinem Hause, mit all' seinen Bewohnern nicht
anders war, als müßte ich erst von der Heimath scheiden. Unvergeß=
lich, so lange ich lebe, und stets wohlthuend meiner Erinnerung wer=
den mir die Tage sein, die ich in der äußerst liebenswürdigen, wahr=
haft edlen Familie des Herrn Baron Prokesch verlebte. Herr B., der
Gärtner, besorgte die Uebergabsgeschäfte auf das Schiff, mit ihm fuhr
ich unter Sturm und Regen im gedeckten Wagen nach dem Piräus,
wo uns der Capitän mit Sehnsucht erwartete. Nun hieß es aber in
Sturm und Regen in ungedeckter Gondel an's Schiff fahren, ich und

der Capitän und zwei Ruderer, in dunkler Nacht, daß eines das an=
dere kaum sah. Ich übergab mich ruhig und muthig meinem Gott und
Herrn, und tröstete mich mit der Begleitung des Capitäns. Die Gon=
del schwankte rechts und links, auf und ab, hob und senkte sich, daß
man meinte, in die Luft zu fliegen, und im nächsten Augenblicke in dem
Meere zu liegen; das Wasser kam mit jeder Senkung bis an den Rand,
daß es einem Wunder nahm, daß das Schiffchen nicht unterschlug.
Auch da fühlte ich mich sicher in der Hand des Herrn.
Wir fuhren an ein französisches Dampfschiff, dem der Capitän Papiere
abzugeben hatte. Indeß der Capitän seine Geschäfte verrichtete, mußte
ich allein mit den Matrosen in der Gondel bleiben. Endlich erreichten
wir den Bord unseres Schiffes und durchlebten eine etwas schauder=
hafte Nacht, die Wellen schlugen mit furchtbarem Getöse an die Wände
und der Wind seufzte, daß die Lust zum Schlafen floh. Gegen Morgen
schlummerte ich ein wenig ein, indeß ankerte das Schiff, weil es, vom
Winde zurückgetrieben, nicht vorwärts konnte. Es waren dießmal keine
Damen am Bord und man gab mich in die Kammer des ersten Pla=
tzes; bei Tische speiste ich mit vierzehn Herren, und das mit sehr an=
ständigen, gebildeten Herren, bei denen keine Spur eines Verlegenheit erre=
genden Scherzes in Anzug kam, wie man sich's leider nach Sitte bei uns
kaum wird denken können. Nachmittags machte der Capitän wieder einen
vergebenen Versuch, die Anker zu lichten. Wir mußten stehen bleiben.
Keine kleine Verlegenheit für einen Dampfer, der seine vorgeschriebene
Zeit zum Einlaufen hat. Die Nacht war noch zum Warten bestimmt.
Da es auf dem Verdecke sehr unfreundlich aussah, lud mich der Ca=
pitän in seine Kajüte, der Schiffsladet Herr R. kam auch, und wir
verkürzten uns mit Erzählungen und Declamiren die Zeit, so viel es
die Lage zuließ, noch so ziemlich angenehm. Herr R. verzweifelte bei=
nahe, daß wir des andern Tages weiter ziehen werden, er gab die
ganze Hoffnung auf; selbst der Capitän war ganz kleinlaut, und meinte,
es könne wohl sein, da der Wind mehr und mehr unserem Laufe sich
entgegen wende. Wir hatten wichtige Papiere für Griechenlands Wohl
am Bord; denn Oesterreich ist ein überlegter, gewichtvoller Freund.
Dieses Aufhalten des Schiffes vom entgegensausenden Winde, konnte
es einen nicht lebhaft erinnern an die feindliche Widersetzlichkeit des
Neptuns in Homers bilderreicher Beschreibung? Wie lange mußte
Ulysses in der kleinen Inselwelt umherschiffen, bis er seine Heimat
fand? Beinahe befanden wir uns auf dem Puncte, einer ähnlichen

Verfolgung ausgesetzt zu sein. Ich stützte mich im Stillen auf die Vor=
bitte der heil. Jungfrau und tröstete die Herren ganz zuversichtlich mit
einer glücklichen Abfahrt morgen Früh. Man forderte mich zu einer
Wette auf; aber anstatt diese einzugehen, meinte ich: „wir sollen der
mächtigen Vorbitte der heil. Jungfrau die Ehre geben, wenn wir mor=
gen um diese Zeit eine Tagreise hinter uns gelegt haben. Wir schwie=
gen über diesen Gegenstand. Bei guter Zeit am Morgen schwamm unser
Schiff seine Straße entlang. Der Wind hatte sich gewendet. Warum
soll man nicht danken der göttlichen Güte, und der Vorbitte der heil.
Jungfrau nicht die Ehre geben, um auf diese Art froh zu sein im Glau=
ben, wenn es uns gut geht? Gibt es nicht unzählige Beispiele, daß
es einem auf der Wasserfahrt s e h r ü b e l e r g e h e n kann? wo gerne
Jeder die Hilfe des Himmels anruft. Bei allem Aufenthalt kamen wir
zur bestimmten Zeit zur Uebergabe an das andere Schiff. Auch ich
mußte übersiedeln. Der Capitän nahm mich auf seiner Gondel mit;
welche jedoch nicht mehr an das Schiff fahren durfte, eine andere kam
uns entgegen, und nun hieß es, von einem schwankenden Fahrzeuge ins
andere steigen, unter Sturm und Regen, denn der Wind hatte sich
noch keineswegs gelegt. Ich dankte dem Capitän für seine freundliche
Behandlung und gütige Obsorge, die er für mich hatte, und versprach
ihm, am h. Grabe seiner zu gedenken. Ich darf ihnen nun nicht mehr
helfen, sagte er, denn es ist nicht erlaubt, mit einem Quarantaineschiff
zu communiciren. Ich war also dem Pest=Einflusse übergeben; — reichte
über diesen Gedanken dem Matrosen mit ruhigem Muthe die Hand,
und war am Bord, mich fühlend w i e d e r w i e z u H a u s e. Auch
hier fand ich wieder einen Capitän voll seiner Bildung und anstands=
voller Haltung. Meine Anempfehlung an ihn war durch die Vorsorge
des Herrn Constantini, dem mich die Agentie übergeben, schriftlich an=
gebracht; und ich befinde mich auf dem dritten Schiffe des österrei=
chischen Lloyd sehr gut versorgt, nur hat mich das Seeübel wieder
befallen, doch dießmal schlafe ich fast immer, und so leide ich weniger.
Am 15. stießen wir auf dem Elleno in die hohe See hinaus bei gutem
Wind und schönen Wetter.

# Neunundsechzigster Brief.

## An den Herrn Doctor K.

Alexandrien, den 20. December 1847.

Was mir hier in Alexandrien merkwürdig fällt, das ist die Zeit. Ich ruhte in zwei Tagen in jeder Hinsicht mehr aus, als irgendwo in vierzehn, ohne mich etwa zu langweilen. Jeder Tag ist genügend mit Allem ausgefüllt, was ich als Aufgabe vor mir sehe. Ich meldete mich in der österr. Amtskanzlei, der Herr Gesandtschafts-Secretär Graf Scopuli, ein Italiener, reichte der deutschen Pilgerin so treuherzig zum Willkommen die Hand, daß sich die Freude, in Egypten angekommen zu sein, mit dem Muthe, den Nil und die Wüste zu durchziehen, auf die freundlichste Weise verband. Ziemlich weit vor der Stadt suchte ich den Herrn Generalconsul v. Laurin in seinem Sommerpalais auf, um ihm meine drei Empfehlungsschreiben zu übergeben, wovon eines das Ihrer Frau. Alle drei machten ihm Vergnügen. Es ist eine so väterliche Huld und Vertrauen erregende Herablassung in der Person des Herrn Generalconsuls zu finden, daß es einem nicht einfallen könnte, sich in Egypten fremd zu fühlen. Kaum saß ich neben ihm, stand eine pechschwarze und doch sehr hübsche Sclavin mit Kaffeh vor mir. Der Herr Consul machte mich sogleich mit einigen orientalischen Gebräuchen bekannt, lud mich für Montag zu Mittag, und hieß den Mann, der mich aus Gefälligkeit vom Schiffe aus begleitete, mich in das Hotel Anglais zu führen. Der Schiffscapitän kam, seine Aufwartung zu machen, und ich empfahl mich. Seit heute und gestern finde ich mehr Zeit, mich dem Gebethe in der Kirche zu weihen, als in Rom durch vier Wochen; da mußte ich in einem fort aus einer Kirche in die andere laufen, um alle zu sehen; in Alexandrien habe ich nur Eine und die ist nicht groß. Sie ist einfach, aber gut bestellt. Ein neuer Kirchenbau ist im Begriff, und eine große Glocke auf dem Thurme, was bisher unter türkischer Regierung unerhört war, ist schon im Guß. Ich finde Zeit zu Gesprächen mit Pater Felir, einem Lithauer, der deutsch spricht; besuchte die barmherzigen Schwestern in ihrer Schule und in ihrem Hospitale, gehe spazieren, bin noch zur Genüge bei mei=

nen Hauswirthen, spiele mit den Kindern, sehe zum Fenster hinaus, auf die mir gegenüber stehende türkische Moschee, schreibe meine Reisebemerkungen so ungestört wie noch nirgends, und so eben schlief ich die Abendzeit über eine Stunde, weil ich mich ein wenig aus den täglichen Lebensregionen gezogen fand; nun schreibe ich wieder, und warte, bis man mich zum Souper ruft. Was meine Gesundheit betrifft, mit der bin ich recht zufrieden, nur mein Gesicht und meine Hände sehen aus, als wäre ich in Brennnessel gefallen. Die kleinen Fliegen mit ihren feinen Stichen kommen über mich her wie über neu gestreutes Futter. Ich wußte nicht, daß man die muschetiers am Bette herablassen müsse; das ist ein von allen Seiten geschlossener Bettvorhang, von oben bis unten, hinter dem man schläft, um von den muschi nicht zerstochen zu werden; bei Tage wird er bis oben am Bette aufgerollt, und so machten sich diese Thierchen in der ersten Nacht, als ich in Alexandrien schlief, auf meinem Gesichte so lustig, daß mir das linke Auge beinahe zugeschwollen ist. Von Ihrer freundlichen Theilnahme an meiner Reise überzeugt, weiß ich, daß Sie sich sammt Ihrer Frau Gemahlin mit mir freuen, mich glücklich in Egypten angelangt zu wissen, von wo aus ich Ihnen Mehreres berichten werde.

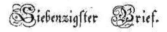

## Siebenzigster Brief.

### An den hochwürdigen Herrn Pfarrer Sch.

Alexandrien, den 21. December 1847.

St. Thomastag! Sie versprachen mir, hochw. Herr! die Zweifel im Reiche Gottes wacker zu bestreiten, und ich lebe in der Gewißheit, daß Sie wacker Wort halten. In Alexandrien lebt noch immer der alte Gott. War ja eine der ersten Kirchen des Christenthums. Mir scheint hier nichts mehr zu wünschen übrig zu bleiben; Alexandrien ist zur großen Völkervereinigung vorbereitet. Das Christenthum ist im Wiederaufblühen begriffen, und wird hier in seiner alten Kraft wieder fußen. Dieß nur so als erstes Auffassen, der Fremde hat einen schnellern Ueberblick als der Einheimische. Als ich Afrika's Küste von ferne sah, wurde ich von dem Gefühle des Naheseins der Erfüllung aller meiner Wünsche, den Fußboden zu betreten, den mein Heiland betrat, so mächtig ergriffen, daß ich es tief empfand, daß ich ohne besonderer Kraft und Gnade Gottes die heil. Orte mit Leben nicht verlassen werde. Meine stille Ruhe und mein unerschütterlicher Muth für Alles, was mir bisher auf meiner Reise begegnete, war in Bewegung. Ich meinte, es wolle mir vor Uebermaß das Herz zerspringen. In meinen Gliedern strömte es heiß, als wolle sich die ganze Glut Afrika's in sie ergießen. Bald hätte es mir mögen bange werden, einem heftigen Fieber ausgesetzt zu sein, da sah ich meine zwei Reisegefährten, die mich von Ankona aus immer begleiteten, eigentlich von Florenz und Rom, wo sie mich schon als Pilgerin beobachteten, ohne daß ich es wußte. Ich eilte hin zu ihnen, um mir vielleicht durch irgend eine Mittheilung Erleichterung zu verschaffen. Diese zwei Herren hatten durch öftere Aussprache des heil. Glaubens mein Vertrauen erweckt. Auch jetzt verstanden sie mich, was ich meinte, und theilten das Uebermaß meiner Empfindungen, was mir sehr zu Gunsten kam. Die geistige Aufwallung, die auf den Körper übergegangen war, legte sich; doch stieg ich im ersten Andrange der Ueberfahrt nicht ans Land, weil ich mich der Ruhe bedürftig fühlte. Theilnahmlos für das, was auf dem Schiffe vor sich ging, blieb ich am Steuerrade sitzen, und mußte dann wirklich auch bis Nachmittag warten, bis ein Bedienter Zeit hatte, mich ans Land zum Herrn Generalconsul zu begleiten. Indeß besah ich mir zur Genüge den Hafen, die vielen Schiffe und das Schiffsleben der Matrosen, in ihrem lebensgefährlichen Herumklettern; und erholte mich auf diese Weise nicht nur von der Bewegung, einen andern Welttheil erreicht zu haben, und Jerusalem um so viel näher zu sein, sondern auch von dem Seeübel, welches mich tüchtig müde gemacht hatte. Endlich fuhr ich mit einem Packetboote, ganz bequem auf den aufgethürmten Säcken liegend, unter der Obsorge eines Schiffscameriere, der mich auch sogleich in die Stadt führte, an's Land. So erhaben eine Seefahrt auch ist, und mir ihr herrlicher Anblick zum Herzen spricht, wenn sich das Schiff im sanften Schwanken hinunter taucht in die weißschäumende Fluth des schwarzwogenden Meeres, mit dem die Wolken des Himmels in geringer Ferne sich zu vereinen scheinen; so bin ich doch sehr froh, das Meer hinter mir zu wissen, und wieder festen Fuß auf dem Erdboden fassen zu können. Demungeachtet hege ich ein lebhaftes Interesse, den Nil zu befahren. Durch die Richtung

über Cairo und durch die Wüste gewinnt meine Reise zwar nicht an
der kirchlichen Zeitrechnung, der gemäß ich zur Weihnacht in Bethlehem
sein wollte, und deßwegen von Rom wegeilte, was nun aber durchaus
nicht sein kann, weil von hier kein Dampfer nach Jaffa geht, und
mich die Quarantaine jedenfalls aufhalten würde, doch gewinne ich
in materieller Oertlichkeit an einer schönen Ordnung in ihrem Kreis=
laufe. So werde ich das Kindlein Jesu aus der Flucht nach Egypten
glücklich zurückbegleiten, anstatt mit ihm dahin zu fliehen.

---

## Einundsiebenzigster Brief.

### An den hochwürdigen Herrn Chorvicar M.

Alexandrien, den 22. December 1847.

Der Hahnenruf ist in Egypten eben so verständlich wie in Steier=
mark; nur näher scheint er mir zu sein, und nicht so durchdringend.
Hätten Sie mich doch gesehen, hochw. Herr! wie ich Sonntag Nach=
mittags, das war gleich den andern Tag, als ich hier ankam, in Ge=
sellschaft meiner jugendlichen Hausfrau und ihrer liebenswürdigen
Schwester, auf einem egyptischen Eselchen stolz daherritt. Mein Haus=
wirth im Hotel Anglais mit seiner Frau, ihrer Schwester und zwei
kleinen Kindern machen eine sehr liebe Familie aus. Man lud mich zu
einem Spazierritt ein, was ich mit Vergnügen annahm, um ein Exer=
citium für meine künftigen Reisen zu machen, und um die Gegend von
Alexandrien kennen zu lernen, und den schönen Garten zu sehen, in
dem sich Sonntags Nachmittags die ganze schöne alexandrinische Welt
unterhält. Freudig erstaunt, sah ich die lieben kleinen Eselchen vorfüh=
ren, um sich darauf zu setzen, die Reihe kam an mich, und obschon des
Reitens unkundig, bestieg ich mein nettes Thierchen ohne mindeste Furcht,
etwa hinabzuschwindeln, und ritt mit meinen zwei Damen und unserer
dienenden Begleitung ein Paar Stunden lang herum. Wo man hin=
schaut, vor und in der Stadt sieht man Herren und Damen auf Eseln
sitzen. Sie sind auch so fein gestaltet diese Thierchen mit ihren kleinen
Köpfchen und zarten Füßchen, mit denen sie sehr schnell einhertrippeln,

gar nicht so unästhetisch und langweilig wie bei uns; ich nehme mir auch vor, wenn ich wieder nach Europa komme, lasse ich keinen Esel mehr tadeln. Ich wünschte sehr, mir ein so flinkes Reiteselchen mitbringen zu können, ich würde wenig mehr zu Fuße gehen. Meinen Proberitt habe ich ganz gut abgelegt, denn meine Reise wird von nun an ohnehin nur unter dieser Form ihren Fortgang finden. Heute speiste ich bei Hrn. Generalconsul v. Laurin. Ich erzähle Ihnen dieß auch nur, hochw. Herr! damit Sie wissen, wie gut es mir auf der Reise geht; weil Sie mir gar so abschreckende Vorstellungen zu machen wußten. Hören Sie nur: Herr v. Laurin, der weit und breit geschätzte österreichische Generalconsul in Egypten, munterte die steiermärkische Pilgerin dermaßen auf, ihre Reise durch die Wüste fortzusetzen, um von dieser Seite Jerusalems heil. Boden zu betreten, daß sie hätte Muth bekommen mögen, wenn er ihr auch gemangelt hätte. Fünf Gattungen der kostbarsten Weine aus verschiedenen Ländern, worunter eine Bouteille Kerschbacher nota bene vom Jahre 1811 war, standen vor mir. Honig von Korinth, die feinsten Orangen, die sogenannte Paradieses Goldfrucht, innen roth, und Benonen, nebst einer ausgezeichneten Tafel, wurden der Pilgerin mit Aufmerksamkeit und frommen Antheil am heiligen Lande zugetheilt. Der Herr Generalconsul erzählte mir von der Gräfin Ida Hahn-Hahn, wie sie mit unerschütterlicher Beharrlichkeit ihr Vorhaben ausführte, und stellte sie mir als Beispiel vor. Kurz, ich habe mich nicht getäuscht, bei Herrn v. Laurin den glücklichen Verfolg meiner fernern Reise gesucht zu haben. Gestern sah ich einen der großartigsten türkischen Leichenzüge. Es starb der neunzigjährige Boghos Bei, Gouverneur von Alexandrien. Die zahlose Menge von Militär und Ceremonienträgern vor der Leiche, und die unabsehbare Begleitung nach derselben, war wirklich merkwürdig zu sehen. Im Zuge selbst, so wie unter den Zuschauern war eine so gute Ordnung, daß man sie in Europa nicht besser erwarten könnte. Das Militär ist hier türkisch gekleidet, mit weiten weißen Hosen und rothen Feß, ihre Pistolen im Gürtel und die Flinte im Arme. So viel ihrer von den Soldaten mitgingen, so waren noch genug, um auf dem ganzen Wege beiderseits Spalier zu machen. Nach dem Sarge, als die ganze türkische und europäische Pracht in verschiedenartigen Costümen vorüber war, und ich unter den Zuschauern hinter der Militärspalier stand, redete mich schon der dritte Soldat an, mit höflicher Anzeige, einzutreten, um dem Zuge zu folgen Ich folgte denn auch endlich, und begleitete die türkische Leiche des alten Boghos Bai. Die Türken ließen mich ganz achtungsvoll unter sich mitgehen, mich, die alleinige Frau. Nachdem ich meinen Betrachtungen hinter der türkischen Leiche nachhing, betete ich für alle Verstorbenen „Christgläubigen um die ewige Ruhe, und mit den andern lege ich mich dir zu Füßen, o Herr!" so dachte ich, bis wir ziemlich weit vor der Stadt bei der Moschee ankamen, in der man die Leiche hinein trug. Keine Frau darf sie betreten; denn die türkischen Weiber sind nicht einmal zum Gebete verpflichtet. Bei einem vergitterten Fenster, an das mich ein Türke führte, sah ich die zahlreiche Versammlung auf Bänken sitzen und in Gesängen und lauten Ausrufungen ihr Gebet verrichten, was gar kein Ende nahm; denn ich hielt mich noch gut eine Stunde in der Umgebung mit Anschauen der Volksmenge, der Weiber und Kinder auf, mochte jedoch ihr Herauskommen aus der Moschee nicht mehr erwarten. Als die Leiche beigestellt war, kamen mehrere Wägen voll Brot, welches unter das Volk hinausgeworfen wurde; auch Geld= münzen wurden ausgeworfen. Da kann man sich diese Jagd denken, um es aufzufangen. Einige gefällige Türken suchten mich aus dem Schwall heraus zu bringen, sonst hätte es mir unter dem hinausge= worfenen Brot sehr übel gehen können, denn ich wußte von dem ganzen Spektakel nichts, was da kommen sollte. Türkische Leichenzüge sehe ich übrigens genug, vier bis sechs ziehen täglich durch die Straße, wo ich wohne, meist Vormittag. Da soll man bei uns das Heulen und Schreien der Klageweiber hören und sehen! Ich meinte, das wäre eine uralte verkommene Sache, sie ist aber noch sehr gangbar. Da gehen, je vornehmer, desto mehr Weiber mit ihren blauen Kleidern und wei= ßen Kopfschleiern, das Gesicht schwarz verhüllt, meist weiße Tücher in den Händen, mit denen sie in heulendem Klaggeschrei hinter der Leiche dreinschlagen, welche mit keinem Deckel wie bei uns zugedeckt, son= dern nur mit einem Shawl verhüllt ist. Am obern Theil des Sarges ist ein Türkenbund angebracht. Auch gebetet wird bei den türkischen Leichenbegängnissen, und die Stadtarmen begleiten den Zug. Die ganze Sache spricht einem gar nicht fremd an. Ich dachte nicht, mich in einer türkischen Stadt so heimisch zu fühlen.

12.

# Zweinudsiebenzigster Brief.

## An die Frau Oberamtmannin M.

Alexandrien, den 23. December 1847.

Nehmen Sie meinen freundlichen Gruß aus Egypten, und da ich
meine, Ihnen in ländlicher Abgeschiedenheit ein Vergnügen zu machen,
so hören Sie ein wenig, wie es hier aussieht. So lange man sich noch
auf einem österreichischen Lloyd befindet, wenn auch mitten auf hoher
See, oder an den Küsten Afrika's, kann man sich immer noch daheim
nennen; denn Alles ist fein europäisch eingerichtet, und nichts mangelt
an gewohnten Gegenständen der Bequemlichkeit, man ist unter Freunden
seines Landes; man hat noch keine Vorstellung, daß es im fernen
Lande so ganz anders fein könnte. Da der Hafen von Alexandrien sehr
klippenvoll ist, und daher gefährlich zu landen, so darf kein Capitän
bei Verlust seines Kopfes in der Nacht einlaufen; wir fuhren in der
Ferne spazieren, bis der Tag anbrach. Ich schlief sehr wenig; der
alexandrinische Pharus, obschon nicht mehr als ein Weltwunder bekannt, zog meine Aufmerksamkeit nicht wenig auf sich. Dreimal lief
ich in der Nacht auf's Verdeck, um ihn leuchten zu sehen. Endlich
flimmerte in der Ferne sein Licht und überzeugte mich, daß ich am
Morgen an Afrika's Küsten landen werde. Angekommen in dem Hafen
durch einen Wald von Schiffsmasten, tritt man auch sogleich in eine
andere Welt. Wenn man glücklich genug ist, so wie ich, mit wenigen
Effecten zu reisen, um bald aus dem Aus= und Aufpacks=Gedränge
durchzukommen, so macht man einen, eine Viertelstunde weiten ganz angenehmen Spazierweg in die Stadt. Hier steigen einem die majestätischen
Kamehle in den Straßen entgegen, häufiger wie bei uns die Pferde.
Diese Thiere haben für mich etwas sehr Anziehendes; ich blieb stehen,
um ihnen nachzusehen; Ziegen, schaarenweise mit spannbreiten, halben
Ellen langen Ohren und vorwärts gebogenen Hörnern, wie auch liebliche Gazellen mit ihren scheuen, flinken Bewegungen, begegnet man
allenthalben. Esel mit aufgebundenen grünen Reisern, geformt wie
große Fächer, die Hitze zu kühlen, gewähren den freundlichsten Anblick,

jedoch Esel, mit den vom Winde aufgeblasenen Frauenmänteln von schwarzer Seide, die ihre rittlings sitzenden Reiterinnen vom Kopfe bis zum Fuße einhüllen, sind wahrhaftig ein sehr unästhetischer Anblick. Die vornehmern Frauen tragen weiße Gesichtshüllen mit von Draht gespannten Bögen von der Stirne bis an die Nase, um den Vorhang, der von den Augen über das Gesicht fällt, mit der Stirnbinde zusammen zu halten. Die gemeinern tragen schwarz coifferirte Schleierchen, die mit einem metallenen Schluß an der Stirne mit der Kopfbedeckung verbunden sind. Selbst die da bei ihren Pomeranzen und Limonien auf dem Boden hocken, sind dermaßen verhüllt. Hie und da sieht man wohl auch welche ohne Hülle. Als ich die Erste sah, hätte ich bald ausrufen mögen: „Himmel und Erde, das ist ein garstiges Bild!" Ich meine jedoch keineswegs, daß die dermaßen verhüllten Damen alle der Verhüllung bedürfen. Einmal kaufte ich Pomeranzen bei einer schwarz verhüllten Frau, und zupfte sie an ihrem Gesichts-Vorhange, um ihr zu zeigen, sie soll ihn in den Sack stecken, um frei zu dem schönen heitern Himmel aufzublicken; gleich waren mehrere um mich, denen ich dieselben Zeichen machte, worüber die Weiber sehr lachten; ich hatte zu thun, mich von ihnen loszumachen. Man geht unter allen Gestalten von Menschen aller Nationen, weiß, schwarz, braun, Europäern, Türken, Arabern, vornehm und gemein, ganz unbemerkt und ungenirt seine Wege. Mein europäisch schwarzes Nonnenkleid mit langem Schleier dürfte hier so auffallend sein, als ein rother Feß mit blauer Quaste bei uns, dem die Leute nachschauen, wie ich hier einem Kamehle, doch kümmert sich Niemand nach mir, außer wenn ich Jemanden bitte, mir den Weg zu weisen, was Jeder mit der größten Freundlichkeit zu thun bereit ist. Ich wandle in aller Freiheit die Straßen aus und ein, und sehe mir die Leute an, als käme mir der egyptische Joseph mit all' seinen Brüdern entgegen; denn die malerischen und in Gemälden bei uns bekannten Ueberwürfe der Vorzeit sind hier noch immer in ihrer unverfälschten Natürlichkeit zu sehen, als hätte der Verlauf von Jahrtausenden keine Veränderung hervorgebracht, was unserer Variabilität unglaublich scheint. Hier bieten die schönen Gärten, die großen lichten Häuser in den schönen breiten Straßen, die Sandberge mit ihren Windmühlen und die niedern Thonhütten mit ihren Fellahs eine andere Art Variationen dar. Die europäischen Einrichtungen in Egypten sind vortrefflich. Ich besuchte das Waisenhaus der soeurs de charité, die Schule der Brüder Lazari-

12 *

sten, deren Einrichtungen ihren vollendeten Werth behaupten. Die
Oberin, eine fein aber nicht steif gebildete Frau, führte mich in alle
Gemächer ihres Institutes mit jener offenen Zutraulichkeit, auf die
eine getreue Mitcollegin Anspruch macht, und die ein Erziehungs=In=
stitut noch ganz besonders ehrt. Nach der Regel ihres Ordens neh=
men sie nur in Abgang anderer Erziehungs=Institute zahlende Pen=
sionistinnen auf. Das Institut ist vollkommen gut eingerichtet, ich habe
noch keines gesehen, welches mir besser gefiele. Der Dolmetsch des
Hrn. General=Consuls forderte mich auf, hier zu bleiben, um Schule zu
führen; ich sagte ihm aber: „Sind Sie zufrieden, mein Herr,
in Alexandrien steht es mit den Erziehungs=Einrich=
tungen gut. Sie haben bei den soeurs de charité ein vortreffli=
ches Institut, welches für Ihre europäischen Familien genügt, nebst
den Landes=Eingebornen und den Griechinnen, die es besuchen. Ver=
kümmern Sie sich durch Annahme verschiedener Privaten
nicht den Nutzen ihres Wirkungskreises. Verhüten Sie
lieber, wo Sie können, daß es hier nicht werde, wie in den europäi=
schen Städten, daß vor Ueberzahl der Erwerbs=Privat=
schulen keine etwas Bedeutendes leisten kann. Die
Erziehungsrichtung durch Privaten benöthiget sehr der Reform, um
den Staaten das zu werden, wozu man sie einstweilen nur ge=
buldet hat." Ich werde auch nicht unterlassen, meine Meinung dem
Herrn Consul mitzutheilen, bei dem ich morgen zu Tische geladen bin.
Die französischen Damen pflegen auch ein zwar ganz kleines, aber
äußerst nettes Hospital für die Marine, mit einem Antheil für Pest=
kranke. Die freundliche, wohlgebildete Schwester Philomena führte
mich herum, und zeigte mir mit aller Güte und Aufmerksamkeit die
wirklich lobenswerthen Einrichtungen des Hauses. Ganz sonderbar war's
mir, mich in dem abgeschlossenen Pesthof und Pestkrankenzimmer zu
bewegen.

# Dreiundsiebzigster Brief.

## An den hochwürdigen Herrn Gubernialrath K.

Alexandrien, den 25. December 1847,
als am heil. Christtage.

Ganz besonders wählte ich mir den heutigen Tag, um an Euer Gnaden zu schreiben. So gerne ich die heilige Weihnacht in Bethlehem zugebracht hätte, so gebe ich mich doch sehr zufrieden, mich so gut bewahrt in Alexandrien zu wissen; denn so fremd ich hier bin, so ungenirt und heimisch ging ich bei hellem Mondenlichte ganz allein zur Mette in die von meinem Hotel nicht sehr weit entfernte Franziskanerkirche. Eine solemnelle Chorbesetzung wie bei uns im Dom ist zwar hier nicht hörbar, jedoch ein frommer eifriger Chorgesang der Patres, mit der Begleitung erhabener Orgeltöne. Die solide häusliche Einrichtung des Herrn Maroquo, im Hotel anglais, welches ich bewohne, machte mich eben so ungenirt allein aus der Mette in mein Zimmer zurückkehren, als ich davon ausging. Gestern', als am heil. Abende, speiste ich bei Herrn General-Consul von Laurin, welche Ehre noch eine andere Begünstigung für mich mit sich brachte. Nach dem Speisen sagte Hr. v. L.: „Wissen Sie was, mein Fräulein, ich schicke meinen Wagen an das Kloster, um den Patriarchen von Jerusalem, der heute nach Bairut abreist, an Bord führen zu lassen, Sie fahren jetzt mit hin, lassen sich melden von mir aus, bitten um seinen Segen und empfehlen sich seiner Gnade für Ihre Ankunft in Jerusalem." Ich fuhr an's Kloster und ließ mir Pater Felix, den ich kannte, rufen, der meldete mich sammt dem Wagen, und hieß mich mit dem Patriarchen französisch reden. Gut, ich hielt mich gefaßt, obschon mein inneres Seelenleben in der italienischen Sprache gegen den Patriarchen sich regte. Er kam über die Stiege herab, denn in die Clausur durfte ich nicht hinauf, worüber ich mir im Warten einige scherz- und ernsthafte Reflexionen vormachte, welche mir aber augenblicklich sammt meiner französischen Begrüßungs- und Anempfehlungsphrase verschwanden, als ich zu dem würdevollen Patriarchen anblickte; denn es kann kein ähnliches Bild geben, um einen Christuskopf sich vorzustellen, als Josef

Valerga. Nur seine Person ist kleiner, was ihn aber an derselben besonders auszeichnet, ist sein Bart, der zu zwei Spannen breit bis an den Gürtel reicht. Wenn mir eine Empfindung recht tief aus der Seele kömmt, so spreche ich mich am liebsten und am leichtesten in der italienischen Sprache aus, da ich aber gerne dem guten Pater Felir gehorcht hätte, so brachte ich auch meine wenigen vor Erstaunen gehemmten Worte etwas durcheinander heraus. Die huldvolle Herab= lassung und freundliche Güte des Patriarchen ersparte mir jedoch alle Verlegenheit und alle Worte, denn mir war's, als kennete er mich und ich ihn. „Je vous vois à Jerusaléme" *) sagte er, und zog an mir vorüber. Diese Worte haben für mich einen unaussprechlichen Werth, sie wiederklingen gleich einer Bürgschaft in meinem Innern, daß ich Jerusalem sehen werde. Mit Pater Felir und meh= reren andern Patern begleitete ich den Patriarchen an den Wagen. Er fragte, ob die Signora auch mitfahre. Mich machte jedoch in mei= nem Entschlusse, von Egypten aus durch die Wüste in das heil. Land zu ziehen, nicht einmal diese Frage irre. Ich ging um den schönen Obelisk oder die Nadel der Cleopatra, und die Säule des Pompejus zu sehen. In die Katakomben ging ich nicht, da ich von einigen Herren, die sie besuchten, davon erzählen hörte, sie enthalten nichts Merkwürdiges. Dafür interessirte mich das Sommerpalais des Gene= ralconsuls und dessen Garten, in dem er eben anfängt, eine Kirche aus= zugraben, die der heil. Katharina von Alexandrien zu Ehren sollte geweiht gewesen sein. Auf dem Platze, wo das Haus steht, stand einst jene unvergeßliche Bibliothek mit der man sechs Monate lang Bäder heißte, was uns ohne Zweifel einer bessern geschichtlichen Kennt= niß der Vorzeit beraubte. Sultan Omar entschied darüber ganz einfach in türkisch=religiöser Philosophie: „Enthält der Koran die Wissen= schaften dieser Bücher in sich, so sind sie uns überflüssig; enthält er sie nicht, so dürfen wir sie ohnehin nicht gebrauchen; somit sollen sie verbrannt werden." Vor dem Hause am Eingange und in dem Hause selbst sieht man eine Menge ausgegrabene Antiken, die Hr. v. Laurin mit der größten Sorgfalt aufbewahrt. Er führte mich überall herum, und wohin ich schaute, sah ich Wohlstand und häusliches Glück, dessen er sich auch erfreut. Auch ich schätzte mich glücklich, und werde

*) Ich sehe Sie in Jerusalem.

die vergnügten Stunden, die ich seiner Güte verdanke, nie vergessen. Die ländliche Lage des Hauses, die herrliche Rundschau der Gegend um Alexandrien, wenn man auf der Terrasse, das ist auf dem Dache des Hauses steht; der Garten, in den die offenen Flügelthüren des Speisezimmers führen, wo einem der kais. Adler des Hauses Oesterreich mit schwarzen Kiessteinen in Mosaik= arbeit in dem glänzend weißen Steinboden entgegenschaut, die wunder= schönen uns fremdartigen Bäume und das Farbenspiel der Blumen in ihrer vollsten Blüthe zu Ende December, unter einem Himmelblau in reiner Luft, was uns an den schönsten Sommertagen ferne bleibt, sind Gegenstände, die das Herz erfreuen müssen, besonders wenn man sie mit Theilnahme ihres Besitzers betrachtet.

---

## Vierundsiebzigster Brief.

### An den Herrn Cameralrath L. und seine Frau.

Alexandrien, den 28. December 1847.

Ehe ich weiter reise auf der sanften Fluth des Nils, noch einen Gruß an Sie und Ihre liebe Frau, der ich ein merkwürdiges Ereigniß mitzutheilen habe, weil ich weiß, daß Sie sich darüber freuen wird. Als ich in Alexandrien ankam und mich sogleich bei meinem Consulate meldete, war Hr. v. L. so gütig, mich durch den Bedienten, der mich zu ihm führte, in eine sehr gute Herberge anempfehlen zu lassen, in der ich durch neun Tage bis heute ein freundliches Familienleben führte. Da mir in diesem großen Hotel, wo nur reiche Herren absteigen, die Schwester der jungen Hausfrau ihr Zimmer abtrat und ich zur Familie zum Frühstück, Diner und Souper gerufen wurde, Graf S., der Legations=Secretär, den ich in der Kanzlei kennen lernte, selbst zu Herrn Maroquo kam, um mich in guter Obsorge anzuempfehlen, und ich des Tages hindurch öfter bei offener Zimmerthüre sagen hörte: der Consul zahle für die pellegrina, so wußte ich nicht recht, wie ich denn eigentlich im Hause daran sei. Zu fragen fand ich dort und da nicht recht schicklich. Uebrigens dachte ich, bin ich sehr dankbar froh,

dieser lieben Familie zugewiesen zu sein; die Frau und ihre Schwester
sind gut erzogene Engländerinnen von der Insel Malta, der Herr ein
Italiener mit gläubigem Sinn und aufgeweckter Laune, ein thätiger,
ordnungsliebender Hauswirth; was wird's mich denn auch gar so
viel kosten? Man machte mit mir e b e n  k e i n e  U m s t ä n d e  was mir
jedoch mein Familienleben e b e n  a n g e n e h m  m a c h t e.  Auch meinte
ich mich nicht über drei Tage aufzuhalten. Von einer Barkenreise über
den Nil wußte ich nichts, im Hause redete mich Alles davon ab, Hr.
v. L. sprach selbst immer von einem englischen Dampfschiff, und versprach mir, sich zu verwenden, daß ich mit leichteren Kosten mitkäme.
So verging ein Tag nach dem andern, endlich erfuhr ich die Abfahrt
des englischen Dampfers. Ich bewarb mich um die Mitfahrt, doch
wollte man mir keinen andern Platz geben als den ersten um 30 fl. CM.,
was ich nicht spenden konnte, und so mußte ich zurück bleiben. Der
Consul fuhr selbst nach Cairo, was man in ganz Alexandrien wußte.
Ich ging spazieren, um nachzudenken, was ich denn beginnen sollte, um
f o r t z u k o m m e n,  suchte jedoch bald den kürzesten Weg, um n a c h
H a u s e  z u  k o m m e n,  denn die Leute hielten sich wacker auf, und
machten sich darüber lustig, daß der Consul mit dem Dampfschiffe nach
Cairo abgereist sei, und die pellegrina zurückgelassen habe. Kaum in
das Haus eingetreten, hörte ich verdrießliche Worte, daß für die pellegrina nicht gezahlt wird. Ich suchte meinen Hauswirth, um nach
meiner Rechnung zu fragen, und ihn ernstlich zu bitten, mir doch an die
Hand zu gehen, auf welche Art ich von Alexandrien wegkommen könne.
Als ich Abends in den Speisesaal kam, fand ich die beiden Italiener
da, die durch die ganze Seereise meine treuen Gefährten waren, und
die nun wieder mit mir in demselben Gasthause wohnten. Ich machte
mich sehr gut launig, obschon meine Rechnung des Tages über 3 fl.
CM. betrug, was für meine Pilgrims-Geldbörse viel zu viel war,
und wehrte durch Scherz und Ernst die mißmuthigen Aeußerungen über
Oesterreichs Diplomatie und Rechenkunst, in die sich die Herren im
Gespräche ergoßen. Mir entgegen stellte man die Nilreise auf einer
türkischen Barke gleich einer Unmöglichkeit vor Augen. „Was soll ich
aber thun, meine Herren, hier bleiben kann ich ja nicht, Sie werden
sehen, wenn mir auch Niemand hilft, einen Capitän aufzusuchen, der
mich überschifft, so werde ich selbst einen finden und morgen Abends
nehme ich Abschied von Ihnen. Des Morgens ging ich in die Sakristei
der Franziskaner, um mir Raths zu erholen; Frater Jakob, ein Ita-

liener, fannte einen türfifchen Reis, der eben morgen Nachmittag abfe= gelt. Mit der größten Bereitwilligfeit und eifrigften Thätigfeit beforgte mir der gute Bruder meine Barfe, einen Korb, Brot und Früchte, einen Efel und den Diener vom Klofter, der mich bis zur Barfe begleiten wird. Was ift den ehrwürdigen guten Brüdern nicht Alles möglich, um irgend einem menfchlichen Bedrängniß abzuhelfen, wenn man fich an fie wendet! Gut, ich war verforgt und auch noch geladen, den halben Tag im Sprachzimmer zuzubringen, wo ich ihnen auch bis zur Zeit der Abreife meine fleinen Begebenheiten erzähle. Als ich meinem Hauswirth mit Danf für die freundliche Behandlung mein Gold und Silber hinlegte, mit der aufrichtigen Aeußerung, daß mich die Bezahlung der ganzen Summe für meine noch vorhabenden Reifen in Verlegenheit fetze, fagte Herr Maroquo: „Laffen Sie das, wir fprechen fchon noch da= von." Er ging aus meinem Zimmer und ließ das Geld liegen. Ich wollte Abends nicht mehr in den Speifefaal gehen, in dem fich die Hausfamilie verfammelt, wenn die Gäfte fort find, die fo genaue Stunde halten wie in der fchönften Hausordnung eines Familienfreifes. Man holte mich; ich ging und fand die beiden Herren wieder. Die Unterhaltung war ernft, aber tief gemüthlich. Sie erinnerten fich, mich in Florenz und Rom beobachtet zu haben, und verlangten mein Gedenf= buch. Ich gab ihnen meinen fteiermärfifchen Kalender, der nun feine Zeiten-Anzeige bald wird abgedient haben, und fie fchrieben mir ihre Namen auf: Davide Norfo e Vinzenzo Vedro di Mantova che ammirono la vostra fede e il vostro coraggio, *) die mir auch im Andenken verbleiben werden. Wir blieben faft bis Mitternacht in ern= fteren Gefprächen beifammen; endlich brachen wir zum Abfchiede auf. Und da ich Morgens früh in die Kirche ging, wollte ich nicht mehr in das Haus zurückfehren; ich legte demnach die Bezahlung meiner felbft gemachten Rechnung mit Danf auf den Tifch, um fortzugehen. Herr Maroquo jedoch wies mir in dem geeignetften Augenblick auf überra= fchende Weife das Geld mit den Worten zurück: „Sie bezahlen gar nichts." Es fehlte wenig, daß ich vor Erftaunen nicht darüber ohnmächtig wurde. Ob mein Gaftwirth mit feiner liebenswürdigen Fa= milie felbft fo großmüthig handelte, oder ob die beiden Herren ihren

---

*) David N. und Vincenz V., welche Ihren Glauben und Ihren Muth bewundern.

Antheil an einer verborgenen Großthat für eine pellegrina in das heil. Land haben wollten, das weiß ich nicht. Dessen bin ich mir aber gewiß, daß diese edle Handlung von der Hand des himmlischen Vaters nicht wird unbelohnt bleiben, und mein Dank wird diesen Lohn begleiten. — Meine beiden Freunde sind mir überdieß noch anderseits interessant geworden. Wir reisten schon eine Weile zusammen auf der See, ohne daß ich mich außer der gewöhnlichen Höflichkeit in ein Gespräch mit ihnen eingelassen hätte. Als Capitän Constantini in seiner guten Laune mir einmal sagte: „Stellen Sie sich vor, was mir geschieht; heute Früh schimpfte ich gräulich über die Juden, und jetzt sah ich eben in dem Paß unserer zwei Italiener, daß sie Juden sind.“ Bei Tische wollte ich den Fehler des Herrn Capitän gut zu machen helfen und ließ mich weiter in Gespräche ein, und von da an waren wir gute Freunde. Doch die Juden steckten mir immer in dem Kopf, ich konnte auf keine Spur kommen, außer ihren Gesichtszügen, die Israels Namen trugen. Ihre Red- und Handlungsweise jedoch konnte ich nur auferbauend christlich nennen. Im Hotel anglais hier in Alexandrien, als sie einmal sehr freundlich mit mir sprachen, fragte ich sie ganz kühn, ob es denn wahr sei, daß sie Juden wären und erzählte ihnen die Verlegenheit des Herrn Capitän Constantini. Worauf sie mir sagten, sie werden mir ihre Bücher bringen, die sie mir ebenfalls zur Lesung anempfehlen und die werden meine Frage beantworten. Genau nach dem Versprechen erhielt ich einige Bücher: Thomas von Kempis ꝛc., die gemessensten Leitsterne auf dem Wege des Heils in französischer und italienischer Sprache. Sie munterten mich mit großem Eifer zur Lesung auf. Zum Glück, daß mir diese Geistesschätze bekannt waren, denn ich fand zum Lesen keine Zeit. Ich gab mit Dank meine Bücher zurück, ohne zu wissen, wie ich mit diesen beiden Herren daran sei. Mir bleibt nur meine Verwunderung und mein Wunsch, daß bald alle Juden von den Christen nicht mehr zu unterscheiden wären! — Die Stunde ist gekommen, um allein mit den Türken über den Nil zu fahren. Ich eile.

# Fünfundsiebzigster Brief.

## An den hochwürdigen Herrn Chorvicar M.

Auf dem Nil, den 28. December 1847.

Da ich nun so ganz in Ruhe und Ordnung auf meiner Barke einquartiert bin, welche erst Abends abfährt, und in welcher ich mich schon
seit zwei Stunden bekannt gemacht habe; so verwende ich die Zeit, wieder
einmal an Sie zu schreiben, hochw. Herr! Als ich meinen Paß
in der österreichischen Amtskanzlei abholte, war Graf Scopoli so
freundlich, mir seinen Kavas sammt dem Stock mitzugeben, um die
Barke zu besehen, ob sie mir anständig sei, und mich vom Consulat
aus dem Reis auf's sorgfältigste zu empfehlen; mit der Anweisung an
mich, meine Zufriedenheit bei meiner Ankunft in Cairo schriftlich zurückzusenden. Auch der Diener des Klosters begleitete mich mit denselben
Aufträgen. Mein Capitano Hassan im blauen Ueberwurf über die
Achsel und rothen Turban, übernahm mich wie ein anvertrautes Gut
und führte mich in die Kajüte als meine Behausung, und wies mir
zum guten Gesellschafter einen alten Israeliten an. Kaum sah ich mich
ein wenig um, um mir eine Schlafstelle heraus zu denken, hörte ich
Geschrei, Dispute, Stock aufheben. Nu, nu dachte ich mir, da haben
wir's, wie ich es so manchmal beschrieben las, ich suchte mich von
der Ursache zu informiren, weil ich meine zwei Begleiter am meisten
betheiligt fand. Da hörte ich, daß der ganze Lärm zu Gunsten
meiner sich erhebe. Der gute Fra Giacomo miethete die ganze Barke,
das ist, den gedeckten Theil für mich allein, wofür ich auch vier Thaler
bezahlte, um ungenirt zu sein, und mit einem leicht beladenen Fahrzeug
schneller fortzukommen. Die beiden Kavas fanden aber nun die Barke so
bevölkert, daß für mich kaum ein Plätzchen blieb, um meinen Tornister und
meinen Brotkorb, viel weniger mich selber auf gute Art unterzubringen.

Sie wollten Alles aus der Barke jagen,
Wozu der Reis sein Wörtchen auch wollt sagen.
Es fehlte wenig, sich im Ernst zu schlagen.
Zum Glücke konnte ich's noch wehren
Und das Holzbett links zum Schlafen mir begehren.

Da bin ich nun Hausfrau auf dem Nil mit einer Menge Einwohner. Die hölzerne Schlafstelle rechts nahm schon vor mir der
alte Herr, der Jude, in Beschlag, er hat einen großmächtigen grünen Pelz und einige Pölster zu seiner Bequemlichkeit. In die kleine
Kammer hinter der Kajüte, in die man wie in einen Kasten hineinschließt, und die mir auch zu Gebote stand, wofür ich mich aber
schön bedankte, logirte sich sehr vergnügt eine ganze Familie ein. Ein
türkischer Soldat mit seinem Weibe und zwei Kindern von 3 — 4
Jahren. In der Mitte der Kammer auf dem Boden zwischen meiner
und des Juden etwas erhöhter Schlafstelle machte sich sogleich ein
Grieche bequem, der den Raum mit ganz behaglichem Bettzeu
vollkommen ausfüllte, wo ich wie über ein Bollwerk werde darüber
steigen müssen, um auf meine Bank zu kommen. Die Kajüte, ober der
der Steuermann sitzt, und wohin mehrere Leute wie die Katzen
seitwärts ganz ohne Weg hinaufklettern, daß es oben recht interessant lebendig aussieht, hat einen Dach = Vorsprung, worunter auf
beiden Seiten sich Bänke befinden, und breite Leisten, worauf man
schreiben kann. Zwischen diesen Bänken sind die kleinen Flügelthüren
der Kajüte. Das Ganze sieht so ländlich aus. Auf dem einen Bänkchen
befinde ich mich gegenwärtig ganz behaglich, auf dem andern sitzt ein Italiener ganz mißmuthig; endlich ließ er seinen Verdruß laut werden, und der
geht wieder mich an. „Griechen und Juden habe ich in meine Behausung aufgenommen und mein Glaubensgenosse muß vor der Thüre sitzen
bleiben," sagte er schwer beleidigt. Wohl eine schwere Beschuldi-
gung, wie daraus kommen? Nun suchte ich den guten Freund zu besänf-
tigen, indem ich ihm erklärte, daß ich keinen meiner Gäste geladen habe, sondern daß sie selbst posses genommen, und er wohl sehe,
wie ich mich nur des Friedens willen begnüge, den ich auf meiner
ganzen Nilreise zu behaupten erwarte. Ich ließ dem Reis durch die
beiden Kavas bedeuten, daß ich keinen Streit leide, und daß ich es
dem Consulate anzeigen werde, wenn ich Unfrieden auf
der Barke finde. Der Grieche kam auch zu Hilfe und bot seinem
lateinischen Bruder sein ganz nettes, vollkommen bequemes Bett zur
Theilung an. Nun ich hoffe, wir werden uns in der gut besetzten
Kajüte wohl auch gut vertragen. Die Zeit zur Abfahrt naht heran.
Der Vordertheil der Barke füllt sich immer mehr. Statt, daß sie nur
leicht beladen den Nil aufwärts fahren soll, ist sie überladen,
was Gefahr des Umschlages droht. Was will ich aber machen? ich
kann die Leute nicht hinaus jagen, ich möchte es auch nicht thun; denn

wenn Sie es nur sehen könnten: da sitzen vor mir, so fest aneinander, daß man nicht mehr durchgehen kann, um an die Spitze des Schiffes zu kommen, eine Menge junger Weiber, die jede ihr Kind im Arme hält, andere Kinder, die ihrer Selbstbewegung schon fähig sind, purzeln unter ihnen herum, mit einem Geschrei und sich breit machen, daß man sein eigen Wort nicht verstünde, wenn man reden wollte. Glauben Sie jedoch nicht, daß Alles, was mich umgibt, mich anders als glücklich und sehr vergnügt mache. Heute feiert die heil. Kirche das Fest der unschuldigen Kinder, was könnte mir denn angenehmer und erfreulicher sein, als mich auf dem Nil, der von meiner Kindheit her, seit ich die heil. Geschichte kenne, eine geheime Sehnsucht, ihn zu befahren, in mir erweckte, an dem heutigen Kirchenfeste mit einer ganzen Barke voll unschuldiger Kinder zu befinden.

---

## Sechsundsiebzigster Brief.

### An den Herrn Doctor K.

Auf dem Nil, den 4. Jänner 1848.

Zum Dank für Ihre aufmunternde Anerkennung meiner Wallfahrt nach Palästina, soll an Sie, Herr Doctor, der erste Brief im neuen Jahre gerichtet sein und das noch auf einer Barke auf dem Nil, überzeugt, daß Ihnen die Grüße aus Egypten und meine morgige Ankunft in Cairo voll theilnehmender Freude sein werden, da die Bürgschaft, mein Ziel vollkommen zu erreichen, schon so viel wie vorhanden ist, um Ihr Zutrauen, was Sie in mein Vorhaben setzten, zu rechtfertigen. Auf meinem harten Bette, meinen Tornister unter dem Kopfe, werde ich heute die achte und letzte Nacht vollbringen. Meine Nahrung die ganze Zeit über Datteln, Pomeranzen, Brot, Limonien mit Zucker. Von etwas Gekochtem ist hier keine Rede, obschon die Frau des Capitano Hassan in einer mitten auf der Barke angebrachten Vertiefung sitzt, und der Schiffsmannschaft die Mahlzeit kocht. Ich könnte mir selbst auch etwas kochen, doch das laß ich wohl bleiben. Ich nehme nicht einmal schwarzen Kaffeh, auch trinke ich nicht, weil ich mich noch nicht auf das vom Flusse herausgeschöpfte Nilwasser verstehen kann. Demohngeachtet befinde ich mich sehr wohl, heiter und seelenvergnügt, nicht einmal die Ratten, gegen die ich Zeitlebens eine etwas extreme Antipathie hege, können mir mein seliges Wohlbehagen verleiden. Einmal setzte sich mir einer auf die Füße, ich wachte auf, schrie und sprang über einen Griechen und Lateiner, die neben mir ihre Schlafstelle theilen, zur Kajüte hinaus, und wollte mich gar nicht mehr entschließen, wieder hineinzugehen, bis sich ein Jude, ebenfalls ein Schlafgefährte in der Kajüte, in's Mittel legte, indem er sagte: „Aber, wie kann ein Fräulein, das den Muth hat, sich allein durch die ganze Welt zu wagen, vor einer Ratte davon laufen." „Sie haben Recht, mein Herr, sagte ich, ich will mich Ihrer Zurechtweisung fügen." Er meinte, ich soll die Ratten nur zu ihm hinüberjagen, er fürchte sich nicht, was ich scherzweise, meinem Innern nach aber ganz ernsthaft that. Wohl mir, ich ward von keinem mehr beunruhiget. Oft werden dem Menschen durch Kleinigkeiten die höhern Genüße des Lebens verwehrt! Doch kann ich nicht klagen, daß es mir so ergeht. Kein Ungemach, kein Abgang gewohnter Bequemlichkeiten kann mich stören. An den schönen Ufern des Nils weidet sich mein Blick, und in der Seligkeit meiner Empfindungen schweigen die Bedürfnisse des täglichen Lebens. Unter den vielen Nilbarken, die man begegnet und denen die Ruderer mit Stangen, voll Vorsicht und Mühe, auszuweichen suchen, damit sie im Zusammenstoßen nicht zerschellen, fährt manchmal eine, in der Ferne noch durchgreifend hörbar wie aus überird'schen Sphären, von melancholischen Variationen aus drei halbtönigen Rohrpfeisen. So lieblich zu schauen, als lieblich zu hören, wenn man einen Jungen an der Spitze des Schiffes, mit seinen Fingern die Töne abwechselnd, sinnvoll stehen sieht. Dieselben Töne hörte ich oft in meinen Nervenkrankheiten, wenn ich in den Nächten sehr leidend war. Nun hör' ich sie bei guter Gesundheit zur Weide meines äußern und innern Sinnvermögens. Wir kamen an vielen Dörfern vorüber, wo wir gewöhnlich landen; ich bin auch nicht die Letzte, um auszusteigen, die Nilschlammhütten und ihre Bewohner zu besehen, ihre Verkaufsplätze, ihre Lage, ihre Einrichtungen, die Leute und ihre Tracht kennen zu lernen. O Armuth! o holde Zufriedenheit der Menschen! die im häuslichen Glücke, im Kreise ihrer Familien, ihr Glück erfaßt! An Nahrung fehlt es nicht, Früchte und Honig, Federvieh und Eier gibt es in Menge. Ich fürchte die

Leute nicht, oft gehe ich sehr tief in's Land, um meine Beobachtungen zu machen. Das Kamehl, dieses schöne Thier, welches man am häufigsten sieht, und was hier unsere Wägen ersetzt, schreitet edel einher, unter welcher Last es sich auch bewegen mag. Damit ich mich aber nicht zu weit verliere, oder mir nicht etwas Unangenehmes begegne, habe ich auf der Barke einen sichtbaren Schutzengel. Der schwarze Achmet, ein junger Bursche am Ruder, wurde als Knabe nach England entführt, wo er sich einige Worte merkte, und woher vermuthlich seine Anhänglichkeit an Europäer kömmt, hat ein so wachsames Auge, so viele Aufmerksamkeit für mich, daß ich's ihm wohl nie vergessen werde. Er führt mich mit Sorgfalt über den Steg aus der Barke an's Land, er sucht mich in den Dörfern, er bringt mir Pomeranzen, dafür nähte ich dem schwarzen Achmet, der seinen weißen Turban auf eine ganz eigene malerische Weise zu schlingen weiß, am Sylvester-Abende ein neues weißes Kleid, was er sich selbst machen wollte. Er gefiel sich Tags darauf sehr wohl damit. Durch einen Italiener, der sich mit auf dem Schiffe befindet, wußte er es so einzuleiten, daß ich vernahm, daß er gerne mit mir nach Europa ginge. Wenn ich eine reiche Frau wäre, wollte ich ihm die Freude machen, und ihn an einen vornehmen Herrn als Laquai anbringen, so aber konnte ich in ihm keine Hoffnung aufkeimen lassen. Ich glaube es ihm gerne, daß er sich nach Europa wünscht, wenn er schon einmal dort war, denn das Rudern ist nicht leicht. Demohngeachtet ist der schwarze Achmet sammt seinen weißen Gefährten stets bei froher Laune, singend rudern sie, und singend ziehen sie das Schiff mit Stricken nach sich, indem sie am Ufer fortlaufen, weil wir schlechten Wind haben. In der Nacht fahren wir gar nicht, weil es etwas gefährlich ist. Zwei Barken sah ich mitten im Nil versunken, so daß die Mastbäume einige Klafter hoch von dem Wasser heraustauchten. Es ist dieß ein schauervoller Anblick. Auch unsere Barke, wegen Ueberzahl von Weibern und Kindern zu schwer beladen, schwankte schon öfter so seitwärts, daß man nur das Umstürzen derselben erwarten konnte, oder wenigstens das Einfließen des Wassers unvermeidlich schien. Doch Gott sei Dank, noch waren wir glücklich. Hätte ich's in Alexandrien in Erfahrung gebracht, daß man die Reise nach Cairo neben den Ufern des Nils auch zu Lande machen könne, ich hätte mich ganz gewiß auf einem feinen Eselchen herüber tragen lassen. Nun es reuet mich eben nicht, die Reise zu Wasser gemacht zu haben. Es herrscht ein eigenes Interesse vor, den Nil zu befahren. Wenn ich so die Stunden des Tages hindurch an der äußern Spitze der Barke sitze, auf der mir der schwarze Achmet einen Polster von Schiffsseilen zusammendrehte, und hinaufschaue in die Gewässer des Nils, wie sie seit dem Ursprunge der Zeiten aus ihrer verborgenen Quelle herab= fließen, durch das Land, welches das großartigste in der ganzen bekannten Geschichte, noch seine riesigen Felsentempeln mit unnachahmlicher Kunst alter Sculptur den Tagen unserer Zeit zum Andenken bieten; so weiß ich den Werth meiner Empfindungen gar nicht zu schätzen. Doch fühle ich keinen Ruf in mir, Oberegypten zu besuchen; es scheint mir schon ein Ueberbot meiner Wünsche zu sein, das schöne Delta durchzufahren.

## Siebenundsiebzigster Brief.

### An Bruder Zeno.

Cairo, den 6. Jänner 1848,
als am Tage der heil. 3 Könige,
Abends in der locanda francese.

Hast Du Dir je ein lustiges Treiben unter den Menschen vorstellen können, so ist es hier in Cairo zu finden. Doch ehe ich Dir von meinem heutigen Zeitvertreibe etwas enthülle, muß ich Dir meinen gestrigen Einzug in die Hauptstadt Egyptens und meinen gegenwärti= gen Aufenthalt darin erzählen. Nachdem ich von meinem türkischen Capitän Hassan und seiner Frau, die mir arabisch zählen, tätowiren, die Nägel und die flache Hand mit Hyenna färben lernte, und mir sehr freundschaftlich war, Abschied genommen hatte, und nach dem Heraustritte aus der Nilbarke, welche eine ganz eigene, stille, ruhige Lebensrichtung verschafft, die jedoch augenblicklich verschwindet, wenn man unter dem Segelwald der am Ufer stehenden Barken landet, wo das Aus= und Einpack=Geschrei, die Kamehle, die Esel, die Muli und ihre Treiber in Empfang nehmen, was sie nur finden, und im Suchen, sich untereinander drängen, daß man nicht weiß, wie man von einem Extreme in das andere kam, suchte ich mit Hilfe meines schwarzen

Begleiters, dem guten Achmet, auf einen Esel zu kommen, um der Stadt zuzureiten. Doch hielt mich ein mächtiger Aufenthalt im Gedränge zurück. Ich sollte dem Capitano meine schriftliche Zufriedenheit an mein Consulat in Alexandrien mitgeben. Ich war auch zufrieden, denn was ich mir vor Allem erbeten, das ist, keinen Streit zu führen, das hielt man vollkommen, wirklich zu meiner eigenen Verwunderung. Achmet half mir hier auch wieder durch, indem er Hassan bedeutete, ich werde in der Stadt schreiben, und er bringe ihm mein Certificat zurück. Mithin ritt ich weiter, durch den Boulaque, die Hafenstadt von Cairo, dann eine halbe Stunde auf breiter Straße an dem großen Volksgarten vorüber, durch breite Alleen von hohen, schattenreichen Sikomoren und Akazien in die Stadt, in der mich mein Esel zu Boden warf. Als ich wieder auf den Füßen stand, wußte ich nicht, sollte ich laut lachen oder verdrießlich sein, denn das arme Thier hatte seinen großen Packsattel, auf dem ich gesessen, unter dem Bauche; auf diese Art mußte ich freilich ohne Pardon zu Boden. Auf dem ganzen Wege merkte ich schon ein unheimliches Rutschen; ich saß sehr schlecht, der Sattel war zu locker geschnallt. Ein andermal werde ich früher Untersuchungen anstellen, ehe ich mich einem Sattel anvertraue. Dießmal wollte ich zu Fuße gehen, was meine Begleiter jedoch durchaus nicht angehen ließen. Nach zurecht gebrachtem Sitze mußte ich wieder hinauf, und so brachte mich Achmet an das Kloster der soeurs de bon pasteur; Generalconsul v. Laurin wies mich in Alexandrien darauf hin, mit der mündlichen Anempfehlung, daß er ihnen in Kürze Geld schicken werde. Ich dachte, mehr bedarf es nicht. Auch meinte ich in meiner Einfalt, Pilgerin zu sein, und ein Frauenkloster aufzusuchen, mache jede andere Anempfehlung schon für sich selbst überflüssig, und so eilte ich voll Liebe im Herzen zu den Schwestern von dem guten Hirten, wie in ein heimathliches Haus, mitten in der fernen, fremden Welt. Die Oberin, eine Deutsche aus Berlin, nahm mich auch auf, so gut und liebreich, wie es meinen sentimentalen Ideen in aller Vollkommenheit entsprechen konnte. Doch um mich zu beherbergen, mußte sie sich mit der Vicarin, einer Französin, besprechen. Ebenfalls eine sehr gütige liebenswürdige Dame, doch nicht so gemüthlich wie die deutsche. Sie beschlossen nun, ihren geistlichen Präsidenten, einen Franziskaner, Pater Alberto, zu benachrichtigen, und um seine Erlaubniß zu fragen. Nach einer Stunde, die man mich zum Ausruhen von der Reise allein

13

ließ, kam die Französin und sagte mir ganz kalt, ich könne nicht bei
ihnen bleiben, sie wollten mich aber durch ihren Diener in ein Quartier bringen lassen. Ich fiel freilich ein wenig aus meinem geträumten
Himmel, doch der augenblicklich gefaßte Gedanke: „du bist Pilgerin,
der die Ruhe in dem Hause der irdischen Engel Gottes nicht beschieden
ist, und wo ich bin, bist du, o Gott!" erhob mich ganz feierlich über
meine vernichteten Hoffnungen gleich einem zerbrochenen Glase, daß
ich im stillen Triumphe, daß der Wille des Herrn an mir in Erfüllung gehe, meinen Tornister nahm, und dem Diener folgte. Mehrere
Jungfrauen in ihrem weißen Nonnenkleide standen an der Stiege, die
Pilgerin in's gelobte Land freundlich grüßend; eine, der Thränen über
die Wangen flossen, sah ich mit mitleidsvollem Auge mir nachsehen —
Ich weiß nicht wie's mir so sonderbar war, als ich auf die Straße
kam. Ich fühlte einen Gewinn in mir, den ich nicht berechnen konnte.
Man führte mich in ein Haus, wo nur Zimmer vergeben werden,
wovon ich ein ganz nettes bewohne, und wo ich mich aller nöthigen
Bequemlichkeiten bedienen konnte, deren ich bedurfte, um mich von
meiner neuntägigen Nil-Barkenreise abzustauben, auf der ich nicht aus
den Kleidern kommen konnte, und was mir als Gast im Kloster gewiß
nicht so zu Gunsten gekommen wäre. Ich schlief in meinem schneeweißen
Bette sehr gut. Doch zu essen findet man im Hause nichts, auch das
Licht muß man sich selber besorgen. Fremd, ganz allein, wohin? Ich
bin deßwegen ganz und gar nicht verlegen. Pomeranzen gibt es genug,
weiß Brot auch, Kaffeh ist auch zu bekommen, und so bin ich vor der
Hand gedeckt. Heute feierte ich den Gottesdienst in der Cairo-Fran-
ziskanerkirche, dann besah ich mir ein wenig die Stadt, lauter enge,
meist gedeckte Gäßchen und Durchhäuser, in denen man am hellen
Mittag um eine Laterne seufzen möchte. Ohne der siebenten Plage
Egyptens, vor dem Auszuge der Israeliten, kann die egyptische
Finsterniß ganz leicht von den Straßen der Hauptstadt aus zum
Sprichworte geworden sein; denn da die Tage hier im Winter so kurz
sind wie bei uns, so muß man eine hübsche Finsterniß durchdringen,
um von einem Ende der unendlich großen Stadt bis zum andern zu
gelangen. Wenn man sich nun in diesem verbauten Steinaufwurf, der
übrigens in dem Innern der Häuser sehr schön geordnet ist, die unterirdischen, oder auch nur die ebenerdigen Gemächer denkt, die die ärmere
Classe, die Fellahs mit ihren Weibern und Kindern bewohnen, so
kann es einem nicht wundern, wenn die Pest in diesem Lande so häufig

ihre Opfer holt. Indessen herrscht gegenwärtig die größte Reinlichkeit sowohl auf den Straßen wie in den Häusern und in den Gemächern, so daß man wünschen möchte: so sollte es in der gebildeten Welthauptstadt Rom sein, in der der Zusammenfluß aller Künste und aller Nationen Europas sich befindet. Vor wenig Jahren war es hier zwar auch nicht so, aber seit der letzten Pest, im Jahre 1844, machten die europäischen Consulate der Regierung den Vorschlag, die Reinlichkeit als Präservativmittel anzuwenden, um die Pest zu verscheuchen; es scheint das einzige und sicherste zu sein, denn in der reinen, heitern, ja wahrlich paradiesischen Luft, des azurnen Himmelsgewölbes in Egypten, kann unmöglich dieser dem Lande verderbliche Peststoff enthalten sein. Seit der Zeit der strengsten Reinlichkeit, denn die Türken erkennen den Gehorsam in dem Verbote, die Thiere auf offenem Wege verfaulen zu lassen, merkte man auch keine Spur von dieser Krankheit. — Hab' ich Dir nun von den engen Straßen erzählt, so höre nun auch etwas von dem schönen, großen Eskebieh-Platze vor der Stadt. Vor allen andern recht hübschen Häusern, mit Holz vergitterten Fenstern, siehst Du das Hotel d'Orient, ein sehr großes Gebäude, wo die reisenden Fürsten und Herren absteigen. Es führt einen eigenen Secretär, Hrn. v. Erben, einen Deutschen, der sehr gut arabisch und mehrere andere Sprachen spricht. Die Frau des Hauses ist eine Wienerin, an die ich eine Empfehlung, sie zu besuchen, habe. Dieß Alles weiß ich Dir schon am zweiten Tage meines Hierseins zu erzählen. Noch mehr: Nachmittags besuchte ich den durch die Wasserleitung vom Nil durch mehr als hundert Gräben befeuchteten Volksgarten, in dem die schönsten Blumen, mitten im frischen Grün, in voller Blüthe stehen; der Eskebiehplatz war überfüllt vom Tumulte türkischer Vergnügungen, denn heute ist Freitag und folglich ihr Feiertag; Buben, Männer, Weiber, Geschrei mit scheppernden Tamburinen und eintönigen Sackpfeifen, in lärmendem Jubel und Gelächter, Esel mit ihren Treibern zu Hunderten darunter, wogen untereinander. Der eine Hause steht um einen tanzenden Affen, der andere um einen halbnackten Menschen, der mit einem Tuche über dem Kopfe, von einem andern herumgetrieben, allerlei Narrensprünge macht, worüber die zusehende Schaar vom Lachen die Luft erfüllt; dort eine Schaukel, wo ihrer zwei sich entgegen fliegen, so hoch, daß man meint, sie wollen in die Wolken entfliehen, hier wieder eine Maschine mit Rädern und vier Kistchen, in denen eine oder zwei Personen oder Kinder sitzen, um sich

13 *

herumtreiben zu laffen, zwei Kiften aufwärts, zwei abwärts, in fo
fchneller Bewegung, daß es einem fchwindelt. Unweit davon wieder
eine andere gymnaftifche Schwenkung. Auf einmal laufen mitten durch
das Gedränge drei braune, ganz verwilderte, nur mit Hofen befleidete
Menfchengeftalten hervor, von denen ich nicht erfahren fonnte, was fie
bedeuten. An Eßwaren fehlt es auch nicht. Nebft einer ganzen Spa=
lier, neben der großen Allee hinauf, von Pomeranzen, Citronen, Dat=
teln, braun und gelb, fteht ein Tifchchen neben dem andern, voll tür=
kifcher Bonbons. So viel glaube ich, wirft Du Dir aus meiner fehr
fchwachen Befchreibung doch herausnehmen können, daß Cairo eine
Weltftadt ift. Groß ift fie genug. Nachdem ich mich mit den türkifchen
Unterhaltungen an ihren Fefttagen ein wenig bekannt gemacht hatte,
fuchte ich mir ein nettes Efelchen mit einer gutmüthigen Führergeftalt,
und ritt auf das Caftell, von wo aus die Stadt in ihrer ganzen Aus=
dehnung mir vor Augen lag; auch fah ich hin bis an die berühmten,
von uns felbft nur dem Namen nach angeftaunten Pyramiden, die ich
bald zu befuchen hoffe.

## Achtundfiebzigfter Brief.

### An die Frau des Herrn Gubernial=Secretärs K.

Cairo den 7. Jänner 1848.

Durch Herrn Sattler, der hier noch im frifchen Andenken fteht,
doppelt an Sie erinnert, fende ich Ihnen meine Grüße zu, überzeugt,
daß Ihre freundliche Theilnahme, mich in Cairo zu wiffen, mir mei=
nen Triumph feiern hilft. Geftern befah ich vom Caftell aus die
ungeheuere große Stadt mit ihren flachen Erzindächern und ihrer
üppig grünen, durch fünffache Ernte gefegneten, mit fruchtlofen Sand=
ebenen abwechfelnder Umgebung, die der Erinnerung, durch aufgehäufte
Hügeln vom Schutte der prachtvollen Städte aus der älteften Zeit,
fo werthvoll wird. Man zeigte mir mehrere Puncte, die Sattler von
hier aus für fein Cosmorama aufgenommen hat. Das Vergnügen,
satisfaction fagt der Franzofe, diefes Cosmorama in feiner Naturpracht
und vollem Werthe zu überfchauen, überbietet weit jeden Verfuch von

Darstellung und Mittheilung. Ich besuchte den Garten und die Ge=
mächer Mehemed Alis. Der alte Herr fährt täglich Früh um 8 Uhr
in sein Sommerpalais nach Schubra und kommt Abends wieder auf
das Castell nach Cairo, was auf einem ziemlich hohen Berge liegt.
Hier bewohnt er ein ebenerdiges Haus mitten in einem nicht sehr
großen Garten. Die ganze innere und äußere Einrichtung sieht roman=
tisch ländlich aus, und zugleich herrlich durch die schöne Fernsicht.
Die Zimmer sind bis auf einige Ottomane fränkisch meublirt, mit
Spiegeln von oben bis unten, die Zimmer sind nicht sehr hoch, doch
machen einem die Spiegelwände staunen. An den nicht bespiegelten
Wänden hängen gut gemalte Portraite seiner Söhne. Das für unseren
europäischen Geschmack Fremdartigste sind die chinesisch bemalten
durchsichtigen Fenster, aber nicht von Glas, sondern von ölgetränk=
tem Taffet. Diese bieten eine unbeschreiblich angenehme Schönheit
dar. Die Diener des Hauses sind sehr gefällige, freundliche, gebildete
Menschen, die mich als Fremde mit der größten Bereitwilligkeit im
ganzen Hause herumführten, ohne sich besonders um ein Trinkgeld zu
bekümmern, nur die Wache am Gartenthor ging mich so barsch beim
Hinausgehen um ein Bakschisch an, daß ich nicht wußte, wie eilig ich
in der Tasche meinen Beutel suchen sollte. Als ich heute über den
Muski ging, das ist die Hauptstraße, in der meistens Europäer oder
Griechen ihre Boutiquen aufgeschlagen haben, begegnete ich einer lan=
dessittlichen Hochzeit. Die über den Kopf bis an die Füße verhüllte
Braut saß unbeweglich auf einem Esel in Mitte der sie umgebenden
berittenen Gesellschaft. Das Thier wurde von sechs Männern geführt
und bewacht. Trommeln, Pfeifen, Geschrei, Gesang, Glückzurufun=
gen zum unsinnig werden, belebten den Zug, zuletzt kamen eine Menge
Weiber, zu zweien auf einem Esel rittlings sitzend; ich wußte mich vor
Erstaunen über diesen unästhetischen Anblick gar nicht zurecht zu finden.
Doch von allen verschiedenartigen Gestalten, verhüllt und halbnackt,
ist keine garstiger, als eine Mohrin in europäischer Kleidung, beson=
ders mit einem Hute, und eine in schwarzen Taffet verhüllte, vom
Winde aufgeblasene, auf einem Esel reitende Dame mit weißer Ge=
sichtslarve. Um Ihnen überhaupt von Cairo eine Beschreibung zu
machen, könnte ich sie nicht richtiger geben als mit den Worten des
Verfassers des Cartons, der die Musik bei einem hochzeitlichen
Zuge einen höllischen Spektakel nennt. Ich habe jedoch sagen gehört,
daß dem arabischen Volke diese ihre Volksmusik lieber sei, als das ganze

Bandenspiel des Pascha. Der Herr Verfasser des Cartons erzählt
von Cairo: „So wechseln die Bilder in dieser originellen Stadt;
jeden Augenblick stößt man unter dem allgemeinen Gedränge auf Sprin-
ger, Seiltänzer und Ringkämpfer, die eine erstaunliche Kraft entwickeln.
Ihre Possenreißerei bringt ihre Landsleute leicht zum heftigen Lachen.
Derwische, die durch mysteriöse Künste Schlangen aus den Häusern
locken; Magier, die den Dieb mittelst des berühmten Zauberspiegels
entdecken; die sinnreichsten Taschenspieler, von deren Geschwindigkeit
man sich keinen Begriff machen kann; das Geschrei der Kamehltreiber,
die den Fußgängern zurufen „schmal, schmal;" das Gebrüll und die
Beschwörungen der Gaukler; die malerisch gekleideten und ernst einher-
schreitenden hohen Gestalten der Beduinen; die glänzenden rothen
Uniformen der durch die Straßen sprengenden egyptischen Offiziere;
die Unzahl von abyssinischen, äthiopischen und anderen Sclaven; das
Geheul der Klageweiber, welche die Todten zu Grabe begleiten; das
Rufen alle Viertelstunden von 400 Minarets; der nie endende Tumult
der Fantasias (Vergnügungen) in 1100 Kaffehbuben, nackte und zer-
lumpte Menschen und Kinder, Kamehle und Esel, Pferde und Hunde,
das Alles windet sich den ganzen Tag von einer Straße in die andere, die meistens so schmal sind, daß man beide Häuserreihen mit
ausgespannten Händen erreichen kann. So mühsam es ist, durch den
Menschenknäuel in Cairo sich durchzuwinden, so merkwürdig ist es
auch, daß bei all diesem Durcheinander nicht mehrere Unglücksfälle
entstehen." So viel aus der „Beschreibung des Morgenlandes" von
Carton, welche ich Ihnen, aus meiner bisherigen Selbstüberzeugung,
als die genaueste und richtigste, so wie durch gute Einfälle als die
angenehmste, und des umfassenden Inhaltes willen als die unterhal-
tendste bezeichnen, und zum Lesen anempfehlen kann.

---

## Neunundsiebzigster Brief.

### An den Herrn Cameralrath L. und seine Frau.

Cairo den 10. Jänner 1848.

Die frommen Wünsche Ihrer guten Frau begleiten mich allenthalben
mit augenscheinlichem Segen Gottes. Es scheint, daß ich eine unge-

wiſſe lange Zeit hier werde abwarten müſſen, bis ich eine gute Kara=
vane zur Wüſtenreiſe finde, und bis die Regenzeit, in der dieſe Reiſe
wohl nicht zu rathen iſt, vorüber ſein wird. Nun was glauben Sie,
was das koſten möchte, einen Monat lang in Cairo zu leben? —
Mich koſtet es aber nun gar nichts, und ich lebe auf die mir er=
wünſchteſte Weiſe. Als ich mich bei Herrn General=Conſul v. Laurin
meldete, der vor mir nach Cairo abreiſte, fragte er mich ſogleich,
wie es mir gehe und ob ich im Kloſter der soeurs de bon pasteur
recht zufrieden ſei. Nachdem ich ihm erzählte, daß der Präſident nicht
erlaubte, mich aufzunehmen, ſchrieb er augenblicklich ein Billet an die
Oberin und hieß mich hingehen, um es ihr ſelbſt zu übergeben. Man
wies mir auch ſogleich ein Zimmer an, wo ich bleiben konnte, um zu
ſchreiben oder was ich wollte, entſchuldigte ſich, daß man mich nur
auf ein Canapee betten könne, und bringt mir regelmäßig zu eſſen.
In der Früh geh' ich mit den Schweſtern zur Meſſe, dann zieh ich auf
einem Eſel mit einem arabiſchen Begleiter Stundenweit in und um
Cairo herum, daß mir ja nicht etwa irgend eine Merkwürdigkeit zu
beſehen entgehe. Geſtern beſuchte ich den Baum der heil. Familie in
Heliopolis, wo auch noch der höchſte und ſchönſte Obelisk zur Augen=
weide eines jeden Reiſenden daſteht. Ich ritt allein mit einem alten
Araber hinaus etwa 2 Stunden weit. Der Weg dahin iſt ſo ſchön,
freundlich und angenehm, durch die herrlichſten Fruchtgefilde, Wieſen=
grün und Acazien=Alleen, daß ſeine Anmuth jede auch die geſuchteſte
Beſchreibung übertrifft. Durch Gärten mit Blumen im ſchönſten Flor,
und ſchwerbeladenen Orangenbäumen, kömmt man, ohne es früher ge=
wahr zu werden, rechts an ein mit Schilfrohr geflochtenes Garten=
thor; es öffnend, ſieht man eine ſehr freundliche, in Roſen blühende,
äußerſt nette, nach europäiſchem Geſchmacke einfache Garten=Anlage,
wo in Mitte der Baum ſteht, unter deſſen Schatten **Maria mit dem
Kinde ruhte, als ſie auf ihrer Flucht nach Egypten
hier ankam.** Wenn ſich irgend ein Gegenſtand, ſeinem eigenthüm=
lichen Anſehen nach, für irgend einen ſo ganz beſondern Werth aus=
ſpricht, ſo iſt es dieſer Baum. Er iſt wahrlich in ſeinem ganzen
Beſtande, ſo wie er daſteht, kein Baum wie ein anderer. Von der
Wurzel bis zum Laube liegt ein eigenes Leben in ihm, und ſein gan=
zes Beſtehen iſt geheimnißvoll. Ein in fünffacher Verzweigung bei=
läufig 3 Schuh dicker, 9 Schuh breiter, 8 Schuh hoher, uralter
Stamm, wovon der eine leer ſteht, die andern aber hellgrüne voll=

belaubte Zweige wieder in fünfen, einerseits drei, anderseits zwei, hoch empor sproßen. An der der Stadt zugekehrten Seite bildet die Wurzel einen zwei Faust hohen runden Sitz, worüber sich die ganze Last des dicken und breiten Stammes in sanfter Neigung biegt, was diesem Baume wirklich ein auffallendes, und die Geschichte sich vorstellend, ehrwürdiges Ansehen gibt. Die Türken scheinen dieß heutigen Tages besser zu erkennen wie die Christen; während diese in den Fortschritten ihrer Cultur selbst der Natur, nicht erst dem geschichtlichen Glauben, die Erinnerungszeichen vorzeitlicher Begebenheiten, zweifelhaft machen, ja sie durch Gleichgiltigkeit ganz in Abrede stellen, suchen die Türken sie in ehrenvollem Andenken zu erhalten. Abbas Pascha, der Enkel Mehmed Alis, ließ den schönen Garten anlegen, in dessen Mitte dieser, wenn sonst nicht, doch wegen seiner bekannt langjährigen Tradition einer gewiß zartsinnigen Erinnerung an die Geschichte Jesu und seiner Mutter berühmte Baum auf ausgezeichnete Weise, der langen Mühen einer weiten Pilgerreise entsprechend dasteht. Meine Thränen floßen bei tiefer Rührung, diesen verehrten Gegenstand zu sehen häufig und ohne Rückhalt; denn ich wähnte mich allein. Bald aber kamm ein Muselmann, der zwei Piaster verlangte; ich verstand ihn nicht gleich und bat ihn gar sehr, mich allein zu lassen, und wendete mich an die andere Seite des Baumes. Als nun der gute Mann, der mir nachging, sah, daß ich so herzlich weinte, wurde er selbst so weich, daß er nicht wußte, was er machen sollte, um mich zu trösten. Da ich aber seine Theilnahme verstand, floßen meine Thränen nur häufiger; ich faßte ihn bei der Hand, er war mir ein lieber Freund. Er zeigte mir, ich sollte den Baum küssen, um mich zu erholen, was ich auch gehorsam that, und wirklich augenblickliche Erleichterung meines tiefbewegten Gefühles fand, um aufzusehen und mit dem Manne sprechen zu können. Er zeigte mir den benannten Sitz an der Wurzel und erklärte mir, daß hier Santa Maria mit dem Kinde saß. Er stieg auf den Baum und suchte das schönste Aestchen aus, um es mir zu geben, und zeigte mir auch hinaufzusteigen, um oben meinen Namen einzuschreiben, was ich jedoch nicht wollte. Als sich aber der Mann entfernte, war ich im Augenblicke oben, nicht um meinen Namen einzuschneiden, sondern um in der Höhe mich über meine eigenen Gefühle erhaben zu finden, in seliger Erinnerung an den Lieblingsplatz meiner Kindheit, nämlich in freier Luft, auf einem Baumast zu sitzen. Ich wollte der heil. Jungfrau zu Ehren einen Rosenkranz aufopfern, doch

es war mir unmöglich, meine Saiten zur Verrichtung eines mündlichen Gebetes zu stimmen. Ich behielt mir dieß auf eine andere Zeit
vor, und blieb der Bewegungen meiner Seele überlassen. Indessen
kam der alte Muselmann, der Aufseher des Gartens, wieder, und
brachte zwei andere Türken mit; als sie mich auf dem Baume sitzend
fanden, lächelten sie, und der Alte sagte, ich brauche nicht zwei Piaster zu zahlen, nur einen Escherin soll ich für diese Leute geben. Als
ich hinabsteigen wollte, wehrten sie mir's, in der guten Meinung zu
bleiben, so lange ich wollte, was ich dann auch that. Ich gab ihnen
mit Vergnügen ihr bescheiden verlangtes Bakschisch doppelt und die
Männer entfernten sich. Später besah ich mir den Baum genauer
von allen Seiten, ging in dem Garten spazieren, fand in einer Ecke
einen herrlichen Platz für einen christlichen Einsiedler, um den Baum
als ein heiliges Andenken zu hüthen und den Pilgern zur Auferbauung
und trostreichen Entschädigung ihrer weiten Reise zu dienen, nahm
eine wunderschöne Rose, die mich so freundlich anlachte, gleich als
wäre sie ein Geschenk der heil. Jungfrau, und ritt, in mich gekehrt,
in die Stadt zurück, ohne weiter an den Obelisk in Heliopolis zu
denken, der sich unweit dieses Baumes befindet. Zum Glück habe
ich mir deren genug in Rom gesehen. Mein arabischer Eseltreiber erzählte mir unterwegs mit großer Hochschätzung von Santa Maria
und ihrem Ruheplatz unter dem Baume, der sich über sie neigte.
Warum soll denn der Mensch so kleine Gunstbezeigungen Gottes nicht
hochschätzen, da sie der Mutter seines Sohnes genügen mußten, in
sonst so großer Noth. Mehrere kirchliche Alterthumsforscher erzählen
in ihren Schriften: Als die heil. Familie durch die granitenen Schwibbögen des Hauptthores von Heliopolis einzog, stürzten die Götzenbilder eines nahe gelegenen Tempels zusammen.

---

## Achtzigster Brief.
### An den hochwürdigen Herrn Pfarrer Sch.

Cairo den 12. Jänner 1848.

Hier in Egypten scheine ich mir mein Gleichgewicht gefunden zu
haben. Abgezogen im Geiste, ruhend in Gott, die Außendinge außer

mir entfernt, sie jedoch schauend und verbindend mit den innerlichen Wirkungen des Geistes, ohne daß Leib und Seele darüber in Mißstimmung kämen. Ich wandle, schlafe, esse, bin stark und gesund, ohne Angst über das Schauen und Empfinden der vorhandenen Dinge in ihren Wirkungen, was dem Nervengewebe sonst ein so leidendes Sein verursachte. Selig in Gott, lebe ich wie todt, lebe ich wie lebend in dreifachem Sinn, dem Geiste, der Seele, dem Leib' zu Gewinn. Es ist wahrhaft erfreulich, wenn man hört, sieht, fühlt, wie der Gottesdienst in der heil. Kirche sich in seiner Ausübung überall gleich ist. Ich höre in Egypten die nämlichen Gesangstöne am Altare und im Chor, wie in Rom, in ganz Italien, in meiner Steiermark; das hochwürdigste Gut in der Monstranze bewegt sich in der nämlichen Form zum Segen der Gläubigen, es glänzt und leuchtet meinen Augen in der nämlichen Schönheit, wie ich es aller Orten gewohnt bin. Auch der klösterliche Ton gibt hier seine bekannten Klänge. Ich habe die Begünstigung erhalten, bei den Schwestern des guten Hirten zu wohnen. Herr General-Consul v. Laurin erwirkte auch von Oesterreich einige Unterstützung für das Kloster, welches ein Mädchen-Erziehungs-Pensionat führt mit auswärtiger Schule, um Frauen, die nach dem heil. Lande pilgern, einen Aufenthalt bei ihnen zu verschaffen, den ich glücklich genug bin, gefunden zu haben. Die guten Schwestern luden mich ein, bei ihnen zu bleiben, was mich, wie Sie denken können, nicht wenig freut. Sie sagen: „Kehren Sie wieder, unser Haus steht Ihnen immer offen." Ich dachte: „Die ganze Welt steht mir offen, wenn ich mich bei meiner Rückkehr in meiner Vaterstadt überflüssig finde." Doch jetzt lebe ich nur der Besuchung heiliger Orte. Nachdem ich mein ganzes Leben der Kinder-Erziehung schenkte, so kann der Ort, wo Jesus seine Kindheit verlebte, mir doch unmöglich gleichgiltig sein. Es scheint auch, als ob Gott die Menschen hier in den geschichtlich heiligen Landen, als sein Ebenbild, auch in geschichtlicher Form als Bilder verwendete; denn wohin ich in dem weiten Cairo schaue, sehe ich wie tausende lithographische Abdrücke von Frauen, die ihre kleinen Kinder auf dem Arme tragen, oder sitzend vor den Häusern ihnen aus einer eben solchen Schale, wie ich sie im heil. Hause zu Loretto sah, zu essen geben. Gleich die ersten Tage meines Hierseins eilte ich mit ehrfurchtsvollem Verlangen die Grotte in Alt-Cairo aufzusuchen, das Heiligthum, in der die heil. Familie Jesu, Maria und

Josef im fremden Lande auf ihrer Flucht wohnten, bis sie der Engel wieder zur Heimkehr mahnte. Diese seit allen Zeiten den Christen bekannte Grotte der heil. Familie, ist mitten in der Altstadt in einem Hause Stiegen auf, Stiegen ab zu finden; in einem Zustande, mit dessen Beschreibung ich Ihr gläubiges Herz voll der Liebe gar nicht kränken möchte. Ich kam ganz verstimmt in mein Kloster zurück. Auf dem Wege hin zur Grotte betrachtete ich, auf einem Esel reitend, das Mysterium der Flucht nach Egypten, und meine glückliche Fantasie ließ mich fühlen, auf welchem Arme Marien das Kindlein Jesu ruhte. O unendlich beseligender, rührender Moment! Ich fragte meinen Begleiter, wie er heiße, sein Name war Josef. Kaum konnte ich's erwarten, an dem Orte selbst in heil. Andacht mein Herz zu ergießen. Doch das Auffinden des wirklichen Bestandes desselben drängte meine aufwallenden Empfindungen in die tiefsten Tiefen meines Innern zurück. Einen solchen Gegenstand denke ich mir entweder in seiner verwilderten Natürlichkeit, oder durch menschliche Kunst in besonderer Verehrung erhalten. Hier ist aber keines von beiden. Dieses Heiligthum steht gleich einem Sinnbilde da, wie die Wahrheit des Glaubens, verborgen, umhüllt, bewacht und verschlossen, von den Umgebungen des Aberglaubens, dem Getäfelwerke des Irrglaubens, den veralteten Gebäuden des Eigensinns, und der Verstocktheit schismatischer Macht, bezweifelt und vergessen wird. Wenn der Ruf bis zu Ihnen gelangt, etwas zur Befreiung dieser Grotte beizutragen, o so bin ich es überzeugt, daß Sie jede Kraft aufbieten werden, um hierin etwas zu erreichen. „Der Glaube kömmt aus dem Gehör.“ Wo die örtliche Verehrung geschichtlicher Gegenstände schweigt, wird bald persönliche Verehrung auch verschwinden, und woher dann den Glauben aus dem Gehör für das verödete Menschenherz finden, wenn man ihm die Gegenstände der Empfänglichkeit hierzu wegnimmt! Hier komme ich auch auf den Punct, dem ich eine allzuscharfe, oder übelangebrachte Ascese gar so gerne abstreiten möchte, die mit allem Eifer jede Anhänglichkeit aus dem Herzen der Menschen zu verbannen sucht. Unsere Zeiten sind durch Mangel an Anhänglichkeit verdorben genug, und ich will verwetten, was Sie wollen, daß der von mir bestrittene Punct das Seinige beigetragen hat, daß Egoismus und Unglaube im Christenthume so weit um sich gegriffen haben. Es ist hohe Zeit, ein Gleichgewicht herzustellen, wozu die Beförderung der in den Herzen der Menschen keimenden, natürlichen Verehrung geschichtlicher Glaubensgegenstände hauptsächlich viel beitragen kann Es heißt, bei Andachten oder erheblichen Gegenständen: „das ist Gefühlssache, hat keinen Werth.“ Was ist denn die Erwartung in der Ewigkeit für unsere Seele, wohin das ganze menschliche Leben und jede religiöse Einwirkung zielt? Nur fühlen wird die Seele ihre Seligkeit in Gott, und fühlen wird sie die ihr im Glauben vorgestellten höllischen Peinen. Daß Gefühl und Anhänglichkeit durch Belehrung und Uebung geregelt werden müssen, wo sie unordentliche Wege gehen, das ist gewiß; keineswegs aber sollten sie unterdrückt, oder als gefährlich behandelt werden. Eben so sind es ganz verkehrte Ansichten, die eine heilige Jerusalem, den Entstehungspunct des menschlichen Heils, den Grenzpunct der alten Geschichte, sammt ihren materiellen Raum, den sie als Stadt einnimmt, deßwegen in ihrem Werthe mit allen Puncten, ihren großartigen und ehrwürdigen Erinnerungen herabzuziehen suchen, weil das Erlösungswerk auf so schreckliche Weise in ihr vollbracht wurde. Die sein sollende Kirche über der Grotte der heil. Familie in Alt-Cairo gehört den schismatischen Kopten, und trägt keine Spur vom helenischen Bau. Dieser scheint lange schon auf schismatische Weise überarbeitet zu sein. In einem gewöhnlichen Hause in den schmalen Gassen, geht man über schmale Treppen aufwärts in ein Behältniß voll hölzernen Gitterwerks, daß es einem unwohl und unheimlich wird, das ist die koptische Kirche. Da wird vom Boden ein Stein aufgehoben, man bekommt ein Wachskerzchen in die Hand und steigt eine schmale Stiege abwärts wie in eine Gruft. Hier befindet man sich denn in dem verlassenen und doch zu wohl verwahrten einstigen Wohnort Jesu, Maria und Josef, ein sehr regelmäßiges, nicht gar zu kleines Locale, durch sechs niedliche Säulen in drei Theile getheilt, wovon der mittlere Theil eine Nische in der Wand enthält, die der heil. Jungfrau Schlafstelle war. Ein leeres altes Bret vor dieser Nische dient den katholischen Priestern zum Altar, wenn sie dort Messe lesen wollen, und sich die nöthigen Apparate mitbringen. Zur linken Seite steht ein Stein, der als Arbeitstisch des heil. Vater Josef gezeigt wird, und rechts ein in Stein gehauener Waschbehälter, wo die heil. Jungfrau das Kind gebadet hat. Andere Gewißheit einer Aufbewahrung der Wohnung der heil. Familie in Egypten gibt es keine, folglich ist dieser aller Werth derselben zuzuschreiben. Doch mit dem kann ein liebendes Christenherz eben noch nicht zufrieden sein, besonders wenn man die Prachtkirchen in Italien gesehen hat, wenn man gesehen hat den Ueberfluß von Kunstgemälden in Europa, und wenn man hier an dem Orte selbst, von dem die heil. Verehrung einer Flucht nach Egypten ausgeht, nicht einmal eine Spur irgend einer gemalten Vorstellung zur Erinnerung sieht; wenn man gesehen hat die Menge brennender Lampen von Gold und Silber, die zur Verehrung um ein gemaltes Bild brennen! Ist denn in ganz Europa kein Herz mehr, das Thätigkeitssinn genug hätte, dahin zu arbeiten, daß man dieß so werthvolle Andenken der verlebten Kinderzeit unseres Heilandes den Schismatikern abkaufte, das darüber gebaute Haus mit seinem hölzernen Gitterwerk niederreiße, es bei genauer Nettigkeit am Eingange der ebenen Erde mit einer einfach darüber gebauten Kirche, wie es bei uns der Gebrauch ist, belasse, um dadurch zur frommen Auferbauung der Einheimischen und der Fremden zu dienen. Wenn es doch nur begreiflich gemacht werden könnte, welch allgemeiner Seelennutzen, welch allgemein kirchlicher Aufschwung von der thätigen und wirklichen Verehrung der heil. Erde, die der Gottmensch betreten, abhängt! Freilich wendet hier die sehr häufig verwendete, etwas zu sehr vorgeschrittene geistige Ascese, sehr triftig ein, daß wir dessen gar nicht bedürfen, indem uns alle die Segnungen dieser Orte ohnehin reichlich umgeben, und daß es noch zu einem bedeutenden Grade von Vollkommenheit gehört, gar nicht daran zu hängen. Das ist aber eben unser größter Feind, dieß ist der Gärtner, der den Weinstock verschneidet, statt beschneidet. Ist die Anhänglichkeit an einen Gegenstand einmal benommen, wird der Glaube daran auch nicht lange mehr halten. Wollte Gott, ich wäre an der Stelle derer, die etwas mit Erfolg unternehmen können! Die Gleichgiltigkeit der hiesigen Christen ist nebst dem, daß sie als europäisches Erbgut mitgebracht wird, auch noch eine Folge, weil von keiner Seite auch nicht das Mindeste geschieht. Ich habe mit Mad. Colon darüber gesprochen, eine der reichsten und gebildetsten christlichen Frauen, eine Wienerin, die sechs Kinder nach Paris zur Erziehung schickte, und weiß nun, wie man über diesen Gegenstand auch hier denkt Ich versichere Sie aber auch, hochw. Herr! nichts zu unterlassen, was mir meine glückliche Idee nur immer ausfindig machen kann, um dieses durch seine einstmaligen Bewohner heil. Gemach von seiner Verhüllung zu befreien, und dem Glauben einen freien Zugang zu verschaffen.

---

## Einundachtzigster Brief.

### An den Hochw. Herrn Pfarrer Sch.

Cairo den 18. Jänner 1848.

Unerwartet bringt mich mein Interesse für die Grotte in Egypten dazu, meinen Brief an Sie, hochwürdiger Herr! fortzusetzen, da mir Ihre Liebe und Theilnahme für diese heil. Gegenstände bekannt ist. Ich hatte große Lust, die Grotte noch einmal zu besuchen, doch wie anfangen? Geh' ich wieder allein mit einem Hamar, wie schwer war es das erstemal, sie aufzufinden; ich kann mit den Leuten nicht reden, und was finde ich? Eine zweite Verstimmung meines gläubigen Gemüthes, daß so viele fürstliche Protectionen des heil. Landes die Gegenstände, von welchen sich der ganze geschichtliche Glaube herschreibt, einer solchen Verwilderung Preis lassen. Hören Sie nun, hochwürdiger Herr! heute Früh war ich mit P. Leonardo, dem Secretär des Bischofs, auf dessen Anordnung in diesem heil. Wohnorte, um dort die heil. Messe zu hören, [und die heil. Communion zu empfangen, und sogleich die eifrige Verehrung unsererseits durch die Ausführung eines gemachten Vorschlages anzufangen. Meine Theilnahme an der verlassenen Grotte ließ mir nicht Ruhe; ich ging zu Herrn Consul Champion, der mich schon bei meiner Meldung hier sehr gut aufgenommen hatte; er zeigte mir auch jetzt den eifrigsten Antheil an meiner Angelegenheit, eben so der General-Consul; beide adressirten mich an den Bischof, mit dem sie in dem erwünschtesten Einverständnisse leben. Dieser ehrwürdige, nicht genug zu schätzende Herr, war gleich bereit, das Seinige beizutragen, um das eigentliche Heiligthum in Egypten der Vergessenheit und dem Verfalle zu entreißen. Ein Bild und einen einfachen Meßapparat aus Europa war Alles, was er vor der Hand zu wünschen fand, um die Aufmerksamkeit der einheimi=

schen Christen wieder anzuziehen, und die Reisenden zu erbauen; er wolle seinerseits dann wöchentlich einen Priester hinschicken, die heil. Messe darin zu feiern. Heute Früh ritt ich mit P. Leonardo, einem Italiener und wackern Missionär, wie man sich nur einen denken kann, in die Altstadt. Der Burigo kostete mich nichts. Wir stiegen in die Grotte hinunter. Eine Frau brachte in einem Korbe die höchst nöthigen Gegenstände und entfernte sich. P. Leonardo deckte den Tisch vor der Nische der heil. Jungfrau mit einem nicht sehr propern Tuche, setzte zwei kleine schwarze Leuchter mit gelben Kerzen hin, ein altes Meßbuch, einen eben so alten messing'nen Kelch und zwei kleine Blechkannen zum Opfer; der Altar war fertig. Ich lehnte indessen an einer Säule und zerfloß beinahe in Thränen über die verwirrte und verkehrte Menschheit, die undankbar genug die Grundgegenstände ihrer religiösen Verehrung vergißt. P. Leonardo kam mit dem Wasserkännchen und bat, ihm Wasser über die Hände zu gießen; und das Confiteor zu beten. Ich kniete hin, um unter häufigen Thränen das heil. Opfer celebriren zu helfen, und mir nach der Communion des Priesters, zu meiner eigenen Communion das Confiteor zum zweitenmal zu beten. Eine größere Armuth läßt sich nicht denken, als ich hier fand und von der ich mich durchdrungen fühlte, und doch war Alles vollendet. Dieser Zustand mag wohl ganz entsprechend der Armuth der heil. Familie gewesen sein, in der sie hier im fremden Lande mehrere Jahre lebte. Und doch war bei ihr stets Alles in höchster Vollendung. Am Ende der Messe, nach dieser Betrachtung, fühlte ich mich ein wenig beruhigt. Auch der ehrwürdige Pater war unverkennbar gerührt. „Wir sind alle mehr oder weniger Schismatiker," rief er aus, wohlmeinend gegen die verschiedenartigen Secten hier zu Lande, und gegen die Kopten, die ober uns ihre Festlichkeit herunter sangen, während wir in der Tiefe der Verborgenheit, auf eine armuths- und anmuthsvolle Weise, das unblutige Opfer des Sohnes Gottes zum Heil der ganzen Menschheit feierten, wie gewiß nirgend auf Erden. P. Leonardo führte mich in das Haus einer Maronitin zum Frühstück Die Divane, die Kleidung der hübschen sehr gutmüthigen, fromm scheinenden Frau, die Bedienung, alles streng orientalisch und wohlhabend. Schwarzer Kaffeh in kleinen Tassen, Sorbet, Liqueur und Zuckerwerk von mehreren Sorten, unter freundlich arabischem Gespräche, worunter ich freilich die Verkaufte war, wurde dargeboten. Die Nargilee durfte auch dem Pater nicht fehlen.

So ritten wir dann seelenvergnügt und heiter unsern Weg nach Hause
zurück. Doch nimmer werd ich ruh'n, um wo möglich das Meinige
zu thun, Lieb' und Theilnahme in den Herzen frommer Christen für
die Verlassenheit der heil. Grotte in Egypten anzuregen. Mich däucht,
als könnte sich Steiermark loskaufen von irgend einem sie bedrohenden
Nachtheile, wenn es die Kleinigkeit spendete, deren Wunsch mir der
Bischof andeutete. Auch Rom gehört mit dazu, so unbedeutend die
Sache scheint. Ich habe dort einen geistlichen Freund, an den ich mich
wenden werde, um von dem silbernen Ueberflusse der Madonna Augu-
stino etwa eine silberne Lampe zu bekommen; und um meiner innern
Stimme Genüge zu leisten, werde ich mich brieflich an unsern edlen
Herrn Grafen W. wenden. Etwa so: „Da ich Euer Excel. Güte und
Großmuth kenne ꝛc. Ich besuchte in Alt-Cairo die Grotte, welche
sieben Jahre lang von der heil. Familie Jesu, Maria und Josef bewohnt
war, und fand sie in einem Zustande, daß ein gläubiges Herz davon
muß gerührt werden. Sie befindet sich seit 400 Jahren in den Händen
der schismatischen Kopten, und Niemand denkt mehr daran, ausge-
nommen die P. Franziskaner, welche noch das Recht haben, darinnen
Messe zu lesen, welcher ich durch die Güte des Bischofs Monseigneur
Perpetuo Guasco beiwohnte; doch nichts gleicht dort weder einer
Kirche noch einem Altare. Man erinnert sich an die erste Zeit der
Christen, die um Gottesdienst zu halten, sich bald begnügen mußten.
Doch ist gegenwärtig nichts zu machen, wie sich der Bischof ausspricht,
als einen brauchbaren Meßapparat zu bekommen; denn hier ist durchaus nichts, und was die Kirche in Cairo besitzt, das sieht selbst so
alt und arm aus, daß man es sieht, daß sie nicht spenden kann, auch
würde es nur zu neuem Streite mit den Schismatikern dienen. Käme
aber ein Geschenk aus Europa von angesehener Hand,
würde das einen Impuls geben und zu vielen Gütern weiter führen.
Warum sollte es denn einer christlichen Macht nicht möglich sein, die
Grotte aus den Händen der Kopten zu befreien, das heißt, sie zu kaufen,
und sie christlichem Gebrauche zu weihen? Doch der Bischof hegt
Hoffnung zur Vereinigung dieser schismatischen Ketzer mit der Kirche
Gottes, was denn freilich das Beste wäre; das Haus wäre ihnen denn
doch wohl abzukaufen, um es niederzureißen, um das Sanctuarium
an's Tageslicht zu bringen. Uebrigens hat Oesterreich ohnehin den
Ruhm, daß es noch allein das Christenthum in Egypten aufrecht halte, wenigstens durch die fromme Bethätigung

seiner edlen Consulatsherren. Es dürfte vielleicht wohl irgend noch möglich sein, um einiges Interesse für den benannten Gegenstand anzuregen, doch um meiner Seelenstimme Genüge zu leisten, wage ich es, die kleine Gabenspendung in einer Kiste, die gewiß die besten Folgen mit sich bringt, durch Euer Excellenz von Steiermark zu erbitten. Die Araber selbst werden Achtung dafür hegen, und ihren Schutz für das Christenthum in ihrem Lande erhöhen. Das bin ich mir gewiß.

---

## Zweiundachtzigster Brief.

### An den hochwürdigen Herrn Gubernialrath K.

Cairo, den 20. Jänner 1848.

Nun befinde ich mich glücklich in Egypten, und habe mir die Merkwürdigkeiten in Cairo besehen, um Euer Gnaden einige Nachrichten, meiner Ansicht gemäß, mittheilen zu können. Bisher wünschte ich nicht, einen Schritt meiner Reise anders gemacht zu haben, und hoffe auch noch hinfort den rechten Weg zu finden. Daß es mir immer gut geht, erweist sich leicht aus dem, daß ich von Rom angefangen von einem Consulate zum andern immer auf das Beste anempfohlen, und auf das Freundlichste aufgenommen wurde. Ueber alle andern Vortheile, die mir daraus zukommen, geht jedoch die Freude, die mein Herz erfüllt, allenthalben so tüchtig wackere Männer, als würdige Repräsentanten Oesterreichs aufgestellt zu finden. Graf Lützov in Rom, Graf Welsersheim in Ankona, Baron Prokesch in Athen, Herr v. Laurin in Alexandrien, Herr v. Champion in Cairo. Täglich erwartet man die Ankunft eines österreichischen Consuls in Jerusalem, an den mir die Anempfehlung schon verheißen ist, wenn er vor mir noch ankommen sollte. Der Herr Consul in Cairo ist für mich sehr besorgt, er will mich ohne guter Gesellschaft nicht durch die Wüste ziehen lassen. Auch General-Consul v. Laurin, der sich hier befindet, sagte, als ich ihn fragte, ob ich nicht mit einer arabischen Handels-Karavane reisen könnte: „Wir haben noch Niemanden von den Unsern darauf angewiesen, Sie sollen auch nicht die Erste sein, doch wenn Sie so viel Muth

14

haben, so fragen Sie den Bischof, was er meint, seiner Aussage werde
ich beistimmen." Der Bischof meinte, ich habe in einer arabischen Gesellschaft gar nichts zu fürchten, er würde sie mir sogar eher anrathen
als eine Gesellschaft europäischer Herren. Doch ich hatte so viel in
der großen Stadt Cairo zu besehen, daß ich die arabische Handels-
Karavane versäumte, oder vielmehr gar nicht bereitet war, um mitzu-
ziehen. Die freundliche Gemüthlichkeit zweier Effendi erhält mich noch
immer in der angenehmsten Beschäftigung. Ich hatte an Abdel Rahman Muhamed von seinem Freunde in Gratz ein Empfehlungsschreiben. Acht Tage konnte ich ihn nicht auffinden, endlich war Hr. Con-
ful Champion so gütig, mir einen Diener mitzugeben, der mich nach dem
Vonlaque in die technische Schule führte, wo ich die beiden Herren,
Muhamed und Mustafa Effendi, fand. Beide studirten in Gratz und
waren freudig überrascht, eine steiermärkische Cadvaja (Pilgerin) in
Egypten zu sehen. Die Herren sind mit ihren Schulen, Maschinerien,
Fabriken, Plänen und Bauten über die Maßen bethätiget, doch nahmen sie es sogleich auf sich, mich in Cairo in all ihren Staatsanstalten herum zu führen, und mich zu den Pyramiden und anderen merkwürdigen Orten zu begleiten, die sie ohne solcher Veranlassungen,
ihrer ununterbrochenen Geschäfte willen, selbst nie zu Gesichte bekä-
men. Das technische Institut wurde mir sogleich in seiner ganzen
Einrichtung mit der einfachsten Freimüthigkeit gezeigt, wo ich besonders über die gut gelungenen, mit der größten Genauigkeit ausgeführten Zeichnungen erstaunt war. Das Benehmen der auf Regierungs-
kosten sich darin befindlichen jungen Leute ist ein lebendiger Beweis
der, nebst ihrer natürlichen Gutmüthigkeit, zweckmäßigen Einwirkung
des ganzen Bestandes. Mustafa Effendi führte mich in seine Behausung, um mir seine junge Frau aufzuführen, ein freundliches Mädchen,
etwa siebzehn Jahre alt, in echt arabischer Haustracht. Eine Tante,
ihre Erzieherin, ist noch ihre Wächterin im Hause. „Wir haben ein
kleines Mädchen, sagte Mustafa, das wir Ihnen mitgeben werden, damit Sie es uns gut erzogen wieder zurückbringen." Nun gut, daran soll's
nicht fehlen. Und um den Scherz zu vollenden, trat die Sclavin
mit einem verschleierten zwei Monat alten Engelchen hervor, welches
die Mutter gar so gerne Marie nennen möchte. Abdel kam auch
nach Hause, denn die beiden Freunde wohnen unzertrennlich beisammen,
so viel möglich auf europäischem Fuß. Mustafa hat nur die eine Frau,
und Abdel ist gar nicht verheirathet. Die Türken nennen sie heimliche

Christen. Es wurde die Verabredung getroffen, daß Abdel des andern
Tages mich im Kloster abzuholen käme, um mich im Ministerium
aufzuführen, und die Erlaubniß zu bekommen, die Akademien zu besuchen, die man nur ganz bescheiden Schulen nennt, auf welches Wort
die Egyptier jedoch einen großen Werth zu legen scheinen, worüber ich
ihnen auch vom Herzen recht gebe. Den andern Tag im Ministerium
angekommen, befand ich mich in einer sehr wohlthuenden Unbefangenheit auf den Divanen neben den vornehmen türkischen Herren. Der
Diener brachte Kaffeh, und der Colonel, der Stellvertreter des Mini-
sterspremier und der Studien Hofmeister, sprachen sehr freundlich ein
vollkommen gutes Französisch mit mir. Als ich meinen arabischen Be-
scheid, alle öffentlichen Anstalten in ganz Cairo besuchen zu dürfen,
ausgefertigt bekam, führte mich Abdel Rahmann Effendi in das medicinische Directorat unter die vornehmsten Herren Aerzte, um dort die
besondere Erlaubniß zu erhalten, die medicinische Akademie zu besuchen.
Um diese hätte ich mich eben nicht viel beworben, aber Abdel handelte für mich. Hier saß ich denn unter den türkischen Herren Doctoren,
auf ganz niederm Divane, fast ganz am Boden, der mit Strohmatten
belegt war; die Mitte des Zimmers mit Nargilen angefüllt, auf deren
jeder die glühende Kohle schimmerte und ihr langes Rohr an die am
Divane sitzenden Herren spendete; auch mir wurde freundlich eine an-
geboten, die ich dankend lächelnd in der Hand hielt, um mit der andern lieber den Kaffeh zu nippen, der die unbefangenen Fragen und
Gespräche im reinsten Französisch, in ihrem gemüthlich natürlichen
Werthe noch erhöhte. Ich weiß nicht, ob ich mich unter unsern vornehmen Herren so wohlbehaglich finden könnte. Wenigstens hege ich
vor dem Eintritte in eine Kanzlei einen ungeheueren Respect, ich weiß
nicht, was ich lieber dagegen wählen möchte, obschon ich in der Kanzlei
bei meinem Vater beinahe aufgewachsen bin, und als kleines Mädchen
meine eigene Registratur und meinen angewiesenen Platz hatte. Zuerst
besuchten wir denn nun auch die medicinische Schule, deren anatomische
Modelle wirklich bewunderungswerth sind. Diese feinen Nüancen von
Nerven und Blutgefäßen in Carton so gut zu liefern, da gehört doch
Kunst dazu, wenn sie gleich in Paris fabricirt worden sind. Wachs
ist hier zu Lande wegen der großen Hitze nicht anwendbar. Im Se-
cirzimmer hatte man eben einen Cadaver auf der Tafel; ich bedankte
mich aber, hinein zu gehen, zum Glück hat man mir's früher gesagt.
Ueberhaupt suchte ich bald hinauszukommen; denn die ärztlichen Appa-

14 *

rate interessiren mich nicht viel; zur barmherzigen Schwester bin ich
nicht geboren, obschon ich den Orden sehr ehre. Wir kamen in's
Naturalien=Cabinett, dessen Einrichtung erst im Entstehen ist, was
jedoch in Egypten nie von einem vorzüglichen Bestehen sein kann, we=
gen der Hitze, welche die ausgestopften Thiere zu schnell zerstört.
Man zeigte mir physikalische Apparate mit ungeheuerem Geldeswerth
von Frankreich gekauft, die gar nicht zu brauchen sind, und die sich
die Herren mit ihren erlernten Kenntnissen und vieler Mühe erst müssen
brauchbar machen. Mich ergriff ein kleiner Aerger über diese euro=
päische Schmutzigkeit. Das heißt nicht mit Wohlwollen seinen Ueber=
fluß mittheilen, um Kunst und Nutzen auch in andern Ländern, durch
Beförderung von Cultur zu verbreiten, eine solche Handlung ist sehr
uncultivirt. Auch führte man mich in die Bibliothek mit medicinischen,
physikalischen, mathematischen und allen andern wissenschaftlichen Ab=
theilungen, in den chemischen Saal und in die Arbeitscabinette zu
den nöthigen Apparaten. Alles mit eifriger Thätigkeit behandelt. Das
große Spital für 3000 Mann ist sehr reinlich, einfach, luftig, nur
mit einer Reihe von Betten in den langen Sälen, wie es mir vor=
kam, sehr zweckmäßig eingerichtet. Einzelne Gemächer für Kranke gibt
es eine Menge. Auch ein Hospitium für Arme ist gut eingerichtet,
alle Freitage wird dort ausgespeist und Jedem, mag er sein wer er
will, wird mitgetheilt, auch an Kleidung und an Geld. Ich fragte,
ob sie mir als Christin auch was zu essen geben, wenn ich bitten
käme, und mit freundlichem Lächeln erwiederte man mir: O ja. Es
gibt mehrere derlei Anstalten, auch Armenhäuser, in denen die Leute
aber eben so wenig bleiben, oder auch nur hineingehen wollen, wie
bei uns. Sie leiden lieber die größte Noth in ihrer Freiheit. Nun
kamen wir in die Akademie der Wissenschaften, wo 300 Zöglinge auf
Kosten und gänzliche Verpflegung sammt Recreations= und Prämien=
Geldern von der Regierung aus erhalten, unterrichtet und erzogen
werden. Die einfache Einrichtung der Schlaf= und Speisesäle, des
Hofraumes zur Unterhaltung und körperlichen Uebungen, so wie der
Unterrichtssäle, die freilich nach Landessitte ganz anders gestaltet sind
wie bei uns, ist indessen ganz zweckmäßig und gut geordnet, die Zeit=
eintheilung genau, und die ganze Haltung streng militärisch. In unpar=
teiischer Uebersicht muß man sagen: „Auf solche Art kann ein
Staat tüchtige und für sich brauchbare Diener erwar=
ten, wenn er sie auf seine Kosten herangebildet hat;"

er weiß, was er gegeben, und wird daher auch wissen, was er fordern kann. Um den Gesammtnutzen zu befördern, müssen Religion und Erziehung stets nur aus einem Grundprincipe und einem obersten Vorstande geleitet werden. Privatmäßiger Erwerbsfleiß und persönlicher Ehrentrieb ist hier an keiner Seite an seinem Platze. Ich dächte sehr wohlmeinend, Egypten dürfte hierin den höherstehend gebildetern Staaten zum Musterbilde dienen. Was die Wissenschaften selbst betrifft, die holten sich die Egyptier durch einige Studienjahre wohl erst in Europa, und wie es scheint, sind sie in der Verwendung derselben sehr brav; denn allenthalben sieht man die durch ihre gesammelten Kenntnisse unterrichteten, jungen, eifrigen Professoren, die sich mit ihren Schülern freuen können. Die Lehrgegenstände werden regelmäßig in drei Sprachen vorgetragen: in der arabischen als Muttersprache, in der englischen und französischen. In letzterer ließ man die jungen Leute ordentlich Prüfung machen, wodurch ich Gelegenheit hatte, mich von ihrer Gründlichkeit und Geläufigkeit zu überzeugen. Die Arithmetik in fremder Sprache vorzutragen ist keine so leichte Kleinigkeit. In den Uebersetzungen ganzer Werke haben sie eine besondere Leichtigkeit, wie überhaupt das Sprachtalent hier in gar keinem Vergleich mit dem unsrigen steht, wenigstens mit uns Deutschen, die wir sogar mit aller Sorgfalt suchen, jedes fremde Wort aus unserer reichhaltigen Sprache zu verbannen, um das Deutschthum zu bewahren. Indeß ist es doch ganz gewiß, daß manches Wort einer andern Sprache den Begriff einer Sache richtiger auffaßt und wieder darstellt. Mir gelang es nun schon einige Male auf meiner Reise, daß ich mich mit den kurzen Worten der von mir noch wenig geübten italienischen Sprache besser verständlich machen konnte, als in langen Reden meiner Muttersprache. Nun sind die Araber daran, sich in der deutschen Sprache zu üben, und ihre Werke zu übersetzen. Mehmed Ali gab den Auftrag, alle religiösen Schriften zu durchforschen, um auf Einheit zu gelangen. Welch' herrliche, großdenkende Idee eines Fürsten würdig! Uebrigens ist der Muslimismus eben so zerfallen in seinen theilweisen Meinungen und Ausübungen wie der Christianismus. Vielleicht meint er nur die Lehre seines Propheten in Einklang zu bringen. Immerhin der beste Vorschlag eines Regenten. Während unserer treuherzigen Gespräche machte ich denen Herren auch einen Vorschlag, den sie mit vieler Theilnahme annahmen und mich versicherten, daß sie und die andern Herren, mit denen ich heute im Ministerium sprach, beistimmen; nämlich die Lehre Jesu Christi als die allein wahre und seligmachende anzuerkennen. Noch sei aber nicht die Zeit, vor dem Volke sich darüber zu äußern, meinten sie; man müsse es erst noch für Civilisation empfänglich machen, wodurch es dann leicht von selbst darauf hinkommt, ohne daß man vorzeitige Revolten zu veranlassen braucht. Was ich hier beilege, ist ein Auszug des französischen Auf= satzes, den der Effendi zum Andenken an die Pilgerin in Egypten zurückbehalten.

# Vorschlag

### zur Einheit der religiösen Ansichten.

Die Regelung der Menschheit kann nur in der Religion und in der Erziehung bestehen, wo es an diesen beiden Gegenständen man= gelt, ist jede Staatskunst vergebens. Die Religion ist selbst das erste System der Erziehung, um den Menschen zu dem zu bilden, was er sein sollte; um das Glück, den Frieden, die Einigkeit des Staates zu gründen. Um diesem Systeme entgegen zu kommen, fängt die Erzie= hung schon bei dem Kinde an, und schließt Alles, mit ein: die Bildung des Herzens, das heißt: die guten Eigenschaften veredeln, und die übeln verbessern, was ausschließend ein Theil der Religion, nämlich Moral ist; so wie Alles, was die Erfindung von Kunst und Wissen= schaft darbietet, um das Leben zu sichern und es zu verschönern; was ebenfalls Geschenke der Religion sind, da der Mensch seine Kenntnisse nur einem übernatürlichen inneren Lichte verdankt. Die Erziehung, wenn sie ihren Begriff recht erfaßt, umschließt von der ersten Kindheit an, die Eindrücke des religiösen Glaubens, und seine geistigen Wirkungen, so wie das physische Wohl des Menschen und seine angenehme Außen= seite. Ein gutes Staatensystem hängt von der Religion ab, weil ohne derselben gar keines besteht. Die Reli= gion ist im Staate gehalten und beschützt in ihren Ausübun= gen, und so vollenden Kirche und Staat zusammen den Verband der menschlichen Gesellschaft, so wie Leib und Seele zusammen den leben= digen Menschen bewegen. Personen verschiedenen Standes arbeiten zusammen auf verschiedene Weise, um denselben Zweck zu erreichen, nämlich: das erhabene Ziel eines vollkommenen Staa= tenglückes. Dazu muß eine gute Einrichtung der Erziehungs = In=

ſtitute, nicht nur für Knaben, ſondern auch für Mädchen das erſte Augenmerk des Staates ſein; welche, nebſt den nothwendigen Kennt= niſſen der verſchiedenen Stände, ſich feſt auf, die zwei Hauptprincipien einer guten Erziehung gründen; dieſe heißen: Wahrheit und Reinheit. Dieſe zwei Principien können aber nur in ihrer allgemeinen Anwendung aus der Religion hervorgehen. Wo nicht, ſo trägt die Religion ſelbſt nicht den nothwendigen Character der Wahrheit und Reinheit, um wahre Religion zu ſein, deren es mehrere gibt; jede von andern Grundſätzen ausgehend. Indeſſen iſt es der einfachen menſchlichen Philoſophie klar geworden, daß nur Ein und derſelbe Gott das ganze Weltengebäude regiert, und daß von dem alleinigen, weiſen Gott, nur Eine Wahrheit des religiöſen Glaubens zur Beglückung des Menſchen= geſchlechtes ausgehen kann, deſſen verſchiedenartige Begriffe religiöſer Ausübungen nur Irrthümer ſein können. Folglich ſind kluge und edle Staaten vor Allem verpflichtet, ſich zu überzeugen, ob ihre Reli= gion die wahre ſei, ob ſie die Eigenſchaften beſitze, um den Men= ſchen durch die Erziehung von Kindheit an das zu geben, was ihn jederzeit ſeines Lebens und in Ewigkeit glücklich machen kann. Es iſt wahr, daß jede Religion, die einen Gott erkennt, und von ihm die Seligkeit erwartet, oder die Verwerfung befürchtet, für ſich ſelbſt ſchon ehrwürdig iſt; aber durch gleiche Heilsmittel, in geiſtiger Gemeinſchaft an allen Orten, in Grundſätzen, ſo wie in der Ausübung Eins ſein, dieß iſt doch ohne Vergleich ehrwürdiger, und ohne Bedenken heil= ſamer. Obſchon in einem ſo glücklichen Zuſtande der Menſchen im= merhin die Einzelnen auf ihren Meinungen verharren werden, wenn ihre Erkenntniß nicht dahin reicht, ſo würde dieß doch nicht die Schön= heit und das Glück einer ſo brüderlichen Allgemeinheit ſtören. Die Nächſtenliebe, und die Geiſtesbildung würden in unaufgehaltenen Schritten vorwärts gehen. So wie die Dinge in unſern Tagen ſich geſtalten, ſo bedürfte es nichts, um ein ſo großes Gut herbeizuführen, als des Aufrufes eines erhabenen Monarchen, der ſich um die Menſch= heit, um ſein Volk und ſein Land verdienſtlich gemacht hat, an andere Regenten, in Hinſicht der verſchiedenen Religionen, eine aufrichtige Unterſuchung ihrer Grundſätze, durch ihre Religionslehrer vornehmen zu laſſen, um durch gegenſeitige Berathung die allein wahre und ſelig= machende herauszufinden, um die Völker in freundlichen Verkehr zu bringen, anſtatt daß ſie ſich kennen und kaum gegenſeitig ertragen, und im Handel überliſten wo ſie können; oder ſich in ihrem Glauben beſſer halten, als die Andern, die sie kaum als Mitmenschen und Kinder desselben Gottes beachten. Die kluge und lobenswerthe Toleranz weiser Monarchen hat zwar hierin schon viel verbessert, doch führt dieser Weg in einen andern Abgrund, und der heißt: Indifferentismus; das heißt: Gleichgiltigkeit, die mit der Zeit jeden Glauben zerstört. Und wenn das nicht möglich ist, weil die Nothwendigkeit des Glaubens durch Gott in dem menschlichen Herzen gegründet ist, so entsteht daraus eine Verwirrung, in der Niemand mehr weiß, was er glauben soll, und Fanatismus und Fatalismus werden zum Verderben alles Edlen und Guten ihre traurigen Rechte auf diesem Wege ausüben. Die Feder, die dieses schreibt, befindet sich in einer Hand, die nur für den Glauben Jesu Christi lebt, und die sich zu behaupten weiß in dem, was sie glaubt. Doch geht die Absicht dieser Schrift nicht dahin, den Werth der Einen wahren Religion zu erheben, sondern nur den großen Vortheil der Völker durch die Einheit ihrer religiösen Gesinnungen zum Vorschlag zu bringen. Und diese Sache scheint in die Hände türkischer Befehlshabung gelegt zu sein, um andern Völkern den Impuls zu geben; dann würde der Name „**Pforte**" in seiner hohen Bedeutung hervortreten. So wie der Christ glaubt, daß Jesus Christus zu Bethlehem von einer Jungfrau geboren, der Sohn Gottes ist, so glaubt der Muselmann, daß Mahomed sein Prophet sei. Alle Menschen werden durch die Stimme des heil. Geistes geleitet, in so weit sie diese hören wollen. Je mehr die Völker durch Civilisation zur Gerechtigkeit im Denken und Handeln gelangen, desto mehr werden sie vorbereitet, zur einigen, alleinigen Wahrheit zu gelangen. Die römisch-katholische Kirche selbst, obschon sie vom Anbeginn her Alles besitzt zum Heile der Menschen, sowohl durch die Lehre Jesu Christi des Sohnes Gottes, als durch die Eingebungen des göttlichen Geistes, enthebt sich doch nicht der immer helleren Entwicklung von Zeit zu Zeit, und wie sie in den ersten Jahrhunderten in ihren Erkenntnissen wie in der Ausübung ihres Gottesdienstes nicht so leuchtend auftrat wie heut zu Tage, so wird sie in der Folge der Zeiten immer heller und heller in's Licht treten ohne Veränderung, ohne Fanatismus, ohne Hochmuth, ohne ehrgeiziger Eigenthümlichkeit; denn ihr Bestehn und ihre Wirkungen erheben sie von selbst über alle anderen Religionen.

# Dreiundachtzigster Brief.

## An den Herrn Doctor K.

Cairo, den 22. Jänner 1848.

Vor Allem ersuche ich Sie, Herr Doctor, mich bei Ihrer Frau mit meinem Ihnen bekannten Interesse für die terra santa und auch für Egypten zu entschuldigen, daß ich mir in meinem Eifer die Freiheit nehme, ihr in meinem Briefe an Sie den Vorschlag gemacht zu haben, ein von ihrer kunstvollen Hand verfertigtes Bild, eine Flucht nach Egypten, hierherzusenden; die günstigste Aufnahme und der beste Erfolg eines solchen Gemäldes als europäisches Geschenk ist schon vorbereitet. Nebst der Auferbauung und Aufmunterung der hiesigen Christengemeinde, und erneuerten Verehrung der Grotte, die die heil. Familie auf ihrer Flucht hier bewohnte, kann ich Sie versichern, daß ein gelungenes Gemälde von Frauenhand, dessen Ausstellung schon planirt ist, selbst bei den Arabern von großer Anerkennung wäre, und gewiß dazu diente, die weibliche Bildung anregen zu helfen. Doch was diese betrifft, da kann ich Ihnen Bedeutendes für Ihr ärztliches Interesse erzählen. Ich besuchte die medicinische Akademie für Frauen. Hier werden junge talentvolle Mädchen mit zehn Jahren vom Staate aus ganz in Versorgung genommen, und vom Lesen und Schreiben angefangen (was bei den Frauen der mahomedanischen Religion sonst nicht gangbar ist) Alles zu lernen, was sie zu vollständigen Doctoren der Medicin qualificirt, in welcher Eigenschaft sie ihre besoldete Staatsanstellung unter gewissen Titeln, als Hauptmannin und andere niedern Chargen bekleiden. Sie werden in die Häuser zu den kranken Frauen geholt, und besorgen das weibliche Hospital mit allen zusammen gehörigen weiblichen Krankheits- und Pflege-Versorgungs-Anstalten sammt dem Irrenhause, welches sich in ihrem Institute in einem Gebäude neben dem Männer-Stadtspital befindet, und von demselben Director überwacht wird, nebst weiblicher Leitung einer französischen Dame. Eine Landestochter und Zögling des Institutes führte mich im Hause umher, mit wahrer Doctors-Würde, doch unbefangen und einfach. Ich denke, es geht bei

den Türkinen wie bei den Christinen. Um Frauen auf ihren eigen=
thümlichen Punct von Bescheidenheit und Demuth zu sehen, darf man
ihnen nur den Standpunct freistellen, den sie mit Recht einnehmen
können, oder sie darauf befördern, und man wird eine im Herzen
gebildete Frau eher aneifern und aufmuntern müssen, als sich genöthigt
sehen, sie von Uebernehmungen zurückhalten zu müssen. Ueberhaupt
darf man nicht übergehen, die natürliche Gefälligkeit zu rühmen, die
ich bei dem Besuche aller egyptischen Institute und Akademien fand.
Die Bildung und der Umgang mit diesen wissenschaftlichen, und im
Lande sehr vornehmen Herren, die als Professoren und Directoren ihre
Anstellung haben, ist sehr angenehm, und das ganz besonders, weil
sie gemüthlich und einfach sich präsentiren, und von einer gewissen
beengenden, verschrobenen Verbildung frei sind. Doch habe ich erfahren,
daß die Europäer im Lande, so wie die Landes=Eingebornen, jenen
Herren, die im österreichischen Staate, und das bei uns in Gratz sind
unterrichtet worden, den Vorzug vor jenen geben, die in Frankreich
waren, sowohl ihrer Kenntnisse und ihrer Brauchbarkeit nach, als
besonders in ihrem soliden Benehmen. Ich habe den großen Vortheil
und das Vergnügen, zwei davon zu kennen, die mich mit großer Ge=
fälligkeit, ja mit vieler Freundschaft behandeln. Gestern spazierte ich
ganz allein nach den Boulaque hinaus, um Abdel Muhamed zu besuchen
und wegen meiner Abreise mit ihm zu reden, traf ihn aber nicht
zu Hause; er suchte mich indessen in der Stadt in meinem Kloster.
Ich begegnete Nasser Effendi, den ich bei meinen akademischen Besuchen
kennen lernte. Er führte mich·in das Observatorium, zeigte und
explicirte mir alle möglichen Instrumente, ließ mich durch den großen
Tubus die wunderherrliche, fremdartige Gegend besehen, für die das
Observatorium einen köstlichen Standpunct hat. Die Herren vergnüg=
ten sich, mir in der camera obscura eine Menge Experimente durch
das Microscop zu zeigen. Und so verging wieder der halbe Tag.
Als ich fortging, verirrte ich mich und konnte aus dem Boulaque keinen
Ausgang finden, bis ich endlich wieder einen jungen Araber, einen
meiner Freunde begegnete, der französisch sprach; es gesellten sich gleich
noch ein Paar hinzu, und diese drei Herren führten mich mit vieler
Höflichkeit auf die Straße, von der ich mich ziemlich entfernt hatte.
Sie sprachen mit vielem Interesse, nannten mich Monsieur, obschon
ich ihnen bedeutete, daß die Franzosen die Frauen Madame nennen,
sie aber nahmen mich als Professor mit. Ich erklärte ihnen, daß ich

junge Mädchen in einem Institute erziehe, was sie sehr interessirte; sie
fragten, was ich ihnen denn lehre, und meinten, der Unterricht würde
nur im Nähen bestehen, verwunderten sich daher überaus, und wiederholten sich's einander, als ich ihnen erzählte, was bei uns die Mädchen lernen. Auch hier wird bald die Zeit kommen, wo der weibliche
Unterricht beginnt; der Verbot des Korans wird sich
lösen. Als ich mit vielen Herren umgeben, durch die Säle der
wissenschaftlichen Akademie zog, sagte ich: „Für Ihre Jugend ist sehr
gut gesorgt, sie wird dem Staate einst Ehre machen; nachdem ich die
Jugend in Europa kenne, und weiß, was gefordert wird, so kann ich
über die Leistungen der Ihrigen nur erstaunt sein. Es bleibt nunmehr
zu wünschen übrig, daß Sie für Ihre Mädchen eben so zweckmäßig sorgen." „Das erlaubt der Koran nicht," fiel mir sogleich einer
von den ältern Herren in's Wort, ganz erröthend. „Ach sagen Sie mir
doch, meine Herren, wäre es Ihnen nicht selbst von höherem Lebenswerth,
wenn Ihre Frauen, die so viele natürliche Anmuth besitzen, auch mit
nützlichen Kenntnissen bereichert wären? Bis Sie sich Ihre eigenen Lehrerinen werden herangebildet haben, was wohl einige Schwierigkeiten
noch haben dürfte, können Sie Ihre Töchter ja in das lateinische Kloster
der sœurs de bon pasteur schicken!" Man befragte mich manches
über das Kloster, welches auch wirklich von Türkinen, Griechinen
und Jüdinen, nebst den Christinen besucht wird. Mustafa Effendi
wollte mich überreden, in Cairo zu verbleiben; deß fühle ich mich aber
nicht berufen, so gut es mir auch hier gefällt, und der ungetrübte,
reine, heitere Himmel Egyptens mir unvergeßlich
bleiben wird sammt seiner vorzüglichen Vegetation. Bäume grünen, Blumen blühen, Grünzeug wächst den ganzen Winter unter der
hundertarmigen Wasserleitung des Nils. Zur jetzigen Zeit im Jänner
schlafe ich bei offenem Fenster, zwar eben nicht wegen der Hitze, doch
macht man sich nichts daraus; denn da die Fenster nicht so wie bei
uns mit einem Vorsprung und den Händen erreichbar, sondern
in einer Reihe, wie eine Glaswand, an der obern Hälfte des Zimmers flach in der Wand angebracht sind, so konnten wir den einen
Flügel mit aller Bemühung nicht zubringen. Ich besuchte den berühmten großen Garten auf der Insel Rhodda, zu dem man auf einen
Arm des Nils überschiffen muß. Er ist auch wirklich so zierlich als
großartig angelegt. Die schönsten Blumen stehen im Flor, ganze Gesträuche von dunkelrothen, glühenden Rosen erfreuen das Auge; und

Bäume aller Art, sogar eine deutsche Eiche, zeugen von sorgsamer Pflege einer reichhaltig pomonischen Sammlung. Der Gärtner sagte mir, es sei fast unmöglich, den Garten in seinem erwünschten und beabsichtigten Zustande zu erhalten, weil seine Anlagen alljährlich durch die Nilüberschwemmung zerstört werden. Geschichtliches Interesse liefert der Garten durch die Aufbewahrung des Ortes, wo Moses von der Königstochter im Körbchen auf dem Nil gefunden wurde. Ibrahim Paschas Pallast, der etwas verödet ist, und den ich auch besuchte, erinnert einem an jene alte Zeit, wo der Pallast des Pharao wohl auch mag gestanden sein. Wenigstens der Platz, wo er steht, trägt unverkennbare Spuren erhabener Größe, und macht den Eindruck eines dunkeln Suchens derselben. Hier standen Moses und Aaron wohl so einigemale vor dem Pharao, und forderten die Freilassung ihres Volkes, ehe die zehn Plagen Egyptens sein verhärtetes Herz erweichten. Was für Sie, Herr Doctor, als Naturforscher von ganz besonderem Interesse sein dürfte, denk' ich, wäre der versteinerte Wald in Egypten. Sie werden zwar vermuthlich schon einigemale gelesen haben, daß es sich nicht mehr der Mühe lohne, davon zu sprechen. Ich bin jedoch der Meinung, ein so berühmtes und bekanntes Welt-Alterthum n i c h t  s o  g a n z  u n b e a c h t e t  a u s  d e m  M o d e n z e i t l a u f e  e n t s c h w i n - d e n  z u  l a s s e n. Ich nahm mir denn einen Hamar und ritt in Begleitung eines alten Arabers hinaus, ohne mich von geringschätzenden Beschreibungen letzterer Zeit zurückhalten zu lassen, um meine Augen selbst von dem Bestande eines versteinerten Waldes zu überzeugen. Nun denn, aufrecht stehende versteinerte Baumstämme mit etwa guirlandenartig herabhängenden steingrünen Blättern darf man sich freilich nicht vorstellen, sondern eine unabsehbare Sandwüste, angesäet mit den niedlichsten versteinerten Holzstückchen, von einigen Lothen bis zu einigen Pfunden an Größe. Tiefer hinein in's Gebirge, wo die zerworfenen Holzstückchen, an denen man die schönsten Buchen oder Eichen erkennt, immer größer werden, bis zu liegenden Baumstämmen, da führen Einen die Leute nicht hin, theils wegen der Gefahr des Verirrens, theils wegen der Räuber, die in der Wüste und in diesen Gebirgen ihre Wohnorte haben. Auch müßte man sich auf einem so entfernten Spazierweg Zelten aufschlagen. Doch ritt ich trotz der Mahnungen meines besorgten Führers so weit, bis ich mir von dem versteinerten Wald einen Begriff fassen konnte, um ihn mit dem Geschichtlichen, was ich erfahren konnte, in Einklang zu bringen. Der Umfang

des Waldes ist nie geometrisch gemessen worden, doch rechnet man ihn
erfahrungsweise auf acht Tage. Geschichtlich angenommen ist er Ur=
wald aus der Schöpfung: „Es werde! und es ward." Durch die
Sündfluth umgerissen, und versteinert, bedeckt er noch heute den nie
zur Menschenwohnung verwendeten Ort. Vor Kurzem schleppte man
aus der Tiefe von drei Tagen einen Kloz heraus, an dem zwölf Ka=
mehle zogen, um ihn nach Alexandrien zu bringen. Als ich mir weit
genug zu sein dachte, setzte ich mich in den Sand, um mich an der
lebhaftern Erinnerung der Schöpfung zu vergnügen, und deren Ver=
wüstung zu betrachten. Der gute Araber ließ mir jedoch nicht viel Zeit
dazu, und als er sah, daß ich mir ein Paar hübsche Stückchen aus
dem Sande suchte, fühlte er sein Hemd an der Brust, der gewöhnli=
che Sack der Araber, so voll mit Steinen, als Plaz fanden, um sie
mir nach Hause zu tragen, was ich ihm natürlich gar nicht angehen
ließ; doch von den einigen, die ich mitnahm, gedenke ich einen nach
Gratz zu bringen, den ich Ihnen hoffentlich werde zeigen können.

## Vierundachtzigster Brief.

### An Bruder Zeno.

Cairo, den 25. Jänner 1848.

Nachdem Abdel Rahman Effendi zwei Tage mit mir in Cairo herum
ritt, um mich in alle Akademien und Spitäler zu führen, lud er mich
auf ein arabisches Diner ein. Um sechs Uhr setzte ich mich mit ihm und
seinem Freunde Mustafa zu Tische, dessen junge Frau europäische Be=
dienung leisten mußte. Die Speisen waren echt arabisch, sehr gut und
sehr viel. Doch, obschon ich mich das ganze Jahr um keinen Wein
bei Tische bekümmere, so kam es mir hier sehr befremdend vor, ihn zu
vermissen, vermuthlich weil ich das natürliche Nilwasser vor mir sah,
mit dem ich mich noch immer nicht vergleichen kann, wenn ich es nicht
wenigstens filtrirt sehe. Die Landeseingebornen nehmen es jedoch nicht
so heiklich. Unsere Herren möchten sich mit keiner Mahlzeit ohne Wein
begnügen. Es wurde schon früher beschlossen, auch im Hause des Effendi

zu schlafen, um mit Sonnenaufgang den Weg nach den Pyramiden unter Begleitung beider Herren anzutreten; da wir vom Boulaque aus eine gute Stunde ersparten, und wir an der Zeit zu viel verloren hätten, um mich erst in der Stadt abzuholen. Der Abend, den ich in dieser natürlich gemüthlichen Gesellschaft verlebte, wird mir unvergeßlich angenehm im Gedächtnisse verbleiben. Abdel Rahman, Mustafa Effendi, seine liebenswürdige, engelgute junge Frau, ihre Tante und Pflegerin und noch eine Frau, die sich jedoch den ganzen Abend nicht enthüllte, obschon sie sehr heiter lachte, sang und schwatzte. Wir vergnügten uns alle zusammen ungemein. Die beiden Herren machten die Dolmetscher unter uns Frauen, was unsere Unterhaltung erst recht lebendig und interessant machte. Man sang mir die schwärmerischen drei halbtönigen Nationalweisen vor, in denen das schmelzende, sich immer wiederholende el lel (die Nacht), so rührend zu Herzen geht. Endlich schieden wir. Als ich allein auf meinem Zimmer war, kam die junge Frau mit ihrer pechschwarzen Begleiterin, einer jungen, hübschen Sclavin, noch einmal zu mir, um mich ihrer warmen Freundschaft zu versichern. Obschon wir weder deutsch noch arabisch zusammen sprechen konnten, so verstand ich doch die innerliche Seelensprache, durch welche ich ihre Verehrung und ihre Sehnsucht nach dem Christenthume erkannte, in welchem Sinne sie mir zuvorkommend das Wort „verstanden" entgegensprach. Sie nahm mein eisernes Crucifix, was ich im Gürtel trage, küßte es liebevoll und andächtig, und legte es auf ihre Stirne. Mein etwas zu zart geketteter und somit zerfallener Rosenkranz, den ich von Rom mit der Weihe des heil. Vaters bei mir hatte, gab mir die Mittel, diesem frommen Herzen ein angemessenes Andenken zu hinterlassen. Ich gab ihr das silberglänzende Kreuzchen, mit den erstern daran hängenden Korallen. Diese Freude, diese Verehrung ist sich nicht vorzustellen; ich verstand, daß sie dieses Kreuz als schützendes Kleinod für ihre kleine Hamida bewahren wolle. Die Sclavin, die sich wohl nichts zu sagen getraute, sah jedoch so sprechend den auf den Tisch hingelegten, zertrümmerten Rosenkranz an, daß ich ihren Wunsch leicht in ihrem schneeweiß leuchtenden Auge, auf schwarzsammtner Flur, lesen konnte. Ich gab ihr einen Absatz von den weißgeketteten Korallen, bin aber auch überzeugt, daß wir sammt der Kenntniß des Werthes unserer Rosenkränze keine solche Liebe und Verehrung daran finden, wie dieses schwarze Mädchen, das die kleinen Stückchen davon, an Mund, Stirne und Herz drückte, und mir zeigte, daß sie es immer bewahren wollte.

Ich schlief in diesem Türkenhause sehr gut. Kaum graute
der Tag, so sangen die Arbeitsleute ihr Morgenlied, welches der Mu=
selmann nie unterläßt, wenn er sein Morgengebet, welches er mit vielen
ehrfurchtsvollen Bewegungen begleitet, nicht verrichten kann. Abdel
konnte sich für diesen Tag von seinen Geschäften nicht entfernen, auch
war ihm unwohl geworden, und so trat ich mit Mustafa Effendi und
den Dienern, nachdem wir Kaffeh genommen hatten, den Weg zu den
Pyramiden von Giseh an, auf dem man den Nil überfahren muß. Rechts
davon bleiben die Pyramiden in der Wüste Saharah; zwei Stunden
weiter sind die Pyramiden von Darschur, welche die zahlreichsten wa=
ren; nun sind sie aber fast alle zerfallen. Auch gibt es noch Pyramiden
zu Abusin und zu Tirizith. Es sollen in Allem zusammen ihrer dreißig
gewesen sein, wovon noch fünfzehn stehen. Die drei zu Gisah sind die
von den Fremden besuchtesten, und somit auch die bekanntesten. Die 500
Fuß hohe des Chrops, an der 100,000 Menschen 26 Jahre lang bau=
ten, ist der eigentliche Zielpunct der Reisenden, um sie zu ersteigen, oder
in ihrem Innern herumzuwandern. Ersteres schien mir eine meinen
Kräften nicht zusagende Depense zu sein. Ich entsagte ganz gutwillig
der triumphirenden Höhe, in Anbetracht dessen, mich von Leuten hinauf=
ziehen und nachschieben zu lassen, abgesehen von dem etwaigen Schwin=
del, den man bekommen könnte. Obschon ich eben nicht gar so furcht=
sam bin, so fand ich diese Bravour meinerseits doch überflüssig. Ich
war sehr zufrieden, drei Engländer mit ihren arabischen Führern hinauf=
klimmen zu sehen. Mustafa Effendi und ich musterten indessen die Qua=
dern von 9 bis 13 und 19 Schuhen, und bewunderten die Mechanik,
die diese Massen zu solcher Höhe hinaufzog und feststellte, daß sie noch
Jahrtausenden zu trotzen versprechen. Mustafa Effendi zeigte mir
den fernen Steinbruch, wo man die Spuren hat, daß die Steine sind
herbeigeschafft worden. Er meinte, bei all' dem erstaunlichen mechanischen
Getriebe unserer Zeit sei die Mechanik solcher Herbeischaffung doch verlo=
ren gegangen. Als die Herren Engländer siegreich von ihrer Luftexcursion
zurückkamen, ging's in's Innere hinein, wohin ich mich nicht weigerte, weil
ich mich gerne selbst überzeugte, wie es denn darinnen aussieht, und
zu welchem Zwecke diese Steinmassen dienten, obschon ich nicht zwei=
felte, daß sie Grabmähler waren. Doch wird manchmal sehr unsicher
darüber geschrieben; und der Jude, mit dem ich den Nil aufwärts
fuhr, glaubte fest, sie seien die Getreidebehälter des egyptischen Josefs
gewesen. Nun diese können sie nach ihrer inneren Bauart wohl nie

gewesen sein; denn wenn man's früher wüßte, wie es darinnen aus= sieht, wie mühsam man auf und ab klettern, und mit Lebensgefahr an Abgründen bei kargem Kerzenlicht vorüberstreifen muß, würde man sich schwerlich entschließen, hineinzugehen. Ich wollte aber das königliche Grabgemach sehen, und diese kleinen Schrecknisse brachten mich nicht zum Rückzug, besonders da ich sogleich von dem sichern Tritt meiner Führer überzeugt war, von denen es mir genügte, die Hand zu fassen. Das königliche Gemach ist ein ziemlich geräumiger Saal, mit einem bedeutend großen, tiefen Stein=Sarkophag. Beweis genug eines Grab= mahles. Die Wände sind mit verschiedenen kleinen Nischen versehen, zu besondern Aufbewahrungen. Als wir wieder glücklich am Tageslichte waren, brachten mir mehrere Buben kleine Steinmumien mit Hiero= glyphenschrift. Ich kaufte mir eine unbemakelte, die ich mitbringen werde, um sie Dir zu zeigen. Man legte solche Gegenstände, mit auf den Be= grabenen Bezug habenden Inschriften, in den Sarg. Da nun um den Pyramiden herum lauter offenbare Begräbnißplätze sind, die man bis zu unserer Zeit durch allgemeine Ausgrabungen der Mumien ganz wirklich offenbar gemacht hat, so finden sich noch immer genug so kleine Mitgaben, die dem Schooße der Erde in ihrer Unvergänglichkeit wieder entnommen werden. So liegen noch zwei ungeheuer große Steinsärge sammt Deckel, mit darauf in Stein kunstvoll ausgehauener Abbildung der darin befindlich gewesenen Mumie, im Sande da. Der Eine ganz unbeschädigt. Ein herrliches Stück, um ein Antiken=Museum in Egyp= ten zu zieren, was auch im Antrage ist; doch gibt es jetzt noch zu viele andere Besorgnisse im Lande, sagt Mustafa Effendi. Wir setzten uns der großen Sphinx gegenüber, nachdem wir sie von allen Seiten genügend betrachtet hatten, in den Sand, um unser frugales Mahl einzunehmen. Einige Pomeranzen, arabisches Brot und etwas Käs mit einem Krug Nilwasser, machte uns so vergnügt, daß wir nur wünsch= ten, all' unsere Lieben um uns zu haben, um mit ihnen die Freude eines höhern Lebens zu theilen, von dem wir mitten im Sande, neben Steinkolossen ergriffen waren. Ich dachte auch an Dich, lieber Bruder, und gönnte Dir einen großartigen Augenblick des Lebens an den Py= ramiden. Mustafa Effendi bekannte sich mir dankbar, da er selbst nie hier war, und ohne besondere Veranlassung, wie gegenwärtig meiner= seits, auch nie hergekommen wäre, da er von immerwährenden Ge= schäften aufgehalten, nie einer solchen Excurse zu gedenken käme. Der= selbe Weg führte uns zurück über den Boden des alten Memphis, das spurlos von der Erde verschwunden, doch unsterblich in seinem Namen lebt. An der Gegend der Pyramiden war mir der liniengleiche Abschnitt des Sandes von dem wunderschönen, durch die Nilbefeuchtung so üppigen, hellgrünen Grase besonders merkwürdig, ich konnte mich nicht genug darüber wundern. Um mich jedoch genug verwundern zu können, so beglückte mich der Himmel mit dem Wunder, einen egyptischen Regen nicht nur zu sehen, sondern ihn auch zu empfinden, als wir in die Nähe der Stadt kamen. Mustafa Effendi ritt nach seinem Boulaque; meinem Führer trug er auf, mich mit Sorgfalt nach meinem Kloster zu bringen. Der gute Mensch, ich weiß nicht warum, führte mich um die ganze Stadt spazieren; endlich erkannte ich mich in den bekannten Gassen, schon ganz in der Dämmerung, an einem durch den Regen schlüpfrigen Abhang, auf dem vor mir ein Esel nach dem andern fiel. Ich wollte auf dem meinigen durchaus nicht sitzen bleiben, und obschon der Koth dermaßen vorhanden war, daß ich mich darin zu verlieren fürchten mußte, so wollte ich ihn doch lieber zu Fuße durchwandern, als sammt dem Esel hineinzustürzen. Mein Führer ließ mich aber keineswegs herabsteigen, er widersetzte sich ganz ordentlich. Bei der gefährlichen Passage angelangt, machte ich ernstlich Miene, herabzuspringen, da waren aber im Nu ihrer sechs rothe Feß um mich, die aus den benachbarten Verkaufsgewölbern herbeieilten, packten den Esel sammt mir und trugen mich glücklich über den etwa 20 Schritte langen Abhang herunter, ohne sich weiter um ein Bakschisch zu bekümmern. Ein Beispiel, wie ich es von Arabern noch nie gelesen, doch selber erfahren habe.

Ich zweifle, es in Deutschland, oder bei meinen sonst gutmüthigen steirischen Bauernbuben zu finden.

---

## Fünfundachtzigster Brief.

### An Bruder Zeno.

Cairo, den 28. Jänner 1848.

Heute Nacht beunruhigte mich ein Traum dermaßen, daß ich nicht umhin kann, Dir ihn mitzutheilen. Ich befand mich plötzlich lebhaft in

15

Gratz bei Schwester Toni, mitten in der Nacht angekommen. Wie? das weiß ich nicht; kurz, ich stand im Reisekleid sammt meinem Tornister, bei dem Dämmerscheine der Sterne, vor ihrem Bette. Sie schlief mit äußerst bekümmerter Miene, ihr Kind im Arme haltend. Auch das kleine Mädchen hatte eine vor kümmerlichem Ausdruck kaum kennbare Miene. Daran ist wohl deine Reise in's heil. Land Schuld, dacht' ich, mir war's sehr schwer um's Herz, doch das Bewußtsein, eher zurückgekommen zu sein, ehe ich noch Jerusalem erreichte, das ging mir über jede andere Empfindung. Die Sehnsucht, dieses Land besucht zu haben, wächst schlafend und wachend immer mehr und mehr. Kaltblütig beschloß ich, ganz im Stillen wieder fortzugehen, und den Weg noch einmal zu machen, koste es was es wolle. Ich sah die gute Schwester und ihr Kind ganz behutsam, um sie nicht zu wecken, noch einmal an, mit dem Gedanken, mich zu wenden, um an die Thüre zu gehen; da stieß ich mit meinem Tornister an's Bett. Sie wachten Beide auf, und sahen mich ganz fremdartig an, als ob sie mich nicht kennten. Ich war in keiner kleinen Verlegenheit, wie ich fortkommen werde, um sie nicht von Neuem zu kränken. Da fiel's mir zum Glück ein: „Es ist ja nur ein Traum." Meine zwei Lieben schienen wieder eingeschlafen, und ich sah sie mir genügend an, mit dem Gedanken: „Möge auch euch doch beide ein freundlicher Traum um meinetwillen erquicken, denn mir geht es gut." *) Ich aber erwachte auf meinem Canapee mit dem lauten Ausruf: „Gott sei Dank, daß ich mich hier in Egypten wieder finde," und fühlte mich glücklich genug, die zweite Reise erspart zu haben. — Denke Dir doch, mein geistlicher Hr. Bruder! alle türkischen Erziehungs-Anstalten in Cairo habe ich gesehen, nur die christliche, in deren Haus ich wohne, kann ich nicht zu sehen bekommen. Der Bischof sagte mir zwar, ich soll es auf sein Wort verlangen, dessen will ich mich jedoch nicht ermessen. Der edle Herr war schon zweimal hier im Kloster und wollte mich selbst in die Lehrzimmer führen, ich war aber unglücklicher Weise niemals zu Hause, dafür steht mir der Weg offen, ihn aufzufinden, und ihm die innersten Gedanken meiner Seele, die mich eben beschäftigen, mitzutheilen. Im heil. Geiste liegt die Heiligung alles dessen, was lebt, und der Aufschwung des innerlichen Lebens der Seele findet sich nur durch die

---

*) Die Schwester hatte denselben Traum. Sie wachte auf in ihrem Kummer und sah mich sammt meinem Tornister an ihrem Bette stehen.

Einwirkung der heil. Kirche Gottes, die der göttliche Geist regiert. Die Erfahrung selbst legt es klar an Tag, wenn man Sinn und Gelegenheit hat, sich davon zu überzeugen, besonders wenn man nach einiger ohne kirchlichen Andachtsübungen zugebrachter Zeit wieder dem überall gleichen heil. Meßopfer der römischen Kirche und ihrer übrigen geistlichen Verrichtungen beiwohnt. Es gibt zwar freilich sehr viele Menschen, die sich ganz willkührlich davon entfernt halten, und je länger, desto weniger Trost, ja vielmehr großes Mißbehagen finden, einer der Religion heil. Handlung in der Kirche beizuwohnen. Doch geht eben dieses auch aus des Gewissens Stimme hervor, welche durch Vorwürfe sie strafend, ihnen den gleichgültig geachteten Ort nicht angenehm machen kann. Du weißt, wie gerne ich mich kirchlichen Einrichtungen unterwerfe, doch konnte ich nicht umhin, dem Bischofe gestern meine Meinung vorzutragen, daß die allzustrenge Clausur der weiblichen Erziehungsorden, mit Einschluß ihrer Schulen, die Hauptverhinderung bietet, warum sie der Welt, welcher sie durch Erziehung ihrer Kinder dienen wollen, nicht Genüge leisten, und die oft nicht ganz ungerechte Klage derer rechtfertiget, die ihre Töchter lange Jahre den Klöstern überließen, und sie dann gänzlich unbehilflich zurück bekamen. Durch die zu große Abgeschiedenheit und den Mangel an nöthigem Lebensverkehr werden die handelnden Individuen theils zu scheu, theils zu eigenmächtig, woraus dann der geraden und offenen Haltung einer guten Erziehung zwei sehr nachtheilige Characterzüge entspringen, worunter selbst der gute Geist ihrer innerlichen Führung benachtheiligt werden muß, wenn Hoffart und Furcht, sich zu zeigen, Freundschaft schließen. Hierzu werden die guten, in den Klöstern sich opfernden Schwestern leicht ganz unwillkührlich gebracht, wenn man sie durch zu große Beschränkung im freien Aufschwung des Geistes hemmt. Ueberhaupt läßt man, selbst im höchsten Puncte menschlicher Bildung, die gewiß in kirchlicher Verwaltung der Lehre Jesu liegt, den Frauen noch zu wenig Recht widerfahren. Diese Zurückhaltung in allzu strenger Clausur hält die Frauenklöster sogar von der Ausübung der Werke der Barmherzigkeit zurück, nach welchen zu streben jeder Christ angewiesen ist, z. B. Fremde zu beherbergen ꝛc. Uebrigens, wie viel Betrübte würden Trost finden, wenn diese geistlichen Frauen nicht gar so unzugänglich wären. Mit Vorsicht und Klugheit wären die Klöster ein wahres Asyl für die Welt. Warum soll man denen sich opfernden Jungfrauen nicht die Kraft zutrauen, die Richtung dahin zu bekommen? — Flucht vor

15 *

der Welt gab diesen sich verbergenden Gesellschaften eigentlich das Leben, doch da sie seit dem Mittelalter triumphirend mitten in der Welt da= stehen, und durch den Fortschritt der Zeiten ihren höhern Werth im Christenthume behaupten, so dürfte es vielleicht an der Zeit sein, der Welt, in und von der sie leben, ihre in vielen Jahrhunderten gesam= melten Schätze durch kraftvolles Auftreten in der Gemeinschaft der Heiligen mitzutheilen, und es zu beurkunden, daß die Gnadenwirkung des göttlichen Geistes in den Anordnungen der heiligen Kirche Gottes jene Flüchtlinge vor der Welt nun zu ihren Lehrern und Wohlthätern erhoben hat. Monseigneur war dieser Gedanke fremd, doch er gefiel ihm; er hatte eine Bleistifte in der Hand, die er mir schenkte. Ich nahm sie als symbolische Anweisung, daß ich schreiben soll. Ich meinte noch ferner: der geistliche Chor, die Wohn= zimmer der Frauenklöster sollten immer Gegenstände der Zurückgezogen= heit, nämlich der Clausur bleiben, mit Ausnahme jener Uebertriebenheiten, wenn sie bei irgend einer Gelegenheit betreten werden. Doch ihre Erziehungs=Institute sollen sie von der Clausur befreien, ihnen gemäßen Zugang gewähren, und selbst mit Kraft und Würde aus heiliger Abgeschiedenheit zu ihnen hinaustreten. Auf diese Art würden sie ganz gewiß ihrem eigenen Geiste mehr beförderlich, und der Welt auferbaulicher und nützlicher sein. Heute Früh schickte mir Monseigneur ein arabisches Bett, das ist eine Strohmatte, zur Reise durch die Wüste. Diese sehr nett geflochtene Matte ist so groß, daß ich auf der einen Hälfte liegen und die andere über mich decken kann. Auf diese Art kann ich eines Zeltes leicht entbehren. Auch eine ganz neue Decke mit wunderschönen Rosen auf Zitz gedruckt, schickte mir des edlen Bischofs milde Sorge, damit mir das Leben in der Wüste nicht gar zu beschwerlich falle.

# Sechsundachtzigster Brief.

## An die Frau Oberamtmannin M.

Cairo, den 30. Jänner 1848.

Nachdem ich mich nun schon beinahe einen Monat in der großen Hauptstadt Egyptens befinde, so dürften Sie wohl mit Recht erwarten, daß ich Ihnen viel erzählen werde. Ich denke zwar, die Zeit eben nicht müßig zugebracht zu haben. — Zuerst werde ich Sie auf das Castell führen, wo der Harem am Thor und Fenstern fest verschlossen ist, so ein großes Gebäude er auch da steht; denn Mehmed Ali hat alle seine Frauen verabschiedet. Dafür führt er nebenan eine Moschee auf, die, wenn sie vollendet sein wird, das Recht behaupten kann, eines der ersten Pracht-Gebäude der Welt zu sein. Ihre Höhe, die marmornen Säulen, Symmetrie und Baukunst sind daran zu bewundern. Besonders die fein gemeißelten Sculptur-Arbeiten von Blättern und Arabesken in Marmor aus den Händen der Eingebornen des Landes. Der Brunnen im Vorhofe, als Waschungsplatz der Türken vor dem Gebete, ist sowohl an Gestalt als an Zierde großartig und schön. Nun aber bitte ich Sie, mich in den Josefs-Brunnen hinab zu begleiten, in den mich Abdel Rahman Muhamed Effendi führte. Es ist das, den Tausenden von Jahren trotzende und noch im lebendigen Nutzen bestehende Werk unsers biblischen egyptischen Josefs, als Statthalter von Egypten. Die Gestalt dieses Brunnens ist ein mit vertieften Steinmauern in die Tiefe des Berges hinabgebauter Thurm, um den sich ein 3000 Fuß tiefer Schneckenweg in ziemlich steiler Wendung dreht. Es kömmt einem schon tief genug vor, wenn man 1000 Schritte abwärts geht, auf welchem Puncte man das klare Wasser in der Tiefe erblickt, was da unten von Thieren durch eine Wasserleitung aus der Quelle hervorgetrieben wird. Das Ganze bleibt in seiner unzerstörbaren Bauart und seinem unendlich langen Strickaufzug mit unzählbar daranhängenden Krügen, die das Wasser aus der Tiefe schöpfen, um es auf der Höhe des Berges auszugießen, ein für die späteste Nachwelt erstaunungswürdiges Werk. Das Land ist sehr heiß und das Wasser sehr klug, es gibt eigentlich gar keines außer dem, was vom Nil in die Stadt geleitet wird, oder was die Wasserträger in Thierhäuten über der

Achsel, und die Weiber in großen Krügen auf dem Kopfe bringen, deren man ganze Züge begegnet. Um dem Durste so vieler Menschen in der Hitze abzuhelfen, haben die Türken eine sehr gute Einrichtung, nämlich eigentliche Wassertrinkhäuser, die unsern Heiligenkapellen nicht unähnlich sind, und eine Stadtzierde ausmachen. In runder, kleiner, sehr netter Bauform, von farbigen Steinen mosaikartig belegt, geben sie ein freundliches Ansehen. Moscheen besuchte ich mehrere. Jede ist einem türkischen Heiligen gewidmet, dessen Namen sie trägt. Nur im Vorübergehen eines Betortes muß man schon die Schuhe ausziehen. Abdel Rahman führte mich zu dem Grabe eines ihrer Hauptpropheten. Da er ein kleiner Mann ist, ließ er sich hinübertragen, als ich aber sah, daß man mir auch diese Ehre erweisen wollte, waren meine Stiefletten im Nu vom Fuße, und ich wanderte in Strümpfen auf dem Ziegelboden, in das, wie es scheint, nicht sehr besuchte türkische Heiligthum. Ich war überhaupt über die türkische Heiligkeit ein wenig erstaunt, denn ich wußte nichts davon. So schön und christenähnlich die Moscheen mit ihren feinen Minarets von außen aussehen, so leer und unfreundlich sind sie in ihrem Innern. Eine Nische gegen Mekka, oder gegen das Grabmahl eines Heiligen, oder sonst merkwürdigen Mannes, gibt den Bethenden die Richtung ihrer Stellung. Der Boden ist mit Strohmatten belegt. Eine Art von Kanzel, wo auch geprediget wird, und lange Stricke von oben herunter, woran kleine Glaslampen hängen, welche die Türken sehr lieben, und die sie manchmal an der Zahl sehr vervielfältigen, machen die ganze Einrichtung aus. Die Gemächer, die den Betort umgeben, sind gewöhnlich kellerähnliche Kammern und Vorsäle, von denen man nicht weiß, was man aus ihnen machen soll. Ueberhaupt steht die große Menge von Moscheen von der alten Zeit herüberschauend da, ohne daß ihr die neue Zeit mit einem freundlichen Willkommen entgegenschaut, das heißt sie sehen baufällig aus; doch gibt es noch viele große, sehr alte, zur Bewunderung schön und stark gebaute. Eine davon nach mathematischer Bemessung regelmäßig aufgeführte, gab durch ihre wohlgelungene Schönheit Ursache, daß man ihrem Baumeister die Hand abhieb, damit er keine zweite, ihr gleiche mehr baue. Die Verstorbenen halten die Türken sehr in Ehren. Auch nicht der ärmste gemeine Mann wird eingegraben, der nicht sein kalksteinernes Denkmal bekäme. Wenn man vor die Stadt hinausreitet, sieht man eine Menge solcher Begräbnißplätze, mit sehr gut gebauten, geräumigen Familiengräbern, daß es nicht ohne Grund öfter erzählt wird, ein türkischer Begräbnißplatz sähe besser aus als ein türkisches Dorf; Abdel Effendi führte mich auch zu den Gräbern der Chalifen. Der Begräbnißplatz ist von ungemeiner Größe. Die Familiengräber bilden ganze Häuser in kugelförmiger Gestalt, was dem Ganzen ein heimisch-christliches Ansehen gibt; sie haben mehrere Gemächer und sind mit Gärten umgeben. Die Frauen besuchen diese Plätze mit ihren Kindern sehr gerne. Das Familienbegräbniß des Pascha Mehmed Ali hat wunderhübsche, der Gestalt nach gleiche, mit Blumen und Arabesken bemalte Denkmäler; auch sein eigener Begräbnißplatz ist schon bestimmt. Der Boden dieser Gemächer ist mit den kostbarsten Teppichen ausgelegt. Unweit von den Gräbern der Chalifen findet sich das Grab des Großvaters ihres großen Propheten Mahomed, was von den Christen höchstens durch eine kleine Schloßöffnung darf gesehen werden. Es ist auch nichts darinen, als etwa ausgebreitete Teppiche. Abdel Effendi wollte das Grabgemach öffnen lassen; der blinde Schulmeister neben an, dem die Obsorge anvertraut ist, konnte jedoch den Schlüssel nicht finden. Der blinde Schulmeister, sage ich, deren gibt es hier mehrere. Erstens leiden die Augen hier zu Lande sehr vom feinen Sand und Wind, es gibt sehr viel Einäugige; die ganz Blinden verlegen sich gerne auf das Auswendiglernen des Korans, und da eine gemeine türkische Schule nur im Erlernen des Korans besteht, so kann der Schulmeister leicht blind sein, was der Jugend wahrlich zur Ehre gereicht; unserer Jugend wenigstens würde ein blinder Lehrer, wenn auch nur zum Auswendiglernen, nicht gewachsen sein. Wir kamen auch zu den Gräbern der Mameluken, das ist der Oberhäuptlinge derer, die Mehmed Ali zusammenhauen ließ, um freie Hand zu gewinnen, das Land zu cultiviren, was ihm sonst eine Unmöglichkeit geblieben wäre. Ein Entschluß von ungeheurer Größe und Grausamkeit. Wenn man aber die grünenden Folgen davon im Lande sieht, die ohne dieser That sich nie hätten zeigen können, und die Ursache weiß, warum sie unternommen wurde, so muß man sie anstaunen. Mehmed Ali lud mehrere Hunderte der vornehmen Mameluken, die altherkömmlich so eigentlich die Regierung führten, weil der Regent ohne ihnen nichts unternehmen durfte, zu einem Feste in seinem Harem ein. Als sie bei einem herrlichen Mahle in den großen Sälen versammelt waren, wurden die Thüren geschlossen und alle zusammengehauen,*) worüber ganz Europa in Entsetzen gerieth, daß seiner Cultur in Egypten auf solche Weise

---

*) Seither ist dieses Gebäude unbewohnt und verschlossen.

der Weg gebahnt wurde. Mehmed Ali führte kühn aus, wovon
Andere sprechen. Z B. gab der Sultan dem König Otto im Grie-
chenlande den Rath, seine griechischen Unterthanen bis auf die Knaben
mit neün Jahren auszurotten, wenn er das Volk unter eine zweckmäßige Regierung bringen wolle. Ein freundlicher Rath! — leider nicht
ganz ungegründet. Wie schaudern die zart europäischen Nerven davor!
Nur dann schaudern sie nicht, wenn man sonst gutdenkende und wohlgebildete Männer die Würgengel vom Himmel rufen hört, weil es
zu viele Menschen gibt. Wenn nicht gerade ein Jeder an des Anderen
Platze stehen wollte, und die Erde als Vaterhaus Gottes betrachtete,
welches noch Raum für Viele hat, die sich bemühen möchten, ihren
Unterhalt zu suchen, so dürfte man sich nur mit einem Könige von
Egypten von den europäischen Regierungen aus in Vertrag setzen, um
übrige Handwerksleute dahin abzusenden, die auf eine Anzahl von
Jahren ihre Privilegien bekommen, und während der Zeit die Landes-
Eingebornen in die Lehre nehmen. Wagner, Sattler, Straßenbaumeister,
fänden ihren reichlichen Gewinn, besonders wenn sie hingegen für
ihren Unterricht die Frugalität und die Zufriedenheit der Araber lernten.
Auch der Landbau fände Brachebenen genug, die dankbar für jede
Cultur sogar den Sand darbieten; denn wenn man die schönsten
Garten- und Feldanlagen bewundert, und hört: vor zwölf Jahren
waren das eben noch Sandwüsten, wie die andern, so hat man Ursache genug, sich über die Fruchtbarkeit des Bodens zu erstaunen.
Ueber die Geschicklichkeit der Leute gilt ein Beispiel ebenfalls genug.
Man wies mich an einen deutschen Riemermeister, ich sprach öfter mit
ihm, weil er den Scheik kannte, der die Karavanen durch die Wüste
führt, und sagte einmal zu ihm: „Warum nehmen Sie sich nicht Lehrjungen auf, von der Menge der herumlaufenden Buben?" „Daß ich
nicht gescheit wäre, sagte er, die Leute sind zu geschickt, was sie sehen,
gehen sie hin und machens besser wie unsereius, da hätten die Europäer hier bald ausgearbeitet." Ist das nicht ein gutes Zeugniß? Aber
auch gar nicht um Ursache zu geben, daß Cultur und Kunst deßwegen
unter ihnen nicht sollte verbreitet werden; Europa würde stets nur gewinnen, wenn es den Ueberfluß seiner gewonnenen Cultur an
andere Welttheile ehrenvoll und mit Vortheil abzulagern verstände, die
darauf angewiesen zu sein scheinen, und die darnach seufzen. Wenn
man aber der schmutzigen Industrie Gehör gibt, die sich fürchtet, etwa

in irgend einem Handel zu kurz zu kommen, so hat Europa freilich noch selbst viel zu thun, um zur eigentlichen Cultur und vollständigen Bildung zu gelangen.

---

## Siebenundachtzigster Brief.

### An die Frau Baronin B.

Cairo, den 1. Februar 1848.

Um Ihnen, Frau Baronin! meinem Versprechen gemäß, aus den bedeutendsten Orten Briefe zuzusenden, wähle ich mir hier, in der Hauptstadt Egyptens, Schubra, das Sommerhaus des Pascha, als Gegenstand meines Schreibens, denn außer den Ihnen ohnehin bekannten antifen Merkwürdigkeiten, behauptet dieser Ort vor allen andern seinen ästhetischen Vorzug. Man reitet auf seinem Hamar in der wohlbehaglichsten Annehmlichkeit eine Stunde weit durch eine breite Allee von ungeheuer großen Akazienbäumen, wovon wir Steiermärker gar keinen Begriff haben, abwechselnd mit Sikomoren oder wilden Feigenbäumen, deren Eigenheit es ist, sich in groteske, wunderschöne, malerische Formen zu verzweigen. Rechts und links das schönste Grün im Jänner, wie bei uns kaum im Mai. Felder, Wiesen, Gärten, Blumen, Bäume, Alles im lieblichsten Wechsel, darunter wieder einmal ein großes Rad von Ochsen getrieben, um das Wasser aus dem Nil zur Befeuchtung der Fluren zu leiten. Weiter hinauf bietet sich links, dieser der ganzen Welt ehrwürdige Fluß dem Auge dar. Die mit ihren Naturschönheiten reich begüterte Allee ist auch zugleich der von Menschen belebteste Weg gleich einer Hauptstraße in der Residenz, was sie denn auch wirklich ist; da Mehmed Ali täglich um acht Uhr Früh nach Schubra fährt, und Abends, wenn die Sonne untergeht, wieder auf sein Castell zurück kehrt. Da reiten die vornehmen Herren in ihren Geschäften, andere, besonders den hier ansäßigen Europäern, ist diese Allee der auserwählte Spaziergang, sie könnten auch nirgends einen schönern finden. Wenn es mich um die Zeit eines leeren Spazierweges nicht reute, so wäre es der durch die Allee nach Schubra. Nebst den zwei Hauptzwecken, einen Weg belebt und angenehm zu machen, schließt er aber auch einen dritten ein, das heißt den: „Diese Allee ist ein Ideal ländlicher Flur, die zum königlichen Lustschlosse führt." Sie formt durch die Communication mit der Stadt die Hauptstraße der Residenz, und ist zugleich Hauptstraße des Handels und alles käuflichen Verkehres. Nun, denk' ich, läßt sich von ihrer Belebtheit schon ein Bild entwerfen. Da steh' ich und schau' erquickt in die grüne Flur, auf den weißen Boden der unabsehbar langen, breiten Straße unter grünbelaubtem Bogendach, da tragen die feingeformten Eselchen ihre Lasten, Herren und Damen, Kinder und Diener, schwarz und weiß, mit ihren Turbanen und Mäntel=Ueberwürfen, so idealisch verschieden und doch so einfach, daß es sich gar nicht beschreiben läßt. Die Araber sind überhaupt ein so unveränderliches Volk in ihrer Lebensweise, Kleidung und Gebräuchen, daß man sie als lebende Antiken betrachten kann. Wie sie zur Zeit der Patriarchen herumgegangen sind, so sieht man sie noch. Ueberall kann sich die Vorstellung einen Bruder Josephs vor Augen stellen, es ist in den Personen derselbe Ausdruck der Gesichtsmiene, wie dieselbe Kleidung zu finden. Die Menge von Eseln und die Gewohnheit, sie zu gebrauchen, erinnert einem ebenfalls ganz lebendig an die Zeiten Jesu Christi unsers Herrn, wie er auf einer Eselin am Palmsonntage in Jerusalem einzog. Ich bin mit diesen guten Thieren schon so gut bekannt, daß ich mit größtem Vergnügen ganze Tage lang herumreite, um meine Bereisungen um Cairo zu machen. Doch meine lebendigen Bilder in der Allee von Schubra sammt ihren Vorstellungen aus der Vorzeit sind noch nicht vorüber. Da seh' ich an der Seite der Allee eine Heerde gefleckter Ziegen weiden, die rufen mir unwillkührlich die Geschichte Jakobs in's Gedächtniß, wie Labans Heerden zu seinen Gunsten lauter gefleckte wurden; wenn sich diese Geschichte auch nicht hier zu Lande zugetragen, so waren doch seine Söhne später hier, und Menschen und Thiere gleichen sich in den Ländern des Orients, wie sie einander in Europa gleichen. Doch für sich selbst zeigt Abendland und Morgenland eine entschieden verschiedene Hervorbringung an allen Producten. Die Ziegen z. B. sehen den uns'rigen gar nicht gleich. Ich sah die Heerde eine Zeitlang an; um mich alttestamentarisch zu erquicken. Diese Thiere waren auch wirklich lieblich anzuschauen, einige lagen zum malen weiblich im Grase dahin, einige sprangen nach Lust unter einander, einige wunderschöne ziemlich große

Böcklein stießen sich die Köpfe im freundlichen Scherze. Die Bedui=
nen machen es auch so, wenn sie sich grüßen. Weiter hin auf mei=
nem Wege zog eine ganze Kette aneinander geschlossener Kamehle,
etwa 20 bis 30 an der Zahl, mit dem schönsten grünen Kleefutter, an
mir vorüber, mit ihrem majestätischen Schritte. Ist das Kamehl gleich
unveränderlich in seiner gelassenen, würdevollen Haltung unter jeder
Last, die es trägt; so ziert es die grüne Futterbürde gewiß am schön=
sten. Kurz, so oft ich einen Spazierweg nach Schubra machte, war
ich so seelenvergnügt, wie man es in einer wahrlich fürstlichen Allee,
zum königlichen Lustschloße dem speciellen Gehalte nach, nur immer
anfordern kann. Ich wünschte nur auch Ihnen, Frau Baronin, einen
angenehmen Augenblick davon mitgetheilt zu haben. Nun kommen wir
zum Schloße selbst. Man wird in den Garten geführt. Von dieser
Seite sieht man weder den einen noch das andere. Um dem Eintritte
einen recht idyllischen Eindruck zu verschaffen, geht man durch eine
Spalier von langen grünen Weiden und dunklen Laubengängen in den
Garten, voll der verschiedenartigsten Spalier=Schnitten, auf schwarz
und weißen Steinen in Mosaik belegten Gängen. Blumen, die schön=
sten, in voller Blüthe. Orangenbäume mit ihren goldbeladenen Früch=
ten in Menge, von der Blüthe angefangen in allen Nüancen, bis zur
reifesten Frucht. Bosquetten und liebliche Sitze in allen Formen. Eine
Größe, sich darin kaum mehr zurecht zu finden, was den Gartenbuben
ein paarmal sehr viel Vergnügen machte, wenn ich mich nicht leicht
auskannte. Diese Gartenbuben waren sogleich meine guten Freunde,
und so wenig wir uns der Wortsprache nach verstehen konnten, so gut
verstanden wir uns der allgemeinen Sprache nach; denn mit weni=
gen Worten, die ich arabisch zusammenfinden konnte, unterhielt ich
mich stundenlange mit den guten Kindern. Sie brachten mir die schön=
sten Centifolien, weiß und roth, gaben mir kleine Goldorangen, die
gewiß nicht umsonst als Paradiesesfrucht bekannt sind. Und wenn ich
ihnen einen aschara gab, waren sie glücklich, beinahe gleich mir.
Mit kindischem Interesse, als ob sie es wußten, daß mir die Tauben und
Wachteln vorzüglich liebe Thierchen sind, führten sie mich zu Mehmed
Ali's Taubenhaus. Dieß ist ein wirkliches nicht unbedeutendes Haus
mit drei ordentlichen Gemächern, von oben bis unten mit Taubenhäu=
sern, in denen wohl mehr als 500 Gattungen von den schönsten Tau=
ben eingesperrt waren. Ich war ganz erstaunt über diese Taubenme=
nagerie, und konnte nicht umhin, mir zu denken: Ein Mensch, der diese

Thierchen liebt, kann kein verwildertes Herz haben; kurz, was ich in
Egypten sah, im Entstehen aus Mehmed Ali's Saat, führt mich im=
merhin zu dieser Meinung zurück. Es interessirte mich, diesen Mann zu
sehen, doch werde ich hoffentlich eher noch abreisen, als er genesen
wird. Zwei Herren vom Hofe, die mir im Garten heute begegneten,
sagten: „Vor acht Tagen würde er noch nicht ausgehen." Mit den
egyptischen Herrschern ist es nicht so steif zu reden, wie etwa mit einem
europäischen Hofherrn. Da lob' ich mir die Barbarei vor der Bil=
dung. Ich hatte eine Empfehlung an den Leibarzt des Pascha, denn
man sagte mir: Mehmed Ali nehme Besuche von europäischen Reisen=
den sehr gerne an. Ich hätte mich auch gar nicht geweigert, von dem
Leibarzte, der ein Kopte und zugleich sein Dolmetsch ist, präsentirt zu
werden; was ich mit ihm gesprochen hätte, das hätte sich schon gege=
ben. Doch Effendi war auf einige Tage in wichtigen Geschäften ver=
reist, als ich heute nach Schubra kam. Dafür entschädigte ich mich am
Wachtelhause, im dunkelbelaubten Park, von wild romantischer Form,
in welchen die Buben mir zu Liebe wohl Tausende von Wachteln,
von dem Boden, auf dem man sie kaum bemerkte, in die Höhe trieben.
Der Sommerpalast ist ein regelmäßig viereckiges rez de chaussée,
was die Beschreibung mit seinen Säulengängen, Hofräumen und Ter=
rassen gar nicht faßt, um eine Vorstellung davon zu geben. An den
vier Ecken sind die Gemächer angebracht. In der Mitte der großen
Terrasse ist ein Bassin mit steinernen Krokodillen, diesen ganz eigenen
Nilbewohnern; auf den Ecken stehen in Stein ausgehauene Tiger. Ich
nahm Abschied in dem schönen Garten von Schubra, mit seinem äußerst
ländlichen, doch prachtvollen Aussehen, und werde schwerlich irren,
ihn einen der schönsten Gärten einer Residenz zu nennen. Der in unserm
Gratz am Glacis, seinem Verdienste nach viel zu wenig bekannte Gar=
ten des Herrn Oberfeldkriegs=Commissärs Sch. könnte eine Miniatur=
Aehnlichkeit in seinen sinnreichen Abwechslungen der annehmlichsten
Parthien geben. Obschon ich den Pascha nicht gesehen habe, was ich
mir zwar als eine zu lösende Aufgabe vorlegte, so werde ich meine dieser
Tage zu hoffende Abreise doch auch nicht einmal mit einem Wunsche
verschieben, denn meine Sehnsucht ist so groß, daß mich bei dem An=
blicke eines Kamehls eine freudige Empfindung ergreift, und mir die
Scheu vor dem Schaukeln auf dem Thiere ganz verschwindet. Auf dem
Rückwege besuchte ich den bekannten großen Elephanten in Schubra.
Es waren ihrer zwei von der größten Gattung aus Afrika's Tiefen

des Landes. Das Weibchen starb, worüber das noch lebende Männchen ein solches Leid bezeigte, daß man ihn an allen vier Füßen mit starken Ketten anhängen mußte. Nun scheint er von seinem Schmerze in stille Melancholie übergegangen zu sein. Er steht im Hofe an einem sehr dicken Baumstamme mit Ketten an einem Fuße gebunden. Ich unterhielt mich lange mit ihm, ihn anzusehen, und der Elephant unterhielt sich mit mir, er sah mich mit seinen kleinen Augen so scharf an, und trat mit seinen schwerfälligen Füßen seitwärts, daß ich zurücktretend immer meine Nähe und seine Entfernung maß. Auf einmal drehte er mit seinem Rüßel einen ganzen Schub von seiner Streu zusammen, und während ich ihm zusah, was er mache, hatte ich im Nu den ganzen Beguß von Laubwerk und Staub über mir; einen zweiten solchen Beguß wußte er aber in gleicher Geschwindigkeit über seinen Rücken zu werfen, daß er ganz bestaubt war. Er schien zu einem freundlichen Scherze aufgelegt gewesen zu sein. Als ich nach Hause ging, bot sich mir noch zum Schluße ein sehr interessanter Anblick dar. Es waren die von ihrem Spazierwege nach Hause reitenden Schwestern de bon pasteur, in ihren weißen Kleidern und schwarzen Schleiern, ihrer eilf an der Zahl. Es war wirklich ein Vergnügen, dieses geistliche Jungfrauenchor nach europäischer Sitte, anmuthig auf den netten kleinen Eselchen daherreiten zu sehen. Wir kamen zusammen nach Hause. Der Bischof will, daß sie alle Donnerstage Spazierwege machen, obschon der Orden scharf clausurt ist. Sie haben aber hier keinen Garten und wohnen mitten in der Stadt, was ihrer Gesundheit ohne Bewegung in freier Luft nachtheilig werden dürfte. Sonntags gehen sie mit ihren Zöglingen in die Pfarrkirche, obschon sie ihre eigene Hauskapelle haben, in der ich sie sehr schön und auferbaulich singen höre. Abends setze ich mich gewöhnlich an's Fortepiano, und die Kostzöglinge stehen mit kindlicher Theilnahme um mich herum, manchmal mache ich sie tanzen, woran die Aufsicht habenden Schwestern den Kindern zu Liebe fröhlichen Antheil nehmen. Wir sind zusammen sehr vergnügt. Ich bin ganz in mein eigenes Institut versetzt. Die Kinder lieben mich und ich sie; sie führen hier den heitern, offenen, herzlichen Ton, den ich an den Meinigen um mich so gewohnt bin. Die Schwestern, Deutsche, Französinnen und Italienerinen, sind eine wie die andere voll liebenswürdiger, sich hinopfernder Frömmigkeit.

---

# Achtundachtzigster Brief.

## An den hochwürdigen Herrn Chorvicar M.

Cairo, den 3. Februar 1848.

Sie wissen aus meiner öftern Aussprache, hochwürdiger Herr! daß mich die Kälte im Vaterlande auf Reisen trieb, um wärmere Regionen aufzusuchen. C'est vrai je suis echappé pour cet hiver,*) worüber ich sehr zufrieden bin, obschon es auch hier bei dem schönsten Wiesengrün und blühenden Centifolien so ziemlich kalte Tage gibt, die einem ein wenig die frische Schneeluft von den heimathlichen Bergen in's Gedächtniß rufen; nur daß man sie bei offenen Thüren und Fenstern zubringt, und der Sonne Strahl sogleich die Luft wieder erwärmt. Die Güte des Consuls läßt mich darum nicht reisen, weil es in Cairo am wärmsten ist, und er mich bei Europäern am besten aufgehoben weiß. Indeß finde ich mich mit den gemeinen Arabern recht gut ab. Die Eseltreiber kennen mich alle, weil ich fleißig spazieren reite. Die Weiber sprechen mich an, nur schade, daß ich sie und sie mich nicht verstehen. Die Mädchen laufen mir nach und heißen mich habibthi,**) und die Buben rufen von allen Seiten, in aller Freundlichkeit: Bon jour Madame! Als ich zum erstenmale in's Franziscanerkloster kam, um den Bischof darinen aufzusuchen, an den mich der Consul wies, kam der Eseltreiber, mit dem ich Tags zuvor bei den Pyramiden war, und dem ich sein bedungenes Geld ausgezahlt hatte, und schrie mit mir auf gut arabisch dermaßen, daß ich mich im Klosterhofe nicht wenig genirte; ich dachte: „Ich bin wahrlich nicht in dieses Haus gekommen, um zu streiten, weder mit dem Bischofe noch mit den Franziscanern, daß mir der Mensch da ein solches Symbol aufwirft." So viel ich verstand, so wollte er mich durchaus spazieren führen; ich mochte ihm schon bedeuten wie ich wollte, daß mir heute mit seinem Esel nicht gedient sei. Ich verließ das Kloster, um den Menschen durch mehrere Gassen zu

*) Es ist wahr, ich bin diesem Winter entwischt.
**) Freundin.

verlieren, er wußte mich jedoch schweigend so zu verfolgen, daß er schreiend hinter mir drein war, als ich in den Klosterhof wieder zurück kam. Ich ließ einen Pater herab bitten, daß er doch frage, was der Mensch mit mir haben will. Der gute Pater lächelte und schickte ihn weiter. Er empfahl wirklich so dringend seinen Esel, und wollte die Zusicherung haben, daß allemal er mich auf meinen weitern Spaziergängen führe. Während der Pater mit mir sprach, kam ein anderer Araber mit blinkendem Säbel und bot ihn zum Kaufe an. Soll ich denn mit den Franziscanern im Streite auftreten? fragte ich lächelnd den ehrw. Pater. Bei dem Bischofe, der auch ein Franziscaner ist, fand ich die freundlichste Ausgleichung. Ich habe den Orden des heil. Franziscus stets geehrt. Das bei uns so verschrieene Bakschisch macht mir gar keine Ungelegenheit. Ueberhaupt finde ich diese Art Forderungen auch nicht ärger, als irgendwo und besonders in Rom. Kommen mir die Buben mit ihren offenen Händchen Bakschisch schreiend entgegen, komme ich ihnen mit beiden offenen Händen ebenfalls entgegen, um ihre Hand scherzend einzuschließen, und sage: daib Bakschisch daib. Da lachen sie und im Augenblicke steht eine ganze Menge um mich. Hab' ich dann eben zufällig portugalle bei mir, um sie ihnen zu theilen, dann ist ihr Vergnügen vollkommen. Den Männern, wenn sie mir ein unnöthiges Bakschisch verlangen, sage ich im scherzhaften Ernst: ich habe keinen Bakschisch, mafisch Bakschisch; worüber sie ebenfalls lachend weiter gehen. Doch obschon mein ganzes Sein hier ein sorgenloses Paradieses-Leben ist, und ich mich vielleicht nie so glücklich, das heißt in einer so vollständigen Zufriedenheit fand, wie hier in Egypten, so däucht's mich doch, als klänge mir der Ruf zur Reise, wie einem, der aus dem Arreste entlassen wird. Meine Sehnsucht nimmt so zu zur Ankunft nach Jerusalem, daß ich mich auf jedes Kamehl, was ich sehe, hinaufwünschen möchte, und jeden Portugalle zu kaufen wünsche, an dem ich vorübergehe, um mich für die Wüste zu proviantiren. Nun hören Sie, hochw. Herr, und weiden Sie sich ein wenig an den Mißgeschicken, die mich zu verhindern schienen, von Cairo wegzukommen. Um nicht etwa irgend eine Gelegenheit zu versäumen, fortreisen zu können, ging ich zu Consul Champion, einem äußerst gütigen, väterlichen Herrn. Ich sagte, daß ich schon Klagelieder singen möchte, so lange hier zu sein. »Lassen Sie mich nur sorgen," sagte er, „sehen Sie, dort sind schon die Zelten bereit, Doctor Reis, mit dem ich, wie Sie wissen, schon gesprochen habe, wird jede

Stunde von Ober=Egypten zurück erwartet, er soll schon hier sein."
Der Consul rief seinen Dragoman und fragte ihn, ob die Herren
schon angekommen wären, was dieser bejahte. Sogleich gab mir Hr.
v. Champion seinen Kanzleidiener mit, um mich an den Herrn Doctor
Reis anzuweisen, um mit ihm das Weitere zu besprechen. Kaum am
Ende der Gasse angekommen, begegnete er mir mit zweien seiner Ge=
fährten. Jedoch statt einen sehr soliden, ihm sich ganz anzuvertrauen=
den Herrn zu finden, wie ich ihn mir durch die Anempfehlungen des
Herrn Consuls vorstellen mußte, repräsentirte er sich wie ein deutscher
Wildfang, der eben aus dem Tauriske=Walde springt; sagte mir, er
reise für sein Vergnügen, und sei gar nicht gesonnen, mit Damen zu
reisen, um sich geniren zu müssen, frei zu reden, was ihm einfällt. Wäre
eine arabische Karavane gleich neben gestanden, ich wäre nach meiner
Wahl ohne Bedenken mit ihr fortgezogen. Doch die gar so wohl=
wollende gute Meinung des Hrn. Consuls, mich an diesen Hrn. Doctor
zu adressiren, kann unmöglich eine so entgegengesetzte Anwendung finden,
überlegte ich schnell, und im empfindlichen Scherze erwiederte ich:
„Sind denn die Deutschen gar so unbändig? es wird wohl noch ein
Zügel für sie zu finden sein. In der Wüste stimmt das Glück noch
für mich, weil sie mir mit den Kamehlen nicht davon galloppiren
können, daß ich zurückbleiben müßte, was sie aufhalten könnte. Uebri=
gens sei der Artikel vom geniren ganz zu durchstreichen, da ich das,
was mir in Gesellschaften mißfällt, weder zu sehen noch zu hören pflege.
Jedoch möchte ich Sie keineswegs belästigen, und obschon ich durch die
Güte des Hrn. Consuls schon lange auf Sie warte, so werde ich mich
sogleich um die nächste arabische Kaufmanns=Karavane bewerben, um
mitzureisen. Das war dem Herrn Doctor gar nicht recht.
Er war ein ganz Anderer, als er sich im ersten Augenblicke zeigte, und
sagte mir mit echt deutscher Zutraulichkeit: daß es jetzt in der Wüste
wegen des Regens noch unsicher sei, und daß er mir seine Abreise
anzeigen werde, ich könne auf seine Gesellschaft rechnen.
In zwei Tagen erfuhr ich, Doctor Reis bleibe zwei Jahre in Cairo
und verwende sich auf die Erlernung der arabischen Sprache. Bald
darauf traf ich ihn in freundschaftlicher Gesellschaft bei meinen arabischen
Freunden. Ich fand an ihm einen ernsten, soliden, angenehmen wissen=
schaftlichen Herrn, mit dem sehr angenehm zu conversiren war. Das
Fortkommen von Cairo ist wahrlich nicht so leicht. Und wenn sich
Hindernisse zur Reise finden, so finden sie sich hier. Ueber alles das,

gibt mir P. Alberto, der Präsident des Klosters, in dem ich wohne, alle Tage, wenn ich aus der Messe gehe, Worte, als wäre meine Weiterreise eine reine Unmöglichkeit. Heute Früh ließ er mich in den Salon rufen, wo er und die Oberin und ihre Vicarin an einem runden Tische saßen. Ich wurde auch hinzu eingeladen. Nun hatte er mich nach Belieben vor sich, um mir die Beschwerlichkeiten meines Vorhabens auszumalen. Wenn man mich hierin verzagt machen könnte, ich wüßte wahrlich nicht, sollte ich rückwärts oder vorwärts gehen. P. Alberto wiederholte mir unermüdet Ihre Worte, hochw. Herr! als ob Sie sie ihm mitgetheilt hätten: daß ich meine Reise nur im Zimmer und auf der Karte machen könnte. Nur hätte ich P. Alberto erwiedern können, daß ich mich versichert wähne, in Wirklichkeit nach Cairo gekommen zu sein und mich da zu befinden, ohne Zimmerreise. Ich werde meinen Weg durch die Wüste noch recht gut finden, ohne eigenem Zelt und zwei bis vier Kamehlen, mir genügt Eines. Wenn nur lauter Reiche mit allen Bequemlichkeiten und großen Unkosten nach Palästina reisen wollten oder sollten, würde es wohl noch weniger Pilgerreisen im Glauben und aus Liebe geben. Und Glaube und Liebe würden noch weniger Nahrung durch Pilgerreisen finden. Schon in dem, daß solche Wallfahrten im Geiste der Liebe und des Glaubens, größtentheils nur von der Armuth ausgeführt werden, liegt ein zweiter Gewinn in der Mitwirkung Anderer, die im Glauben gestärkt, in der Liebe auferbaut werden, und die an der Wallfahrt theilnehmend aus Liebe zur heil. Erde, die sie selbst nicht besuchen können, sich Verdienste sammeln. Eigenthümliche Pilgerfahrten nach Jerusalem sind immerhin geeignet, den Glauben, die Hoffnung, die Liebe in sich selbst, in einzelnen Personen, wie im ganzen Allgemeinen zu stärken. Auch ich fühle mich durch diese Vorstellung sehr gestärkt. Durch mein Warten von Tag zu Tag auf meine Abreise wird meine Sehnsucht genährt und mein Glück erhöht, und ich bleibe demnach die glückliche Pilgerin. Und um es Ihnen zu beweisen, so will ich sogleich von meinen sehnsuchtsvollen Klageton über das sich Hinausdehnen meiner Abreise, und die vorgemachten Unmöglichkeiten, durch die Wüste zu kommen, auf einen interessantern Gegenstand übergehen, und Ihnen etwas von den egyptischen Frauen erzählen. Selbst die der gemeinsten Classe haben eine Art Nobilität an gerader Haltung, Händebewegung und zarten kleinen Füßen. Aber schlimm sind sie, und schreien können

16

sie, daß ich's schon hundertmal klar vor Augen hatte, warum Paulus
den Frauen in der Kirche das Wort verboten hat. Er kannte die
Frauen des Orients, ihrer ursprünglichen Herkunft näher
gestellt; sie hätten ganz sicher die Männer nicht zur Sprache kommen lassen. Sie disputiren auch sehr gerne, und das hätte ein wenig
verwirrt aussehen dürfen, wenn denn die Männer auch ihr Recht hätten behaupten wollen. Daß unsere liebe Frau in der kirchlichen Geschichte ganz schweigend eingeführt ist, das ist sehr klug und bescheiden
gehandelt; denn wer die Frauen des Landes kennt, mit ihrem Geiste
und ihrer Lebhaftigkeit, der könnte leicht auf den Gedanken kommen,
Maria, die heilige Jungfrau und Mutter Jesu, habe sich etwa auch
so ereifert mit ihrer Stimme, wie es hier zu Lande bei aller Ver-
mummung und Verhüllung Sitte ist. Die Weiber der Fellahs sind alle
gleich gekleidet, sie haben lange, vom Hals bis an die Ferse, blaue
Hemden und weite Beinkleider; über den Kopf haben sie ein blaues
oder weißes Tuch geschlagen, was sie an einer Ecke, wenn sie ihre
hohen Wasserkrüge tragen, ganz malerisch herumzudrehen verstehen,
was ihrer schlanken Gestalt und ihrer Haltung ein leichthin tanzen-
des Ansehen gibt. Ihre kleinen, halb- bis zweijährigen Buben reiten
ihnen auf der Achsel und halten sich am Kopfe. Sie wissen die Kinder mit einer solchen Behendigkeit über sich zu drehen, daß es nur zu
bewundern ist, wie sich die kleinen Unbehilflichkeiten darein finden können, ohne herabzufallen. Indeß ist es wirklich ein Vergnügen, ein so
frisches, lichtaugiges Kind in seinem blauen Kleidchen auf der Achsel
seiner Mutter balanciren zu sehen. Man bemerkt dabei, was Natur
und Landessitte, auch in der zartesten Kindheit, über den Menschen
vermag. Wie die Mütter ihre Kinder in aller Liebe und Zärtlichkeit
herumschütteln, und untereinander beuteln, daß ihnen der Schwindel
gewiß auf ihr Lebtag vergeht, wenn sie flugs auf den Höhen der Mastbäume sind, oder im Nu im Wasser, um ein aufgesessenes Fahrzeug
flott zu machen, das habe ich mir auf der Nilbarke genug gesehen.
Sie werfen ihre Kleinen wie einen Ball in die Luft, um sie wieder
zu fangen, und lachen dabei, daß die Luft wiederhallt. Nun, vielleicht
bekommen Sie selbst noch einmal Lust, hochw. Herr! das Land zu
besuchen, dessen Zugang gar so beschwerlich scheint, wenn Sie aus
meinem Beispiele ersehen, daß es eben nicht gar so unannehmlich, vielweniger unmöglich ist, und daß es sich lohnt, dafür kleine Ungemächlichkeiten zu überkommen. Zum Schluße meines Schreibens will ich

Ihnen, hochw. Herr! die zu besuchenden Merkwürdigkeiten aufzählen, damit Ihnen das Suchen darnach erleichtert werde, wenn Sie einmal nach Egypten kommen. Das sind: die Grotte der heil. Familie in Alt=Cairo; der Baum der heil. Familie in Heleopolis; der Obelisk unweit davon, dessen Gefährte nach Rom gebracht wurde, und dort auf dem St. Petersplatze steht; die Pyramiden zu Giseh mit der großen Sphinr, dem Sinnbilde der Nilgewässer; die Pyramiden in der Wüste Saharah, zu Darschur, Abubsir und Tirynth; der ver=steinerte Wald; das Schloß und der Garten von Schubra; der Garten auf der Insel Rhodda, wo Moses im Binsenkörbchen gefunden wurde; der Volksgarten und der Eskebiehplatz NB. an einem tür=kischen Feiertag; das Castell mit dem Josefsbrunnen und der neuen Moschee; die großen Moscheen in der Stadt und die Wassertrink=häuschen; die Gräber der Chalifen und der Mamelufen; die Mo=scheen auf dem Wege dahin außer der Stadt in einer solchen Menge, daß sie so zu sagen eine kleine Moscheenstadt bilden. Ich besuchte auch noch, mit höchster Erlaubniß, die technische Schule, die Akademie der Wissenschaften, die medicinische Akademie, das Naturalien=Cabinett, die Frauen=Medicinschule, die großen Spitäler für 3000 Mann, das Hospitium für die Armen aller Nationen, das Observatorium. Das Irrenhaus und den Sclavenmarkt, von dem Craigher und Andere so viel Aufhebens machten, konnte ich bei meinen Effendis nicht heraus finden. Das Irrenhaus, was man mich der Länge und Breite nach unter den Männern wie unter den Frauen durchführte, fand ich wohl höchst einfach eingerichtet, so wie alle übrigen Anstalten, aber eben deßwegen am zweckmäßigsten. Diese Patienten sind gehalten wie die andern, ich bemerkte im Ganzen eine gute Behandlung. Was den famosen Sclavenmarkt betrifft, so verlangte ich ihn auch zu sehen, ob=schon mir das menschliche Elend auf längere Zeit ein großes Weh verursacht. Abdel antwortete mir aber: „Wir haben keinen Scla=venmarkt mehr; es gibt wohl noch zwei oder drei Häuser, wo Sclaven von Privaten verkauft werden, es wird ihnen jedoch durch hohe Abgaben geflissentlich sehr erschwert, als Mittel, dem Sclavenhan=del ein Ende zu machen." Sie erzählten mir, wie sehr Mehmet Ali dieses wünscht und wie unerreichbar dieser Gegenstand sich zeigt; sie selbst, die beiden Effendi, hatten in ihren Häusern die Sclaverei ver=bannt, und führten europäische Dienstordnung ein; sie konnten sie aber nicht durchsetzen, obgleich mehrere Häuser ihrem Beispiele folgten.

16 *

Der Araber ist frei, wenn er nicht Sclave ist, und ein freier Mann dient keinem andern, seiner Meinung nach. Wenn er nichts hat als seine Beduinen-Hütte, seinen Tabak, einige Pomeranzen, Gurken, oder sonst Kräuter, wie die Natur wild sie ihm gibt, lebt er vergnügt. Die Weiber verlangen sich nichts weiter, wenn sie ihre Kinder locken. Auf solche Art, erklärten sie, ist es ohne Sclaverei unmöglich, Dienstleute zu bekommen, oder sie zu erhalten, ohne welchen man doch kein Hauswesen führen kann. Scheint nicht klar hierin der Fluch Noah's sich zu offenbaren? „Cham soll der Diener seiner Brüder sein," wenn die Chamiten, trotz allen Bemühungen, zum Verbande der menschlichen Gesellschaft Sclaven bleiben müssen? Noch muß ich Ihnen, geistlicher Herr! etwas von der türkischen Heiligmachung erzählen. In einigen Tagen, wo ich nicht mehr hier zu sein hoffe, wird der „Ueberreiter" erwartet, das ist der vornehmste Heilige im Lande. Der wird auf einem Schimmel, langsamen Schrittes, über die breite Straße gegen den Boulaque zuschreiten, deren Bäume schon heute mit Guirlanden, Blumen und Festons zierlich geschmückt sind. Bei der Production kommen noch Teppiche hinzu. Eine Menge Zelten rechts und links von allen Farben sind schon aufgestellt, wie auch Divane im Freien, die ihre Vermehrung und ihre Zierde für die vornehmen Zuseher erst erwarten. Nun wenn dieser erwartete Ueberreiter seinen Zug auf seinem Schimmel beginnt, so werfen sich alle schon dazu bereit sich haltenden heiligwerden wollenden Männer (Frauen nicht, denn diese geht das heiligwerden um Islam nichts an), auf den Weg hin, und der, der mehr von den Hufen des Roßes getroffen wird, der ist der mehr heilige. Mancher steht als Krüppel auf. Dafür hat er aber auch sein heiliges Glück gemacht. Es fiel mir ein wenig schwer, dieß zu glauben, ich habe aber die Vorbereitungen gesehen, und die Erklärung von unbefangener Zunge gehört.

# Neunundachtzigster Brief.

## An den hochw. Herrn Pfarrer Sch.

Cairo, den 5. Februar 1848.

Noch immer von Cairo datirt, hochw. Herr! Die Schwierigkeiten, die es mich kostet, hier weg zu kommen, kann ich Ihnen gar nicht beschreiben; und die Unmöglichkeit, mit der man mir eine Wüstenreise vormalt, übersteigt noch jeden Begriff, den man sich etwa abschreckenderweise in unsern Ländern machen könnte. Daß ich mich jedoch, je mehr Beschwerden man mir vorstellt, desto weniger fürchte, das ist gewiß. Heute Früh erwachte ich mit der freundlichen Idee aus dem Morgenschlummer, St. Johann Baptist, der Sohn der Wüste, wolle mein Begleiter sein. Auch fühle ich mich so freudigen Muthes, daß ich Furcht und Beschwerden nicht kenne. Ich erfuhr, daß dieser Tage einige Herren abreisen wollen; nun hab' ich nichts zu thun, als mir ein Kamehl aufzutreiben, und mir den Scheik zum Freunde zu machen, daß er mich der Gesellschaft anschließe. Man spricht mir viel von der Kälte in den Nächten; ich fühle meine Füße warm, als wären sie in Pelz gehüllt. Wer aus Liebe zu Jesu, dem Sohne Gottes, der als Mensch die Erde heiligte, die er betrat, sein Vaterland verläßt, um im engeren Sinne das heil. Land zu besuchen, in dem der Gottmensch lebte, den werden die Beschwerden nicht hindern, das Ziel seiner Sehnsucht zu erreichen. Daß ich mein Vaterland liebe, ist mir von meinen Schuljahren her noch sehr bewußt, denn noch ist mir mein Lesebuch werth, das von der Vaterlandsliebe handelt. In dem schönen Italien, dem wahrhaftigen Garten Europas, in dem übrigen Entgegenkommen der Natur, in allen Gewächsen des Morgenlandes, nirgends seh' ich Steiermarks Grün. Und wenn, entzückt von fremder Pracht, in meinem Herzen mir ein neues Leben lacht, so führet der Erinnerung Flügel, mich auf die heimatlichen Hügel; hin in des Landmanns Stadel, voll von Körnern, die der Trischel süß harmonisch tönendem Accord entspringen; hin in des Stalles Räume, voll der schönsten Rindviehzucht, wo Kühe reichlich spenden Milch und Butter, wie sie nirgend sonst zu finden; dann erst, des Alpenliedes Heimathsklang! des Waidmanns

froher Pfiff und Sang! — Nur der Stall zu Bethlehem lockt die
Schritte weiter, flügelt meine Sehnsucht nach der Wüste Sandgewühl,
um durch sie ihn zu erreichen, durch Gebet die Herzen zu erweichen,
die der Bildung Hochverrath enthebt, am Ort zu ehr'n die
That, die durch des Zweifels Sage den Glauben selber
stimmt zur Klage. Des Ortes Ehre ist des Menschen Zier, darum gibt auch die Kirch', die hehre, dem Pilger nach Gebühr den Ablaß
seiner Sünden, um Trost und Freude dort zu finden. — Des Ortes
Lieb' für's Vaterland weist mich auch wieder hin zurück, nur wenn
ich's liebeleer zu finden wüßte, mied' ich seine Flur, und seufzte mit
der Stimme der Natur: O Bethlehem, wo ist deine Spur! Du einst
so fruchtbar' Land, nun kaum dem Glauben mehr bekannt. Dort wo
Alles spricht für der Wahrheit Licht, nur der Menschen verwirrte Sinne
nicht! — Ihr Aufruf zur Vaterlandsliebe, im Vergleiche mit dem himmlischen Vaterlande in Ihren Kanzelvorträgen, hochw. Herr! war ein
Wiederhall in meiner Seele, der mich auch jetzt in Ihre Nähe rief,
um meinen vaterländischen Gefühlen freien Lauf zu lassen. Doch Heimweh hab ich nirgends noch gefunden, wohin ich komme, bin ich zu
Hause. In Egypten wie in Steiermark finde ich Menschen, Eines Vaters Kinder, verstehe auch die Schwarzen, ohne erst des Wortes Ausdruck zu bedürfen. Demohngeachtet däucht es mich sehr anmuthig, das
Seinige zu lieben, es zu ehren! Ist es nicht erfreulich, zu sehen, wenn
die Angehörigen friedlich und in liebevoller Einigkeit leben? Nimmer
wird es einer übel verstandenen Ascetik gelingen, der Menschen Herz
zu veredeln, die sich bemüht, sie von den Gegenständen ihrer nächsten
Umgebung loszuschälen. Dieß kann nur mit Ausnahmen gelten für die
Opfergaben der gottgeweihten Herzen geistlicher Ordensstände. Doch
im täglichen Leben, auch dem eines Christen, ist es durch den Ausspruch des Apostels selbst erwiesen, daß: der das Nähere nicht liebet,
wird auch für das Fernere nur Gleichgültigkeit kennen. Ein Mensch,
der keine Vaterlandsliebe hegt, der das Seinige mit Nichtachtung
behandelt, stößt ab, und gewinnt nirgends Achtung; doch wäre eben
so zu wünschen, daß Reisende das ihnen Fremdartige nicht so gespen-
stig auffaßten und darstellten, und das Mangelhafte und noch zu Ver-
bessernde nicht so hervorhöben, ohne des Vortheilhaften, dessen sich doch
jede Nation erfreuen kann, zu gedenken; denn dadurch wird die Annäherung der Herzen der ineinander greifenden Völker nicht befördert.
Ich denke meinerseits nicht zu fehlen, wenn ich meiner natürlichen

Eigenthümlichkeit nachgebe, und vorherrschend das Gute und Vortheil=
hafte bemerke und es in Ehren zu halten suche. Es ist auch einer
meiner Erziehungs=Grundsätze, nicht v o r h e r r s c h e n d m i t T a d e l
bessern zu wollen; denn ein derart behandeltes Kind weiß am Ende
nicht, was es thun soll, und wird gewöhnlich nicht b e f f e r, sondern
b ö f e r. Wenn ich hingegen einem sage, was mir gefällt, und was er
recht und löblich gemacht hat, wird es seinem eigenen Beispiele leichter
nachfolgen können, und durch Leitung und Aufmunterung Fortgang im
Guten finden. Wahr bleiben die Sprüche der alten Weisen, wovon
einer sagt: „Das Urtheil bringt den Menschen dahin, wohin man ihn
haben will." Dem besten Menschen immer mißtrauen und übel von ihm
urtheilen, wird ihn in abhängiger Lage dahin bringen, wohin er ohne
Beurtheilung gewiß nie gekommen wäre, und gewiß ist es, daß schon
manche schlechte Handlung unterblieb, weil sie sich scheute, vor einer
vorgefaßten, guten Meinung zu erscheinen. Meinen gemachten Beob=
achtungen nach dürfte die Handhabung dieses Grundsatzes bei den
Orientalen besonders gut angewendet sein. G e n e i g t e s V e r t r a u e n
e r h e b t i h n z u m f r e i e n, e d l e r n Z u t r a u e n. Ein hier angesie=
delter Europäer, der sich mir sehr gefällig zeigte, begleitete mich nach
dem Boulaque, weil ich ihn den beiden Effendi aufzuführen gedachte,
um eine Bierbräuerei aufzurichten, von der sie neulich mit mir sprachen.
Er führte mich über den bevölkerten Bazar, wo man in der Men=
schenmenge von allen Farben kaum durchkommen konnte. Mein Herr
Europäer, mit seiner großen Hundspeitsche in der Hand, hieb rechts
und links die armen blosbeinigen Menschen über die Füße, um sie aus
den Weg zu bringen. „Aber was thun Sie denn, sagte ich, warum
schlagen Sie denn diese armen Leute?" „Ah, die Hunde muß man so
behandeln, sonst kommt man mit ihnen nicht daraus," sagte er ent=
schuldigend. „Mein Freund, ich denke, daß dieß Urtheil den europäi=
schen Sitten eben keine Ehre bringt," meinte ich, „und daß die Leute
hier auf diese Art weder zur Civilisation noch zur Achtung für unsere
Cultur gebracht werden." Er nahm meine Rede gut auf, und erzählte
mir dafür seine ganze Lebensgeschichte. Die Araber haben in ihrer
Natürlichkeit die beste Vorbereitung zur Cultur und feinern Lebens=
bildung. Und nach allen Beobachtungen, werde ich nicht irren, daß
vielleicht in Kürze der Zeit ein Feld voll christlicher Ernte dastehen
wird, wozu die Schnitter fehlen; das ist: die gehörige Belehrung und
Mittheilung der Gnadenmittel, aus Mangel des Sprachverständnisses.

Wenigstens finde ich die ganze Haltung des Landes, gegen frühere Reisebeschreibungen, auffallend den europäischen Sitten geneigt und ihnen entgegenkommend, ohne von ihren originellen Landes‑Eigenheiten lassen zu wollen, was auch gar nicht zu wünschen wäre; denn besser kleidet eine entschiedene Nationalitäts‑Sitte, als eine sich nach allen Seiten wendende Variabilität in allen seinen Gebräuchen. Zeichner dürften sich gegenwärtig nicht mehr fürchten, verjagt, oder mit Steinen beworfen zu werden, um ihr Kunstinteresse zu bereichern. Auf diese Gefahr hin, setze ich mich an jeden Platz, um die schön gebauten Moscheen, das Observatorium ꝛc. abzuzeichnen. Ich that es auch, als ich ganz allein mit einem Araber nach dem versteinerten Walde ritt, und einmal, um die alte Sikomor der heil. Familie abzuzeichnen. Es wäre zu wünschen, daß sich diese Künstler mit orientalischen Gemälden betheiligten, um unter der enormen Menge von Bildern in europäischen Kunsthandlungen, durch getreue Vorstellung der Landessitten, die heute wie vor 3000 Jahren dieselben sind, die Begebenheiten und geschichtlichen Belehrungen des alten und neuen Testamentes ebenfalls anschaulich zu machen, was bei uns bis jetzt nur zu den Seltenheiten gehört. Ueberhaupt dürften Gärtner, Architekte, Steinmeißler wie auch andere Künstler, ihre Reise besonders nach Ober‑Egypten nicht ohne Interesse machen, und dabei so manchen Vortheil finden, sowohl in der Bereicherung eigener Kunst, als durch Mittheilung derselben an andere, wozu ihnen die freundliche Beförderung alles Guten und Edlen der Consulate genügende Stütze darbietet. Nur müßten solche Nutzbereisungen der einzelnen Individuen auf gutem Sinne beruhen, und nicht aus Gewinns‑Absichten, oder in Ungenügsamkeit unternommen werden. Auch Musikmeister sammt einem Instrumentenhandel, oder Instrumentenmacher mit den nöthigen Apparaten dürften sehr willkommen sein; es würde ihnen nicht schlecht gehen. Sie sollen sich die Reise nicht gar so beschwerlich vorstellen, und sich von bizarren, abenteuerlichen Erzählungen und Reisebegebenheiten nicht zurückhalten lassen. Es dürfte daraus ein mehrseitiger Nutzen entstehen. Völker und Länder sind sich noch viel zu wenig bekannt. Das Mißtrauen und die bösen Urtheile herrschen vor. Dieß kann und wird nur durch Zunahme an Bildung, durch gegenseitige Befreundung, durch Erziehung von Jugend auf verbessert werden. Dieß gilt aber nicht etwa nur denen in der Bildung zurückstehenden Völkern des Orients allein, o nein, vielleicht mehr noch den Vorurtheilen der beiweitem nicht zur Genüge civi‑

lifirten Europäer, was der fortschreitenden Bildung ein großer Ab=
gang ist. Gewinnt ein höherer Geist, eine feinere Le=
bensart, ohne Verbildung und disharmonischer Zie=
rerei, auch in der untern Classe seinen Aufschwung,
dann wird Liebe und Achtung gegründet, und die An=
näherung der Völker befördert. Ich hoffe, hochwürdiger Herr!
Sie werden mir's nicht ungütig nehmen, wenn ich mich voll Eifer
mit dem Wohle der Völker und Nationen betheilige, und Ihnen so
unverholen meine Meinungen und Ansichten mittheile. Die Vereini=
gung von Kirche und Staat hält mein Interesse noch am meisten rege.
Wenn diese im Bereiche der Unmöglichkeit zu finden sein sollte, wie
mir's Herr v. L., der so kluge Diplomat, durch die unerreichten Be=
mühungen eines Patriarchen von Jerusalem im achten Jahrhunderte
beweisen wollte; so können wir sicher im Unglauben ein kurzes
Leben benützen, und dann höchstens in einer aufbewahrten Geschichte
fortleben, oder im Glauben noch eine lange Zeit unsere Lieben vor
uns hinsterben sehen, für sie beten und nach unserm Lebenslauf warten,
daß Andere für uns dasselbe thun; bis die Gerechtigkeit Gottes, müde
unserer Willenslosigkeit, das Böse zu meiden, das Gute zu thun, und
der daraus sich immer mehrenden Verwirrung, die Welt aus ihren
Angeln wirft, um sie durch Feuer zu erneuern, was um der Gerechten
willen, die nach Einheit streben, je mehr ihrer sind, um so
gnädiger erfolgen wird. Dieß dürfte Bewegungsgrund in seiner Tiefe
genug sein für gläubige, redliche Gemüther, um sich wenigstens durch
Willensmeinung einer möglichen Vereinigung von
Kirche und Staat, in Wort und That zu äußern. Ihre Unmög=
lichkeit kann sich nur in der Hoffart und Lieblosigkeit bewähren, von
der sich die Herzen der Menschen regieren lassen, und ihre Unaus=
führbarkeit in der Schwachheit des Willens oder im Mangel
desselben. Die Mittel zur Erreichung eines harmonischen Einklanges
dürften nicht ferne zu suchen sein, und der nächste Beginn läge darin:
Die Erziehung der Jugend, mit besonderer Bemerkung der weiblichen,
den Händen des Erwerbs zu entziehen, und sie ausschließend
geistlichen, vom Staate unterstützten Anstalten zu übergeben. — In der
Auflösung der überflüssig geheimen Staatsdiener, die Wort und Schritt
getreuer Unterthanen bewachen, und das gegenseitige Vertrauen hem=
men. — In kluger Benützung der Individuen, sowohl von Seite der
Kirche als des Staates, nach denen ihnen von der Natur ertheilten

Talenten, ohne Sorge, daß sie ein zu helles Auge haben möchten, um das zu sehen, wofür sie schon Andere am Platze wissen. Dieß verhindert die fortschreitende Bildung der Zeit, die Uebereinkunft und das Zusammenwirken der menschlichen Gesellschaft, worunter die Vereinigung von Kirche und Staat mit einem erklärenden Worte bezeichnet ist; — es zieht die Würde eines Amtes zur ämtlichen Kleinlichkeit hin, welche nicht selten statt des Segens, wozu das Amt besteht, Qual und Mißmuth unter den Unterthanen verbreitet. — In der Verehrung des Glaubens, den die Kirche lehrt, seinem innern Werthe nach, wie seiner äußern Form gemäß, von Seite der vorgesetzten Staatsdiener. — In der Achtung und Freundlichkeit der gegenseitigen Stände. Endlich: denen, allen Ländern bekannten, jedes Wohl und Heil der Kirche und des Staates untergrabenden geheimen Gesellschaften, die Gesellschaft Jesu, in ihrer kirchlichen Kraft vom Staate unterstützt, entgegengestellt. Dieß gäbe practische Anleitung genug, um einen guten Erfolg zu erwarten.

---

## Neunzigster Brief.

### An den Herrn Med. Doctor K.

Belbes, den 11. Februar 1848.
Im Zelte des Herrn Z.

Nun ist die so mühvoll erreichte Wüstenreise glücklich angetreten. Und das Wie? Sie werden meinen, Herr Doctor! ich erzähle Ihnen ein arabisches Mährchen aus der tausend und einen Nacht. Wenn man beschwerliche Vorstellungen von einer Pilgerreise durch die Wüste haben will, so muß man vorerst nach Cairo kommen, um sie zu finden. Endlich fand aber ich auch nach einigen Bemühungen mein Kamehl und meine Gesellschaft. Schon wollte ich allein reisen; der Consul ließ den Scheik in die Kanzlei rufen, der sagte, mit einem, auch nicht mit zwei Kamehlen gehe er durch die Wüste. Gut, ich wartete wieder. Die europäischen Gewölbs-Bewohner auf dem Muski, den ich täglich passirte, interessirten sich sehr theilnehmend für mich; auch ein junger Engländer in seiner Boutique auf dem Eskebieh = Platze, um mir eine

annehmbare europäiſche Karavane ausfindig zu machen, die jedesmal
ſehr geheim gehalten werden, damit ſich nicht etwa beſchwerlich fal=
lende Begleiter anſchließen, auf welche Auszeichnung eine einzeln rei=
ſende Frau gewiß die nächſten Anſprüche machen kann. Ein deutſcher
Schmiedmeiſter, der den arabiſchen Scheik gut kannte, nahm es auf
ſich, mich zu ſelben zu führen, um mein Kamehl zu accordiren, und
mich der nächſten Karavane anzuſchließen. Er war nicht zu Hauſe,
obſchon der gute Menſch ſeine Werkſtätte verließ, um mich eine Stunde
weit an das andere Ende der Stadt zu führen. Par bonheur, be=
gegnete er uns auf dem Rückwege. Morgen reiſt eine erwünſchte Ge=
ſellſchaft anſehnlicher Herren mit zwei Zelten. Der Scheik ging ſtehen=
den Fußes auf das Conſulat, und meine Aſſignation, die Gutſtehung
des Scheiks und meines Kamehlführers, mich wohlbehalten durch die
Wüſte nach Jeruſalem zu bringen, wurde unterzeichnet. Des andern
Tages in der Früh lag mein Kamehl vor der Kloſterpforte der soeurs
de bon pasteur. Ich ließ mich zur Probe die Gaſſe auf und ab füh=
ren, wobei alle Kloſterfrauen aus den Fenſtern guckten, um ihre Pil=
gerin reiſefertig, in luſt'ger Höhe, auf dem majeſtätiſchen Wüſtenſchiffe
geſchaukelt zu ſehen. Es ging gut. Der eigentliche Gebrauch des
Thieres beginnt erſt vor der Stadt. Ich zog demnach vor meinem
Kamehle, unter lauten Glückwünſchungen der ſchon lange an meiner
Pilgerfahrt Antheil nehmenden Europäer, auch Griechen und Araber,
in einem ſeelenfrohen Triumphe über den Muski, wie kaum ein römi=
ſcher Held auf ſeinem Triumphwagen, wenn er Alexandrien eroberte.
Die Geſellſchaft zog vom großen hotel d'Orient aus. Ein franzöſi=
ſcher Major, Monſieur Pointeau, und ein ruſſiſcher Major, Mon=
ſieur Davidor, gleich dem erſten Anſehen nach ſehr beſcheidene
Herren. Der Franzoſe, als der ältere Herr, grüßte mich, und ich em=
pfahl mich ſeinem Schutze mit der Verſicherung, der Geſellſchaft nicht
beſchwerlich zu fallen. Die beiden Herren haben ihr Zelt, vier Pack=
Kamehle und ihren Dragoman, einen Deutſchen, der türkiſch und ara=
biſch ſpricht. Herr Zeller, der Schwager des engliſchen Biſchofs in
Jeruſalem, aus der deutſchen Schweiz, der zu ſeiner Schweſter reiſt,
hat für ſich ein Zelt, ſeine drei Pack-Kamehle und ſeinen arabiſchen
Dragoman, welcher der engliſchen Sprache mächtig iſt. Herr Z. nahm
ſich ſogleich der einzelnen Pilgerin auf ihrem Kamehle an, und bot
ſein Zelt mit ihr zu theilen. Unter fremden Menſchen in weiter Ferne
ſolche Freundſchaft zu finden, wie ich Herrn Zeller bis heute verdanke,

muß Einen wahrlich entschädigt halten für manche Mißkennung und unverschuldetes Zurückziehen in seinem gewohnten, engern Kreise. — Darum nur reisen, wer da reisen kann, um die Menschheit als Einen Körper kennen zu lernen, in welchem ein Glied die Wunden des andern verbindet und zu heilen sucht. Noch schloßen sich zwei zu Fuß reisende Handwerksleute an, ein Hufmacher und ein Uhrmacher; der Eine ein geborner Russe und erzogener Steiermärker, der Andere ein französischer Schweizer. Ein türkischer Hauptmann, der Scheik und die Führer eines jeden Kamehls, zusammen 21 Personen und 12 Kamehle, das ist die Anzahl unserer Karavane. Die Herren Majors reiten auf Dromedars; auch ich hätte gerne eines gehabt, man gab mir aber keines. Diese Thiere sind gar zu schlimm; wenn sie sich zum Auf- und Absitzen legen müssen, kostet es einen jämmerlichen Schreiprozeß; da wäre ich sehr übel daran gewesen. Dafür habe ich das größte Kamehl in der Karavane, ein sehr gut abgerichtetes Thier, das seinen Weg schon kennt. Nach einer halben Stunde war auch ich mit meinem Bruno, wie ich ihn nannte, bekannt, und leitete ihn allein. Wir sind immer voraus, und bleibt er zurück, so treiben ihn die Führer an, so daß ich mich schon auf eine ganz kurze Kamehl-Gallop verstehe. So erreichten wir gestern, an einem wunderschönen Frühlingstage, Abends 4 Uhr, Hanka, die erste Station. Wir saßen ab, und schickten uns an, im Khan zu übernachten. Was wußte ich, was hier zu thun sei; kaum sah ich mich im Hofe ein wenig um, wie denn die Sache gestaltet sei, so war schon kein Zimmer für mich mehr übrig, die wie kleine Kellergewölbe rund um den Hof herum angebracht sind. In demselben Augenblicke kam Herr Z. und lud mich in seine mit allen unter derlei Umständen nur möglichen Bequemlichkeiten ausgestattete Behausung ein. Mein Korb, meine Strohmatte, Decke und Polster waren schon in Verwahrung genommen, zum Nachtlager aufgebreitet, und mir bis zum Gebrauche dahin eine Kiste als Sitz angewiesen. Ich sah mich dann freilich ein wenig schüchtern um, daß ich in dieser Erdhöhle mit Herrn Z. und seinem Dragoman, dem arabischen Hamet, die Nacht zubringen sollte. Was war jedoch zu machen, als für die freundliche Sorgfalt und theilnehmende Güte des Herrn Z. gegen eine einzeln reisende Frau sehr dankbar zu sein. Es war noch hell am Sonnenschein und Herr Z. versprach, wenn sein Gepäck in Ordnung sei, mich in der kleinen Stadt herumzuführen. Ich setzte mich demnach, machte mir's bequem, so gut es ging, nahm aus meinem

Korbe eine Pomeranze, und begnügte mich mit dem Gedanken: eine Pilgerin zu sein. Auf einmal stand ein Herr und eine Dame vor mir mit der freundlichsten und freudigsten Miene, mich gefunden zu haben, und luden mich ein, mit ihnen zu gehen, und bis zur Abreise bei ihnen zu verbleiben. Sie thaten so bekannt, und mir waren sie nicht fremd, obschon ich sie nie gesehen habe. Ohne Bedenken nahm ich mit Dank ihre Einladung an, und schickte mich auch sogleich an, mit ihnen fortzugehen, obschon Herr Z. etwas bedenklich drein sah, daß ich die Sicherheit seiner Behausung sogleich mit einer fremden Gesellschaft vertausche, um mich eine kleine Stunde weit nach Abusa- bel zu entfernen. Ich dachte, er kann es nicht übel nehmen, wenn ich es vorziehe, mich in der Behausung einer so liebenswürdigen Dame zu wissen. In Abusabel ist die Primärschule des Landes, das College des Princes. Dieser ansehnliche Herr mit seinem rothen Feß, und seinen Augengläsern, war der Doctor und Director dieses Institutes, Hr. v. Bernoni; die Dame seine Tochter, eine Witwe, die nebst ihrem Bruder, der die Apotheke führt, bei ihrem Vater lebt, um ihm die Wirthschaft zu führen. Das Vergnügen zwischen mir und dieser liebens- würdigen Familie läßt sich gar nicht beschreiben. Ich kann nur Gott danken, daß die Erde solche Menschen trägt. Es gibt kein angeneh- meres Loos, als doch wenigstens manchmal ein wenig über den pedan- tischen Alltagskreis hinauszuschweben. In einem Seelen-Vergnügen, wie es nur seltene Stunden bieten, kamen wir im Hause des Herrn Doctors an. Mad. L. und ihr Herr Bruder führten mich sogleich in die könig- liche Erziehungsanstalt, wo 2000 Zöglinge auf Kosten des Staates erhalten und unterrichtet werden; die vorzüglichern bekommen auch Geldprämien, was ihnen wieder zum ferneren Nutzen hinterlegt wird. Ihre künftige Lebens-Versorgung durch Anstellungen im Staate geht von da aus, und der Staat wird Leute haben, wie er sie brauchen kann. So eben trommelte man zur Abendmahlzeit, und ein Heer von jungen Leuten, sehr gut aussehend, munter und heiter und in guter Ord- nung, zog über den Hof dem Speisesaale zu, den ich gleich darauf auch besuchte; eine ungeheure Größe, mit runden Tischen besetzt. Die Eintheilung sehr gut, einfach aber nett, eben so die Schlafsäle. Die ganze Einrichtung ließ mich sehr vergnügt. Darauf führte mich Madame Lapis in ihrem Hause und Garten umher. Ein liebenswür- diger Knabe mit 9 Jahren, ihr Sohn, hüpfte um uns her. Sie erzählte mir, ihr Mann liege auf dem Berge Carmel begraben, und lange schon sehne sie sich eine Reise nach Jerusalem zu machen; da hörte sie, es sei eine Pilgerin im Kloster, in dem sie sehr gut bekannt ist. Sie suchte mich auf, ich war nicht zu Hause, und Niemand sagte mir, daß Jemand nach mir gefragt habe. Den Tag zuvor, ehe ich abreiste, kam die Nachricht nach Hanka, daß die Karavane ankäme, und mit ihr eine Frau. Keine andere, als die ich suchte, dachte Madame Lapis, und da ich jetzt nicht mit ihr reisen kann, so möchte ich sie wenigstens bei mir beherbergen. Und so ging sie mit ihrem Vater, einem überaus achtungsvollen Manne, von Abusabel nach Hanka, um die Pilgerin einzuladen. Indeß war das Abendmahl fertig. Eine kleine Festlichkeit. Es schien, als wollte man mich im Vorhinein für die ganze Wüstenreise schadlos halten. Ich lebte köstlich. Nach aufgehobener Tafel gingen wir in den Salon oder Divan. Halb liegend, halb sitzend auf guten Divanen, plauschten wir auf die gemüthlichste Weise. Doctor Vernoni, seine Tochter und sein Sohn sind echte, würdevolle Christen, nach dem römischen Ritus, das heißt, katholische Christen. Wir arbeiteten ein ganzes Tableaur der Griechen aus. Nebstbei war noch ein alter Jude in unserer Gesellschaft; dem setzten wir ein wenig zu. Er parirte uns auch nicht weiter aus, als daß er den Sabath zu behaupten suchte, und gab dieß als die einzige Ursache an, warum sich die Juden nicht zum Christenthume bekennen. In unsern besten Gesprächen begriffen, es war etwa zehn Uhr, kam Herr J., um nachzusehen, wo sich denn die Pilgerin befinde; allen dreien Herren wurde es bange, ob ich denn wohl in guter Verwahrung sei; da nahm es Herr Zeller noch so spät auf sich, mich aufzusuchen, unter dem Vorwande, sich der Zeit zur Abreise zu versichern. Sogleich war die Nargilee und schwarzer Kaffeh da, den wir Alle repetirten, und das freundschaftlichste Gespräch spann auf die unbefangenste Weise seinen neuen Faden weiter. Mad. L. begleitete Herrn J hinaus, und sagte im Zurückkommen, sie könne nicht umhin, mir zu gratuliren, eine so gute, sorgfältige Gesellschaft, wie diese Herren sind, getroffen zu haben. Sie haben den ganzen Abend nicht Ruhe gehabt, weil sie denn eigentlich nicht wußten, wo und wie ich aufgehoben wäre. Mad. L. führte mich auf mein Zimmer, wo wir noch bis über die Mitternacht im traulichsten Gespräche beisammen waren, was ich wohl niemals vergessen werde. Nach kurzem Schlafe weckte man mich, ich frühstückte, und der jüngere Hr. Vernoni führte mich nach Hanka, und übergab mich meiner Karavane. Mein Kamehl war schon aufgepackt, ich schwang mich darauf empor, dankte nochmal mit zurücksendenden Grüßen, freute mich der französischen Sprache, durch die ich einen so angenehmen Abend, als den ersten auf der Wüstenreise durchlebte, und schaukelte den zweiten auf meinem Kamehle hinein. Heute wurden die Zelte aufgeschlagen, da wir noch bei guter Zeit unsere Station erreichten. Ich finde genügende Bequemlichkeit, mir geht es sehr gut.

---

## Einundneunzigster Brief.

### An die Frau Baronin B.

Salahie, den 13. Februar 1849.

Könnte ich Ihnen doch das Bild vor Augen stellen, in dessen Mitte mich des Augenblickes Gegenwart so sehr beseligt. Sitzend unter einer reichschattigen Dattelpalme, die ihre langen Blätter drei Klafter lang ober mich hinbreitet, auf grünem Wasen, und horchend dem Rauschen der Blätter im nahen Palmenhain, möchte ich mich freudig ergießen, in eigener Glückseligkeit, um sie Andern fühlbar zu machen· In unserer Gesellschaft fühlt wohl Jeder das Seinige. Ich entfernte mich ein wenig im Triebe der Einsamkeit, und traf ganz gewiß den schönsten Punct, der mich zu den tiefsten Betrachtungen der Eigenschaften Gottes, und dem geheimnißvollen menschlichen Leben auf Erden, bewegt. Heute habe ich die vierte Tagreise auf meinem Kamehle zurückgelegt. Heute erst begann sich die Vegetation dürftiger zu zeigen. Die ersten drei Tage reitet man durch gut cultivirtes Land, in der Ferne den Saum eines endlosen Dattelwaldes beschauend, immer noch findet man filtrirtes Wasser, erst gestern wurden unsere Schläuche gefüllt. Doch übernachtet man im Freien unter dem Zelte. Gestern Abends waren unsere Araber auf einen Beduinen=Anfall gefaßt. Man zündete tüchtige Feuer an, und die Leute sangen und wachten die ganze Nacht, die jedoch ganz ruhig vorüber ging. Doch schlafen bei diesem melancholischen, eintönigen Gesange ließ sich's nicht. Heute kamen wir in Salahie an. Dieser Ort ist das letzte Dorf auf bewohnbarem Boden. Der morgige Tag führt in die eigentliche Wüste von Idumäa, worin der Chamsin, der gewöhnlich in der Hälfte März beginnt, sein Unwesen treibt, daß Reisende sich ihres Lebens zu verwahren haben. In Salahie ist der berühmte Datteln-Einkauf. Sie sind nicht theuer und sind sehr gut. Hier proviantirt man sich noch gänzlich für die Wüste. Das Dorf besteht etwa aus kaum 20 Steinhütten, die aber sammt dazu gehörigen Hofräumen sehr rein und nett sind. Milch, Eier, Hühner, Tauben sind zum Kaufe bereit. Als wir ankamen, standen die Weiber mit ihren Waaren da, wie bei uns auf dem Markte. Ein Paar nackte Kinder, und die halbe Blöße der Weiber, obschon das Gesicht verhüllt und der Kopf mit einem Tuche umschleiert war, wollte mich mit meinen europäischen Begriffen unter meiner europäischen Gesellschaft ein wenig geniren; ich suchte es den Weibern zu bedeuten, die mich wohl verstanden, sie bedeuteten mir hingegen wieder, was ich ebenfalls verstand, nämlich: daß die menschliche Würde in ihrer Nacktheit zu ehren sei. Es liegt ein tiefer Begriff in diesem Bedeuten. Ich denke, bei uns gehörte ein tieferes Studium dazu, um ihn zu erfassen, so wie ich ihn durch kurze Mimik einer arabischen Frau verstand. Ich entfernte mich sinnend, und fand in einem herrlichen Naturgarten den Palmenbaum, unter dessen Schatten es mir so wohlgefällt. So eben hatte ich Besuch von einem jungen Mädchen, die neugierig aus dem Dorfe kam, um mich zu sehen. Kopf und Hals strotzten von Silbermünzen, die Hände waren voll Armspangen, zwar nicht so schön wie jene unserer Damen, sie sind nur von färbigem Thon. Das junge Mädchen schien eine Braut zu sein, wenigstens so viel ich mich mit ihr verständlich machen konnte. Ihr Gesicht war nicht verhüllt, sie sah so natürlich der Comtesse Pauline gleich, daß ich mir nichts Aehnlicheres denken konnte. Ich unterhielt mich eine Zeitlang mit ihr, endlich verlangte sie Bakschisch, ich erklärte ihr aber, nachdem sie so viel Geld auf dem Kopfe trage, könne sie mir Bakschisch geben; denn ich sei nicht so reich. Sie schien mich gut zu verstehen, sie lachte und ging fort. Und ich schließe mein Schreiben, und verlasse meinen angenehmen Platz, denn der Abend mit seinem dämmernden Schein bricht plötzlich herein, so klar und rein, der Himmel auch lacht. Der gute Hamet sucht mich und meint, es sei Zeit, mich meines wohlbereiteten Platzes im Zelte zu bedienen.

## Zweinndneunzigster Brief.

### An Bruder Zeno.

Aus der großen Wüste Idumäa,
Station Kantarah,
den 14. Februar 1848.

Der fünfte Tag der Wüstenreise die eigentlich heute erst begonnen; doch ist der Sand sehr gut mit grünen Sträuchern bewachsen, besonders findet man viele sehr schöne Kräuter mit gelben Blüthen, eine Lieblings = Nahrung der Kamehle. Herr Bruno, mein Thier, weidet auch fleißig, er ist der Gefräßigste, aber auch der Größte in der Gesellschaft, er hat sonst eine gute Haltung, doch wo sich Sträuche und Kräuter zeigen, da hängt er den Kopf mit seinem langen Halse zu Boden, was eben nicht sehr angenehm ist; ich kann überhaupt das Kopfhängen nicht gut leiden. Anfangs ließ ich ihm die Weide gerne gelten, und lenkte ihn selbst zu manch' herrlichen Strauch, der sein Dunkelgrün mitten im Sande, meist in runder Form, wie unsere schönsten Gartenrabaten, malerisch darbietet; die Herren folgten meinem Beispiele, und wir weideten uns an der Weide der Thiere, doch sehen es die Führer nicht gerne, und ich bediene mich jetzt eines tüchtigen grünen Stockes, das ist die Mittelrippe eines Palmenblattes, um Herrn Bruno weiter zu treiben. Von Wassernoth habe ich noch keine Spur wahrgenommen, wir werden sie auch hoffentlich nicht zu leiden haben, bei aufgebundenen Fässern mit köstlichen gewässerten Wein. Mein bescheidener Wasserschlauch ist heute zum Gemeingut geworden, wie auch ich vom Gemeingute zu leben scheine. Gestern passirten wir noch zweimal ziemlich bedeutende Wassergräben. Mein Kamehl voraus, schräge Absätze hinunter, dort wieder den Hügel hinauf. Der gute Hamet rollte einmal bei einer solchen Expedition sammt seiner ungeheuern Bagage, auf der er saß, rückwärts hinunter, zum Glück nicht in's Wasser. Der hölzerne Packsattel des Thieres war schlecht geschnallt, und fiel dem Thiere, bei der beinahe aufrecht stehenden Stellung, um den Hügel hinanzukommen, vom Rücken. Wir waren nicht wenig erschrocken, doch fügte diese unerwartete Schlittage weder dem Hamet

17

noch seiner Bagage einigen Nachtheil zu. Man packte nun nur ein bischen vorsichtiger auf. Ich war zum Glück schon zuerst drüben, und schaute nur hinüber, auf die sich mühende Nothwendigkeit, den Fluß zu passiren. Die Herren setzten sich den Arabern auf den Hals, um sich hinüber tragen zu lassen. Das Wasser war so tief, daß ich auf dem Kamehle sitzend meine Füße nach aufwärts zog, um nicht naß zu werden. Die Leute, die durchwaten mußten, zogen sich aus und warfen ihre Kleider auf die Kamehle, was ebenfalls eine natürliche Nothwendigkeit ist, um aufgesessene Barken flott zu machen, und weßwegen vor einigen Jahren ein Engländer einen Araber niederschoß, weil ihm dieser die Nothwendigkeit seines Kleiderabwurfes begreiflich machen wollte. Es befanden sich zwei engländische, nicht englische Damen in jener Gesellschaft, wegen denen diese die Civilisation entehrende, statt ehrende Handlung geschah. Ich möchte wohl die Frage an alle gebildete europäische Damen dahin gestellt sein lassen, was ein edles Frauenherz mehr ehrt, die Würde der Natur in nothwendigen Ereignissen, von der seelentödtenden Koketterie zu unterscheiden, und in Achtung und Ehrfurcht schweigend darüber hinauszugehen, die Blicke wendend statt sie heftend, oder seine verkehrten Tugenden durch exaltirte Aeußerungen bekannt schreien. Hierin liegt auch ein Hauptpunct der weiblichen Erziehung verborgen, der vor Allem zu vereinfachen wäre. Doch jetzt kann ich meinen Ideen darüber nicht freien Lauf lassen; denn die Herren Majors schicken mir eben eine Tasse Thee. Sonst luden sie mich Abends in ihr Zelt, und wir unterhielten uns im Gespräche, heute sagte Herr J. aber schon früher, daß wir keine Besuche machen. Die wunderschöne Pariser Porcelain-Tasse, die mir eben so herrlichen Thee spendete, wie erquickte sie mich mit ihrem materiellen und geistigen Werthe! Ich tausche die Tage meines Wüstenlebens wahrlich nicht mit der zehnfachen Fülle des bequemsten Alletags = Lebens. Als ich heute seelenfroh neun Stunden auf meinem Kamehle saß, und die reine Atmosphäre, den heitern Himmel, im azurnen Spiegel, als ein Abbild seiner ewigen Klarheit betrachtete, schickte ich mitunter zur Ehre der heil. Jungfrau und Mutter des Herrn ein Ave Maria hinauf, das ich auf manch' kleines weißes Wölkchen legte, wie auf eine kostbare Tasse aus einem himmlischen etagére, um der königlichen Mutter mein kleines Geschenk zu überreichen. Nun verstehst Du schon, mein Bruder, welch' geistigen Werth die irdische Prachttasse mit ihrem erquickenden Thee, als Rückgeschenk, so wie sie mich lebendig anspricht, behaupten muß. Da müßte ich wahrlich nicht gescheidt sein, wenn ich mir die Muse der herrlichen Abende durch Sitzen am Feuer mit Zubereitung einer Speise verkümmern wollte. Ich setze mich zwar wohl an's Feuer, aber nicht um zu kochen, sondern um mich mit den Leuten zu unterhalten. Das Kochen und Rühren ist überhaupt mein Lieblingsgeschäft nicht. Sehr zufrieden und vergnügt nehme ich Datteln, Pomeranzen, Citronen mit Zucker und mein Schiffsbiscuit aus meinem Korbe; schwarzen Kaffeh macht mir Hamet, der sich sammt seinem Herrn beeifert, mir gefällig zu sein. Wenn wir absitzen, was bis jetzt noch immer um vier Uhr Nachmittags geschah, vergnüge ich mich, die eifrige Thätigkeit der Herren und Diener zu betrachten, mit der ein Jeder seinen Pfeil in die Erde schlägt, um die Schnüre des Zeltes daran zu spannen. Die Thiere werden abgepackt, Feuer angemacht, wozu eine Karavane für die andere einige Sträucher umhaut, ehe sie abzieht, damit die Nachfolgenden trocken Holz finden. Mein Führer bindet meinen Korb los, stellt ihn vor den Eingang des Zeltes, Hamet oder Herr Z. selbst breitet meine doppelte Strohmatte aus, mein Tornister, Polster und Decke wird darauf gelegt, dann ruft Herr Zeller: „Fräulein, Sie können Ihren Platz schon einnehmen." An dem Pfahl, auf dem das Zelt sich stützt, hängt die Laterne mit dem Lichte. Der Abend vergeht uns sehr schnell und angenehm, theils im gemüthlich gesellschaftlichen Verkehr, theils in der unbefangensten Alleinbeschäftigung oder Ueberlassung seiner Gedanken. Da ich Dir aus der Wüste keine Briefe zusenden kann, so werde ich jeden Tag seine Anmerkungen machen, um sie Dir unter Einem abzuliefern.

Den 6. Tag in der Wüste,<br>
zu Kathin.

Heute hielten wir Mittagsrast, weil die Sonne ein wenig heiß brannte. Die Witterung ist ungemein schön und angenehm. Dubedor ein anmuthiger, grüner Wüstenplatz mit ziemlich dichten Gesträuchern und hohen Palmen. Ich lagerte sehr angenehm unter einer derselben. Etwa eine Stunde weit davon ist ein kleines Dorf, die Weiber kamen, um ihre Eier feilzubieten, auch gut geflochtene, feste Körbe brachten sie zum Verkauf. Hamet ging in's Dorf, um Hühner zu kaufen, ich ging mit ihm. Es war das Dörfchen von Mais und Palmen, das ein geachteter Schriftsteller als Grenzscheide zwischen Mensch und Thier

17 *

bezeichnete. Nun gar so weit hinausgedrängt fand ich die Menschen
eben nicht, obschon sie mit Hühnern und Hunden ziemlich enge beisammen hausen; doch nicht in einem Gemache, wie es häufig bei uns
in den Wirthschaftsgebäuden der Gebrauch ist, was den Menschen
zwar noch in keinen Vergleich mit dem Thiere versetzt. Die Behausung dieser von aller Welt entfernten Wüstenbewohner besteht in verschiedenen, mit geflochtenen Palmenblättern umzäunten Abtheilungen.
Die Wohnhüttchen sind gedeckt, und sehen unter den andern offenen
Gemächern aus, etwa wie ein Backofen, oder ein großer runder Ofen
in einem Zimmer. Hamet suchte sich Hühner, ich hatte alle Weiber
und Kinder um mich, mit den interessantesten Ansprachen, die ich nicht
verstand. Doch das sah ich, daß Alle ihre Augen auf mein Crucifix
richteten, was ich stets in meinem ledernen Gürtel trage. Ich nahm
es heraus und flugs waren alle Hände daran, es von Hand zu Hand
gehen zu lassen, es zu küssen und an die Stirne zu drücken, die Geschichte des Gottmenschen erkennend. Ich hielt dem guten Völklein um
mich, welches sich immer mehrte, und zu dem sich auch Männer
gesellten, mit meinem Crucifix in der Hand eine kleine Mission in
mimischer Verstellung, die sie mit leuchtenden Augen und seelenvollem
Blicke sehr gut zu verstehen äußerten. Solche Menschen, die
des Verständnisses des Göttlichen ohne Worterklärung
fähig sind, können nicht an die Grenzscheide des Thieres gesetzt werden. Als Hamet mit seinem Kauf von weißen
und schwarzen Hühnern daherkam, und meine Mission zu Ende war,
begleiteten mich diese guten Leute noch eine Strecke lang, ohne sich
um ein Bakschisch zu bekümmern.

### Den 7. Tag, Bir el Abd.

Heute hatten wir wenig Grün, sehr viel Sand. Zu Mittag hielten wir Rast, in einem kleinen Palmenhaine mitten im Sande auf
einen Hügel hingegossen. Wir ruhten auch beneidenswerth. Der Sand
ist hier so fein und jedes Körnchen so krystallisirt, daß er im Sonnenscheine färbigen Glanz von sich giebt. Ich konnte nicht umhin, mir ein
Päckchen mitzunehmen, das dürfte einmal in der Heimat einen interessanten Streusand geben. Nachmittags kamen wir an großen Sandhügeln vorüber, ja Sandpyramiden, die der Kamsin so ziemlich herumtreiben mag auf seinen Wanderungen; wer den zum Reisegefährten trifft, der könnte ganz leicht in einem solchen Sandsturz begraben

werden; oder wenn auch nicht, so wüßte er genug von einer Wüsten= reise. Wenn jedem Reisenden die Wüste so angenehm geworden wäre, wie mir, so dürfte sie wohl nicht so verrufen sein; denn so zu reisen, wie mich's trifft, kann man sich die Wüstenreise schon gefallen lassen. Noch hatten wir immer das schönste Wetter, den reinsten Sonnenschein, mondenhelle Nächte. Je näher wir unserer Station kamen, die wir ziemlich früh erreichten, desto pittoresker wurde die Gegend, sie glich bald einer engern wild romantischen Gebirgsgegend, bald bot sie wieder weite Ebenen mit fernen Gebirgen. Nachdem wir lagerten, stieg ich über einen unserer benachbarten Hügel, um einen Spazierweg zu machen, und zu sehen, wie es denn drüben aussieht. Doch ein Bild von diesem überraschenden Anblick sammt meinem Er= staunen zu malen, bin ich nicht fähig. Obschon die Geschichte nichts bietet, und keine Ruinen hier vorhanden sind, so spricht die Gegend selbst, daß sie von einer großartigen Bevölkerung muß belebt gewesen sein. Mein Erstaunen über die Fremdartigkeit der Zusammenstellung und der Verschiedenartigkeit der Gegenstände in der Natur wird mir unvergeßlich bleiben. Der Hauptgegenstand, der mein Augenmerk auf sich gezogen, denke ich, muß ein ausgetrockneter See sein, der solches Farbenspiel von Schwarz, Weiß und Grau in allen Nuancen und so malerisch groteske Wendungen in seinen Vertiefungen zeigt. Ueber ihm die Berge und Ebenen, Hügel und Thäler, in großartigen Formen, rechtshin meinem Blicke eine Strecke, von der ich sagen möchte: „hier stand die Stadt, die ihre Umgebung ganz eigener Art belebte." Das herrlichste Grün und die großen Buschen der Blumenzwiebeln, die Reisende nach mir in ihrer Blüthe sehen werden, zeugen von frucht= barer Belebung des Sandbodens. Ich entfernte mich so ziemlich weit; ohne es im Anstaunen der neuen Bildergallerie, die ich auffand, zu bemerken. Hundert andere Reisende, die unter diesem Hügel, den ich überstieg, ihr Zelt aufschlagen, bemerken und wissen nichts von dieser sehenswürdigen, fremdartig, wildromantischen, großartigen Gegend. Das Geheul der Schakals, und eine feuchte Regenluft sammt der plötzlich eintretenden Dämmerung, mahnten mich, den Rückweg zu suchen.

### Der 8. Tag.

Heute hatten wir eine strenge Reise von 11 Stunden ohne Rast. Gestern Abends fiel Regen und Sturm wie vom Himmel geschüttet auf uns, kaum als ich das Zelt erreicht hatte. Der gute Hamet kam mir auch schon entgegen, um mich zu suchen. Sehen Sie, meine Herren! sagte ich scherzend, das geschieht deßwegen, um unser Dankgefühl für gute Tage zu erhöhen. Wenn die Regenzeit vor uns nicht gewichen wäre, die gewöhnlich noch anhält, müßten wir's auch haben. In der Nacht riß der Wind dermaßen an unsern Zelten, daß wir nur warteten, wann sie uns über den Kopf davon getragen werden. Der Regen schlug auch so ziemlich hinein, daß mein Strohbett zu einem Wasserbettlein wurde. Da machten wir uns aber alle zusammen nicht viel daraus. Als wir in der Früh aufsaßen, hörte es auf zu regnen, nur unsere Packsattel, die dem Thiere niemals abgenommen werden, waren ganz durchnäßt. Wir hatten bald freundlichen Sonnenschein, und bringen diesen Abend sehr vergnügt bei dem schönsten Wetter, mitten im Sande, in der angenehmsten, gesellschaftlichen Unterhaltung zu Nun will ich's einmal versuchen, Dir das Bild einer lagernden Karavane darzustellen, das mich mit einem unvergeßlich werthvollen Eindruck anspricht. Um mich daran zu vergnügen in stiller Nacht, wenn Niemand mehr wacht, trete ich hinaus aus dem Gezelte, bei hellem Mondenscheine, weit hinsehend über die sich abwärts liegende Sandebene, und hinaufschauend in den weiten Himmelsraum, der sich fern hinneigt zur Erde. Höher steht das Firmament hier, und in ungleich weiter Ferne leuchten die Sterne, die fast gänzlich sich verlieren. Zunächst um mich sehe ich zwei Zelten aufgespannt, umgeben von Körben und Gepäcke. Vier große Feuer, an denen die nothwendige Mahlzeit gekocht, und arabisch Brot gebacken wurde, sprühen noch in die Nacht hinein ihre Funken, die als Wachfeuer gegen Schakals und Beduinen Ueberfall, mit manch' zugelegtem Reisig unterhalten werden. Droht keine Gefahr, ruhen und schlafen auch die Wächter in malerisch hingegossenen Wendungen, rechts und links in den verschiedenartigen Drappirungen ihrer Mäntel eingehüllt, neben dem Feuer, Andere mitten im Sande, wieder Einer an die großen Packsäcke gelehnt, die Getreide durch die Wüste führen. Wer möchte dabei nicht an Josef und seine Brüder denken? Dann erst die Kamehle, diese guten Thiere, wie sie daliegen auf ihren Knieen, den langen Hals auf dem Boden vor sich hingestreckt, mit ihren großen Packsatteln, die ihnen niemals abgenommen werden, damit sich die Thiere nicht verkühlen, nach des Tages Last und Hitze, in der kalten Nachtluft ihres Landes. Alles ruht und schläft und ich erfreue mich des Anblickes dieses Bildes, betrachtend die Größe, die Unendlichkeit der

Schöpfung, ihr gesetzmäßig stilles Walten, schauend vor mir die durch des Tages Last ermüdeten Gestalten. Was die Wüste noch für ganz eigene, merckwürdige Erscheinungen hat, das sind die optischen Täuschungen. Man sieht Gegenstände in der Ferne, von denen keine Spur vorhanden ist, wenn man sie zu erreichen meint. Die Araber wissen viel davon zu erzählen, meine eigene Erfahrung blieb jedoch hierin ganz arm, höchstens ferne Sandgebirge, die sich aufthürmten, um das Auge zu erquicken und es ruhen zu machen auf irgend einem Gegenstande, damit es nicht zu sehr ermüde auf der weiten, unabsehbaren Fläche. Die Beduinen, dieses Volk der Wüste, machen sich nach ihren verschiedenen Stämmen verschiedene Zeichen durch ihre Fußtritte in den Sand, um sich auf diese Art ihren Nachfolgern verständlich zu machen. — Als Annehmlichkeit auf meiner Wüstenreise kann ich Dir auch noch von einem wirklich wunderschönen, kunstvoll, mit aller Gewandtheit ausgeführten Schwerttanze erzählen. Einige junge Leute unserer Kamehlführer producirten sich damit während des Weges, und der schlimme Ali, ein Knabe, schlägt mir ein Rad über Hände und Füße, wo wir bei einem Hügel vorbeikommen; dann fliegt ein hamsa para von dem Kamehl in den Sand hinab, über den der Jubel kein Ende nimmt. Diese Kindereien unterhalten die ganze Gesellschaft. Ali ist aber ein muthwilliger Geselle, er neckt die schwarze Pilgerin auf dem Kamehle bald durch ein Zupfen am Fuße, wofür ich ihn durch den Dragoman Ignaz schon recht ausschelten ließ. Bald läuft er hinter dem Thieren her, um es aufzustacheln, damit es ein bischen aufspringe. Meinen Korb habe ich mir auch mit Zuckerrohr proviantirt, das ist köstlich in den Sand fallen zu lassen, nicht nur der muthwillige Ali, sondern Alle laufen und raufen darum. Ich für meinen Theil habe aber noch eine ganz andere Unterhaltung, von der Höhe meines Thieres um mich schauend. Das sind die beiden Herren Majors, diese reichen Herren, die meist zu Fuße gehen, und ihre Dromedars den beiden wandernden Handwerksleuten überlassen. Der Franzose zieht seine Stiefel aus, und geht barfuß im heißen Sande. Bewährt dieß nicht getreu eine fromme Wallfahrt nach dem heil. Lande? —

Der 9. Tag, El Arisch.

Heute Früh brachen wir vor Sonnen-Aufgang auf, und ritten ohne Rast 14 Stunden lang. Der Himmel war ungemein heiter, die Sonne heiß. Bei hellem Mondenscheine kamen wir in El Arisch an·

Wir lagerten vor der Stadtmauer, weiter draußen wäre es auch
weit angenehmer gewesen. Doch wir durften nicht. Man darf es
nicht nur allein wissen, sondern man muß es auch fühlen, wenn
man das Glück hat, einer Stadt in der Nähe zu sein.

### Der 10. Tag, El Arisch, am Morgen.

Hingelehnt an einem großen Futtersacke, der mir zugleich zum Tische
oder vielmehr zum Schreibepult dient, eine Menge Kinder um mich herum,
bin ich in El Arisch auch noch vergnügt, obschon ich mir ohne Verbannung
diesen Aufenthaltsort nicht denken könnte, eher könnt' ich in einem palmblätternen Dörfchen, als in einer steinhäusernen Stadt in der Sandwüste
bleiben. Zum Glück habe ich gut geschlafen, und habe Ruhe und Muße
genug, die sandige Umgebung vor den Stadtmauern zu betrachten, auf der
hie und da ein einsam stehender Palmbaum sichtbar wird. Die Herren
haben bei den Staatsbehörden ziemlich lange zu thun, bis sie abgefertigt werden. Herr Z. nahm meine Angelegenheiten auf sich, wenn
sie der Scheik nicht günstig genug für mich schlichten sollte. Einstweilen besah ich ein wenig das Innere der Stadt. Mitten im Sande
stehend, bietet sie auch da ebenfalls nichts als Sand und Stein.
Ich verstehe nicht, wie noch die Hühner und einige Ziegen fortkommen,
von denen die Leute leben. Das Brot ist kaum genießbar. Jedoch
ist die Stadt in ihren Gassen und Häusern sehr reinlich, was noch
den freundlichsten Anblick bietet. Sie ist die Grenzstadt zwischen dem
egyptischen und syrischen Gebiete. In einigen Stunden bin ich auf
Asiens Boden.

### Der 10. Tag Abends.

Heute machten wir einen ganz kurzen Ritt. Um neun Uhr kamen
wir erst von El Arisch weg, und nachdem wir den ganzen Tag durch
grüne Hügeln zogen, voll der schönsten Zwiebelgewächse und hohen
Palmen, unter denen wir Mittagsrast hielten, machten wir schon um
4 Uhr Halt. Der Sonnenuntergang bot einen besonders schönen
Anblick dar Ueberhaupt gab der ganze Tag einen Reichthum von abwechselnden Gegenständen und Begebenheiten. Kaum hatten wir Afrika's Gebiet überschritten, so waren schon die Beduinen da, denen wir
Mann für Mann zwei Piaster Kopfsteuer abgeben mußten. Ich glaubte
nicht, daß dieß eine Sultanische Besteuerung sei, und die Art und
Weise, wie sie sich entfernten, und nach einer Weile wieder auf uns
lauerten, überwies die Herren, daß es nur Räuber seien. Man ver-

ſicherte ſich des Scheiks mit Vorhaltung ſeiner Unterſchrift, daß er ſich
mit ſeinem Kopfe verbindlich gemacht habe, die Karavane unangefoch=
ten nach Jeruſalem zu bringen; denn unter ſolchen Umſtänden iſt leicht
ein verrätheriſches Einverſtändniß zu beſorgen. Nachmittags hatten wir
keine beläſtigende Spur mehr von den Beduinen. Wir zogen feſt am
Meere vorüber, was, aber ſonderbar, Niemand dorten kennt. Die Ara=
ber ſtreiten es einem als einen Land=Salzſee auf, ſo wie ſie es nen=
nen. Salz wirft es genug an's Land, denn es iſt der ganze Boden
davon weiß. In der Abwechslung unſerer Tageserſcheinungen gewährte
es uns nebſt den Sandbergen und weiten Ebenen, die wir durchzogen,
einen herrlichen Anblick. Von unſeren Reiſegefährten hat ſich einer
verloren und ein anderer hat ſich dafür gefunden. Der türkiſche Haupt=
mann blieb in El Ariſch zurück. Als ich mich eines Abends am Feuer
mit den Leuten unterhielt, verwunderten ſich alle durch die Verdolmet=
ſchung des deutſchen Dragomans Herrn Ignaz, daß ich mich allein
zu reiſen getraue. Der Hauptmann ließ mich fragen, ob ich mich
denn gar nicht fürchte. Ich ſagte: Nein, ich finde überall gute
Menſchen, ſo wie ich hier mitten unter ihnen bin. Ich kann mich mit
den Arabern ganz gut vertragen. Der alte Soldat ſagte: „So wie
Sie alle Völker lieben und ehren, ſo ſind auch Sie von ihnen geliebt
und geehrt." Ich finde in der Rede des Türken ein tiefſinnig
belehrendes Wort. Vor einigen Tagen geſellte ſich auf einmal
mitten in der Wüſte, Niemand wußte woher, ein Menſch zu uns,
mit einem etwas fremden Ausſehen in ſeinem Anzuge. Unſere Araber
murmelten alle von einem Kundſchafter der Beduinen=Horden. Die
beiden Dragomans, voll Angſt über die Bewahrung ihrer anvertrauten
Hauswirthſchaft, erzählten ganz geheimnißvoll: „Wir haben einen
Räuber unter uns." Die Kunde erreichte auch mein Ohr, und neugie=
rig, einen Räuber in gut verwahrter Geſellſchaft zu ſehen, hielt ich
mein Thier zurück, das meiſt das erſte vorausgeht; bald bekam ich
den Mann im weißen Kleide mit einem Lammfell auf dem Rücken,
einen großen Stock in der Hand, zu Geſichte, konnte ihn aber auch
auf den erſten Blick unmöglich für einen Räuber halten. Ich ſagte
zu Hrn. Ignaz: Ueber den, denk' ich, dürfen Sie ruhig ſein, der wird
froh ſein, wenn wir ihm nichts thun. Und gleich darauf ſcholl die
frohe Kunde vom Munde zu Munde, daß wir keinen räuberiſchen Kund=
ſchafter, ſondern einen Brahmannen, das iſt einen indiſchen Prieſter,
bei uns haben. Dieſer Menſch gibt in ſeiner Miene Zeugniß, wie das

Gebet jederzeit den Menschen heiliget. Wahre Gottes-Verehrung leuchtet aus seinen frommen, schönen Gesichtszügen. Er ist sehr freundlich,
spricht wenig, und ist gerne allein. Ich faßte ihn einmal in's Auge,
und er schien mich zu verstehen. Wenn er mich ansieht, deutet er mit
der Hand gegen Himmel und aus seinem Auge spricht das innerliche
Einverständniß mit Gott.

### Der 11. Tag in der Wüste.

Der war gestern, die Wüste verlor sich in die schönste grüne
Flur. Heute ist schon der zweite Tag der Quarantina, der gestrige
wird mit eingerechnet, wir kamen lange nach Sonnenuntergange ganz
im Dunkeln in Gaza an, schlugen im Hofe der Quarantaine,
für die wir schon den halben Tag früher in Empfang genommen
wurden, unsere Zelten auf, um nach gewohnter Weise unsere Bequemlichkeit zu finden. Kaum setzten wir uns, und thaten uns ein
wenig gütlich, Herr 3. wartete mir eine köstliche presciuta*) auf
und Holländer Käse. Zum Glück wurden wir noch fertig damit, als
ein Regenguß herunter fiel, daß er unsere Zelten zu verschwemmen
drohte, so schön das Wetter am Tage auch war. Wir eilten sammt
allen Habschaften unter Dach zu kommen. Es war gar nicht die
Rede vom Suchen, wo man sich einquartieren wolle, besonders wenn
man stockfremd und nicht bei Gelde ist, um sich auf große Zahlungen
einzulassen. Ich fand eine Fensternische, die ich sogleich in Beschlag
nahm, und mit der ich sehr zufrieden bin. Auf den Boden des Zimmers mochte ich mich nicht legen, aus Respect vor den Ratten. Heute
haben wir wieder den schönsten Tag von der Welt. Ein jedes hat
sich schon nach Thunlichkeit logirt und die Localität ein wenig in's
Auge gefaßt. Mir liegt aber noch der gestrige Tag im Kopfe mit
seinem schönen Wiesengrün voll rothem Mohn und Anemonen, in welches
sich der Sand verlor, obschon man gleich plötzlich wieder einem Sand-
hügel vorüber kam, der sich wie mit einer Linie von dem Wiesengrüne
schied. Einige Stunden vor Gaza im Dorfe Hanjunus mußten wir
lange warten, weil wir ämtlich der Quarantaine übergeben wurden.
Ein türkischer Soldat kam als Escorte mit, und von da an wich uns
Alles aus, die Buben muthwillig schreiend: Quarantina, Quarantina.

---

*) Das ist ein geräucherter aber ungesottener Schinken.

Der Soldat, ein junger heftiger Mensch, kannte unfern Dragoman Ignaz, und statt uns in einiger Ferne als Aufsicht zu begleiten, daß Niemand zu uns und wir zu Niemanden kommen, machte er bald die intimste Freundschaft, ritt neben uns, conversirte durch die Dragomans, producirte den Herrn Majors seinen prächtigen Araber mit breiten Steigschienen, im Laufe und gestreckten Galop, als ob er über alle Felder durch die Lüfte flöge, bei welcher Gelegenheit ich auch ein Manöver mit einem tüchtigen Araber-Pferd gesehen. Er wurde so vertraut, daß er in seiner türkischen Gutmüthigkeit einem der Herrn Majors sein Pferd zum Besteigen antrug, um die Probe zu machen, ob er auch so gut galopiren könne. Der Herr Major war unvorsichtig genug, das Anerbieten anzunehmen, und sprengte eine Zeitlang mit dem Schimmel über Feld. Doch kaum angelangt, hieß es: „der Soldat sammt seinem Pferde gehört auch in die Quarantaine, nach welcher er der Strafe verfällt." Der Mensch wurde darüber ganz wüthend, schrie jämmerlich und riß mit beiden Händen seine zwei Pistolen aus dem Gürtel, um sich zu erschießen; doch schnell genug entwaffnete man ihn und sperrte ihn ein, wo er lange hauste und schrie, daß ich mir vor Mitleid nicht zu helfen wußte. Ich denke, der Major, der ein so guter Herr ist, wird ihn von seiner Strafe schon loskaufen. Aus seinem Arreste ist er wenigstens heute frei, er pflegt seinen Schimmel und steht wie eingewurzelt an meinem Fenster, um mich anzusehen und zu schauen, was ich thue. Ich hieß ihn schon mehrere Male fortgehen, weil ich das fixe Schauen nicht leiden kann. Er aber lacht und wiederholt: fort, fort. Der deutsche Huterer wollte deßwegen Prozeß mit ihm anfangen, wenn ich es ihm nicht gewehrt hätte. Dieß gehört zu den Quarantains-Unterhaltungen. Das Brot wird uns über die Mauer hereingeworfen, am liebsten fange ich mir die Pomeranzen auf. Ich bleibe schon bei meiner frugalen Kost. Das Geld wird von unserer Seite in eine Schale mit Wasser geworfen und von der andern Seite mit einer Zange herausgefischt. Auch eine Unterhaltung, wodurch einem der Tag vergeht. Die seelenvergnügte Stimmung der Herren scheint sich hier ein wenig zu verstimmen. Wir kommen gar nicht zusammen. Nur Hamet hilft mir Brot und Pomeranzen kaufen. Ich bedeute ihm auf englisch meine Wünsche und er verlangt sie arabisch von dem Quardian. Fünf Tage, wenn nicht etwa gar zwölf daraus werden, scheinen lange vorhinein, doch vorüberziehen werden sie auch. Vor dem Thore ist ein erhöhter Wasenraum, mit einer Fernaussicht der sehr schönen, grünen Umgebung von Gaza; die Stadtseite ist von den Mauern des Quarantaine-Gebäudes verdeckt. Daß man diese Art Garten besuchen darf ist eine gute Resource.

---

## Dreiundneunzigster Brief.

### An den hochwürdigen Herrn Chorvicar M.

Gaza, den 22. Februar 1848.

Gott zum Gruß, hochwürdiger Herr! aus der Stadt, wo Samson den Philistern die Thorsäulen aushob, daß der ganze Pallast einstürzte, und er sammt ihnen den Tod fand. Meine Gefangenschaft in Gaza ist noch so ziemlich erträglich, besonders da sie hoffentlich nicht sehr lange dauern wird. Die Stadt sehe ich zwar nicht, wenn ich in unserm Quarantaine-Garten, eine Art Bastei, spazieren gehe; doch fernhin in die Umgebung sehe ich, und zähle mir die Großthaten Samsons vor, der was zu ertragen vermochte; besonders als er die Stadtthore auf den Berg hinauf trug. Diese Geschichten sind Ihnen, hochw. Herr! zwar ohnehin bekannt genug; mich interessiren sie nur so lebhaft um der Oertlichkeit willen. Wie angenehm ich aber hier in der Quarantaine in Gaza, der neuesten Zeitgeschichte nach logirt bin, das kann Ihnen noch nicht bekannt sein, und das werde ich Ihnen jetzt erzählen: Die Zimmer, von Stein und Lehm, sind ganz leer. Für mich fand sich ein Fensterbogen lang und breit genug, um darinen meine Behausung aufzuschlagen. Mein arabisches Strohbett bedeckt den Stein. Den Tornister unter dem Kopfe, doch auch einen Polster, den ich sammt einer kleinen Decke bei mir führe, die wärmt mich, wenn ich friere, und wenn mir meine Strohmatte auf dem Stein zu hart vorkommt, so dient sie mir zur Unterlage. Die gute Decke! auf dem Kamehle dient sie mir zum Sitz, und wenn ich über das Gebirge ein Pferd bekomme, zur Parade. An der untern Wand des Fensters steht mein Korb, der meine ganze Habschaft birgt; und mein sehr angenehmes Cabinett ist brauchbar möblirt. Dieß mein Fenster hat aber eben nicht Glasscheiben, es ist

ganz offen, gut sechs Schuh lang, und zum Glück mit einem Croiset
versehen; ohne den ich doch etwa unversehens in den Hof hinausfallen
könnte. Ich schlafe sehr gut, und öffne ich die Augen, so seh' ich in
des heitern Himmels Blau mit goldenen Sternen, und der Mond
steigt hell und freundlich hinter der alten Mauer vor meinem Blick
herauf. Den Raum des Zimmers von meinem 3 Schuh hohen Fenster-
Cabinett abwärts, nehmen die zwei Wandersleute ein, die mit uns
durch die Wüste zogen, nebst einigen Arabern. Zu meinem großen
Vergnügen dudeln beide mit vieler Naturkunstfertigkeit steierische und
schweizerische Alpenlieder. Der Franzose singt auch viele andere französische Lieder, besonders die marseillaise, die mir sehr gut gefällt.
Anfangs wollte ich nicht in dieser Gesellschaft bleiben, ich dachte mir
ein Zimmer allein zu suchen. Es war aber keineswegs thunlich, und
auch keines zu bekommen. Im ganzen Quarantaine-Gebäude war
kein so angemessener Platz für mich, wie auf meinem Fenster. Die
Quarantaine hier soll eine der guten sein, sie ist auch gar nicht so
übel. Es ist Alles im Hause sehr rein gehalten, die Höfe sind geräumig, und die Aufsicht gut und ruhig. Was man wünscht, meldet man
dem Quardian, und es wird gebracht. Der Wasenraum und die
Aussicht in einige Ferne gewährt ebenfalls einige Unterhaltung. Einmal hörte ich Abends lange einem jämmerlichen Klagegeschrei zu, ich
vernahm wohl, daß es eine Art Gesang sei, sammt einem regelmäßigen Geheul, wie ich es schon öfter, und erst unlängst in den ersten
Stationen der Wüstenreise, bei Leichenbegängnissen hörte; doch am
Abende und da es so lange dauerte, konnte ich mir diese Feierlichkeit
nicht erklären, ich suchte es denn zu erfragen, und vernahm: daß dieß
Klageweisen sind, die nach einer Leiche oft zu acht Tage lang, bei
nachbarlichen Besuchen oder eigens dazu veranstalteten Gesellschaften
gehalten werden. Sehen Sie, hochw. Herr! so gibt es verschiedene
Abwechslungen, die einem die Zeit verkürzen. Der Quarantaine-Arrest
war seit der Idee meiner Reise nebst der Furcht vor der Seekrankheit
meine größte erwartete Widerwärtigkeit. Jedoch wird sie mir durch
manches Geschenk, wie ich die Dinge gewohnt bin, aus der Vater-
hand Gottes mit Dank anzunehmen, versüßt. Dazu rechne ich mein
Fenster und den vaterländischen Alpengesang. Uebrigens finde ich
die freundliche Güte Gottes in der herrlichen Witterung und in der
Ruhe im ganzen Hause. Wer keine Unbequemlichkeiten ertragen, und
sich von seinen gewohnten Bequemlichkeiten nichts versagen kann, der

laffe fich's wohl nicht einfallen, eine folche Reife durch die Wüste fammt Quarantaine zu machen, auch nicht, wenn er reich ist. Wer aber daran eben nicht gebunden ist, der findet vielseitiges Interesse, und in den verschiedenen Abwechslungen feine eigenen Annehmlichkeiten. Eben kam die Nachricht, daß unfere Quarantaine mit fünf Tagen abgeschlossen fei. Noch vier Tage, und ich bin in Jerufalem. Wie freue ich mich, die ehrw. Väter zu grüßen, die die Heiligkeit der Orte in der terra 'santa fchon fo lange hüten, und im frommen Andenken bewahren.

---

## Vierundneunzigster Brief.

### An den Herrn Doctor K.

Gaza, den 23. Februar 1848.

An Sie noch einige Zeilen, Herr Doctor! aus der Quarantaine, ehe ich fie verlaffe, um Ihnen meinen Dank zu zollen für Ihre Aufmunterung zur Zeit, da Alles, worin ich jetzt in materieller Wirklichkeit lebe, noch in der unentwickelten Knofpe des Ideenganges lag. Die Quarantaine, vor der ich mich ein wenig fürchtete, ist bald überstanden. Es geht mir auch wirklich nicht schlecht, meine Gefundheit hält jeder Reifestrapaze das Gleichgewicht. Nur gestern Abends wurde ich ein wenig an meine fonst gewohnten Leiden im menschlichen Körper erinnert. Ich legte mich früher zur Ruhe und fiel in meinen bekannten tiefen Schlaf, wegen den ich schon oft ärztliche Hilfe fuchte, worin ich Alles um mich höre und wahrnehme, auch fehr deutlich denke, mich aber nicht bewege. Ich bin los von Allem, was Gegenstand heißt, und fühle mich felig in Gott. Ich begnügte mich damit, obschon mir fonst der Wunsch rege bleibt, in das äußere Leben zurückgerufen zu werden, jedoch hier war ich gänzlich hilflos und unbeachtet; doch entschädigte mich mein innerliches Vergnügen diefen Abend für den besten Thee und Kaffeh. Später kamen unfere zwei Wandersleute, und fangen und jodelten ihre Alpenlieder nach Herzenslust. Auf einmal, fchon ziemlich fpät, kam auch Ignaz, der Dragoman und weckte mich. Die beiden Herren, meine

Reisegefährten, schickten mir eine Taffe Thee. Dieser Thee war aber auch so gut, wie noch kein Thee, den ich je getrunken, obschon es mich einen kleinen Kraftaufwand kostete, ihn zu mir zu nehmen. Heute fühle ich gar keinen Appetit, und bin somit von dem Gedanken, was ich essen soll, befreit. Sie dürfen aber nicht glauben, Herr Doctor! daß ich mir etwas abgehen lasse. Vorgestern spendirte ich mir eine Henne, die der steirische Jodler Franz schlachtete und rupfte, und Ignaz der Dragoman sott, das machte nebst einer guten Suppe mit Reis eine herrliche Tafel. Es bläst der Wind ein wenig, doch ist es sonst sehr schön, und mir ist wohl. Ich sitze und schreibe auf dem Gartenplateau, denke mir: „Du bist in Asien! — in Gaza! — und kein Fußtritt kann nun ohne geschichtlich testamentalischem Interesse gemacht werden. Morgen Früh sind wir frei.

---

## Fünfundneunzigster Brief.

### An Bruder Zeno.

In der Ebene von Ascalon,
den 24. Februar 1848.

Wieder einmal unter dem Zelte, und das zum letztenmale. Morgen sind wir in Ramleh, wo ich vermuthlich im Kloster aufgenommen werde, was ich gewiß nicht verabsäume. Heute Früh schlug unsere glückliche Befreiungsstunde. In der That ein feierlicher Act. Der Director wie die Quardiane beglückwünschen händereichend die zu entlassende Gesellschaft. Einer der Aufseher, ein tüchtiger Türke, sammt seinem großen Turban, kam zu mir in mein Zimmer, eben als ich meine Bagage in Ordnung brachte, um aufpacken zu lassen. Er schlug ganz freundlich das Kreuz über sich, um mich als Christin zu grüßen; ich lächelte ihn an, nahm mein Crucifix und fragte ihn deutend, ob er mit dem Kreuze, Christum, den Gekreuzigten meine? er küßte es andächtig, und bezeigte mit der Stirne seine Verehrung. Ich bot ihm freundschaftlich die Hand, er küßte sie und legte sie an die Stirne. Ich deutete gegen Himmel, um ihm zu bedeuten, daß wir dort in

Christo eins sind. Wenn der Mensch nicht Christ ist, so zeigt er wenigstens als Türke, daß er dem Christenthume nicht abhold ist, was
ich schon bei Vielen bemerkte. Er forderte kein Bakschisch. Ueberhaupt
kam ich als Hadvajah meskin aus der Quarantaine mit leichten
Kosten daraus, wovon ich viel dem deutschen Dolmetsch Ignaz verdanke. Herr Zeller, den ich in der ganzen Quarantainezeit wenig
sah, weil er einen ganz andern Hof bewohnte, versprach mir schon
früher, mit mir die Philisterstadt zu besehen, ehe wir von ihr schieden. Ich wartete in aller Bereitschaft, denn meine Besorglichkeiten
waren bald beisammen. Indeß die Kamehlführer aufpackten, liefen wir
durch die Stadt, was so ziemlich beschwerlich war, da es in der Nacht
regnete, und der nasse Staub in den ableitenden Straßen einen
schlüpfrigen Pfad verursachte. Der schlimme Ali, der mein bester
Freund geworden war (das ist ein Bube von etwa zwölf Jahren, der
mein Thier immer stachelte, daß es rückwärts aufsprang), ließ sich
von mir gar nicht abhalten, er begleitete mich, wo ich immer hinging,
und stemmte sich forgsam mit der einen Hand an die Wand der Häuser, um mich mit der andern sicher zu führen. So kamen wir zur
großen Moschee, die noch als Prachtgebäude der Kaiserin Helene
pranget. Durch die Vorhallen kam ich ganz gut hinein, es liefen eine
Menge Leute mit uns. An der Thüre aber, die eigentlich in die Moschee führt, standen die Wächter. Die Herren zogen nach einigen Verhandlungen ihre Stiefel aus, und ich lockerte ganz eilig meine Schuhe.
Doch der strenge Verbot, daß keine Frau das Innere der Moschee
betrete, machte mich vor der Thüre stehen bleiben. Ich sagte kein
Wort, und befestigte meine Schuhe. Da zupfte mich ein Wächter
rechts, und der andere stieß mich ein wenig links, mit dem Bedeuten,
daß mir ein Bakschisch von einigen Para den Eintritt verschaffen
könnte. Ich wollte nicht gleich verstehen, auch hielt mich meine eigenthümliche Geringschätzung oder entschiedene Achtung vor dem, was mir
einmal als verboten erscheint, zurück, und ich gab zu verstehen: wenn
es verboten ist für mich, hineinzugehen, so will ich nicht, wenn man
mich auch um ein Bakschisch ließe. Die Herren blieben länger, als ich
meinte, und die Türken wurden immer günstiger, um mich hineinzu-
weisen. Ei, dacht' ich, wenn's so ist, wird der Verbot so groß nicht
sein. Um einen aschara war ich sammt meinen Stiefletten in einem
Augenblicke in der unendlich großen Halle der Moschee. Ich weiß nicht,
kam sie mir nur so groß vor, weil sie leere mit Strohmatten bedeckte

Räume sind, oder ist diese einstmalige christliche Kirche die größte in ihren mehrfachen Säulen. Ich suchte lange, bis ich die Herren am türkischen Gebets-Heiligthume fand, was übrigens etwas prunkvoller ist, als ich es in Egypten sah. Nun da sehen Sie, sagte ich, als mich Herr Z. groß ansah, wie ich denn da hereinkomme! um zehn Para habe ich mich zu einem Herrn erkauft. Ich finde die Türken in diesem Stücke sehr bescheiden. Man ehrt allgemeine Anordnungen, und weiß dabei seine Ausnahmen zu machen; welche einfache Lebensregel der europäischen Bureaucratie zum guten Muster dienen dürfte. Die Haupt-Merkwürdigkeit in diesem Tempel ist ein kolossales Thor mit zwei Flügeln, welches in der Dicke eben so massiv, als in der Höhe ungeheuer ist. Man kommt dadurch ein wenig zu dem Begriffe, wie 200 Mann Soldaten täglich das Tempelthor im alten Jerusalem öffneten und schloßen. Dieses Thor behauptet seinen Ehrenplatz nach der Sage, daß es ein Andenken aus der Sündfluth Zeiten sei. Es soll nach derselben auf einem Berge gefunden, und von der Kaiserin Helena als Kirchenthor aufgenommen worden sein; aus unsern Zeiten stammt es gewiß nicht. Die alten Sagen von diesem und jenem Orte, wo Samson seine Heldenthaten vollbrachte, muß man nur selber in Erfahrung bringen, wie werthvoll sie sind, wenn man Sinn für geschichtliches Interesse hegt. Wir eilten zurück, um auf unsern Kamehlen die Reise zu vollenden, denn Jerusalem ist eines Jeden letztes Ziel und Ende in seinem Gedanken. Die Gnade überbietet die Natur! — So wie der Regenguß heute Nacht uns einen jämmerlichen Reisetag gewarten ließ, so wunderschön und heiter lachte uns die Sonne den ganzen Tag. Von Gaza weg ging's lange neben einem dichten dunkeln Olivenwald. Wem diese Gegenstände neu sind im fremden Lande, der sieht sie doppelt schön mit seelenvollem Auge an. Die Wiesen grün, mit Blumen roth und gelb; einzelne originelle Baumstämme uralter Sikomoren, daß man sich bei jeder leicht in die Zeiten der Patriarchen denken kann; herrliche Steindörfer auf Erhöhungen, mit natürlichen Festons vom schönsten Grün, die von den Dächern, oder besser Terrassen der Häuser herabhängen; Maigdal, Hamameh, mit ihren grasbewachsenen Dächern, auf freundlichen Hügeln, im fruchtbaren Felde. Wahrlich, hier zu leben, wenn es der Schöpfer angewiesen, dürfte ein freundliches Los sein. — Der Weg von Gaza nach Ramleh ist der schönste, der sich nur denken läßt. Ich sehe Steiermarks Grün im erhöhten Glanz, mit bepurpurten Blumen geziert. Von Neuem

18

erfreut es mich, daß das freundliche Grün, was die Erde so herrlich bemalt, mit dem reinen Weiß, die Fahnenfarbe meines Vaterlandes ist. Je weiter man kommt, desto schöner wird die Gegend, immer fruchtbarer, gut bebaut; ferne Berge, nicht zu hoch; weite Ebenen. Mitunter auch noch bedeutende Sandhügeln, die sich enge am frischen Wiesengrün abschneiden; Felder und Gärten eingeschlossen mit dichten Spalieren der indischen Feigen, in malerischen Verzweigungen ihrer breiten Blätter. Ich kann mich nicht genug verwundern, daß man von der Wüstenreise so viel und so fürchterlich spricht, von dieser schönen Gegend aber gar nicht. Personen, und das glaubwürdige, die die Reise selbst gemacht haben, sagten mir von 20 Tagen Sand und Himmel, und vom Hungerleiden sammt Erdursten. In zwei Tagen bin ich in Jerusalem; da zählen sich sammt der fünftägigen Quarantaine, wobei jedoch der Tag des Kommens und des Gehens mitgerechnet ist, 19 Tage; wovon die ersten drei noch eigentlich n'cht zur Wüste zu rechnen sind, und die zwei von Gaza bis Ramleh zu den angenehmsten Bereisungen in der Welt gehören. Der letzte über das judäische Gebirge soll einen mühevollen Ritt bieten. Dafür kommt man jedoch an's Ziel. Den heutigen Tag meiner Reise allein vertausche ich nicht mit allen andern Seligkeiten der Welt. Während ich frei hier in der Hand schreibe, denn das hab' ich den Arabern in Egypten abgelernt, stehen wohl 30 Männer um mich her, um mir zuzusehen. Das ganze Dorf Hamameh ist in Bewegung; Jung und Alt unterhält sich mit unserer Karavane. Die Leute interessiren sich sehr um uns. Nur unsere Dragomans interessirt ihre Nähe nicht weil sie sich fürchten, irgend einen unversehenen Verlust an ihrer Wirthschaft zu erleiden. Mir jedoch bleibt das Leidwesen, nicht mit ihnen sprechen zu können. Die Zeiten müssen sich in Kurzem viel geändert haben, denn man findet sich in neuern Beschreibungen, seines Lebens, oder wenigstens einiger Stein- und Kothwürfe nicht sicher, mit dem Griffel in der Hand; ich finde es nicht. Ueberhaupt wünschte ich mir die Kenntniß der arabischen Sprache und den Missionsberuf, mit der Landes-Unterstützung, und ich hätte ein leichtes und dankbares Geschäft.

# Sechsundneunzigster Brief.

## An den Herrn Cameralrath L. und seine Frau.

Ramleh, den 27. Februar 1848.

In den heiligen Klostermauern der terra santa als wahre Pilgerin aufgenommen, und unendlich glücklich, hier zu sein, schreibe ich Ihnen in der stillen Einsamkeit und gänzlichen Abgeschlossenheit von aller Welt, weil ich überzeugt bin, daß Sie und Ihre Frau meine Zufriedenheit fassen und sie theilen. Wer je einen heiligen Begriff von klösterlicher Stille und Verborgenheit hinter hohen Mauern sich gemacht hat, der komme und sehe ihn hier in Ramleh auf überraschende Weise ausgeführt. Verbergend die frommen Gesinnungen vor den Stürmen der Welt, stehen die hohen Mauern von glattem, beinahe glänzendem Gestein, ein Sinnbild da; denn gewiß ist es gut, hinter ihnen verborgen zu sein, wenn der Chamsin in seiner Wuth die Fluren vorüber zieht. Erst saß ich draußen in dem einsam stillen Hofraume mit steinernen Divanen und quadernen flachen Boden, rechts hinein die Thüre in die kleine Kirche, die rein und weiß, als wäre sie eben heute aus der Vollendung Hand gekommen, dasteht, zum Lobe ihrer Pfleger, den ehrwürdigen Vätern aus dem Orden des heil. Franziskus, mit denen ich, glücklich genug, die Abendandacht verrichtete. Einige Stufen aufwärts führen in mein, in die Steinwand gebautes Zimmer, welche Bauart die Hitze des Landes erfordert. Vor meiner Thüre der vollendet erhabenen Ruhe dieses Ortes mich erfreuend, leuchtete über mir der helle Mond und die funkelnden Sterne. Wenn Sie mich in diesem Bilde schauen, so malen Sie sich ganz gewiß die Seligkeit meiner Empfindungen hinzu, die ich Ihnen gerne mittheilen möchte, wozu mir aber die Worte fehlen. Der Diener brachte freundlich, einfach und unbefangen, ohne Verwunderung über eine einzelne Pilgerin aus so weiter Ferne, die milde Spendung des Abendessens, mit Wein und sorgsam guter Pflege. Ich erquickte mich auch bei meiner guten Tafel, nach frugaler Wüsten- und Quarantainekost. Auch ein schneeweißes Bett seh' ich vor mir leuchten, und genügend Wasser; seit 18 Tagen kam ich nie aus meinen Kleidern

18*

Sie werden begreifen, daß die wohlthätige Spende des Klo=
sters an Reisende eine wahre Wohlthat ist, die wenigstens
ich ohne großen Dank nicht gleichgiltig übergehen kann.
Doch sitze ich noch hier und schreibe, denn vor allen Bedürfnissen geht
mir das, einer theilnehmenden Mittheilung der Ueberfülle meiner seligen
Empfindungen. Ramleh ist die Geburts= und Wohnstadt des heiligen
Josef von Arimathäa, des Freundes Jesu Christi, unsers Herrn. Ganz
leicht läßt sich das Kloster an dem Platze seines Hauses denken. Es
steht vor der Stadt. Die Stadt selbst ist nicht groß und sieht mit den
zartgebauten Minaretten und den flach abgedachten Häusern recht lieb=
lich aus, besonders mit dem ländlichen Reiz ihrer Umgebung, mitten in
grünender Flur, und ganzen Verschanzungen und Spalieren von indischem
Feigencactus. Wir kamen gestern noch bei gutem Sonnenscheine in Ram=
leh an, die Herren schlugen ihre Zelten auf. Wie immer hätte ich
auch heute mit Herren Zeller campiren können; ich zog es jedoch vor,
mich am Kloster zu melden, wo ich freundliche Aufnahme fand. Als
ich vorher ein wenig herumging, um mich in der Gegend umzusehen,
hatte ich wie gewöhnlich, wo ich hinkomme, die Kinder um mich. Hier
aber in Ramleh waren sie so ganz ernstlich freundlich, daß sie mich in
ihre Häuser einluden, und mich gar nicht wollten von sich lassen, als
ich meinen Weg zum Kloster antrat, obschon unser ganzes Verständ=
niß nur ein allgemeines und eigentliches Verständniß
war, ohne sprachverständiger Worterklärung.

---

## Siebenundneunzigster Brief.

### An den hochwürdigen Herrn Chorvicar M.

Jerusalem, den 1. März 1848.

Nun bin ich hier in Jerusalem, und Sie sind der Erste, hochw. Herr!
dem ich es schreibe, um Ihren Unglauben ein wenig in den Schatten
zu stellen; denn Schatten und Licht vollenden zusammen
erst ein gutes Gemälde. Wie glücklich ich bin, kann ich Ihnen
für heute noch nicht erklären, leichtere Gefühle finden Worte,

die tiefen Empfindungen sind stumm. Nur das taucht vor=
läufig aus der Tiefe meiner innern und äußern Ansichten herauf, daß
mir jene Christen, die heutigen Tages Jerusalem gering schätzen, weil
das Erlösungswerk auf so schauerliche Weise dort vollbracht worden, so
vorkommen wie die Kindswärterinnen, die den kleinen Kindern lernen=
den Boden schlagen, wenn sie gefallen sind. Sogar Vergleiche
will man beseitigen, um an kein Urbild erinnert zu wer=
den. Die Seele des ·Menschen selbst ist jenes gebenedeite und ver=
fluchte Jerusalem, in welchem Gott wandelnd sich selber gibt; und in
welchem er verfolgt, verachtet, mißhandelt und gekreuziget wird. Dem=
ohngeachtet bleibt die Seele sein theuer erlöstes Gut. Und der Liebe
süße Pflicht strebt, als selbes sie wieder zu gewinnen, sie ent=
fernet und mißdeutet nicht. Lauda Jerusalem Dominum! Die Orgel
in St. Salvator, gespielt von kunstvoll und geübter Hand des ehrw.
P. Antonius, dem Spanier, mit innerlich seelenvollem Ausdrucke, und
die herrlich sonoren Singstimmen tönen wie vom Himmel in's
Mark greifend. Andere Instrumental=Musik kennt man hier nicht. Einst=
weilen nicht weiter, denn noch bin ich von den ersten Eindrücken zu
befangen. Den 28. Februar ging's von Ramleh weg auf einem Pferde
durch die Gebirge Judäa, die wir vor zwei Tagen von ferne schon
sahen. Das Meer zur linken Seite wurde uns auch hier noch einige=
male sichtbar. Die Berge gestalteten sich in immer schönere Formen,
theils mit Oelbäumen bewachsen, theils mit niederem Gesträuch und
Wasengrün, theils kahl. Ihre Gestaltung ist von ganz eigener Art,
sie erheben sich in größern und kleinern Wölbungen, und gleichen dem
Aufseufzen der Erde zum himmlischen Jerusalem. In ihren wogenden
Verschlingungen bilden sie so zu sagen eine Gebirgsebene. Denn
man weiß, sieht und fühlt es, daß man sich auf dem Rücken bedeu=
tend hoher Berge, weit ober der gewöhnlichen Erdfläche befindet, doch
um sich schauend, gewahrt man von keiner Seite ein Abwärts. Weit=
hin bis der Horizont die Gebirgs=Wellen mit seiner Linie begrenzt,
sieht man Hügel um Hügel sich biegen, ohne die Fernsicht zu beschrän=
ken, ohne Thal und ebene Wege anzubieten. Nur das Therebinten=
thal, nicht zwei Stunden weit von Jerusalem entfernt, mit seinem rie=
selnden Bach, eine seltene Erscheinung in diesem Gebirges=Lande, bleibt
ewig denkenswerth. Noch zeigt man den Ort, durch die Sage von
Mund zu Mund, wo David die Steine nahm, um sie dem Goliath
an den Kopf zu schleudern. Therebinten=Baum steht kein einziger mehr

in diesem Thale, doch ist es voll von blühenden und reifen Orangen
und Citronen=Bäumen. Gegen der h. Stadt zu wird der Weg äußerst
mühsam. Immer näher hin spannt sich die Aufmerksamkeit auf den
ersten Anblick der Mauern Jerusalems, denen keine andern Mauern
irgend einer Stadt nur gleichen. Sonnen=Untergang war hinter uns;
die Strahlen eines sanften Wiederscheines vor uns, und so zog die
ganze Karavane still und in sich gekehrt zum Thor von Bethlehem ein,
das schon verschlossen war, und um einige Bakschisch mußte geöffnet
werden. Nicht nur etwa der Christen Herzen stimmen sich zur ernsten
Feierlichkeit, wenn man immer mehr und mehr der heil. Stadt sich
naht, auch die Araber, die Landeseingebornen, denen die Geschichte,
lebhaft mitgetheilt, auch lebhaft stets vor Augen schwebt, werden all=
mälig immer stiller und stiller, und schweigend im Gegensatze ihres
gewohnten Wortreichthums schreiten sie einher, die des Weges wohl=
bekannt, daß sie zur Auferbauung dienen dem frommgläubigen Chri=
stensinne derer, die zum erstenmale mit großen Müh'n dahin gefunden.
Mein Cameriere führte mich sogleich in's lateinische Kloster, die zwei
Herren Majors gingen in's griechische Kloster, weil der Russe dem
griechischen Ritus angehört, Herr Zeller, der Schwager des englischen
Bischofs, mein eigentlicher Reisegefährte, ging zu seiner Schwester. In
wenigen Minuten befand ich mich in meiner Behausung zu Jerusalem
in der casa nuova, wurde sogleich sehr freundlich und gut aufgenom=
men und bedient, bekam zwei gute Speisen mit dem schönsten Weißbrot
und Wein. Wann genoß ich die Gaben Gottes wohl glücklicher! Der
Direttore des Pilgerhauses kam die Pilgerin zu grüßen und sie aufzu=
nehmen. Ich gab ihm meinen Paß und meine Empfehlungs=Briefe an
den Reverendissimus, machte mir's bequem in meinem Zimmer, den
Ziegelboden deckte ich mit meiner ziemlich großen egyptischen Strohmatte,
mein palmblätterner Korb wurde in die Ecke gestellt, ein Tisch und
drei Sesseln dienen meinem nothwendigen Lebensverkehr, und eine
eiserne Bettstelle mit weißer guter Wäsche bot mir sanfte Ruhe, nach
einem neun Stunden langen Ritt über's Gebirge, wobei man es
ganz zuversichtlich wissen kann, daß man auf dem Pferde sitzt, wenn
man das Equiliber auf demselben nicht verliert, was mir zum Glücke
nicht passirte. Den 29 Früh ließ ich mich in die Kirche führen zu St.
Salvator und fragte nach dem Pater, der gestern meinen Paß abgenommen,
um ihm zu beichten, da es mir eben gleich gilt, ob er deutsch, fran=
zösisch oder italienisch spricht. Dieser ehrw. Bruder, Direttore der

casa nuova, ift nun aber fein Pater, fondern Frater, und man fchidte
mir einen alten, lieben, guten Herrn, P. Antonio lo Spagniolo,
der fo gut franzöfifch wie italienifch fpricht. Ich war mit diefem hoch=
achtungsvollen Herrn vollkommen zufrieden geftellt. Nachmittags fprach
ich den PaterReverendissimus, ein äußerft liebevoller, würdiger, geiftlicher
Herr. Er erinnerte mich in feinem Benehmen fehr an den mir unver=
geßlichen fel. Provinzial unferer Franziskaner in Graß, P. Anton
Ortner, deffen Bild wie das eines Heiligen beinahe in jeder Woh=
nung zu finden ift. Auch ich verehre es in der meinigen, und bin nicht
wenig erfreut, es wie lebend in Jerufalem zu finden. Seine huldvolle
Güte und fein richterlicher Ernft waren ebenfalls geeignet, die leb=
haftefte Erinnerung zu erweden. Ich bat ihn, mich dem Patriarchen
aufzuführen, den ich in Alexandrien fennen lernte. Diefer ift mir das
lebendige Bild meines Heilandes, jener die lebhaftefte Erinnerung an
meinen Seelenführer. Nur zu früh rief ihn Gott von der Erde, um das
zu vollenden, was er begonnen. — Mich in Jerufalem befindend und die
Urfräfte meines geiftigen Lebens der Gnade, in lebendigen Bildern vor
mir vergegenwärtiget zu fehen, kann für mich nicht anders, als von
unendlich großartigem Werthe fein. —

## Achtundneunzigfter Brief.

### An Bruder Zeno.

Jerufalem, den 3. März 1848.

Theurer Bruder! nun hab' ich es erreicht, diefes geliebte, diefes
erfehnte Ziel, ich bin hier in Jerufalem, und bin daheim. Nun
fann mich fein Traum mehr betrüben, und mich nach Graß verfeßen,
ohne Jerufalem erreicht zu haben. Wenn man mir Kronen und Reiche
böte, und alle geiftlichen und weltlichen Ehrenftellen, ich gäbe mein
Hierfein, meine Reife nach Jerufalem nicht dafür. Und wenn ich
fonft für gar nichts gelebt hätte, als daß ich als Pilgerin nach Jeru=
falem gefommen bin, es genügte mir. Mein Aufenthalt ift in jeder
Hinficht fehr angenehm; ich merke fchon, er wird fich auch verlän=

gern. Die Güte des hochw. Herrn Generalvicars behält mich ohne
Anstand bis nach Ostern hier, ohne daß es mich etwas koste, außer
meinen Bereisungen, die ich bis dahin zu unternehmen gedenke. Die
Reise nach Nazareth räth er mir jedoch, mit meiner Abreise von Jeru=
salm unter Einem zu machen, welchen Rath ich auch mit Dankbarkeit
für diese gütige Vorsehung anerkenne. Nur der Gedanke: den Na=
zaräer, der als auferstandener Heiland seine göttliche Gegenwart
der ganzen Welt, in allen Ländern mittheilt; doch vorzugsweise in
Nazareth, als dem Orte seines Herkommens, zu besuchen,
wird mir einigen Kraftaufschwung geben, Jerusalem zu verlassen. Ich
könnte ganz leicht hier verbleiben, ohne zurückzudenken, daß ich früher
lebte. Doch lebt der Ruf in mir, mein Vorhaben auszuführen, und
nach Steiermark zurückzukehren. Zwei Monate wenigstens werde ich
hier verweilen. Ich wohne im Pilgerhause; nahe daran ist die Pfarr=
kirche der hiesigen Christen=Gemeinde St. Salvator, von da nicht
weit entfernt kommt man in die Kirche zum heil. Grabe. Vor dem
Eingange derselben auf einem Vorsprunge des eingebauten Felsens ist
über einer Stiege die Kapelle der schmerzhaften Mutter angebracht
und Jedermann zugänglich; hier, in der Flagelationskapelle, das ist
der Ort, wo Christus gegeißelt wurde, und in Gethsemane am Fuße
des Oelberges, in der Grotte, wo der Herr in der Todesangst und
im Schauen der Dinge, die da über ihn kommen werden, Blut schwitzte,
wird täglich bei Sonnen=Aufgang die heil. Messe gefeiert, was mir
seit fünf Tagen mit vielen andern Dingen schon sehr gut bekannt ist.
Ich bewohne ein Zimmer ganz allein, ruhig, still, feucht und kühl
gleich einem Grabe im Felsen ausgehauen. Die Lage davon ist ganz
die einer Eremitage. Die Thüre hat über sich ein hölzernes Däch=
lein, und gegenüber einen bemoosten Stein, der auf der Terrasse als
Divan dient; Alles bezeichnet die Einsiedlerklause. Das Dach meines
Zimmers ist kuppelförmig wie eine Kapelle; für mich hat es auch
wirklich den Werth derselben. Meine Wonne, darinnen zu wohnen,
wird der Kraft meines Lebens neuen Aufschwung geben. Neben dem
Dache meines Zimmers befindet sich wieder eine andere Terrasse, die
von der Sonne warm beschienen wird, sie bietet mir Garten und
Tagquartier, da sitze ich nun und schreibe hier.

## Neunundneunzigster Brief.

### An den Herrn Medicin-Doctor K.

Jerusalem, den 4. März 1849.

Ueberzeugt, daß Sie den innigsten Antheil nehmen, an dem was mein eigentliches und Hauptinteresse ausmacht, und daß Sie meine ganz unbefangene Natursprache kennen, mit welchem Verständniß Sie mich im vorigen Winter im steten Kampf mit der Grippe und meinem empfindlichen Nervensysteme in meinen körperlichen Kräften aufrecht erhielten, durch das Verfolgen der nun glücklich ausgeführten Idee, Jerusalem zu besuchen, kann ich Sie versichern, daß ich mich unaus= sprechlich glücklich fühle, nun wirklich hier zu sein; ja, ich kann mir ohne Wortverstoß sagen, ich bin unendlich glücklich, weil in meiner Seele der Trost wiederhallt: daß ich durch meine Pilgerfahrt nach Jerusalem für meine Vergangenheit und für meine Zukunft gewonnen habe. Ihnen, Herr Doctor! sei daher auch mein Dank gezollt, weil Sie in jeder Hinsicht durch Ihre ärztliche Hilfe die Gesundheit und die Kräfte meines Körpers zu stärken, so wie durch aufmunternde Theilnahme zur Ausführung meiner, unter freiem Himmel aufgefaßten Idee das heil. Land als Pilgerin zu besuchen, am meisten beigetragen haben, daß ich mich nun glücklich am Ziele meines immer zunehmen= den innigsten Verlangens sehe; was Manchem so ganz un möglich und un ausführbar schien. Ohne besonderer Führung und Gnade Gottes, die ich erkenne, und der ich mit Dank unterworfen bin, gebe ich es wohl selber zu, daß ich diese Reise nicht auf so gute Weise hätte machen können. Genug, ich bin hier, kenne mir seit einigen Tagen Jerusalem und seine Umgebungen der alten und neuen biblischen Geschichte nach, und lebe unter dem Schutze und in der Versor= gung der heil. Väter im heil. Lande ohne Sorgen. Jerusalem ist in ihrem heutigen materiellen Zustande, so wie sie meine Augen sehen, eine ehrwürdige, eine schöne Stadt. Die Mauern wie neu, hoch und kräftig, sicher wie um keine andere Stadt. Sie ist in ihrer Ausdehnung freilich nicht das, was sie in ihrem ältern Zu= stande war, doch wird Jedermann, der die Geschichte von der Zer= störung Jerusalems kennt, und sich einen Begriff von ihrem Umfange machen kann, nach der Menge ihrer Einwohner sie nicht klein finden, wenn man sagt: ihr jetziger Umfang beträgt den dritten Theil ihrer Größe vor der Zerstörung. Von der Höhe des Oelberges aus angesehen, in regulärer Quadratform perspectivisch hingegossen auf den Bergen, mit ihren Thürmen und großen Kuppeln, ihren netten flachen Steingebäuden, und dem im Sonnenlichte glänzenden, mit blauem Porzellain getäfelten runden Tempel, in Mitte eines ihn weit umgebenden grünen Wasenplatzes, der als O m a r s  M o s c h e e nun den einst so großen T e m p e l  S a l o m o n s ersetzt, rechtfertiget sie ganz den Anblick der Erwartung und Liebe zur heil. Stadt. Denn d i e s e zu h e i ß e n hat sie, trotz der schrecklichen Art und Weise, auf welche das Erlösungswerk in ihr vollbracht wurde, nie aufgehört; was sie ganz besonders beweist durch die R u h e und F e i e r l i c h k e i t, die unablässig i n  i h r und u m  s i e herrscht, was ihr unläugbar das Zeugniß des G l a u b e n s, sowohl in seinen G e h e i m n i s s e n, als in seinem g e s c h i c h t l i c h e m  W e r t h e ertheilt. Am wenigsten kann man diese von den Urzeiten her große, berühmte Weltstadt, auch in ihrem gegenwärtigen Trauerzustande, den sie seit dem Tode Jesu bewahrt, ein Dorf nennen. Die Straßen sind nicht breit, doch auch nicht zu enge, häufig mit Schwibbögen versehen, oder ganz gedeckt nach orientalischer Sitte, um vor der Sonnenhitze geschützt zu sein. Auch sind die Straßen rein und nett gekehrt, was den Werth einer Stadt gewiß erhöht. Die türkische Bewachung der Soldaten an den Stadtthoren und in der Grabeskirche ist sehr gut, genau und gelassen. Ueberhaupt scheinen die Mahomedauer heutigen Tages in ihrer geheimen Liebe und Achtung für das Christenthum zuzunehmen, worüber ich noch mehrere Gelegenheiten finden werde, Ihnen einige Mittheilungen zu machen. Von der Sonnenhitze aufgebrannt, bei dem letzten Ritte durch die Gebirge Judäa, daß Hände und Gesicht aufgeschwollen sind, wovon ich mich noch nicht ganz erholt habe, geht es mir deßwegen doch recht gut: denn da macht man sich nichts daraus. Gegenwärtig laß' ich mir Zeit zur Ruhe. Es schadet mir auch nichts: kein Schlafen auf feuchtem Boden durch 19 Nächte auf meiner Strohmatte, kein Schaukeln auf dem Kamehle, wenn gleich durch 14 Stunden des Tages. Kamehl, Pferd, Mula, Esel, das gilt mir gleich, ich bewege mich auf einem wie auf dem andern ganz bequem, doch ist mir der Wahl nach ein gutes Pferd am liebsten.

## Hundertster Brief.

### An den hochwürdigen Herrn Gubernialrath K.

Jerusalem, den 5. März 1848.

Die Nacht im heil. Grabe. Der höchste Punct menschlicher Vereh=
rung. Diesen Gegenstand wählte ich, um Euer Gnaden von Jerusa=
lem aus zum erstenmale zu schreiben. Die sehr große Kirche, die über
das heil. Grab gebaut ist, schließt den ganzen Felsantheil in sich,
der einstmals Kalvarienberg hieß. Das Grab selbst mit einer weißen
Marmorplatte belegt und mit einem schön geformten Katafalk überbaut,
welcher eine Vorabtheilung enthält, die die Engelskapelle heißt, weil
der Stein dort noch aufbewahrt ist, auf welchem der Engel saß, der
den Frauen die Auferstehung · Jesu verkündete, macht beiläufig den
Mittelpunct aus. Eine Rottonda, in der Tausende von Menschen ihre
Prozessionen um selbes halten können, umgibt es gleich vier Stock
hohen Gebäuden, von denen die Fenster herab sehen in den großen
Saal, um dessen Mittelpuncte sich die Menschheit dreht. Rückwärts
zu kommt man auf den rohen Naturfels, der das Grab Josefs von
Arimathäa in seinem Urbestande zeigt, wodurch man sich Begriffe
genug vor Augen stellen kann, wie die damaligen in Felsen gehauenen
Gräber beschaffen waren. Und wenn Jemand sich aufhielte, warum
man das Grab des Heilandes nicht eben so wie das Grab Josef's
von Arimathäa in seiner natürlichen Urgestalt belassen habe; so kann
ich · darüber ganz bestimmt erklären, daß nur die Wachbarkeit durch
Ueberkleidung die sichern Spuren davon auf die Nachwelt brachte,
denn wem ist nicht bekannt, wer ein wenig in der Geschichte bewandert
ist, daß die Feinde Jesu Christi gerne jedes Andenken an ihn aus der
Welt geschafft hätten, daß erst nach 300 Jahren dieser heil. Ort
der öffentlichen christlichen Verehrung überlassen wurde; und daß wäh=
rend dieser Zeit die heidnischen Götzenbilder zum Trotz und Spott der
Christen den Kalvarienberg so wie die Grotte zu Bethlehem einnahmen;
gewiß zerstörten diese schon die Urgestalt, nur den Ort, dem sie seinen
Werth nicht nehmen konnten, und der von den liebenden Freunden
Jesu Christi, des Gottmenschen, gewiß in immerwährend verehrender

Achtsamkeit bewahrt wurde, konnten sie nicht zerstören. Späterhin
würde vor Liebe der in so großer Menge das heil. Grab besuchenden
Pilger wenig von dessen Naturfels auf die Nachwelt gekommen sein,
wenn man die theuren Reste nicht sorgfältig und feierlich überkleidet
hätte. Millionenmal in hunderten von Jahren ein kleines Steinchen
losgeschlagen, was bei dem offenen Naturfelsen nicht zu verhüten wäre,
würde lange schon die Spur des Grabesfelsen vertilgt haben, wenn
Gott nicht etwa ein Wunder der Nichtabnahme damit verbunden hätte,
wie sich's wohl bei andern Gegenständen kund gibt. Nicht einmal die
weiße Marmorplatte über demselben ist sicher. Und damit sie die Türken nicht nehmen, hat man sie in der Mitte gespalten. Es ist zwar
nicht zu befürchten, daß sie die Türken aus Reliquienliebe nähmen,
sondern weil sie eine schöne, große, 7 Schuh lange, 3 Schuh breite,
blendend weiße Marmorplatte ist. Die Marmorplatte am Eingange
der Grabeskirche, röthlicht marmorirt und ihr Alter gut erhalten beurkundend, 8 Schuh lang und 2½ breit, ist noch derselbe Stein,
auf dem der Leichnam Jesu von Nikodemus und Josef von Arimathäa
gesalbt wurde, als sie ihn vom Kreuze genommen und in's Grab gelegt
hatten. Dieser Stein liegt frei auf einem etwa 1 Schuh hohen Posta-
mente mit 8 über ihn immer brennenden Lampen da, ohne Jemanden
anzufechten, ihn zu beschädigen. Eine Kniebeugung und ein andachts-
voller Kuß ist das jedesmalige Werk eines gläubigen Vorübergehenden.
Dieser Stein zwischen dem erhöhten Kreuzigungsort und dem heil.
Grabe, geradezu auf dem Wege dahin angebracht, obschon die Baute
der Kirche mit ihren Säulen eine Wendung macht, liegt der Oertlichkeit und der Geschichte nach so klar und offenbar, so der wahren
Natürlichkeit gemäß da, daß man in Betrachtung der Gegenstände
bei dem Tode Jesu selbst gegenwärtig zu sein vermeint. Nebst einer
großen Kirche, die sich aus der Rottonda in die Länge hinunter zieht
und ausschließend den Griechen gehört, und dreien gegenwärtig bewohnten Klöstern, der Lateiner, Griechen und Armenier, schließt die
Grabeskirche noch einen großen Corridor ein, in dem vom Kreuzweg
die Station der Entkleidung beginnt und sofort alle Orte der furchtbaren Handlungen, die die Erlösung der Menschheit vollbrachten bis
auf Golgatha mit Kapellen bezeichnet sind. Auf Golgatha geht man
über eine Stiege. Hier ist der geebnete Boden über den Fels durch
eine Säule in zwei Theile getheilt; der eine rechts, der Ort der An-
nagelung an's Kreuz, gehört den Lateinern, der andere links, der Ort

der Kreuzaufstellung, gehört den Griechen, und ist heute noch der Ort des immerwährenden Streites, wovon ich Euer Gnaden späterhin noch Mehreres erzählen werde. Neben dem Loch im Felsen, wo das Kreuz stand, sieht man den Felsenriß etwa spannenbreit im dunkelgrauen Stein mit einer langen Metallplatte zugedeckt. Unter dem Golgatha waren die Gräber Gottfried und Balduins sammt den andern französischen Königen angebracht; worüber ich ebenfalls späterhin ein Mehreres berichten werde, so wie von der Adamskapelle. Um nun den Umfang der Grabeskirche zu bezeichnen, habe ich noch den Ort der Kreuzerfindung zu benennen. Man geht eine breite Stiege eine ziemliche Tiefe abwärts, um in die Helenen-Kapelle von bedeutendem Umfange zu kommen, welche den Armeniern gehört und ganz verlassen aussieht, noch eine tiefe Stiege bei 30 Stufen abwärts kommt man in die Kapelle der Kreuzerfindung, welche den Lateinern gehört, und welche trotz der kellerähnlichen Lage in ihrer Tiefe andachtsvoll und auferbaulich bekleidet dasteht. Täglich wird die Prozession zu diesen Sanctuarien gehalten. Mein Eintritt in die heil. Grabeskirche war Freitag Nachmittags. Der Patriarch begleitete die Prozession, bestehend aus der ganzen Communität der ehrw. Patres von St. Salvator mit brennenden Kerzen, und den begleitenden Gläubigen, ebenfalls mit Lichtern, ich bekam, als neu angekommene Pilgerin, eine schöne große Wachskerze zum öftern Gebrauch oder zum Behalten. Die Kavas in Galla mit ihrem großen silbernen Knopf auf langen Stöcken, mit denen sie so feierlich vorzuschreiten wissen; die Ehrwürdigkeit des Patriarchen mit seinem langen Barte bis an den Gürtel; die lange Reihe der ehrwürdigen Väter mit brennenden Kerzen; die Besuchung der heil. Orte; der feierliche Gesang; das tiefe Durchdrungensein von der Glaubenswahrheit eines Jeden, der an der heiligen Stelle vorüberzog, und das zum erstenmale und an einem Freitage! — Ich überlasse es Euer Gnaden, und Jedem in meiner Lage, zu urtheilen, wie es mir sein konnte, und zu ermessen, daß Kraft und Gnade zum Bedürfnisse wird, um im Glauben und in der Liebe, in der Betrachtung und in der Empfindung, die ersten Eindrücke mit ruhiger Gelassenheit und körperlicher Kraft zu ertragen. Diese Kraft gewann ich jedoch früher schon am heil. Grabe, welches wohl der erste Ort war, den ich suchte, als ich in die Kirche kam. Wer stellt sich's vor, wenn er weit entfernt in seinem Lande denkt an's heilige Grab in Jerusalem! und wenn er nach langen Pilgermühen hinreist, keinen Tag gewiß, ob er sein Ziel

erreiche. Und nun steht er da! Hier ist das heilige Grab. So ging's
nun mir, Gott sei gedankt! da stand ich denn in der Engelskapelle
voll mit Menschen, die den Eingang in das Heiligthum verdeckten.
Eine Zeitlang stand ich da, und dachte mir: „Nicht würdig bin ich
des Eintritts bis in's Innerste der Grabeshöhle, nicht was ich mir
suche und erringe, ist für mich vom Werthe, nur was Du mir gibst
zum Geschenke, das nehme ich dankbar aus Deiner Hand, o Herr! um
mich daran zu freuen. Auf einmal war das Grab und die Kapelle
leer, und meine gespannte Aufmerksamkeit, auf welche Art mir der Eintritt in's heil. Grab gewährt würde, und welcher Eindruck meine
Empfindungen bewegen werde, fiel auf einen dahineilenden Sacristan
im Chorhemde mit zweien Blumenvasen voll der schönsten Lilien und
Rosen, mit denen er gebückt in die Grabeshöhle trat und ich nach ihm.
Ich kniete am Grabe des Heilandes, aus dem er siegreich vom
Tode wieder auferstanden! doch um den Eindruck zu verhindern, der
meinen verweslichen Leib dem Tode hätte übergeben können, begoß
mich ein Grieche, der das Putzen der Lichter im Grabe besorgt, mit
Rosenwasser, was mich zur wonnevollen Seligkeit erweckte. Mit einem
körperlichen Gefühle, als hätte ich gar keinen Körper, betrachtete ich
in meinem Geiste das Glück, mich hier zu befinden, was sich nach
einer Weile in einen Strom von Thränen der Rührung auflöste. Ich
mußte doch wieder hinaus, das Gefühl paradiesischer Erhebung machte
mir's auch leicht. Die Paters aus St. Salvator kamen, um den Patriarchen zu erwarten. Man nahm sich der Pilgerin freundlich an. Pater Lorenzo,
der sehr gut französisch spricht, und dem ich sogleich ein innerlich geistiges
Leben heraussah, führte mich zu dem deutschen Pater Barnabas, den Tiroler, der die deutsche Pilgerin in wahrhaft väterlichem Schutze aufnahm. Er
machte sogleich Anstalt, daß ich die Nacht über in der Kirche bleiben konnte,
welche Begünstigung einem jeden Pilger zukommt; ich meldete mich
jedoch für heute aus Ursachen nicht dazu. Da ich aber einmal darinnen war, zog es mich so an, daß ich hoch erfreut den Vorschlag zu
bleiben annahm. Nach der Prozession überließ ich mich allein meinen
Anmuthungen auf Golgatha, und im heil. Grabe. Früher noch führte
mich Pater Barnabas an alle heil. Orte, so, daß ich mit dem ganzen
Umfange der großen Kirche bekannt wurde. Gegen 8 Uhr wurde Alles
ruhig, die unablässigen Gesänge der Griechen und Armenier, deren
Klänge mir nicht angenehm ertönen, verstummten, und ich fing eigentlich
an, in meiner Seele auszuruhen. Nachdem ich in der Sacristei einen

sehr guten schwarzen Kaffeh genommen hatte, führte mich Pater Barnabas auf das Chor, wo ein gutes, ganz ordentliches Bett bereitet
war, von welchem ich jedoch keinen Gebrauch machte. Ich war zu
lebhaft von dem Erstaunen eingenommen, mich wirklich in der heil.
Grabeskirche in der Nacht vom Freitag auf den Samstag zu befinden, als
daß ich an's Schlafen auch nur hätte denken können. Uebrigens bin
ich so gesund und stark, daß die tiefsten Betrachtungen, sammt den
körperlichen Beschwerden, mir gar nicht zukönnen, um mich auf's Ruhe-
bett zu werfen, was bei mir zu Hause gar häufig der Fall war.
Pater Barnabas gab mir die Anweisung: wenn ich nicht schlafen
wolle, um Mitternacht zur Mette in die lateinische Kirche zu kommen,
was ich auch pünctlich und mit großem Seelenvergnügen erfüllte. Nie
werde ich's vergessen, mit welch' beglückendem Hochgefühle ich einen
angewiesenen Chorstuhl betrat, und bis halb zwei Uhr den herrlich
ununterbrochenen Gesang der ehrwürdigen Paters zuhörte. Um 11
Uhr fingen die Zeichen an. Die heil. Kirche Gottes rief mit ihrem
freundlichen, feierlichen Glockengeläute, die Griechen und Armenier
mit einem Lärm von breternen Schlägen, was in einiger Zeit in Me-
tallklänge, und wenn es weiter kommt, in eine Aehnlichkeit von unsern
untersteierischen Triangeln übergeht. Nach dem Chore der lateinischen
Paters fängt der Gottesdienst der Griechen und Armenier am heil.
Grabe an. Ich sah einige Zeit ihren Räucherungen zu; dann ruhte
ich glückselig an den Stufen des Altars vor dem Hochwürdigsten in
der Kapelle der Lateiner, an dem Orte, wo Christus, Maria seiner
Mutter nach der Auferstehung zum erstenmale erschien. Vor der Kapelle
unter dem lateinischen Chore, welches eine sehr gute Orgel hat, ist
der Ort, wo Christus der Herr als Gärtner der Maria Magdalena
erschien. Noch vor dem Brande im Jahre 1808 war hier ein Gar-
ten-Antheil. Der Ort dieser Erscheinung des gegenwärtig mit schönen
Steinen in großer Mosaikform belegten Bodens wird mit zweien fest
neben einander hängenden silbernen Lampen bezeichnet. In stiller Nacht
diese Orte zu betrachten! ein die Menschheit Jesu liebendes Herz weiß
es zu ermessen. Ausrufen möcht ich's in die ganze Welt hinein, mit
aller Zuversicht: „Tröstet euch ihr zweifelhaften Seelen, dieß sind
wahrhaft die Orte heil. Weihe." Um 4 Uhr beginnt die erste Messe
der Lateiner im heil. Grabe. Es werden darinen täglich nur zwei
Messen gelesen; aber nicht etwa aus Schuld der Paters, es ist dieß
die vorgeschriebene und bedingte Ordnung, welche sich mit der Zeit

durch die Verhandlung der Griechen mit den Türken festsetzte. Nach der zweiten Messe um 6 Uhr kam ich in die griechische Kirche eben zu einem festlichen Gottesdienste, doch welcher Unterschied! Wenn ich von dem Werthe und von der Würde der katholischen Kirche in allen ihren Ausübungen nicht früher überzeugt gewesen wäre, so wäre ich es h i e r geworden, wo ich Gelegenheit habe, den Unterschied der Functionen und ihre Eindrücke zu bemerken. Eben so mit dem Orden des heil. Franziscus; wenn ich ihn nicht immer geehrt hätte, und gesehen, wie er dasteht, gleich einer Mittelsäule um ein großes Gebäude zu stützen, so wäre ich h i e r davon überzeugt geworden. Und hätte dieser großartige Ordensstand in der Welt sich sonst keine Verdienste gesammelt, so genügten, ihn zu verehren, die standhaften Aufopferungen durch beinahe achthundert Jahre, die unermüdete Geduld, mit der sie Noth und Elend, Schmach und Verfolgung erlitten, eher und lieber, als von den Orten ihrer frommen Wachbarkeit zu weichen. Und wenn man sie verjagte, wie es öfter geschah, so warteten sie in Verborgenheit ruhig den begünstigten Augenblick ab, um wieder ihren heil. Wachposten einzunehmen. Was haben sie dadurch dem Christenthume für gewaltige Dienste geleistet! D u r c h   d i e   A u f b e w a h r u n g   u n d   d i e   V e r e h =   r u n g   d e r   h.   O r t e   w i r d   d e r   G l a u b e   u n d   d i e   L i e b e   J e s u   C h r i s t i   g e n ä h r t   u n d   g e s t ä r k t.   Die schützende Aufnahme einzelner Pilger aus fernen Landen gewährt namenlosen Werth durch die seelener= hebende Verbreitung der Liebe für die heil. Erde von Herz zu Herz, in den entferntesten Gegenden des dem Morgenlande entgegengesetzten Abendlandes. M ö c h t e   d a,   w o   d i e   S o n n e   f r ü h e r   a u f g e h t, d i e   K i r c h e   J e s u   s i c h   w i e d e r   e r h e b e n   i n   i h r e r   g e w o n n e = n e n   P r a c h t,   u n d   d o r t,   w o   s i e   i h r e   S t r a h l e n   s e n k t,   d e r G l a u b e   s i c h   b e f e s t i g e n,   g l e i c h   d e n   W u r z e l n   e i n e r   k r a f t = v o l l e n   E i c h e,   d i e   d e r   S t u r m   b e w e g t! —

---

# Hundertunderster Brief.

## An Bruder Zeno.

Jerusalem, den 6. März 1848.

Ich werde Dir vermuthlich recht oft schreiben, mein theurer Bruder! da ich längere Zeit in Jerusalem zu verweilen gedenke, und gewiß keinen Ort unbesucht lasse, den die Ueberlieferung der Geschichte, oder die fromme Vorsicht einer Kaiserin Helena bezeichnet hat. Für's Erste aber laß' mich Dir erzählen, daß endlich meine lange Sehnsucht gestillt ist, einmal eine Nacht in einer Kirche zuzubringen; und das nun in welcher Kirche, und um welche Zeit! an dem Wochentage, wo der Herr im Grabe lag. Die Stunden schwanden mir gleich Viertelstunden dahin. Tag und Nacht tönt ununterbrochen das Gebet und der Gesang der verschiedenen Glaubensbekenntnisse. Nur von 8 bis 11 Uhr ist Alles ruhig. Je stiller im Hause des Herrn, desto lauter wiederholte sich meine Seele: „Wo bist du?" Gegen Morgen beobachtete ich die verschiedenen gottesdienstlichen Functionen, die von a c h t, welche die Grabeskirche gemeinschaftlich besaßen, bis auf v i e r heutigen Tags herabgekommen sind. Die Kopten, welche die allermindesten sind, haben an der Rückseite des Katafalks eine hölzerne Kapelle angebaut, welche den schönen Bau desselben in der großartigen Rotonde sehr unästhetisch schmückt. Sie sind übrigens ruhige Leute, halten ganz bescheiden ihre Räucherungen, und haben an dem Eingange in's h. Grab keinen Antheil. Die Armenier, ebenfalls ganz gutmüthige Menschen, begnügen sich mit der dritten Ordnung aller öffentlichen Einzüge und Aufzüge der solemnellen Feierlichkeiten, und einer Kapelle, die oberhalb, wie im ersten Stockwerke eines Hauses nebst ihrem Kloster angebracht ist. Diese haben auch den dritten Antheil im Innern des heil. Grabes. Die erste Ordnung jedoch in jeder Hinsicht behaupten die Lateiner, trotz aller Mißgünstigung der sehr reichen und viel ausgebreiteten Griechen. Diese haben den schönsten Antheil als Kirche, dem heil. Grabe gegenüber. Sie ist groß, schön, reich, doch überall fehlt es bei aller Pracht

19

304

von Täfelwerk und Vergoldungen, Verzierungen und Ueberfüllung von
Bildern, Lüstern und Lampen an Wänden, die der Kirche Gottes in
geregelter Ordnung so eigenen Einfachheit. Ich wollte nun ein=
mal bemerken und ging tiefer hinein, bis an die Thüre, hinter welcher
sie eigentlich ihren Altar verborgen haben, es war eben große Messe.
Doch welch' Unterschied im Anziehen der priesterlichen Kleidung! wie
andächtig fromm betet der Priester der römischen Kirche bei jedem Stücke,
womit er sich für den Gottesdienst bekleidet; hier das andachtslose
Plaudern und Benehmen. Du mußt aber wissen, daß ein Bischof fun=
girte, und daß ich ihnen hinter der Wand zusah. Dann aber das
Hinaustreten und Küssen aller Bilder nach der Reihe, das unzählige
Kreuzschlagen vom Kopfe bis zu den Füßen, das unaufhörliche Räu=
chern, die unermüdlichen Ceremonien, daß man darunter die Messe
gar nicht herausfinden kann, die gänzlich sichtbare Andachtslosigkeit im
Innern, stellten mir die Vorwürfe protestantischer Abtrünnigkeit gegen
die h. Kirche Gottes, ihre Aeußerlichkeit und ihre Ceremonien betref=
fend, mit augenscheinlicher Ueberzeugung vor, wie sie sich wohl auf
den griechischen, nicht aber auf den lateinischen Ritus zu beziehen haben.
Gerne möchte ich die ganze protestantische Protestation dagegen aufru=
fen, wenn sie sich nicht selbst aus dem Christenthume hinaus prote=
stirt hätte. Die langen zerrauften Frauenhaare der Leviten, und ihre
sehr nachläßige Kleidung bei aller Gold= und Atlas=Pracht, ärgerte
mich schon gar zu sehr; ich konnte meine Langeweile nicht länger, als
über das Evangelium hinaustreiben. Ich ging in unsere Kapelle, um
mich in der Anbetung des allerheiligsten Sacramentes des Altars, über
das unglückselige, griechische Schisma zu erholen.

———

## Hundertundzweiter Brief.

### An den hochwürdigen Herrn Chorvicar M.

Jerusalem, den 6. März 1848.

Daß ich es Ihnen doch sage, hochw. Herr! in der Freude meines Herzens: Der Kreuzzug ist vollbracht, das Ziel meiner Pilgerreise nach Palästina ist erreicht. 24 Stunden brachte ich in der Grabeskirche zu. Denken Sie nur, als Nachtquartier bewohnte ich den Chor. Das heiße ich doch erhabene Lebenssphären erreicht haben! Damit ich mich aber nicht etwa gar verstieg, um mich auf den hohen Stuhl vor die Orgel zu setzen, die ich eben betrachtete, rebellte es neben mir in der Stille der Nacht, und als ich mich darum umsah, sprang eine Katze von oben wo herab, gerade auf das für mich bereitete Bett; da hätte ich mich doch nicht wenig erschreckt, wenn ich dort geschlafen hätte, dachte ich, und lobte mir meine schwärmerische Nachtwache! Die Katze kam immer wieder, so oft ich sie auch fortjagte, doch störte sie mich gewiß weniger, als die närrische Französin, die 6 Jahre von Paris nach Jerusalem reiste, um da zu verbleiben, weßwegen ich mich auch mit ihr in die Rede einließ, als sie mich besuchte, und die mir zur Gefährtin hätte dienen sollen. Als ich aber ihr Geplauder kennen lernte, wollte ich lieber gar nicht in der Grabeskirche verweilen. Doch als ich hineinkam, da war ich so fest gehalten, daß ich in der Gesell= schaft des T., Gott sei bei uns, mir nichts daraus gemacht hätte, darinen zu verbleiben. Der deutsche Pater war auch so gütig, diese Person, die er kannte, von mir zu entfernen, und mir ward die be= sondere Begünstigung zu Theil, allein und mir selbst überlassen die Nacht in der Kirche zuzubringen. Die Französin wußte sich aber zu helfen; um mich nicht ganz zu verlassen, versteckte sie sich in der Hele= nenkapelle, und so zahlte sie mir die Beobachtungen, die ich an den verschiedenen Glaubensbekenntnissen machte, mit denen ab, die sie an mir machte. Des Morgens sah sie mich in der griechischen Kirche, kam später zu mir in die lateinische, und schrie mir derartige Vorwürfe und Aufklärungen meines Characters vor, daß ich sie endlich auf das

19*

Hochwürdigste im Tabernakel hinweisen mußte, nachdem ich sie eine Weile angehört hatte. Nun denn, dachte ich, so finden sich auch in Jerusalem Leute, die einen von der rechten Seite aufzufassen verstehen. Abends vorher, als sie es heraus hatte, daß ich allein in santa sepulcra bleibe, lief sie weinend in's Kloster, um sich gegen meine Ungerechtigkeiten zu beklagen, und die Patres sammt den Reverendissimus gegen mich zu stimmen, mit Zusammenstellungen, daß ich sie bald selbst geglaubt hätte, als ich sie späterhin erfahren habe. Es dürfte mir eben der gleichgiltigste Gegenstand nicht sein, die Geistlichkeit zweifelsüchtig auf meine Wenigkeit zu wissen. Doch bin ich zu meinem Troste überzeugt, daß diese wahrhaft frommen Diener Gottes viel zu klar sehen, um sich so leicht in ihrem Urtheile täuschen zu lassen. Auch ich lasse mich von den kleinen Lebensbegebenheiten nicht irre machen, und horchte ungetrübt auf den verschiedenartigen Gesang in der h. Grabeskirche, von dem man sich eine Vorstellung machen kann, wenn man die gleichzeitigen Einzüge der Deutschen, Mährer, Böhmen, Ungarn, zu Maria Zell in Steiermark kennt. Doch unsere Patres halten in ihrem Gottesdienste die bei uns bekannte Ordnung, und es wird von unserer Seite nicht gesungen, als bei großen Messen, im Chore und bei der nachmittägigen Prozession. Aber was für ein Unterschied im Singen ist euch dieser! Obschon die kleinen Buben von 8 bis 12 Jahren, die zum Verwundern gut unterrichtet sind, und sehr brav ihre lateinischen Lieder herrecitiren, ihre Stimmen manchmal ein wenig zu stark herauslassen, was sie genug von den andern hören, das ist von den Schismatikern; so ist doch auf die unbefangenste Weise kein Vergleich im Gesange der Lateiner mit den andern Gesängen zu machen, besonders mit dem schnuffelnden Gesange der Griechen; wenn diese anstimmen, vermeint man eine kleine Kindertrompete zu hören. Ich weiß nicht, gehört das in ihren Ritus, oder sind es ihre Naturstimmen. Das Erste, was man in Jerusalem aufsucht, ist das Grab des Heilandes, doch ehe ich es eröffnet fand, fügte es sich, daß ich meinen ersten Besuch den Gräbern der Könige machte, die ziemlich weit vor dem Damasker-Thore, im mühsamen, gruftartigen Hinuntersteigen zu finden sind. Der obere Theil, ein sehr großes, mit kunstvoller Steinarbeit, von Blumen, Früchten und Arabesken verschüttetes Portale, ist noch deutlich zu erkennen. Im Innern sind die regelmäßigen Grabgewölbe mit 3 Schuh hohen Thüren zum Eingange ganz wohl erhalten; man sieht die

Gräber, worin die Leichname lagen, und kleine Nischen, noch geschwärzt von dem Lampenlichte, vor den Tausenden von Jahren. Es ist nicht so leicht, dort hinein zu kommen, wenn man nicht sichere Führung hat. Mir glückte es jedoch wieder ganz unverhofft. Gleich den Tag nach meiner Ankunft besuchte mich Friedrich, der Deutsche, den ich auf dem Schiffe kennen lernte und in Alexandrien verließ. Als er von der Ankunft der deutschen Pilgerin hörte, kam er sogleich in die casa nuova und erbot sich, mich dorthin zu führen, wo ich einige Schwierigkeiten finden könnte. Nur hatte der gute Mensch nicht viel Zeit mehr für sich übrig. Den zweiten Tag kam er zu dem englischen Bischof als Kammerdiener. Ich finde überhaupt sehr viele Werkthätigkeit der Liebe unter den Protestanten, die ihnen ganz gewiß noch den rechten Weg des Glaubens erleuchten wird. Auch sehr viele Gräber um Jerusalem finde ich. Das Grab der h. Jungfrau, Josef und Anna in Gethsemane, in einer großen unterirdischen Kirche, zu der man über 50 Stufen abwärts geht. Die Gräber der Propheten, welche die schönsten Einsiedler-Höhlen bieten. In ihre größern Vertiefungen warf man die Leichname der umgekommenen Krieger bei der Einnahme Jerusalems von Ibrahim Pascha im Jahre 1830. Hakeldama, der Gottesacker für Fremde, der Acker eines Töpfers, von dem Blutgelde des Verräthers Judas gekauft, hat eine angenehme, schöne Lage auf einem Berge; er hat röthlich lehmige Erde, und immer finden sich Töpferscherben darauf, wie ich sie selber sah; kein Mensch kann sich's jedoch erklären, wie sie hinkommen. Auf dem Berge Sion bis in's Thal Josaphat, wohin die Juden noch immer ihre Todten tragen, liegen die Christen und ihre Schismatiker. Von dem Marienthore links und rechts hinunter, an der goldenen Pforte vorüber, bis weit hinaus in's Freie, sieht man der Türken Gräber, deren jedes sein weißes Mauermonument trägt. Jerusalem ist eine Stadt der Gräber, daher auch ihre Grabesstille und ihre Feierlichkeit in der zu erwartenden Auferstehung und des Gerichtes im Thale Josaphat.

## Hundertunddritter Brief.

### An den Herrn Cameralrath L. und seine Frau.

Jerusalem, den 8. März 1848.

Was kann ich Ihnen und Ihrer lieben Frau für eine bessere Zu=
schrift von Jerusalem senden, als wenn ich Sie den Leidensweg vom
Cönaculum aus bis auf Golgatha führe, so wie ich ihn selbst ver=
folgte. Das Cönaculum, wo Jesus mit seinen Jüngern das letzte
Abendmahl hielt, was jetzt einige hundert Schritte vor dem Sions=
thore steht, war damals mitten in der Stadt; Jesus nahm auch, um
auf den Oelberg zu gehen, einen andern Weg, als den man ihn dann
gebunden zurückführte; dieser ist noch kennbar, der andere aber wegen
Zerstörung der Stadt nicht mehr; was Katharina Emerich in ihren
Beschauungen sehr richtig bemerkt. Am Fuße des Oelbergs, bei dem
Maierhofe in Gethsemane angekommen, entfernte sich der Herr bekann=
termaßen einen Steinwurf weit von seinen Jüngern. Die Araber
werfen ziemlich weit. Man sieht den Fels, worauf die Jünger schliefen
und das so unverkennbar unter allen anderen Felsengruppirungen, daß
man laut ausrufen möchte: hier lag Petrus, hier Jakobus und hier
Johannes. Diese Felsenplätze tragen so ihre eigenthümlichen Charac=
terzüge, daß man ihre geschichtliche Bedeutung an ihnen lesen kann.
Neben an, als in dem damaligen Garten, stehen noch acht Oliven=
bäume von jener Zeit, ihr Alter beurkundend durch ihre Gestalt, ehr=
würdig ihres Ansehens, die geschichtliche Erinnerung bewährend, hohl
nach der Natur der Oelbäume, steht im weiten Umfange nur eine
Rinde da, mit pyramidenartig aufeinander gelegten Steinen zusammenge=
halten. Die aufwärts strebenden Zweige heller grünend, wie die ihrer jünger
bastehenden Gefährten am Oelberge. Die Zweifelsucht an Allem, was vom
alten h. Angedenken sich erhalten, macht sich wohl auch an diese Bäume,
die im Besitze der P. Franziskaner, mit einer zwei Klafter hohen Mauer
umgeben, wohl verwahrt und aufmerksam gepflegt werden. Die Geschichte
erzählt freilich, daß Titus alle Oelbäume zur Zeit der Zerstörung Jerusalems
aushauen ließ, gerade aber dieß gibt diesen stehen gebliebenen ihren Alter=

thumswerth, weil eine Urkunde vorhanden ist, vermöge welcher zur selben Zeit für acht Olivenbäume Steuer gezahlt wurde. Auch an dem hohen Alter und ob der Möglichkeit, es zu erreichen, ist sich nicht zu stoßen. Ein protestantischer Naturforscher sagte mir, die Oelbäume erreichen ihrer natürlichen Geschichte nach 3000 Jahre, warum sollte ihr Alter der historischen Geschichte nach unglaubbar sein. Unweit davon ist eine bedeutend große Höhle in den Berg hinein, nach abwärts u. Sie ist an der Seite an die unterirdische Kirche des Grabes Mariä verbaut, und hat von dort aus auch den gemachten Eingang über eine Stiege abwärts. Der Natureingang von außen, am obern Theil des Berges, ist zur Lichtöffnung verwendet. Die Grotte ist naturgemäß erhalten, nur ist sie auch vorsichtsgemäß mit zwei Säulen gestützt, und zeigt Spuren, daß sie zum eigentlichen Gebrauche einer Kirche diente. Auch jetzt wird täglich bei Sonnenaufgang die heil. Messe darinnen gelesen, ganz im Felsenecke der weiten Höhle, auf einem sehr einfachen Altar. Meine beste Zufriedenheit mit der Ausstattung dieser Grotte ist ein unbekleideter Fels, auf dem ich bei der heil. Messe mit besonderer Andacht kniee. Von da ging Jesus zurück zu seinen Jüngern, als die Zeit gekommen war. Etwa 30 Schritte von dem Orte, wo die Jünger schliefen, ist die bezeichnete Stelle des Verrathes. Einmal stand ein Kloster hier, nun ist aber keine Spur mehr davon zu sehen. Sie führten den Herrn gebunden, etwa 500 Schritte weit, durch das Thal Josaphat über den Bach Cedron, wo sie ihn im Gedränge über die Brücke stürzten. Diese hat eines gut stockhohen Hauses Höhe. Der Stein, worauf er fiel, trägt die Eindrücke eines zusammengebogenen, von der Höhe herabfallenden Menschen: die zwei Kniescheiben, den rechten Elbogen, zwei Fäuste und die Fußspitzen. Im Sommer ist der Fluß stets ohne Wasser; ich finde ihn gegenwärtig trocken. Nachdem ich meine staunende Betrachtung dargebracht hatte, legte ich mich in diese Steineindrücke, um mich von der richtigen Gestaltung derselben zu überzeugen, was ich auch nun wirklich bezeugen kann. Wenn man derlei Erinnerungszeichen hat, warum soll man der Ueberlieferung widersprechen? — Mit Stricken heraufgezogen, schleppten sie Jesum etwa nochmal 500 Schritte außer der Stadt, bis an das Mistthor, weil aller Unrath der Stadt da hinausgeführt wurde, was aber gegenwärtig verschlossen ist. Es ist an einem langweiligen, gränlichen, abgelegenen, unbesuchten Ecke der Stadtmauer angebracht. Hier führten sie ihn noch eine gute Strecke durch den Stadttheil Orphel, und dann quer über bis zum

hohen Priester Kaiphas, deffen Haus unweit des Cönaculum steht.
Von da zum Hohenpriester Hannas, in deffen Haus noch ein Baum
im Hofe feine Aefte ausbreitet, an dem der Heiland gebunden war.
Es ift dieß ein Weg, der frei und ungebunden ermüden könnte, bis hin
zur Richtftätte des Pilatus. Nun ftieg der Herr hinan diefe Stiege
von Marmor, wovon 28 Stufen in Rom zu St. Johann in Lateran,
mit Marmor überkleidet, noch vorhanden find, die ich felbft hinaufging,
auf meinen Knieen, und wovon ich jetzt den Ort fchaue *), wo diefe
Stiege angebracht war, auf deren Stufen Jefus fechsmal in dem Pal=
lafte des Pilatus feinen Schmerzenweg hin und wieder ging. Gebun=
den wurde er vor Pilatus geführt, frei fchickte ihn diefer zu Herodes,
deffen Pallaft, in noch gut erhaltenen Ruinen, auf einer Anhöhe, dem
Pallafte des Pilatus entgegen fteht. Herodes fchickte Jefum im wei=
ßem Kleide zum Spotte wieder zurück, dann wurde er auf die, dem
Pallafte gegenüber angebrachten Executionsplätze geführt und der Geiß=
lung übergeben. Man brachte ihn wieder vor Pilatus, der dem Volke
ecce homo fagte. Ein Schwibbogen über die Gaffe, der den dama=
ligen Pallaft mit dem Gerichtshaufe verband, bezeichnet noch gegen=
wärtig die Stelle. Uralte Grundfeften, die man fieht, behaupten ihr
Dafein. Hier fchrie das Volk: „Kreuzige ihn, kreuzige ihn," und zum fech=
ftenmale ging Jefus über diefe Stiege, um das Kreuz auf fich zu neh=
men. Nicht weit kam er damit, fo fiel er. Diefer Platz ift nur beiläufig
angezeigt. Das Gedränge war ungeheuer groß, die Straßen find nicht
breit. Die Mutter Jefu, die ihn auf den Leidensweg nie verließ, konnt'
ihm hier nicht folgen, ihre Liebe führte fie hinter dem Pallafte durch
zwei Gaffen, die fie fchnell durcheilte, und fo dem Zuge über die Ecke
gerade entgegen kam. Ein guter Frater, der in der Flagellationskapelle
die Wache hält, führte mich einmal diefen Weg. Das pünctliche Ein=
treffen der Oertlichkeit mit einer ganz einfachen Erklärung gefchichtlicher
Aufbewahrung kann einen bei einigem Mitgefühle ganz leicht dahin
bringen, fich in die damalige Gegenwart verfetzt zu fühlen. Wenigftens
kann man die ganze Handlung an feinen Augen, durch die angezeigten
Orte vorüberziehen fehen. Maria ftand nun vor Jefu. An diefem Platze
liegen noch zwei helenifche Säulenfchafte. An diefer Ecke ftand auch

---

*) Von der hohen Mauer der jetzigen großen türkifchen Kaferne geht ein
rundes Steinpflafter in die Straße, was die Stelle der Stiege in dem
Pallafte des Pilatus bezeichnet.

einmal eine schöne Kirche zu Ehren der heil. Jungfrau. Zwei gleiche
Kuppeln und was sonst noch sichtbar ist an dem unbewahrten Gebäude,
beurkunden, daß es ein würdiger Marientempel war. Jetzt ist es ein
türkisches Bad, welches ebenfalls nicht mehr im Gebrauche ist; doch
selbst das, was man hiervon sieht, zeigt von vormaliger Eleganz der
innern Einrichtung. Die soeur de charité aus Frankreich mit einem Hospital, was gegenwärtig für Katholiken noch ganz fehlt, wäre hier gut angebracht.
Dieses Haus soll Oesterreich angehören, die Türken haben jedoch auf
der einen Seite desselben ihre Pferde darinen. Weiter hinauf in der
Gasse ist das Damascenerthor, woher Simon von Cyrene von seinem
Maierhofe hereinkam; bis man ihn anhielt und ihn nöthigte, Jesu das
Kreuz tragen zu helfen, kam der Zug indessen an des reichen Praf-
fers Haus vorüber, welches ganz wohlbehalten und schön bemalt
sein Andenken aufbewahrt. Hier an dieser Straßenecke ist an einem
Stein in der Wand eines Hauses ein Zeichen gemacht, um die Hilfe
Simons des Cyrenäers anzuzeigen; in dieser Straße, ein Paar hundert Schritte aufwärts, kommt man an das Haus der heil. Veronika.
Hier drückte Jesus sein Bildniß in das dargereichte Schweißtuch *)
ein. Nicht weit davon ist das damalige Verbrecherthor, weil diese hier
hinaus auf den Kalvarienberg geführt wurden. Die doppelt finstern
Schwibbögen, die dunkeln alten Mauern, bewähren sich unstreitbar
als ein altes Stadtthor. Nun verliert sich die via dolorosa unter
denen der Stadt zugebauten Häusern. Wie damals das Verbrecherthor
die Stadt begrenzte und der Kalvarienberg eine kleine Strecke vor derselben war, so ist dieser jetzt mit in die Stadt hineingebaut, und dabei
achtete man nicht, diesen den Christen so heiligen Weg frei zu lassen.
Doch die Kaiserin Helena, der in dieser Hinsicht Alles zu Gebote stand,
stellte ihre Säulen zur Bezeichnung der bekannten Nationen des Kreuzweges auf. Die vom zweiten und dritten Falle Jesu unter dem Kreuze,
und der Begegnung der weinenden Frauen, sind in den Häusern angebracht, die schief hin zum Kalvarienberg den Kreuzesweg bedecken. Ob
nun diese helenische Säulenbezeichnung in die schon bestandenen Häuser, die

---

*) Dieses nämliche Schweißtuch ist in Rom zu St. Peter aufbewahrt in
einem goldenen Spiegelrahmen, und wird nebst einem Antheil vom Kreu-
zesholz und der Lanze, im Jahre dreimal gezeigt und der Segen damit
ertheilt.

man nicht demoliren wollte, hineingesetzt wurden, oder ob sie später darüber gebaut wurden, wird sich wohl nicht leicht ermitteln lassen, ich konnte es wenigstens noch nicht herausfinden. Wenigstens liefern diese in den türkischen Häusern angezeigten Stellen psychologischen Beweis von der Wahrheit derselben; da man sich eine freie Straße bis zur Grabeskirche hätte w ä h l e n k ö n n e n, wenn man w i l l = k ü h r l i c h h ä t t e h a n d e l n w o l l e n. Die Station der Entkleidung ist schon in der Grabeskirche eingeschlossen, die den ganzen Felsen einnimmt, der früher die Richtstätte der Verbrecher war; und an dessen einer Seite ein Garten mit Gräber angebracht war. Eine Fel= sengrotte, in der die Verbrecher warteten, bis man die Werkzeuge zum Gerichte bereitete, und worin auch Jesus war, bis das Loch zur Kreuzesaufrichtung gegraben wurde, wird unter den Namen Gefängniß verehrt. Da ich Sie nun einmal in die Grabeskirche geführt habe, so lade ich Sie auch ein, mit mir die tägliche Prozession zu begleiten, auf diese Art werden Sie zugleich mit den Hauptbestandtheilen dieser heil. Kirche bekannt. Wir wollen den Freitag wählen, an welchem Tage der Patriarch um 4 Uhr zur Vesper in die lateinische Kirche kommt. Zu Ende derselben bekommen Sie ein brennendes Wachslicht in die Hand. Die erste Verehrung mit Kniebeugung, Gebeth und Gesang wird noch in der ganz kleinen Kirche an dem Seitenaltare bei dem Eingange gehalten, worin ein Theil der Geißelsäule aufbewahrt ist, der andere Theil davon ist in Rom zu St. Johann Lateran. Alsdann geht der Zug über einige Stufen aus dieser Kapelle hinaus, das Kreuz vor= aus, die Communität der Patres, der die Prozession führende Func= tionär, der Reverendissimus, der Patriarch, Alle mit brennenden Lich= tern, an der Seite gehen die wohlgekleideten Kavas mit ihren langen Stöcken mit großem silbernen Knopf, und die Bedienten; dem Patriar= chen folgen die Consuls, wenn manchmal welche die Prozession begleiten, und die fremden Fürsten und Herren, es sind deren mehrere hier, die meistens mit auferbaulicher Andacht dabei sind. Dann kommen die Pilger, worunter ich nicht leicht die Letzte bin; und die heimischen Chri= sten. Man kommt durch den langen breiten Corridor, der die Rottonda umgibt, zu dem Gefängnisse. Hier schaut man die lichthelle Versamm= lung in ihrer ausgedehnten Länge am schönsten. Von da kommt man durch eine andere Wendung des Corridors zu einer Nische, welche den Ort der Entkleidung und das Theilen der Kleider Jesu bezeichnet. Dann geht man zwei Stiegen abwärts in die Kreuzerfindungs=Kapelle, eine

Stiege zurück verweilt man in der Helenenkapelle, die große Stiege hinauf führt wieder an eine Nische, die in ihrem Altarsteine die Schimpffäule birgt, auf der Jesus saß, als er mit Dornen gekrönt und mit einem Rohre in der Hand, im rothen Mantel verspottet wurde. Durch einen finstern Gang an der griechischen Kirche vorbei kommt man an die Stiege, um auf Golgatha emporzusteigen, rechts wird der Ort der Annaglung, links der Ort der Kreuzigung verehrt; von Golgatha herab steht man sogleich am Salbungsstein, und von da kommt man in's heil. Grab hinein. Die gerade Linie führt wieder zum lateinischen Kloster, wo vor der Kapelle der Chor mit einer sehr guten Orgel angebracht ist, die von da an den Gesang begleitet, weil hier die Hymnen zu Ehren der Erscheinung des Herrn als Gärtner der heil. Magdalena gesungen werden; alsdann schließt sich der Zug in der lateinischen Kapelle als den Ort, wo Jesus seiner heil. Mutter nach der Auferstehung erschien. Die Frauenlitanei mit Begleitung der Orgel und allgemeinem Gesange in lateinischer Sprache ist so schön und feierlich, daß ich sie Zeitlebens nie vergessen werde. Angelus Domini und ein kurzes Abendgebeth schließen den Tag. Die Abende sind hier nicht so lange wie bei uns. Es dämmert nicht viel, wie die Sonne untergeht, tritt kaum eine Stunde darnach die Dunkelheit ein.

---

## Hundertundvierter Brief.

### An den hochw. Herrn Pfarrer Sch.

Jerusalem, den 12. März 1848.

Das ist gewiß, hochw. Herr! daß Alle, die ein großes Verlangen hegen, in Jerusalem gewesen zu sein, weil sie sich Glaubenssicherheit und Heiligkeit dort vorstellen, ein richtiges Gefühl in sich tragen. Wenigstens heut zu Tage finde ich es in eigener Ueberzeugung so. Oder täusche ich mich? Was ich von Jerusalem denke, oder wie ich es vor mir sehe, darüber werde ich Ihnen ein anderesmal schreiben. Heute klage ich nur mein Leidwesen, dem Tempelplatze nicht einmal in die

Nähe gehen zu dürfen; viel weniger die Omarsmoschee, die den Platz des Salamonischen Tempels einnimmt, besuchen zu können. An der Straße, die zum Tempelplatze führt, ist ein Schwibbogen angebracht, woran ein Stein an einem Stricke herunter hängt, zum Zeichen, daß der, der da hineingeht, gesteiniget wird. Ich wußte heute Früh von allem dem nichts. Als ich nach Geithsemane zur Messe ging, sah ich von ungefähr in die Gasse hinein, die ich vorüberging. Das große Thor, von welchem sie sonst abgeschlossen ist, war offen, und ein freund= liches Wasengrün im weiten Raume lachte gegen mir, daß ich der Einladung folgte, zu sehen, wo man denn da hinkäme; dem Thore schon ganz nahe, ahnete ich's, am Tempelplatze zu sein. So lange mich Niemand hindert, gehe ich weiter, dacht' ich, doch kaum gedacht war schon ein Türke da, weiß Gott wo er herkam, ich habe ihn frü= her nicht gesehen, der mich mit der Hand in eiliger Hast zurück. Mich schnell fassend über diesen Schreck, fragte ich ihn arabisch **fen bab el Sitti Mariam?** Wo ist das Marienthor? Der Türke wurde sehr freundlich und begleitete mich in aller Höflichkeit die Straße hin= unter, um mich an's Marienthor zu weisen. Mit dem Tempelbesuch ist kein Spaß zu machen. Als ich nach Hause kam, erzählte man mir, daß vor 14 Tagen ein Engländer einen Türken mit 1000 Piaster bezahlte, wenn er ihn an alle merkwürdigen Orte in und um Jerusalem führe, aber auch in den Tempel. Der Türke versprach es, und brachte den Engländer richtig bis zum Tempel, doch am Eingange ergriff ihn die Wache und zerprügelte ihn dermaßen, daß der arme Mensch noch gefährlich krank liegt. Die Türken haben eine Prophezeiung, auf welche sie sehr viel halten, daß nämlich: wenn ein Christ in den Tempel hineinkomme, ihm Alles erfüllt würde, warum er bäthe. Nun denkt sich der Türke, der Christ würde vor allem andern bitten, daß Je= rusalem wieder in christliche Hände käme; und daher diese Sorgfalt, keinen Christen in der Nähe des Tempels zu dulden. Wenn die Türken einmal darauf kommen werden, daß es den Christen derzeit eben nicht viel darum zu thun ist, ob Jerusalem christlich oder türkisch ist, und daß sie um irgend einer Bitte willen den Tempel gar nicht betre= ten, werden sie mit ihrer rigorofen Bewachung schon nachlassen. Mit dem vermauerten goldenen Thore hat es dieselbe Bewandtniß. Dieses Thor liegt dem Oelberge gegenüber und ist das schönste Thor von Jerusalem, aber der Zugang ist beschwerlich wegen dem hohen Berg, der sich ziemlich schräg gegen das Thal Josaphat hinunter senkt. Von

diefem Thore, woburch Jefus am Palmfonntage unter dem Hofanna=
rufen des Volkes einzog, haben die Türken die Prophezeiung, daß
einstmalen ein chriftlicher Fürft feinen Einzug in Jerufalem halten wird.
Darum ift diefe Pforte zugemauert und durch Gebrauchslofigkeit beinahe
unzugänglich. Wenn ein frommer Türke ftirbt, fo denkt er fich an den
Eckthurm der Stadtmauer neben dem goldenen Thore, feine Vorstellung
zieht einen Faden bis hin an den gegenüberliegenden Ort, wo Jefus
auf dem Oelberge in den Himmel aufgefahren, und in der Erwartung,
daß er ihn mitnehme, fchließt er feine Augen. Wenn man bei dem
Stefansthore hinausgeht, dieß liegt in gleicher Richtung mit dem gol=
denen Thore, ich nenne es lieber mit den Arabern das Marienthor,
kommt man an den Platz, wo es heißt vom heil. Stefan: „und fie
ftießen ihn vor der Stadt hinaus und fteinigten ihn." Diefer Platz hat
keine andere Bezeichnung feines Andenkens, als die ganz eigene Zeich=
nung der Felfen, wo diefe Handlung vor fich ging, an denen man ftehen
bleibt, auch ohne zu wiffen warum. Weiter unten ift ein Platz mit
Steinen eingefchränkt, um die Kleiderwache des Saulus zu bezeichnen.
Nahe am Stefansthore im Innern der Stadt ift der Schaf= oder
Schwemmteich, das ift der im Evangelio bekannte Teich Bethesda, der
zu den Zeiten Jefu eine wunderheilende Kraft hatte. Wie ftand ich da!
zum erftenmale und dachte: „Hier war es, wo Jefus den Gichtbrüchi=
gen heilte, der dreißig Jahre lang vergebens fich bemühte, in die
Bewegung des Waffers hinunter zu kommen. Der Teich ift gänzlich
ausgetrocknet, und faft eines zwei Stock hohen Haufes tief, auch
bedeutend groß. Sein Grund ift mit Granatäpfeln bewachfen. Wie
viele Opferthiere find da gewafchen worden, um fie im Tempel zu fchlach=
ten! Ein Araber erzählte mir die Gefchichte, die den Platz zu Salo=
mons Tempelbau beftimmte; denn nebft dem, daß auf der Tenne
Areunas des Jebufiten der Engel ftand, der auf Davids Gebet feinen
Verheerungen ein Ende machte, und Gott dem David befahl, hier einen
Tempel zu bauen, fo wird diefer Ort nach arabifcher Sage auch noch
von einem Zuge brüderlicher Liebe geweiht. Zwei Brüder befaßen
das Feld, was fpäter zum Tempelbaue auserwählt wurde. Der Eine
war verheirathet und hatte viele Kinder, der Andere lebte allein. Zur
Ernte theilten fie wie gewöhnlich ihre Garben und ließen fie bis zur
Einfuhr liegen. Der Bruder, der allein lebte, dachte: Mein Bruder
hat Weib und Kinder zu erhalten, ich will einen Theil meiner Garben
zu den feinigen legen, er wird fie heimbringen, ohne es zu bemerken.

Der andere Bruder sagte zu seiner Frau: Sieh, mein Bruder lebt einsam und ohne Trost, ich will hinausgehen auf das Erbfeld unsers Vaters und ihm von meinen Garben zu den seinigen legen, damit er sich des Segens erfreue. So that ein Jeder, und am Morgen wunderten sich Beide über die gleiche Theilung ihrer Garben, denn unversehens nahmen Beide die gleiche Anzahl. So ging's zu mehreren Malen, ohne daß sich der Eine oder der Andere das Wunder zu erklären wußte; bis sie sich Beide vornahmen, die ganze Nacht zu wachen, und endlich trafen sie mit ihren Garben gerade zusammen. Die Brüder segneten den Ort ihrer brüderlichen Liebe und priesen Gott in seinen wunderbaren Fügungen, wenn die Menschen seinen guten Einsprechungen eine bereitwillige Ausführung folgen lassen. Zwischen dem Wege zum Tempelplatze und dem Marienthore ist das Haus der h. Mutter Anna. Hier wurde zur ersten Zeit der Erkenntniß das Geheimniß der unbefleckten Empfängniß der allerseligsten Jungfrau gefeiert. Einstens war eine schöne Kirche hier mit einem Frauenkloster. Jetzt ist es eine ungebrauchte, verschlossene türkische Moschee. Man darf nicht hinein, sagte man mir. Niemand will sich darum kümmern. Das Haus steht auf einem ganz einsamen abgesonderten Platze. Wirthschaftsgebäude und Gartenanlagen könnten es umgeben, wenn es zu einem christlichen Frauenkloster benützt würde. So oft ich vorübergehe, sehe ich mit sehnsuchtsvollem Wunsche hin, hier eine weibliche Erziehungsanstalt zu erleben. Wenn die Türken sich einmal bekehren, wird es wohl nöthig sein. Für jetzt genügt noch die ganz eifrig versorgte Schule der ehrw P. Franziskaner mit ihren arabischen Frauen, die mir als Lehrerinen recht gut gefallen. Sie haben die Aufsicht, und unterrichten in den Handarbeiten. Zu dem Unterrichte der Lehrgegenstände habe ich einen recht würdigen Lehrer gefunden. Auf Strohmatten auf dem Boden sitzend, das Papier zum Schreiben frei in der Hand haltend, wie es in ganz Orient, in Egypten wie in Syrien der Gebrauch ist, lernen sie, was sie brauchen. Sonntag kommen sie zur Katechese und zur Christenlehre in die Kirche, um Ein Uhr ist der Patriarch schon da um sie meist selbst zu fragen.

---

## Hundertundfünfter Brief.

### An den hochwürdigen Herrn Chorvicar M.

St. Johann, den 16. März 1848.

Heute reiste ich von der Stadt auf das Land. Ich denke, Sie sollen mit doppeltem Interesse meine Briefe empfangen, da Sie sich überzeugen können, wie angenehm man in Jerusalem lebt. St. Johann, bei den Arabern **Ain Karim** genannt, ist so zu sagen der Landsitz, das Lustschloß, die Gesundheitspflege, der Erholungsort der christlichen Bewohner in Jerusalem. Die Gegend herum ist auch ungemein anmuthig; man möchte sich an diesen Steingruppirungen beinahe verschauen, obschon sie Einem keinen Weg bieten, und man über diese Felsenklumpen lieber zu Fuße geht, als auf einem Esel sitzen bleibt; so war mir doch der Weg so angenehm, daß ich es Ihnen unterwegs schon immer erzählte. Der Reverendissimus gab mir ein gutes, frommes Mädchen zur Begleiterin mit. Wir vergnügen uns auch recht gemüthlich zusammen. Sie ist des Weges und im Kloster schon genügend bekannt. Um zwei Uhr gingen wir von Jerusalem weg, und kamen nach zwei Stunden über pure Felsgebirge nach St. Johann, ein kleines Dorf, ganz von Türken bewohnt, mitten im Dorfe steht das lateinische Kloster und die Kirche, mit einer Ringmauer umgeben, und einem kleinen Pförtchen, an dem man klopft und ephata ruft. Es sieht aus wie eine wohlverwahrte Ritterburg. Das Dorf mit dem Kloster hat eine freundliche Lage im Thal; und den Bergen herum, obschon etwas kahl, entsprießet zwischen Stein und Fels das schönste Grün, und die lieblichsten Blumen blühen darin; bald wären die Berge hier schöner noch, wie in Steiermarks Revier. Das Kloster in seiner Einrichtung sammt seinen ehrwürdigen Vätern, freundlich und froh bewirthend, wie man sich's in einem schön gestellten arabischen Märchen denken kann. Der Quardian, P. **Michelo**, ein Italiener, ein ausgezeichnet gastfreundlicher, gebildeter Herr, P. **Eduard**, ein Tiroler, ein besonders wissenschaftlicher Geist, mit dem sich's äußerst angenehm sprechen läßt, Beide mit klaren Ansichten für Gott und die Welt.

Ueberhaupt bemerkte ich, daß die terra santa helle Köpfe an ihren Priestern hat, bei wirklich aufopfernder Frömmigkeit, und große Nachsicht gegen andere Menschen. Keine Spur des Bemühens habe ich noch gefunden, Andern durch strenges Urtheil oder gesuchte Verdemüthigungen in den Himmel zu helfen. Unsere deutschen Patres, die ich kennen lernte, sind so vortreffliche, umsichtige, brauchbare Männer, daß hier an der italienischen Freundschaft mit den Deutschen gar nicht zu zweifeln ist. Ich kam noch bei guter Tageszeit nach St. Johann. Der Quardian führte mich in die Kirche, P. Eduard darauf in den Garten, und noch bleibt mir Zeit, in dem angenehmen Zimmer, was mir und meiner Gefährtin angewiesen ist, zu schreiben. Die Kirche ist bedeutend groß, schön, ja man kann sagen reich. Das Sanctuarium, die Geburtsstelle des h. Johannes, zu der man über eine breite Treppe abwärts geht, ist würdevoll in Ehren gehalten. Der Altar steht über einen Halbkreis, mit einem gut gemalten Bilde. Der Kreis ist mit immerbrennenden Lampen und kunstvollen Marmorbildern geziert. Unter sein ausgearbeiteten Rosenguirlanden in weißem Marmorstein sieht man: Die Heimsuchung Mariä; die Geburt Johannes; die Predigten in der Wüste; die Taufe Jesu Christi; die Enthauptung Johannes. Diese sind wirklich als Kunstwerke zu benennen. Das Kloster steht an dem Platze, wo das Haus des Hohenpriesters und seiner Frau Elisabeth stand. Das Dorf war damals eine Stadt, und Zacharias und Elisabeth sehr begüterte Leute. Es ist, als ob bis heute die Uebertragung ihres Wohlstandes noch sichtbar wäre. Die Lage, die Ruhe des Klosters, die wohlgehaltene Verehrung und wohlbehaltene Erinnerung alles dessen, was den h. Johannes betrifft, Alles ist in St. Johann in einem Zustande der Vollkommenheit. Eine Geschichte, die in Jerusalem bekannt ist, und deren Ueberlieferung sich auf den h. Cyrillus, und auch noch auf andere große Kirchenschriftsteller stützt, erzählt: daß Maria, nachdem sie Christum im Tempel dargebracht hatte, sich neben den Jungfrauen hinsetzte; die Priester wollten sie von da wegweisen; Zacharias aber, als hoher Priester, widersetzte sich und erklärte, daß Maria Jungfrau sei; worüber sich die ganze Priesterschaar so erzürnte, daß sie ihn erschlugen. Deßwegen wird Zacharias, der Vater Johannes, mit Zacharias, dem Sohne des Barachias, der zwischen dem Altare und dem Tempel erschlagen wurde, leicht verwechselt. Hier kann ich nicht unterlassen, zu bemerken, wie reichliche Leiden die heil. Elisabeth in ihren alten Tagen auf sich nehmen mußte, als Mutter des Vorläufers Jesu Christi. Ausrufen möcht' ich laut: „Freut euch all' ihr leidenden Seelen, die ihr Gott liebt, und so vielen bösen Einflüssen eures Geschickes unterworfen seid, die ihr nicht selbst die Schuld an euren Widerwärtigkeiten trägt, sehet doch, hat Gott die Seinen je verschont? Kaum war der Sohn der Verheißung ihr geboren, verlor sie erbärmlich ihren Mann, und vom Kinde mußte sie sich trennen, in steter Sorge, daß es der Kindermord Herodes nicht ergreife. Im Conventsgarten von St. Johann gibt es wunderschöne Spaziergänge. Er ist zwar ein wenig verwildert, und ich zweifle nicht, daß ihn eben diese natürliche Verwilderung so interessant in seiner bedeutenden Größe macht. Die Obsorge des Gartens, der jedenfalls viele Arbeit braucht, und einstmals sehr schön gewesen sein muß, steht unter einem türkischen Gärtner, und da hat es, wie mit der Agricultur im Allgemeinen, seine besondern türkischen Bewandtnisse. Doch gibt es darinen nebst allem Grünzeug, Artischoken und blühende und reife Erbsen, was um diese Zeit bei uns wohl nicht erhört wird. Und das nicht etwa unter Mistbeetspflege, o nein, ganz wild im Freien. Die schönen hohen Cypressen ergötzen das Auge mit ganz eigener Annehmlichkeit und Würde.

---

## Hundertundsechster Brief.

### An die Frau Oberamtmannin M.

St. Johann, den 17. März 1848.

Ich denke gut gewählt zu haben, wenn ich Ihnen und Ihren lieben Töchtern die Geschichte des heil. Johannes und seiner Mutter Elisabeth so recht aus Originalquellen erzähle. Pater Eduard, ein Tiroler, ein sehr belesener, frommer, für Religionsansichten, besonders für den Standpunct der terra santa ausgezeichneter Mann, nahm es über sich, mich heute in St. Johann bekannt zu machen. Vor Allem muß ich Ihnen sagen, daß die Temperatur, die Gewächse auf grüner Flur, zwar nur zwischen den Steinen, heute am 17. März kaum von unsern schönsten Juni=Tagen aufgeboten wird. Alles ist hier Gebirg, so weit das Auge reicht, doch von ganz eigener Form. Wir sehen, daß unsere

20

Berge hoch sind, wir sehen auch tiefe Thäler und kleine Ebenen.
Ein hoher Berg steht hinter dem andern, das ist hier nicht so, immer
neu sich verschlingende Wölbungen bilden ein weit hinausgedehntes
Plateau, und wo man geht, hat man kleine Felsen zu übersteigen.
Als wir ziemlich draußen waren im Freien, rief ich aus: „Diese
Berge hier scheinen im Wettstreit mit den uns'rigen zu stehen, um das
Herz auf ihren Höhen, im Anblicke der schönen Natur, zu Gott zu
erheben; mit dem Unterschiede, daß hier unter Fels und Stein das
herrlichste Grün mit den schönsten Blumen in allen Farben pranget,
und unsere Berge dichte Wälder mit schweren Bäumen tragen. Wir
gingen vom Kloster nach Maria Heimsuchung, das ist vom Hause
der heil. Elisabeth in der Stadt, auf ihr Sommerhaus, eine halbe
Stunde weit vor der Stadt. Sommerhäuser zu beziehen, ist eine
echt orientalische Sitte. Auch gehen die Morgenländer heute noch,
wie ich es selbst schon gesehen, so wie es bei den ältesten und vornehmsten Hebräern der Gebrauch war, gerne in's Freie, um unter
einem Baume ihre frugale Mahlzeit zu verzehren. Das Landhaus
der heil. Elisabeth gibt jetzt noch das Ansehen einer lieblichen Behausung, und obschon Ruine eines einstmaligen Frauenklosters, so ist seine
Lage sammt den Ruinen mit ihren Stein=Divanen um einen Hof, in
dessen Mitte ein weit um sich greifender Feigenbaum mit seinem kühlen-
den Schatten steht, noch einladend genug, um gerne dort zu bleiben,
oder wenigstens dort zu verweilen. Die Ueberlieferung erzählt von
einem paradiesischen Kunstgarten, der sich bei dem Landhause des
wohlhabenden Hohenpriesters Zacharias befand. Man möchte meinen,
die Spuren davon noch zu sehen. Wie einfach glaubbar eine schöne
Garten=Anlage allhier anzunehmen ist, geht leicht hieraus, wenn man
erwägt, daß die in Babylon gefangenen Israeliten, von dem Volke
eines Cyrus, einer Semiramis, die Pracht=Anlagen der Gärten er-
lernt hatten, und daß es einem so reichen Hohenpriester, wie Zacharias,
nicht fehlen konnte, seinen Wohlstand auch zur Zierde des Landes zu
benützen. Aller noch bestehenden Landessitte nach, ist es ganz klar,
daß Elisabeth im Juli, als im höchsten Sommer, hier auf ihrem Land-
gute war, als Maria drei Tagreisen weit von Nazareth über's Gebirge herüber kam. Daß Josef die heil. Jungfrau zu ihrer Base begleitete, kann gar keinem Zweifel unterliegen, wenn man die gegenwärtigen Landessitten und Gebräuche kennt, und sie mit den damaligen
der Geschichte nach zu vergleichen weiß. Wenn man sich an Ort und

Stelle mit dem Evangelium und den unwandelbaren Erzählungen der Landeseingebornen geschichtlich überzeugt, so liegt Alles klar und wahr, zum Anschauen da, was die heil. Kirche lange schon sanctionirt, und in bildlichen Vorstellungen zu geben erlaubt hat. Man meint es in St. Johann heute noch selbst zu sehen, wie Maria ihre Base in der Stadt nicht fand, und sie daher auf ihrem Landhause eine halbe Stunde weiter suchte, und dort ihr Gott lobendes Magnificat in höherer Begeisterung sang. Pater Eduard führte mich von da zur Grotte des heil. Johannes, wo er von Kindheit an lebte, bis er zu predigen und zu taufen anfing, und dann enthauptet wurde. Das kam nun so: Elisabeth, die Mutter, verbarg ihn vor Herodes Kindermord. Denn wie wir wissen, so wurden zwei Stunden im Umkreise um Bethlehem alle Knäblein unter zwei Jahren ermordet. Die Stadt war kaum zwei Stunden von Bethlehem entfernt, folglich war Johannes ebenfalls dem Tode ausgesetzt. Nun gelang es aber seiner Mutter, ihn nach den Rathschlüssen Gottes in einer Höhle verbergend zu retten. Das arme Kind wurde in seine Einsamkeit gebracht, und ihm ein Lämmchen zum Spielgefährten gegeben. Höchstens daß ein treuer Diener das Kind bewachte und es pflegte. Wie selten und in welcher Angst mochte ihn seine Mutter wohl aufgesucht haben! Doch die heil. Elisabeth, Gottes Willen und Anordnungen erkennend, vertraute auch seiner gütigen Vorsehung, die das schwache unmündige Kind in seiner Verborgenheit schützen wird. Ein Geschenk aus Gottes Hand war Johannes seiner Mutter, und diese fromme, Gott ergebene Frau, was konnte sie wohl Besseres thun, nach Gestalt der Sache, als ihr kostbares Geschenk dem Geber wieder zum Geschenke geben. So lange das Kind noch klein war, durfte sie es auch nach Jahren noch nicht wagen, es zu sich zu nehmen, denn man kann leicht denken, daß nach dem Kindermorde Herodes ein Knabe in diesem Alter noch lange auffallend den forschenden Blicken eines den Verlust seines Thrones fürchtenden Monarchen gewesen wäre. Als der Knabe aber zu denken anfing, und er sich sorgenlos unter den andern heranwachsenden Knaben hätte bewegen können, etwa wie der kleine Jesus nach sieben Jahren mit seiner Mutter aus Egypten zurückkam, wo eigentlich nicht mehr so viel zu befürchten war, weil Herodes gestorben und sein Sohn Archelaus sich um diese Sache nicht so viel bekümmerte, blieb jedoch Johannes auf Antrieb des göttlichen Geistes von selbst in der Wüste. Da er von wildem Honig und Heuschrecken lebte, wie uns das Evangelium lehrt,

20 *

so kann man sich leicht vorstellen - daß er nicht in einer unfruchtbaren Wüste lebte, denn Bienen und Heuschrecken wollen Kräuter und Blumen. Nun diese sind heute noch reichlich um die Grotte des heil. Johannes in solch' besonderer Fülle gespendet, ja wunderwürdig möchte man's nennen, daß alle Kräuter, in einem bedeutenden Umfange um dieselbe, groß und üppig in fetten Blättern glänzen, und einen Aroma von sich geben, wie man ihn nirgends in solcher Kraft an denselben Kräutern findet. Kurz alle Kräuter sind wohlriechend, auch die man irgendsonst geruchlos findet. Dieß erzähle ich nicht, weil ich es sagen hörte, sondern weil ich mich selbst davon überzeugte, nachdem mich Pater Eduard darauf aufmerksam machte. Ein ganzes Glas voll steht neben mir, was ich von der Sonnenhitze ein wenig welk gebrannt nach Haus in's Kloster brachte. Morgen früh hoff' ich sie jedoch ganz grün zu finden, um sie getrocknet in einen Strauß zu binden. Die Grotte selbst, in der Johannes lebte, ist ganz naturgemäß erhalten. Sie ist eine geräumige Felsenhöhle, zu der man jedoch nicht hinab, sondern sehr mühsam über einige in den Fels gehauene Stufen aufwärts steigt. Einstens befand sich ein Kloster dabei, von dem man neben an noch einige Spuren finden kann. Man hat in der Höhle ein Fenster durchgebrochen, weil in derselben zuweilen die heil. Messe gelesen wird, das ist, an den Festtagen des heil. Johannes, oder wenn es aus besonderer Achtung oder Gefälligkeit gegen Fremde geschieht. Auch der Stein und der Ort wird gezeigt, wo Johannes zum erstenmale sein Predigtamt anfing, ehe er nach dem Jordan zog, um dort zu taufen. Und dieser nach dem Gottmenschen selbst der Erhabenste im menschlicher Hülle, mußte seinen Kopf dem Tanze eines leichtfertigen Mädchens zollen! — Ob Hildegard die Geschichte weiß? Herodia, ein junges Mädchen, die Tochter der Schwägerin des Herodes, Antipas, das ist des Nachfolgers dessen, der die Kinder morden ließ, tanzte eines Tages bei der königlichen Tafel, die bei einem großen Feste für viele Fremde gegeben wurde, dermaßen schön und angenehm vor des Königs Augen, daß er vor allen Gästen schwur, ihr Alles zu geben, was sie auch immer verlangen möchte. Da winkte ihr schnell ihre Mutter, und sagte: „Verlange das Haupt Johannes zur selben Stunde." Das Mädchen auf Geheiß der Mutter that es, ohne zu bedenken, was sie sagte. Der König erschrack über diese Forderung, denn wenn er gleich Johannes wegen seinen freimüthigen Vorstellungen, die er ihm wegen seines sündhaften Lebens machte, in den Kerker werfen ließ, so wollte er ihn doch nicht um das Leben bringen, und er hörte noch gerne seine Lehren, was die Frau seines Bruders wußte, und wesswegen sie eilig diese Gelegenheit ergriff, den Prediger der Buße aus dem Leben zu schaffen, um nie mehr was von ihm zu hören. Doch weil Herodes laut vor allen Gästen beeidete, der Tänzerin zu gewähren, was sie verlange, so meinte er in seiner Verblendung, sich den tirannischen Begriffen der falschen Scham unterwerfen zu müssen. Er schickte in das Gefängniß und zur selben Stunde lag das Haupt Johannes als Dessert zur Tafel. Man sieht hieraus ein Beispiel, daß die besonderen Ereignisse, ja selbst der Verlust des Lebens großer Männer nicht immer von großartigen, ihren Lebenswandel angemessenen Begebenheiten abhängt.

## Hundertundsiebenter Brief.

### An den Herrn Med. Doctor K.

Jerusalem, am St. Josefstag,
den 19. März 1848.

Ich hätte noch länger in dem schönen St. Johann verweilen können, doch der heutige Festtag rief mich nach Jerusalem, und so kehrte ich gestern fröhlich wieder zurück, und ergreife freudig die Gelegenheit, Sie heute noch, wenn gleich schon der Abend dämmert, an Ihrem Namenstage von Jerusalem aus zu grüßen. Auch der ehrwürdige Patriarch von Jerusalem heißt Josef. Das kirchliche Fest wurde mit solemneller Pracht zu St. Salvator gefeiert. Nach der Vesper ging ich mit Pater Sebastian dem Wiener und seinem Buchdruckerjungen Johann, ein äußerst rechtschaffener und vernünftiger, christlicher Araber, zum Sionsthor hinaus, in das Haus des Kajafas, welches gegenwärtig den Armeniern gehört. Sie haben eine schöne, ja glänzende Kirche. Der Eingang mit gut gemeißelten Monumenten einiger ihrer Patriarchen, der Hof, die Stiegen, die Terrassen mit Weingeländern

und Lauben sind sehr rein und nett gehalten. Der Altar in der
Kirche enthält den sehr großen Stein, welcher das Grab des Heilan=
des schloß. An dreien Seiten läßt die Ueberkleidung den Naturstein
im dunkelgrauen Fels sehen. Rechts hin von diesem Altare ist ein
kleines Behältniß, mit blauem Porzellain ausgetäfelt, als das Gefäng=
niß unsers Herrn aufbewahrt, in welchem er das verwirrte Urtheil
des Hohenpriesters erwartete. Vor dem Eingange steht eine halbhohe
Säule zum Zeichen des Hahnenrufes nach der Verläugnung Petri im
Vorhofe. Weithin an den Bergen, doch von hier aus sichtbar, wird
der Ort gezeigt, wo Petrus aus Reue beinahe in Thränen vergieng.
Von da gingen wir nach Hakeldama. Die lehmig röthliche Töpfer=
erde dürfte nach vielem Andern nicht ungegründete Vermuthungen
geben, daß möglicher Weise sie es war, die dem Menschen das Da=
sein gab. Ohne besonderer Verbindung der tiefern Ge=
heimnisse Gottes ward dieser Acker nicht von dem
Blutgelde des Verräthers erkauft. Wir sahen hinüber
an den Ort des Oelberges, wo dieser Unglücklichste der Menschen sein
Leben im Selbstmorde endete. Von Hakeldama aus hat man auch
einen guten Ueberblick über die Ausdehnung der alten Stadt, das
heißt über den Berg Sion, wo sie vormals gestanden; wovon man
jetzt jedoch keine andern bedeutenden Spuren, als Steine am Boden
liegen sieht. In der Nähe von Hakeldama gibt es sehr viele Gräber
der alten Juden. Auf unserem Wege zeigte mir Pater Sebastian, und
Johann, der, hier zu Hause, einen jeden Stein kennt, den Brunnen
des Propheten Nehemias, und die Quelle Siloha, welche in Ver=
bindung durch die Felsenschlucht mit dem Marien= oder Hiobs=Brunnen
steht, so daß man Gegenstände, da hineingeworfen, dorten wieder her=
auskommen fand. Zur Quelle Siloha führen steinerne Treppen in
einen romantisch verwilderten Vorhof oder Becken hinab (welchen
man mit Wasser voll lassen kann), bis man dann noch tiefer in der
Felsenschlucht über eine Stiege abwärts zur kühlen, frischen Quelle
kommt. Ich wusch mir die Augen mit diesem wunderbaren Wasser,
eingedenk des Blindgebornen, den Jesus durch diese Quelle heilte. Hin=
über an der andern Seite des Berges liegt das Dorf Siloha, etwa
30 Häuser stark. Doch immer noch ein Andenken aus der alten Ju=
denzeit. An der Seite dieses Dorfes, abwärts dem Thale zu, waren
einst die prächtigen Gärten Salomons. Obschon keine Gärten mehr
nach königlichem Geschmacke, zeugt der Platz noch immer von seiner

einstmaligen schönern Flur. Auch an dem Baume des Propheten
Isaias kamen wir vorüber, das ist der Ort, wo dieser große Prophet,
der Wuth seiner Feinde preisgegeben, zerviertelt wurde. Der Baum
wirklich von ungeheuerem Alter, wird von den Türken sehr würdevoll
bewahrt. Er ist mit einer Steinmauer gleich einem Piedestal unterstützt.
Er ist ein Oelbaum, die ein ungeheures Alter erreichen. Der Baum,
auf dem Berge Morja, in dessen Aeste sich der Widder verhängte, als
Abraham Gott das Opfer seines Sohnes Isaaks bringen wollte, ist
auch ein Oelbaum, und wenigstens von seiner Wurzel austreibend,
immer noch derselbe. Er stand ein sehr großer alter Baum da; die
Soldaten des Ibrahim Pascha hieben ihn aber in den dreißiger Jahren
um, und gegenwärtig sieht man sein allseitiges Emporsproßen aus ver=
wirrter Wurzelmenge. Zum Theil ist er schon wieder als Baum her=
angewachsen. Die schismatischen Kopten bewahren ihn. Wir kamen
ferner in das Thal Josafat, durch welches der Bach Kidron fließt, ein
Bergstrom, dessen Quelle im Sommer versiegt, und die Steinfurche
seines Bettes trocken zeigt. Der Weg aus der Stadt in dieses Thal
ist von den Juden sehr gut erhalten. Sie haben eine eigentliche Straße
über den etwas hohen Berg herab angelegt, um ihre Todten hier
herunter zu tragen. Wohin man schaut, sieht man Grabsteine mit In=
schriften, einen an den andern. Die drei bekannten Grabmäler aus
der alten Geschichte stehen noch ganz wohlbehalten da: das Grab
Absolons, Zachariä und Josafats des Königs. Die Echtheit dieser
Denkmäler aus der ältesten Zeit wird häufig sehr bestritten. Warum?
**Um selbst den geschichtlichen Glauben durch Zweifel
an die Echtheit des Bestehenden zu schütteln.** Nur
Schade, daß diese Arbeit fruchtlos ist, besonders wenn die forschen=
den Zweifel nichts Bestimmteres als ihre Hypothesen aufzuführen haben.
Die bildliche Darstellung dieser Grabmäler im Thale Josafat las ich
in einer der vorzüglichsten Beschreibungen ganz unrichtig, oder sie
hätten sich seither, so wie ich sie sehe, sehr geändert; auch gibt es kein
viertes Grab, wohin sich der heil. Jakobus verbarg, es war offenbar
das Grab des Zacharias, weil dieß das einzige offen ist, um hinein=
gehen zu können. Es ist auch so nett mit Säulen ausgearbeitet, daß
man gleich darinen wohnen möchte, um bei dem ersten Posaunenschall
beihanden zu sein. Das Grab Josafats ist gänzlich verschlossen. Das
Grab Absolons, welches das größte und schönste, beiläufig thurm=
artig gebaut ist, hat obenzu gezierte Oeffnungen, wohinein zu allen

Zeiten die Vorübergehenden einen Stein warfen, zum Zeichen ihrer Verfluchung des rebellischen Sohnes Davids. Dieß ist zum Anschauen wahr; denn das Grabmal, so hoch und weit es dasteht, so ist es voll von Steinen. Ueber die Bauzeit dieses Grabmales wird überaus viel gestritten; indeß sich die Sache ganz einfach von selber gibt, so wie sie ist. Denn sammt aller Baukenntniß kommt doch nichts anderes heraus, als daß der Bau von der ältesten Zeit her ist, und daß die heil. Schrift sagt: daß sich Absolon selbst noch bei Lebzeiten ein Grabmal baute. Warum soll es denn nicht durch Verbesserung und Erhaltung auf unsere Zeiten gekommen sein? — Die Steine werden ja nicht mürbe, und diese Bauart gleicht auch ganz und gar nicht einem Häuschen von Kalk und Ziegeln, was die Zeit verwittert. Merkwürdig bleibt ein Baum, in der Größe eines Alpenknieholzes, welcher ganz oben an der Spitze dieses festen Steingebäudes herauswächst und grünt. Ich las den Herrn von Chateaubriand, Baron Geramb und Lamartine in der Original-Ausgabe der französischen Sprache, und weiß, wie wohlbesonnen und getreu sich diese achtungsvollen Herren sowohl im geschichtlichen Interesse als in christlicher Religionsmeinung äußern; daher kann ich aber auch nicht umhin, meine Bemerkung über die Bemerkungen eines deutschen Uebersetzers des Herrn v. Chateaubriand laut werden zu lassen. Dr. Haßler sagt in einer seiner Anmerkungen über die Worte des Propheten Joël: „Ich werde alle Völker der Erde um mich her versammeln, und sie in das Thal Josafat führen, und da mit ihnen die Sache wegen meines Volkes und Erbtheils Israel ausmachen, daß sie mein Volk unter die Heiden zerstreut, und sein Land getheilt haben." „„Was für Erklärungen und Folgerungen haben uns ältere Commentatoren ohne hinlängliche Sprachkunde oft aufgebürdet? Wo ist da vom allgemeinen Weltengerichte die Rede? Wie albern ist die Citation nach dem Thale Josafat, wäre sie auch nicht boshaft?"" Soll es einem, bei solchem Verstande der Dinge, nicht leid thun, daß es ein Deutscher ist, der das herrliche Werk eines Herrn v. Chateaubriand in unsere Sprache übertrug, um die einfach großartigen Ansichten der Wahrheit gemäß, so wie sie ist, mit unverständigen Sophismen zu überfüllen, und dadurch der deutschen Nation den hohen Genuß eines solchen Werkes zu verdächtigen! Das Thal Josafat, so klein es ist, wird die Menschenmenge sehr wohl fassen sammt dem Platz des Richters, der ganz gewiß irgend eine örtliche Vorstellung behauptet.

Warum soll sich dieser nicht erheben aus dem Steine im Bache Cedron, der die Eindrücke des hinabgestürzten Heilandes trägt, um die Ursachen, die Folgen dieses Sturzes allen Völkern kund zu geben, und sie zu richten vor dem ewigen Throne? Bergebens bis an's Ende der Zeiten werden Jene, die das allgemeine Gericht fürchten, dagegen streiten. Auch entsteht es ja erst, nach den Worten des Evangeliums, nach zerstörtem Berg und Thal, der Raum wird frei und luftig genug sein, um die Geister mit ihren wiedererstandenen Leibern von der Schöpfung bis zur Umwandlung zu theilen. Die mitgetheilte Erkenntniß Gottes wird eines Jeden Urtheil klar bestimmen, und das Gericht verkürzen. Das Thal Josafat hieß auch einstens das Cedern-Thal, wovon wohl der Bach seinen Namen mag bekommen haben. Gegenwärtig sieht man jedoch auch nicht einmal eine Spur von einer Ceder. Der Spazierweg mit Pater Sebastian war für heute reichhaltig genug; wir gingen über Gethsemane durch's Stefansthor in die Stadt und schloßen ihn in der Flagelations-Kapelle, die wir noch besuchten. Diese Kapelle, die den Geißlungsplatz des Herrn bezeichnet, ist sehr würdevoll in all ihren Einfassungen von Mauern und ihrer eremitenmäßigen Umgebung, mit einem kleinen Gärtchen, gehalten. Die Kirche ist hell und schön, mit guten Gemälden, das Leiden Jesu Christi vorstellend, geziert. Drei Pfeiler zeigt man noch von der alten Zeit. In der Kapelle, die jedoch verworfen und geweißt ist, sieht man außerhalb noch mehrere alte Steinwände. Der unweit davon auf einer Erhöhung stehende Pallast des Herodes, dessen entferntere Gebäude mit den Gerichts-Gebäuden des Pilatus zusammenstießen, ze'gen noch ihre meisten Mauern aus der Zeit des alten Jerusalems. Dieser einstmalige so große Pallast steht unbenützt bloß als Ruine da. Aus dem Gärtchen bei der Flagelations-Kapelle werde ich Blumen mit nach Gratz bringen, denn der gute Bruder, der sie bewacht, gibt mir jedesmal welche mit, wenn ich hierher komme, und besonders feingeblätterten wohlriechenden Rosmarin.

# Hundertundachter Brief.

## An Bruder Zeno.

Jerusalem, den 20. März 1848.

Morgen ist meine Reise nach Bethlehem festgesetzt, daher habe ich mir für heute nichts Besonderes mehr vorgenommen, und ging nach dem Morgen-Gottesdienste auf mein Zimmer; doch däuchte es mir mit der Zeit ein wenig kalt darinen, und ich machte mich auf, um vor das Sionsthor zu gehen, und mich in der Sonne zu wärmen. Auf dem Wege dahin kommt man bei St. Jakob vorüber, der Enthauptungsplatz des Verwandten Jesu Christi, den der Herr würdigte, daß er ihm ähnlich sah, so daß Judas das Zeichen des Kusses angab, „den, welchen ich küssen werde, den ergreift;“ damit nicht Jakobus für Jesum, den er überall hin begleitete, gefangen würde. Dieser heilige Jakob wurde dann auch der erste Patriarch von Jerusalem, und an diesem Platze enthauptet, wo nun eine schöne Kirche und ein großes Kloster steht, welches den Armeniern gehört. Es ist nicht sehr lange her, daß Kirche und Kloster den Lateinern gehörte; die Armenier mußten sich den Lateinern, deren nicht so viele in Jerusalem waren, um das Kloster zu besetzen, so anzuschmiegen und ihnen die Vereinigung mit ihnen zu versprechen, daß diese auf das hin, ihnen Kirche und Kloster überließen. Als sie aber nun einmal darinen waren, betrachteten sie selbes als ihr Eigenthum, und von einer Vereinigung mit der lateinischen Kirche ist seither keine Rede mehr. Was die eigentlichen Glaubenssätze der heil. Kirche betrifft, sind die Armenier mehr schismatisch als die Griechen, doch haben sie mehr Gutmüthigkeit, mehr Ordnung; sie sehen wirklichen Ordensständen gleich. Ihr Costüme ist ein weiter schwarzer Mantel, und eine sehr hohe, umfangreiche Kapuzkappe. Sie sehen aus wie die alten Zauberer; oder im guten Ton, wie man sich etwa einen wohlgekleideten Ur-Einsiedler vorstellen mag. Es sind ernste und doch freundliche Leute; ich mag sie nicht ungern sehen. Ihre Kirchen sind alle sehr rein und geschmackvoll gehalten, besonders die große zu St. Jakob. Die äußere Form und Einrichtung

derselben, auch was die Altäre betrifft, ist der unsern weit ähnlicher,
als die der Griechen. Säulen und Wände haben sie gerne mit blauem
Porzellain ausgetäfelt, den Boden mit Mosaik bedeckt, und viele Ta-
peten und Bilder. Das Sanctuarium des h. Jakobus, das ist der
Ort seiner Enthauptung, macht links von der Kirche hinein eine kleine
Kapelle, ich kann darinen sehr andächtig sein; hielt mich auch eine
geraume Zeit in der gräulichen Betrachtung einer Enthauptung auf,
da ich das gut gemalte Haupt des h. Jakobus vor mir ansah. Im
Herausgehen sah ich die vielen Fresco-Gemälde in der Gallerie um
die Kirche an, welche wahrlich nicht sehr anmuthig gemahlt sind; als
ich mir aber die vielen Abarten der schismatischen Ordnungen vorstellte,
wodurch die Einheit der Lehre Jesu Christi so sehr entstellt wird, so
gewannen diese Heiligenbilder für mein Auge immer mehr und mehr
dämonischen Ausdruck, so daß ich im eigentlichen Sinne des Wortes
davonlief, um von ihnen weg auf die Gasse zu kommen. Statt zum
Sionsthore hinaus, ging ich die gerade Straße weiter, um zu sehen,
wie es denn in diesem Theile der Stadt aussehe, der ganz leer, gleich
einem verwüsteten Gartenfelde dasteht. Weiter hinab kam ich zu einer
Reihe kleiner Steinhüttchen. Hier in diesem ganz unbewohnten Stadt-
theile, in diesen mehr Erdhöhlen als Häuschen ähnlichen Hütten, wohnen die unglücklichen Aussätzigen, deren es auch heut zu Tage noch
in Jerusalem sehr viele gibt. Es darf einem nicht wundern, wenn
gleich neun zugleich zu dem Herrn Jesus kamen, um ihn um Heilung
zu bitten. Sie sitzen sehr häufig in den Straßen herum, um zu bet-
teln, und sehen furchtbar ekelhaft aus. Fast um die ganze Stadt immer
der Ringmauer herum ist eine bedeutende Strecke Grund ganz unbenützt.
Wie viele Häuser könnten hier noch gebaut werden, wie viele Gärten
angelegt, wie viele Menschen leben! Mit der häufigen Gartenanlage
hat es denn freilich, wegen Mangel an Wasser, seine Hindernisse. Die
Spalieren der indischen Feigencactus geben indeß einen freundlichen
Ersatz. Man geht auf dieser Seite, oder vielmehr überall, wo nicht
für die Gegenwart bewohnte Häuser und Straßen gebaut sind, auf
ganze Hügeln von Schutt des alten Jerusalems. Wer Athen und
Jerusalem nicht gesehen hat, der weiß nicht, wie enge Vergangenheit und Gegenwart, Geschichte und Oertlichkeit sich verbinden, um
sich dem Beschauer leserlich zu machen. Als ich in meinen
Betrachtungen und Vorstellungen von der Zerstörung Jerusalems auf
diesen Hügeln herumstieg, sah ich mehrere hinausgeworfene todte Hunde

und Katzen offen der Verwesung Preis gegeben. Auch selbst in den gangbaren Gassen der Stadt habe ich in den erstern Tagen meines Hierseins derlei liegen gesehen. Wie offenbar einem diese Ekelhaftigkeit als Ursache der Pest vor Augen steht! Ich dachte selbst, die Sache müsse in der Luft stecken; doch ich getraue mich nach empfindlicher Fühlbarkeit für die Luft zu behaupten, daß diese mit ihrer Reinheit weder in Syrien noch in Egypten die Schuld an der Pest trägt. Ich vernahm jedoch sogleich, als ich nach Hause kam, daß in Syrien so gut wie in Egypten der strenge Befehl statthabe, kein Aas uneingegraben verfaulen zu lassen. So gut aber, wie in der ganzen Welt, so gut werden auch hier in Jerusalem die strengsten Gebote so manchmal übertreten, oder sie bleiben gar unbeachtet, so braucht man sie nicht zu übertreten. Auch ist wohl die Gewohnheit einer verjährten Landessitte etwas schwer, so ganz ohne Verstoß abzulegen. Als ich mich wendete, um meinen Rückweg zu suchen, sah ich einen Juden sinnend auf einem Schutthügel stehen. „Mein Freund, wie viel Uhr ist es, und wo komme ich da hin? ich zeigte ihm rechts hinab. In die Judenstadt, sagte er. Das war mir eben recht, denn ich hatte sie noch nicht gesehen. Ich fragte Einiges über die Juden und ihre gegenwärtigen Verhältnisse in Jerusalem. Der gute Mensch wurde ganz warm. Er sprach italienisch, klagte über der Juden Loos sehr erbärmlich, und lobte die Christen mit ihrem Kloster, in dem so viele Arme und Nothleidende Brot und Unterstützung finden. Ich selbst, sagte er, wäre ohne ihrer Hilfe schon mehreremale mit meinen Kindern dem Hungertode Preis gegeben gewesen. Ich meinte: die Juden könnten nichts Gescheiteres thun, als alle zusammen in's Christenthum überzutreten, denn daß sie vergebens auf ihren Messias warten, für das sind sie doch vernünftig genug, um es einzusehen. „Ja wohl,“ sagte der Jude, „es sind ihrer auch sehr Viele, die so denken, wenn nur endlich einmal Jerusalem wieder in der Christen Hände käme, wäre es schon fast immer für eine Nation.“ Ich fragte, was die Juden dazu sagen möchten, wenn die Christen kämen, um die heil. Orte zu besetzen, ob sie nicht dagegen streiten würden. „O nein,“ sagte der Jude ganz freudig; „wir würden gerne in ihre Hände arbeiten.“ „Nun recht so,“ sagte ich, „haltet euch nur recht standhaft, wir werden schon kommen.“ Unter solchen Gesprächen ging ich mit dem Manne in die Judenstadt. Wahrlich, ich war froh, wieder herausgekommen zu sein. Was je einmal über den Gestank in der Judenstadt gesagt wurde, es ist nicht übertrieben. Woher? das weiß ich nicht. Die Gassen sind schmutzig, das hab' ich gesehen. Doch sollen die Speisen bei den Juden mit besonderer Reinlichkeit und Nettigkeit bereitet werden. Ich hörte schon öfter sagen von Leuten in der casa nuova, die es wissen: Wenn man gut und reinlich speisen will, muß man zu den Juden gehen. Weißes Brot habe ich selbst gesehen, so schön, daß ich kein gleiches kenne; obschon ich dem Klosterbrote alle Ehre muß wider= fahren lassen, welches bedeutend weißer und feiner ist, wie unsere steirischen Semmeln. Aus der Judenstadt kam ich durch eine andere Stadtseite wieder in das Christenviertel. Ich begegnete einem von meinen zwei sichtbaren Schutzengeln in Jerusalem. Es war der Pius, der andere heißt Josef. Das sind zwei gleich große, liebenswürdige Knaben von etwa vierzehn Jahren, vernünftig und bescheiden im Um= gange, gleich gediegenen Männern. Sie sind christliche Araber. Josef wurde mir gleich am zweiten Tage vom Kloster aus zugeschickt, um mir als Cicerone zu dienen. Der gute Junge führte mich überall hin, wo er nur immer etwas wußte; meist vor der Stadt, lief über Stock und Stein, Berg auf und ab, um ja gewiß alle alten Gräber aufzu= finden, und freute sich, wenn ich ihm so nachstieg, und manchmal über einen Felsstein springen mußte, um weiter zu kommen. Auf diesen Wanderungen sah ich auch das Kirchlein Samuels, welches als tür= kische Moschee verwendet wird. Pius ist Josefs Freund und beide Knaben beeifern sich, mir ihre Freundschaft zu bezeigen; ich bin ihnen auch beiden sehr gut. Pius begegnete mir nun, und führte mich eine Zeitlang durch die Stadt, um merkwürdige Häuser aufzusuchen. Vor Allem muß ich Dir aber dießmal noch das Gefängniß Petri erwähnen, mit alten eisernen Haken, woraus ihn der Engel des Herrn führte, bis er an das Haus des h. Markus kam, an dessen Stelle eine Kirche steht. Das Haus Maria, der Mutter Markus, wird als Haus ge= zeigt und bewohnt. Das Haus des Zebedäus ist eine griechische Kirche. Das Haus des Apostel Thomas, der ein begüterter Mann war, ist eine syrianische Kirche. Die Syrianer sind eine ganz gutmü= thige sanfte Secte. Die Stelle, wo Jesus den drei Marien erschien, ist mit einem schönen festgebauten Hause bezeichnet, und heißt das Haus der drei Marien.

# Hundertundneunter Brief.

## An den hochw. Herrn Gubernialrath J. N. K.

Bethlehem, den 22. März 1848.

Hic de Virgine Maria Jesus Christus natus est.\*) Der große schwer gold'ne Stern, der diese Inschrift trug, und den heil. Ort bekanntermaßen seit dem fünfzehnten Jahrhunderte bezeichnete, ist seit Ende October im vorigen Jahre gewaltsam aus der Marmorplatte, die nunmehr nur seine Spuren trägt, herausgerissen und geraubt worden. Vor mehr als hundert Jahren wurde er von den Lateinern renovirt, und diente Christen und Türken von nah' und von ferne zur Auferbauung und frommer Bewahrung des heil. Ortes. Die Türken glauben und behaupten so fest, daß der bei ihnen geehrte Prophet Jesus zu Bethlehem in einem Stalle, und das an dem bezeichneten Orte, von einer Jungfrau geboren wurde, daß einer nicht gut ankäme, hier einen Widerspruch zu äußern. Ueberhaupt kann es ein Christ von einem etwas distinguirten Türken bald hören: „Ich kenne deine Jungfrau Maria besser als du." Demohngeachtet läßt sich von den Türken doch keine Satisfaction über den entwendeten Stern ermitteln. Daß ihn die schismatischen Griechen weggenommen, hauptsächlich um die Lateiner gegen sie zu reizen, um mit ihnen in einen ersehnten Baruffa ausbrechen zu können, das ist gewiß. Die Türken wollen sich jedoch bei allem europäischen Consulats-Aufgebot, die Sache zu untersuchen, nicht einlassen. \*) Theils mag es ihnen nicht bedeutend genug sein, theils aber sind sie zu klug, sich gegen die Griechen zu stellen, deren nicht wenige im Lande sind, und die sie nach eigener Aussage als Unterthanen berücksichtigen müssen. Auch ist über alles das, griechische Großmuth, ihre türkischen Beschützer für ihre Absichten zu gewinnen, mit der lateinischen Armuth, die vollauf zu thun

---

\*) Hier ist von Marien der Jungfrau geboren Jesus Christus.

\*\*) Man will wissen, daß der Stern in irgend einer griechischen Kirche im Gebrauche ist.

hat, die geforderten, nothwendigen Gaben abzuliefern, in keinen Ver=
gleich zu stellen. Kurz der Stern ist zum Bedauern der europäi=
schen Christengemeinde verschwunden. Immerhin ein Verlust frommer
Ehrenbezeugung, doch entbehrlich, wenn sonst weiter an der Sache
nichts wäre, als daß der Stern nicht da ist. Daß aber hierun=
ter mehr verborgen liegt, zeigt ein mehr als unbedeutender
Auftritt, den ich Euer Gnaden getreu erzählen werde, so wie ich
ihn in der gegenwärtigen Begebenheit letzter Tage von den betheilig=
ten Personen selber weiß. Noch sind es nicht acht Tage, als die
gewöhnliche tägliche Prozession an dem Sanctuarium ihre feierlichen
Hymnen sang. Am heil. Orte selbst verweilend, kamen auf einmal
unverhofft und unversehens die Griechen über ihre Stiege herab, die
rechts im Ecke neben dem Sanctuarium in die Sakristei führt, beschimpf=
ten die Unsrigen mit losgebrochener Wuth, und fielen über die Paters
mit Knitteln und Mordgewehren her, um sie von der heil. Stelle zu
vertreiben. Den Schrecken der wenigen frommen Frauen, welche die
Prozession begleiteten, kann man sich denken. Die Mutter der Mater
Elisabeth, bei der ich hier in Bethlehem wohne, Madame Guerra, kann
sich bis heute von ihrem Fieber über diesen Schreck nicht erholen. Die
guten Frauen suchten den Ausgang zu finden, so schnell sie konnten.
Zwei Paters wurden sogleich verwundet, und konnten sich kaum durch
die Flucht retten. Der Pfarrer, Pater Hermenegildis, ein junger rüstiger
Mann, der die Prozession anführte, bestand seinen heiligen Posten,
und redete die Griechen an, mit den Worten: „Bedenket doch die heil.
Stelle, die ihr durch unsere Verfolgung entweiht. Ihr wollt Priester
der Kirche Jesu Christi sein, so wie wir, und glaubt, daß der Heiland
der Welt hier geboren wurde, so wie wir; so ehret denn den heiligen
Ort, und suchet uns draußen im Kloster auf, wenn ihr etwas gegen
uns vorzubringen habt." Diese muthvolle und vernünftige Rede, die
von den wenigsten, die ein bischen italienisch verstehen, aufgefaßt wur=
den, entbot ihnen gerade den erwünschten Widerstand. Alle übrigen
Lateiner hatten sich indessen geflüchtet, und so hatten sie denn den
Pfarrer allein unter sich, und das nach vollem Sinne des Wortes.
Sie brachten ihn bald zu Boden, um ihn zu schlagen, zu stoßen und
mit Füßen zu treten. Wie durch ein Wunder entkam er ihren Händen.
Die zwei andern verwundeten Ordensbrüder wurden noch denselben
Abend auf Eseln nach Jerusalem in's Kloster gebracht, welche der
Quardian selbst begleitete, um die nothwendige Anzeige zu machen,

der sich dabei so alterirte, daß der gute Herr noch am heftigen Fieber
leidet; der Pfarrer war aber dermaßen zugerichtet, nebst einer gefährlichen Kopfwunde, daß er nicht transporirt werden konnte. Er mußte
warten, bis der Doctor von Jerusalem zu ihm nach Bethlehem kam.
Nach einigen Tagen war die Gesahr vorüber und nun geht er schon
der Genesung entgegen. Des andern Tages Früh war der griechische
Bischof aus dem Kloster entschwunden, die Andern hielten sich ferne,
und fragten im Stillen, ob sich denn die Lateiner nicht zu rächen ge-
dächten. Die Lateiner aber, die eigentlich wahren Christen, des Dul-
dens und Verzeihens kundig, halten sich, als wäre nicht im mindesten
etwas vorgefallen, und hielten Tag's darauf so wie heute ihre Prozession zur heil. Geburtsstätte des Heilandes mit Hymnen und Lobge-
sängen des Herrn. Das ist eine wahre offenbare Geschichte, um zu
wissen, was die ehrw. Väter, die wenigen Christen im heil. Lande, von
ihren Verfolgern zu erdulden haben, ohne daß sich in Europa Jemand
darum bekümmert, um eine wesentliche Abhilfe zu leisten, die bloß in
einigen Rechtsbehauptungen bestünde. Hätte man durch die Jahre her
mit den Summen, die aus Sammlungen frommer Gläubigen abgeschickt wurden, im Vertrage mit der Pforte ein Stück Land, ein Haus
nach dem andern gekauft, ganz Palästina mit seinen bedeutenden Ortschaften dürfte zum Segen der ganzen Landescultur, in den segensreichen Händen der Kirche Gottes stehen, und die Christen, obgleich türkische Unterthanen, würden sich freundschaftlich und freier im Lande
bewegen. Ich hatte selbst schon Gelegenheit, mich überzeugt zu halten,
daß der Türke nichts weniger als gleichgültig über den wesentlichen
Nutzen und über die W a h r h e i t  d e s  G l a u b e n s  hinwegblickt. Ich
hoffe noch mehrere Gelegenheits=Ereignisse aufzufinden, um Euer Gnaden etwas Näheres und Genaueres, durch Thatsachen beleuchtet, über
den Standpunct der europäischen Christen im heil. Lande mitzutheilen;
denn so genau und richtig die Missionsberichte der terra santa lauten,
und man sich nichts einfach Wahreres denken kann, als die Briefe
unserer deutschen Paters, besonders die, welche erst abgeschickt werden
sollen, um im Drucke bekannt gegeben zu werden; so werden darinen
aus Bescheidenheit, Selbstverläugnung und gewohnter Nichtklage,
n i e m a l s  die Dinge so dargestellt, wie sie eigentlich sich verhalten.
Obschon von den Schismatikern empfindlich verfolgt, hört man sie
niemals dagegen murren, nicht einmal klagen. Die rüstigen Männer in
Bethlehem, deren sich bei zweitausend zählen im Christenthume, ihrer

Kraft bewußt, zucken nur darum, um sich mit ihren schismatischen Ver=
folgern zu messen. „Unser Tausend," sagen sie, „nehmen zehntausend ganz
sicher auf sich." Doch vom geistlichen Gehorsam zurückgehalten, lassen
sie sich geduldig all' die Neckereien gefallen, mit denen man sie zum
Zorne reizen will; um einmal sagen zu können: „Die Lateiner haben
angefangen, sie haben dieß und jenes gethan."

---

## Hundertundzehnter Brief.

### An den Herrn Cameralrath L. und seine Frau.

Bethlehem, den 23. März 1848.

Ganz sicher rechne ich darauf, Ihnen und Ihrer lieben Frau keine
größere Freude machen zu können, als Sie von Bethlehem aus zu
grüßen. Den 21. um 3 Uhr Nachmittags machte ich mich mit dem
Klosterboten von Jerusalem nach Bethlehem auf den Weg; die Straße
dahin ist der schönste und freundlichste Anblick, den man sich in einer etwas
fremdern Form als die unsrige ist, nur vorstellen kann. Sie ist auch
die einzige, die eine halbe Stunde weit nach Art einer europäischen
Straße sich fortschlängelt zwischen den sanften Steinhügeln, mit blu=
migem Grase, und Oel= und Feigenbäumen geziert. Wenn man sich dann
noch denkt: Dieß ist die Straße nach Bethlehem, dann weiß ich wohl
nicht, was man sich Lieblicheres in der Welt vorstellen könnte. In
dieser Ueberzeugung ging ich seelenfroh mit meinem Mucker und seinem
bepackten Esel, der eine Menge Bedürfnisse von St. Salvator nach
Bethlehem in's Kloster trug, zum bab el Kalil, das ist zum Pilger=
thor hinaus und den Berg hinunter auf den Weg, der mich hinführt
zu den fruchtbaren Hügeln der königlichen Stadt David, in der Gott
selbst der Menschheit Loos auf sich genommen. Ich wählte es auch,
den nur zwei Stunden weiten Weg dahin zu Fuße zu machen. Eine
Viertelstunde von der Stadt kommt man an dem Berge des bösen
Rathes vorüber; das ist der Ort, wo die Pharisäer sich zuerst versam=
melten, um Rath zu halten, wie sie Jesum tödten möchten. Sehr alte

21

Ruinen auf diesem Berge werden als Ueberreste des Schloßes gezeigt, welches Kaiphas hier besaß, und auf welchem die entferntere Raths-sitzung zusammen kam. Rechts in der Ferne auf einem Berge sieht man den Thurm Simeons des Machabäers, des großen Asmonäer-Fürsten, der den Bund mit dem mächtigen Römervolke wieder erneuerte, welchen Judas Machabäus sein großer Vorgänger geschlossen hatte. Die Juden verlebten in dieser Epoche ihre letzte, schöne Zeit in der Geschichte. Bald darauf erschien Herodes Antipater der Fremdling, als eingedrungenes Oberhaupt im Judenlande, darum auch so furcht-sam, daß ihn ein neugeborner König der Juden, den alle Prophe-zeiungen um diese Zeit als Messias zu erwarten andeuteten, von seinem nur zu locker bestellten Throne stürzen könnte. Er war es, der das Geschrei der Mütter um ihre Kinder bis nach Rama ertönen machte. Auf dem halben Wege nach Bethlehem, der eine sehr angenehme gebahnte Straße macht, daß man darauf fahren könnte, findet man von großen Steinen um eine Cisterne ein Zeichen aufgestellt, wo der Stern den Weisen aus dem Morgenlande wieder erschien, um sie nach Bethlehem zu dem neugebornen Heilande zu geleiten, nach-dem sie ihn in Jerusalem verloren hatten, und somit durch ihre Nach-forschungen in der großen Stadt den König und alle Schriftgelehrten aufmerksam machten, daß der Messias angekommen sei. Herodes ließ wohl als Vorkehrungsempfang die Kinder morden, um ihn darunter zu finden. Jedoch die Gelehrten kümmerten sich später nicht mehr, ihn etwa in der Verborgenheit unter dem Volke zu vermuthen, nebst all' seinen ausgezeichneten Wunderwerken. Sie konnten sich den Heiland der Welt nur unter großer Macht und Herrlichkeit eines zeitlichen Ge-winnes vorstellen. Nach der Verschiedenheit menschlicher Ansichten ver-folgten jedoch andere hochgelehrte Männer, deren Wissenschaften bis an die Sterne reichten, und deren Macht und Herrlichkeit auch zeitlichem Gewinn sich anschloß, ihren Weg, froh, durch des Sternes Blinken nicht in die Nacht getäuschter Hoffnungen zu sinken. Von da an wird der Weg wieder sehr steinig. Man kommt an ein griechisches Kloster, dem heil. Propheten Elias gewidmet. An dem Wege, fest wo man vorübergeht, sieht man einen Stein, worauf der heilige Prophet schlief. Es ist ein Fels mit einer ganz gut gezeichneten Höhlung, worin ein großer Mann seine Abbildung erken-nen kann. Es ist dieß einer von jenen merkwürdigen Steineindrücken, deren es so mehrere gibt. Ich setzte mich ein wenig auf diesen Stein,

und lief in Eile die Reihenfolge der Jahre durch, da Elias hinweg-
genommen ward von der Erde gleich dem Henoch, bis heute, da ich
fitze auf dem Steine, welcher der Menschengeschichte jeder Glaubensform zum werthvollen, unversiegbaren Andenken, im Felsen auf dem
Wege, durch eines Menschen Gestalt eingedrückt ist. Bald sieht man
von ferne das freundliche Bethlehem auf seinem Berge. Es verliert
sich jedoch gleich wieder dem Auge, bis man durch die Wendungen
der Gebirge es ganz nahe vor sich hat. Bei einem Felde erzählte mir
mein alter, freundlicher Führer, daß unsere liebe Frau, als sie einmal
hier vorüberging, die Leute, welche auf diesem Acker ceci, das sind
Erbsen, sammelten, bat, ihr welche zu geben, weil sie müde sei und
Hunger habe; denn derlei Gegenstände, als: grüne Erbsen, Gurken
und andere Wurzel und Kräuter werden hier zu Lande roh, wie sie
wachsen, gegessen. Die Leute aber sagten: „Das sind keine ceci,
das sind nur Steine." Die Jungfrau ging mit Thränen in den Augen, über die Böswilligkeit der Menschen, weiter, und die Leute hatten
statt ihrer ceci, lauter Steinchen, welche man heut zu Tage auf diesem Felde noch findet. Es ist ein unbebautes, wüstes Feld;
weder Türken noch Christen benützen es. Was Sie von dieser
Erbsengeschichte auch denken mögen; genug, der gute Alte und ich
suchten, und wir fanden fünf solcher Steinkügelchen, die jeder Mensch
als Erbsen erkennt. Wenn ich nach den göttlichen Anordnungen
wieder nach Gratz komme, werde ich sie Ihnen zeigen. Nicht weit
mehr von hier, und ich trat durch Bethlehems Thor. Man durch-
zieht die ganze Stadt, die ihrer Größe nach einem Marktflecken
gleicht, bis an's andere Thor. Die einfachen kurzen Andeutungen des
Evangeliums stimmen mit der Oertlichkeit so genau überein, daß man
sich selbst mitten in die damalige Gegenwart versetzt meint. Einige
hundert Schritte vor der Stadt kommt man zu dem Kloster. Es ist
ein großes Haus, welches die Kirche St. Helena über jenen Stall zu
Bethlehem einschließt, in dem der Heiland zu uns Menschen von dem
Himmel herabkam. In diesem Heiligthume werden täglich zwei heil.
Messen gelesen, um fünf und sieben Uhr Früh; doch nicht am eigentlichen Sanctuarium. Dieses haben die Griechen den Lateinern so abgestritten, daß sie sogar das Recht ablegen mußten, an dem h. Orte
zu celebriren. Die Lateiner haben ihren ganz kleinen, aber auch sehr
niedlichen und würdevollen Altar an der Stelle, wo die Krippe stand,
und bewahren an diesem Orte auch den Stein, worauf die h. Jung-

21 *

frau mit dem Kinde Jesu saß, als die h. drei Könige dem Könige des Himmels und der Erde ihre Huldigung brachten.

---

## Hundertundeilfter Brief.

### An Bruder Zeno.

Bethlehem, den 25. März 1848.

Wie es einem wohl wird in der Grotte zu Bethlehem, in der das Licht zur Welt gekommen, das läßt sich nur empfinden, doch niemals beschreiben. Die Völker aller Nationen seit allen Zeiten bezeichnen diesen Ort als den im Evangelio angezeigten. Kostbare Seidenstoffe verhüllen die Felsenwand, und fünfzig immer brennende silberne Lampen erleuchten das dunkle Gewölbe, über welches die Prachtkirche, noch aus der Zeit der Kaiserin Helena, gebaut ist. Diese zu den schönsten Gebäuden gehörige Kirche ist nach der Form der Kirche Maria maggiore in Rom gebaut, mit einem Säulengange von 42 Säulen, jede aus einem Marmorstück gehauen, die das Schiff der Kirche in drei Abtheilungen bringen. Einen nach Art der Kirchen schön bemalten Plafond hat sie nicht, denn sie zeigt das rohe Gerüste von Cedernholz, mit welchem sie gedeckt ist; dafür besitzen die Seitenwände ober den prächtigen Marmorsäulen wunderschöne geschichtliche Gemälde, welche zugleich ein geschichtliches Bild der religiös-griechischen Geistescultur darbieten; denn was ihren Glaubens-Ansichten nicht entsprach, haben sie den Lateinern entgegen, von denen die Gemälde herstammen, und die freilich Manches enthalten, dem sie widersprechen, verweist, so, daß der Kalk manches halbe Gemälde deckt, und noch zeigt. Eben so haben sie die großartige Kirchenhalle von dem Presbyterium, welches ober dem Stalle gebaut ist, abgemauert, daß man diese leere Halle gegenwärtig ganz füglich mit ihren Säulen für einen großen Pferdestall mit beiderseitigen Barmen ansehen könnte. Wäre diese Kirche ihrem Rechte gemäß im lateinischen Besitze, welche Majestät würde sie bieten! Wer bekümmert sich jedoch in ganz Europa darum? weder mit Wort noch mit That! Das sind Klei-

nigkeiten im Geiste Gottes; wenn nur Jedweder seine
Kleinigkeiten in seinem Zimmer wohl arrangirt hat!
— Die Fermane des Eigenthums-Rechtes an die Lateiner sind bei
den Türken vorhanden, wenn sich einmal irgend eine europäische Macht
darum anfragte, die Türken gäben es heraus; und die Kirche Gottes
hätte mehr gewonnen ohne Kreuzzüge und ohne Türkenkrieg, als mit
jener schlummernden Abstraction von allen Gegenständen, die mit der
Zeit sich selbst sammt allen Rechten einbüßt. Wenn sich Niemand
eigentlich darum bekümmert, ist es den Türken auch nicht zu verargen,
wenn sie mit dem Verlaufe der Zeiten dem listigen Andrange der
Griechen nachgeben, die, ein großes Volk, als Unterthanen in ihrem
Lande wohnen. — Das abgeschlossene Presbyterium, ebenfalls sehr
groß, ist in drei Theile abgetheilt; für die Griechen, Armenier und
Kopten. Die Lateiner haben seitwärts eine eigene lange, schmale Kapelle, um ihren Gottesdienst zu halten. Man sieht ihr's an, daß sie
nur so eine Interims-Anstellung hat; doch kann ich Dich versichern,
theurer Bruder! daß ich niemals in meinem Leben eine so anhaltend
tiefe Andacht in meiner Seele wahrnahm, wie hier in Bethlehem.
Wenn ich um fünf Uhr zur Frühmesse in die heil. Grotte gehe, und
um sieben Uhr wieder, denn nach jeder Messe muß man mit herauf,
um nicht den andern Glaubens-Confessionen bei ihren Functionen im
Wege zu sein, so weiß ich um acht Uhr noch nicht, wo die Zeit hinkam, wenn mich die gute Schwester Elisabeth, eine Nonne, die in
Bethlehem Schule hält, zum Frühstücke holen läßt. Ich nehme köstlich
schwarzen Kaffeh, und eile wieder in die Kapelle. Durch drei Tage
war das Hochwürdigste ausgesetzt; heute ist ohnehin ein festlicher
Frauentag, es wurde Mittag, ich wußte nicht wie, als man mich
zum Speisen holte. Ich erzähle Dir dieses, um wenigstens auf solche
Weise etwas von meinen überfließenden Seligkeiten an dem heiligen
Orte der Kindheit Jesu mitzutheilen; denn ich gönnte Dir und allen
frommgläubigen Seelen ein Stündlein in Bethlehem, um ihre Andacht
zu pflegen. Und die frommen Patres, wenn man sie ansieht sammt
ihren Laienbrüdern, so erwecken sie Ehrfurcht und Liebe für des Glaubens und des Ortes Heiligkeit! In der Sakristei sah ich nebst einem
ganz kleinen Bilde, die h. Familie vorstellend, (so schön, daß man alle
Kunstgemälde Italiens muß gesehen haben, um es noch von bedeutendem Werthe zu finden), eine kleine Hand, braun vertrocknet, doch
unverwesen, als Reliquie von einem der unschuldigen Kinder, die Hero-

des morden ließ. Von der Kapelle der Lateiner führt eine Stiege in die unterirdischen Gänge und wohlverwahrten Heiligthümer der Vorzeit, über deren Besitz sich das lateinische Kloster allein erfreut. Täglich werden dahin Nachmittags die Prozessionen mit Absingen feierlicher Hymnen gehalten. Jeder Pilger bekommt so wie in der heil. Grabes= kirche zu Jerusalem, wenn er das erstemal mitgeht, eine weiße, schöne Wachskerze, die er zum Andenken behält, oder bei mehreren Prozessio= nen verbrennt. Gewöhnlich bekommt man kleine, gelbe Wachskerzen, denn eine brennende Kerze hat Jeder, der die Prozession begleitet. Man geht von der lateinischen Kapelle über die Stiege in den Gang, wo die Gruft der ermordeten unschuldigen Kinder angezeigt ist. Es geht unter dem Altar eine tiefe Höhlung hinein; darinen hat man auch vor Zeiten das in der Sakristei aufbewahrte Händchen gefunden. Ein Altar bezeichnet den Begräbnißort eines Bischofs Eusebius. Am Ende des Ganges kommt man in die Grotte, die der heil. Hieronymus so lange bewohnte, in der er als wohlberühmter Kirchenvater so Vieles für die heil. Kirche Gottes geschrieben hat. Die Steinbänke erinnern einem lebhaft an seine Gegenwart in dieser seiner einstmaligen Behau= sung. Ein Altar mit dem Bilde des Heiligen ziert die Grotte, die mich, überaus ergreifend in tiefer Verehrung geschichtlicher Wahrheit, in Anspruch nahm. In einer andern Wendung des Ganges ist sein Begräbnißplatz angezeigt; und unweit davon derjenige der heil. Paula und ihrer Tochter Eustachia. Die Gebeine dieser beiden vornehmen Römerinen wurden von ihren Verwandten nach Rom gebracht. Ein Bild, das Mutter und Tochter im Tode vorstellt, bezeichnet den Altar an der Stelle ihres Begräbnisses. Weiter aufwärts kommt man an einen Altar des heil. Vater Josef. Dieser bezeichnet den Ort, wo der heil. Josef im Gebethe verweilte, während das Geheimniß des Mensch gewordenen Sohnes Gottes sich offenbarte. Von da kommt man über eine Stiege in die verehrte Grotte, wo die Krippe des Jesukindleins stand. Es ist rührend, zu sehen, wie nach dem Gottesdienste der Fran= ziskaner=Bruder in seinem Ordenskleide, und ein griechischer oder arme= nischer Sakristan zusammen, dieses Heiligthum von dem hineingetra= genen Staube sorgfältig reinigen, und jeder seine Anzahl von Lam= pen füllt, in denen das Oel im reinen Glase glänzt.

## Hundertundzwölfter Brief.

### An die Frau Baronin B.

Bethlehem, den 25. März 1848.

Da ich weiß, Frau Baronin! daß nur die heil. Geschichte Ihr In=
teresse in Anspruch nimmt, so ist es genug, Sie von Bethlehem aus
zu grüßen, um Ihnen Jesus, Maria und Josef vor Augen zu stellen.
Der heil. Josef hatte vor der Stadt Bethlehem ein Haus, dessen
ausgezeichnet schöne Grundsteine gezeigt werden. Es wachsen sehr
wohlriechende Kräuter, eine Art großer Melissen herum, ich habe mir
zwei Sträußchen zum Andenken mitgenommen. Wie aber die Ueber=
lieferung das Haus Josefs, ehe man in die Stadt kommt, mit der
Geschichte sich vereinbart, das konnte ich noch nicht ermitteln. Die Lan=
deseingebornen sagen: Josef sei von hier aus zur Vermählung mit
Maria berufen worden. Es ist auch ganz wahrscheinlich anzunehmen,
daß Josef in Bethlehem ansäßig war, weil er bei seiner Rückkehr aus
Egypten dort wohnen wollte, wenn er sich nicht vor Archelaus dem
ältesten Sohne Herodes gefürchtet hätte, daß diesem die Ursache des
Kindermordes noch zu neu im Gedächtnisse sein möchte. Auch die
Flucht nach Egypten, die so viele Hypothesen in verschiedene Zeiten
übertragen, ist so ganz anschaulich von Bethlehem weg gleich nach
der Opferung geschehen. Daß Maria Jesum im Tempel zum Opfer
brachte, ist uns evangelisch gewiß, so wie der Traum Josefs, in wel=
chem ein Engel zu ihm sagte: „Nimm die Mutter und das Kind
und fliehe mit ihnen nach Egypten, denn Herodes strebt dem Kinde
nach dem Leben." Eben so evangelisch gewiß sind uns die Worte Si=
meons und Anna im Tempel, die in diesem dargebrachten Kinde einer
Jungfrau laut vor dem Volke den Heiland der Welt verkündeten.
Dieß konnte doch nicht gleich einer unbedeutenden Sache verschwiegen
bleiben. Und wenn man noch den Ueberlieferungs=Umstand dazu nimmt,
daß die Tempelpriester den Zacharias erschlugen in ihrer Wuth, weil
er Mariam als Jungfrau erklärte, so ist es doch klar zu überschauen,
daß eine solche Austritts=Scene dem Herodes nicht verborgen blieb, und
daß es ihm nebst der Anfrage der drei Weisen aus dem Morgenlande

vor Kurzem nun ein wenig zu ernst wurde, einen neugebornen König der Juden unter dem Volke zu wissen. Er wußte bald Rath. Um ihn zu finden, ließ er die Kinder um Bethlehem alle morden. Beweis genug, daß es ihm zum sichern Bewußtsein wurde, daß der König der Juden in Bethlehem geboren wurde. Im Februar hören die Stürme und der Regen schon auf; und Jesus, Maria und Josef konnten ihren Weg durch die Wüste ganz wohl fortsetzen. Die Ueberlieferung behielt sich so manche Geschichte davon auf, z. B. die des Dismas des begnadigten Schächers u. a. m. Die Flucht ist auch recht eilig, schon im größten Nothfalle unternommen worden, dem Zusammenhange der Umstände nach, kaum als sie aus dem Tempel von Jerusalem in Bethlehem ankamen; dieß beweist die zu allen Zeiten bekannte Milchgrotte eine kleine halbe Stunde vor Bethlehem, sie macht eine bedeutend große Höhle in den Fels, und birgt im Rücktheil eine Grotte, worin sich bequem ein sitzender Mensch verbergen kann. Hierher flüchtete sich die heil. Jungfrau mit dem Kinde Jesu vor dem ersten Anfall ihrer Feinde, die mit Wuth dem Kindlein nach dem Leben trachteten. Hier mußte sie hören das Wehklagen und Schreien der Mütter, denen man ihre Söhnlein aus den Armen riß, um sie statt ihrem Sohne zu tödten. War das ein leichtes Loos, die Mutter Gottes auf Erden zu sein? — Die Milch, mit der sie das Kindlein nährte, und die sie gegen die Felsen sprihte, machte ihn weich; so daß mitten in der harten Felsenhöhle der Stein in dieser Grotte wie Pulver zerfällt. Sie heißt auch seit den ältesten Zeiten von allen Nationen und orientalischen Glaubens-Confessionen: „Die Milchgrotte." Diesem Steinpulver wird erprobte arzneiliche Kraft zugeschrieben, und seit den ersten Tagen der Christenheit bis auf heute kommen alle Christen-, Juden-, Griechen- und Türken - Frauen aus Asien, Afrika und Europa, um sich Steine aus der Milchgrotte abzuschlagen, und sie als Pulver zu gebrauchen, wobei jedoch die ganz kleine Grotte in dem Fels bis jetzt noch nichts an ihrer Form verlor. Ich habe sie selbst gesehen und eine freundliche Araberin schlug mir ein ziemlich großes Stück herunter, mit dem Bedeuten, daß von diesem Steine niemals weniger wird, so viel man auch davon wegnehmen möge. Es sei daher auch ungehindert erlaubt, herabzuschlagen, so viel man will. Dieß ist wahr, so wie an andern heil. Orten das Steinabschlagen auf das strengste verboten ist. Die Milchgrotte befindet sich in den Händen der Lateiner und wird fleißig mit Prozessionen besucht. Nebenan sieht

man noch ganz hübsche Grundfesten von einem Kloster der heiligen
Paula, dieser reichen Römerin aus dem Hause der Grachen, die all'
ihre Größe und ihren Reichthum dem Kindlein Jesu zu Bethlehem
in tiefster Verehrung zu Füßen legte. Derlei ehrwürdige Ruinen
sieht man noch mehrere.

## Hundertunddreizehnter Brief.

### An die Frau des Herrn Oberamtmanns M.

Bethlehem, den 26. März 1848.

Hoffentlich eine Freude für Ihre lieben Töchterchen, wenn ich sie mit
mir auf das Hirtenfeld führe, wo die Engeln die Ankunft des Erlösers
verkündeten und sangen: „Ehre sei Gott in der Höhe, und Friede
den Menschen auf Erden, die eines guten Willens sind." Dieses Feld
ist eine halbe Stunde abwärts von Bethlehem, ein kleines niedliches
Thal, grün und voll zarter Blumen, daß man Engeln hier vermuthen
möchte, wenn man auch niemals was von ihnen gehört hätte. Eine
Kapelle und ein Garten machen diesen von der Natur schon auserwähl-
ten Platz noch anmuthiger. Vor siebzehn Jahren gehörte er noch dem
lateinischen Kloster, die Bäume stehen von ihren Händen gepflanzt in
dem Garten. Wie aber eines nach dem andern, so haben die Griechen
auch diesen Ort an sich zu bringen gewußt. Die Kapelle scheint nicht
sehr oft geöffnet zu werden; denn die gute Schwester Elisabeth, die den
Schlüssel bekommen hatte, und die mich hinführte, rief den Aufgebot
des Geistes mit allen guten Meinungen für die Kirche Gottes hervor,
nachdem wir beide unsere körperlichen Kräfte vergebens verwendet hatten. Endlich drehte sich der Schlüssel, und wenn ich mich in einem
griechischen Gebetsorte besser einheimisch finden könnte, so hätte es mir
in dieser sehr alten Kapelle, die entweder zu St. Helenens oder
St. Paulas Zeiten aufgebaut wurde, sehr gut gefallen. Eines Ma-
donnen-Frescogemäldes in vergrößertem Maßstabe, was ich in dieser
Kapelle nicht genug ansehen konnte, werde ich nicht vergessen. Ich
pflückte einige zarte Sträußchen vom Engelsfelde, und prägte mir's

recht tief in's Herz, hier gewesen zu sein. Da ich denn nicht hier verbleiben konnte. Unweit davon ist das Dorf. Alles ist noch ganz so, daß man meinen möchte, die heil. Geschichte hat sich erst heuer zugetragen, so wie sie durch die kirchliche Zeit alljährlich erneuert wird. In dem Dorfe, da ist ein tiefer Brunnen mit einer hohen Steinwand, der mit Stufen versehen ist. Auf dieser Stufe sind zwei Kniebüge und am Brunnenrand einwärts die Finger zweier sich daran haltender Hände eingedrückt. Diese Steineindrücke haben ein Etwas, daß man sie durchaus für nicht gemeißelt erkennen muß. Die Leute erzählten uns: daß die heil. Jungfrau Maria sehr durstend hier um Wasser bat, was man ihr versagte. Sie kniete sich hin, um in den Brunnen hinab zu sehen, was man ihr ebenfalls verwehrte. Darauf ließ sie ihre Eindrücke in den Stein zurück, der weicher war, als der Menschen Herzen. Das Wasser aber wurde faul und stinkend, dunkel und voll Unrath und Insecten, so wie es heute noch zu sehen ist. Bei dem ohnehin großen Mangel an Wasser in diesem heißen Gebirgslande wäre ein so tiefer, reichhaltiger Brunnen mit klarem Wasser von großem Gewinn. Die Leute im Dorfe filtriren sich das Wasser, um es zu gebrauchen. Ueberhaupt ist man hier zu Lande nicht sehr haiklich; ich sah die Araber sich hinlegen am Boden und das nicht sehr reine Wasser einer gesammelten Regenlache mit aller Zufriedenheit trinken. Lina und Hildegard sollen nun die biblische Geschichte ein wenig in die Erinnerung fassen, um mich auf meinen Wanderungen um Bethlehem noch weiter zu begleiten. Zuerst wollen wir noch einen Blick auf mein liebes Engelsfeld zurück werfen, und sich's vorstellen, wie David, der große König David! als Hirtenknabe hier die Heerden seines Vaters weidete. Das Therebintenthal, wo er den Goliath erschlug, und der Bach, aus dem er die fünf Steine in seine Schleuder nahm, ist kaum zwei Stunden weit von hier. Dann wenn man die fruchtbaren Felder betrachtet, wie lebhaft erinnert man sich an die Geschichte der frommen Ruth und des edelmüthigen Booz. Und so viele der zuversichtlichsten Erzählungen aus der Bibel gewinnen an sichern Glaubenswerth, wenn man es weiß und sieht: hier, da, dort hat sich dieß und jenes zugetragen, und wenn man die Orte in so weiter Ferne, wo man die Geschichte kennen lernte, denselben so unverkennbar entsprechend findet! Noch gehen wir eine halbe Stunde seitwärts gegen Jerusalem zu, auf dem Wege nach dem Euphrat zu Rachels Grab, was selbst von den Türken hochverehrt und unter ihrer Pflege erhalten wird. Es ist eine Art nicht sehr kleiner Kapelle, welche den Ort bezeichnet, wo Jakob seine theure, unvergeßliche Rachel begrub.

---

## Hundertundvierzehnter Brief.

### An die Frau des Herrn Gubernial-Secretärs K.

Bethlehem, den 26. März 1848.

Bethlehem, die Fruchtbare genannt. Der Mittelpunct des gelobten Landes, das von Milch uud Honig überfließt. Ich habe schon Mehreres gelesen, wo man sich darüber aufhält, weil man die Gegend heutigen Tages nicht so fruchtbar findet, als man sich's durch ein so ausgezeichnetes Lob der heil. Schrift vorstellt. Man bezog diese Worte daher auch nur vergleichungsweise auf ganz geistigen Bestand, weil der Heiland der Welt hier zu uns auf die Erde kam. Mögen nun die Urtheile hierin sein, wie sie wollen, ich will Ihnen nur erzählen, wie ich es gegenwärtig gefunden. Daß die Landescultur unter dem türkischen Volke im Orient nicht in jenem Flor getrieben wird, wie sie einstmals unter jüdischer Regierung war, das ist ganz gewiß, woraus von sich selbst schon hervorgeht, daß gegenwärtig der Vieh- und Ackerstand mit dem damaligen nicht zu vergleichen sei. Lassen wir die bestbestellten Fluren von Wiesen, Aeckern und Weingärten in unserem cultivirten Europa nur fünfzig Jahre ohne sorgfältiger Pflege, und wir werden sehen, welche Spuren von einstmaliger Cultur sie tragen werden, jene gewiß nicht, deren sich Bethlehem noch heute seit Tausenden von Jahren rühmen kann. Denn unsere Erde ist nicht geeignet, mit so weniger Bemühung von selbst ihre gesegnete Fruchtbarkeit hervorzubringen. Doch darf man den Bethlehemiten die Bemühung und Pflege ihres Erdreichs auch heutigen Tages nicht in Abrede stellen. Die sehr netten Steinmauern, die Felder und Gärten einschließen, geben den sich übereinander wölbenden Bergen und Hügeln einen abwechselnden Anblick, daß man die Gegend um Bethlehem wirklich schön nennen kann. Und fruchtbar? Getreide gibt es genügend. Der Wein ist sehr gut. Die vielen Oel-, Feigen- und Orangenbäume zieren und nähren das Land. Auch an Heerden fehlt es nicht. Man liest besonders oft angemerkt, daß die Bethlehemiten sehr arme Leute sind. Ihren Vermögensbestand habe ich eben nicht erhoben, aber was ich gesehen, das will ich erzählen; daß in Bethlehem die meisten Pilger-Andenken verfertigt werden, das ist gewiß, denn auch Jerusalem bezieht sie von dort, das sind gedrechselte Rosenkränze von Fruchtkörnern, und gemeißelte Perlmutter-Arbeiten, die auf die einfachste Weise mit geringen Werkzeugen verfertigt werden. Ich sah einem solchen Arbeiter zu, und kann mein Erstaunen über seine Leistungen und den geringen Bedarf seiner Zubereitungen nicht genug ausdrücken. Da hat man nicht etwa eine Werkstätte und ganze Maschinerien, um etwas hervorzubringen, ein ganz kleiner Holzklotz, Stemmeisen und Hammer macht den ganzen Bedarf. Die Zeichnungen ihrer Ausarbeitungen sind alle sehr gut. Ich kaufte mir einen heil. Erzengel Michael von Aker ausgestemmt, zum Andenken an diese ganz einfache Manipulation. Die Bethlehemiten arbeiten und handeln fleißig. Und die Kränze von Geld, die ihre Frauen um ihre Köpfe tragen, das schön gefaßte Halsgeschmeide von Gold- und Silbermünzen, die mit Geldsorten reichbehängten Kinderhäubchen, zeigen eben nicht von solcher Armuth, die es verdient, sich in der ganzen Welt berühmt zu machen. Man ist daran, neue Häuser zu bauen. Ich wurde in eines derselben geführt, von dem man sagen kann: das wird ein schönes Haus. Auch sah ich bei einem Besuche eine Bethlehemitin im Hauskleide, das heißt: in ihrem Kleide, ohne Schleier oder Ueberwurf, denn verschleiert gehen die Bethlehemitinen nicht. Sie tragen ihr Gesicht frei und offen vor Gott. Ihre Kleidung ist von einer ganz eigenen ausgezeichneten Art, daß man sie unter allen Frauen des Orients als eine Bethlehemitin erkennt. Keine fremde Tracht mengt sich in Bethlehem ein, aber eben so sieht man auch nirgendswo anders die bethlehemitische Tracht. Nicht in Jerusalem, oder in St. Johann, was doch so nahe liegt, weder bei Dorf- noch bei Stadt-Bewohnerinnen. Ein Kranz von Münzen so wie unsere österreichischen Zwanziger fest an einander gereiht, liegt ober der Stirne um den Kopf. Dieser ist mit einem Käppchen bedeckt, welches Ohrläppchen hat, und an selbem unter dem Kinn gebunden wird, oben an ist ein gefüllter, zwei Finger im Umfange, wurstiger Reif angebracht; wenn nun der Schleier, das ist ein weißes oder hochrothes Tuch, über den Kopf geworfen wird, welches nicht wie bei den Frauen in Jerusalem bis an den Boden reicht, sondern nur den halben Körper deckt und das Gesicht ganz frei läßt, mit Ausnahme der Stirne, über die sich der Schleier legt, wie man gerne eine Madonna malt, so sieht jede dieser Frauen aus, als habe sie einen Kranz auf dem Kopfe, was sich in der Kirche, wenn ihrer viele beisammen sind, auf eine ungemein lieblich imposante Weise ausnimmt. Die weißen Schleier sind mit handbreiten Stickereien geziert, mit sehr mühsamen, ganz eigenen kleinen Stichen, in vielfärbiger Verschiedenheit. Ueber ihre langen blauen Kleider haben sie eine Art Tunika von braun-roth- und gelbgestreiftem Wollenstoffe mit kurzen Aermeln und vorne ganz offen. Die schönsten Menschen auf Gottes Erdboden sieht man unstreitig in Bethlehem. Es ist, als ob Jesus, Maria und Josef zum Andenken an die Nachwelt ihre Schönheit hier gelassen hätten. Männer, Weiber und Kinder sind dermaßen lieblich zu schauen, daß man schon aus dieser Ursache gerne in Bethlehem verweilen möchte. Als ich mich gestern von ohngefähr in der Kirche einmal umsah, wurde es mir ganz heiß und kalt; denn mitten unter den andern sitzenden Frauen stand eine mit ihrem Kinde auf dem Arme, deren jugendliche Schön-heit mit dem Engelsbilde des Kindes nicht anders mein Auge traf, als sähe ich leibhaftig die heil. Jungfrau Maria mit dem Kindlein Jesu. Selbst die alten Frauen haben etwas Angenehmes und Liebliches in ihren länglichen schönen Gesichtszügen. Um würdige Madonnen-Bilder zu malen, müßte man nach Bethlehem gehen, um gute Origi-nalien zu finden. Auch einen heil. Vater Josef würde man, denke ich, am sichersten nach einem Bethlehemiten treffen. Die Männer, wenn man hundert vor seinen Augen hat, sind Alle groß, stark, wohlgebaut und wohlgebildet, schönen Angesichts, edler Züge, adeliger Haltung, voll Kraft und Energie. Ich betrachtete heute im Klostergange einen solchen Bethlehemiten mit einer Reitgerte in der Hand, er begleitete zwei Europäer, welch' edle Haltung, welch' energische Bewegung, gleich einem jungen Kavalier, der aus der Theresianischen Ritterakademie kommt. Die Knaben von zehn bis vierzehn Jahren geben die besten Hoffnungen, daß das gute Aussehen der Bethlehemiten auch noch in Zukunft so verbleibt. Diese Auszeichnung bemerkt man jedoch auffal-lend nur unter der geringen Anzahl der Christen, das ist der Unsri-gen, unter den Griechen herrscht eine gewisse Arroganz und Bitterkeit in ihrer sonst auch ganz anmuthigen Gestalt vor, mit Rechthaberei und selbstgefühltem Unrecht vermischt. Die Characterzüge drücken sich gerne im Spiegel der Seele, das ist im Gesichte ab.

# Hundertundfünfzehnter Brief.

## An den hochwürdigen Herrn Pfarrer Sch.

Bethlehem, den 26. März 1848.

Es ist ein sehr großes Haus, welches die Kirche über Bethlehems Stall einschließt, sammt den Klöstern der Lateiner, Griechen und Armenier, welche alle zu einem kleinen alleinigen, kaum vier Schuh hohen, schmalen Pförtchen aus und ein gehen. Inner diesem Pförtchen dehnt sich der colossale Kirchenraum mit 48 Säulen, jede von einem Stein gehauen, aus. Nur Schade, daß die Griechen ein so schönes Säulengebäude nicht zu benützen wissen, welches sie den Lateinern als ihr rechtmäßiges Eigenthum nicht gönnen, denn nicht nur daß es seit Helenens Zeiten vom Baue aus einen rechtmäßigen Anspruch den Lateinern gibt, sondern es wurde später, was die reichgestickten Fermane, die das Kloster besitzt, beweisen, von christlichen Fürsten förmlich und rechtmäßig mit bar erlegten Summen Geldes für die Lateiner von den Muselmännern erkauft. Wenn die europäischen machthabenden Christen nirgends ihre stille Nachgiebigkeit bei verkürzten Rechten beweisen, so bezeigen sie diese doch gewiß reichlich hinsichtlich der verehrten Glaubensorte in Palästina. Was nützt es denn, sieben der mächtigsten Beschützer zu haben, wenn sich keiner für den Ausspruch des beschützten Eigenthumsrechtes regt, wenn sie alle schlafen, und nicht sehen oder sehen wollen, wenn man den Stamm, dessen Aeste sie sind, umzugraben versucht! Sie werden mit ihm fallen, wollen sie es? — Die Griechen sind den Lateinern sehr abhold, wenn sie viele Pilger haben, zeigen sie ihnen gerne ihre Herrlichkeit. Seit zwei Jahren standen diese in den letzten acht Tagen schon die siebente blutige Attaque aus, ohne daß sie sich auch nur im mindesten dagegen wehren, die rüstigen Bethlehemiten möchten freilich gerne dreinschlagen, doch der Gehorsam gegen ihre geistliche Obern verbietet es, und sie gehorchen. Vor wenigen Tagen fehlte wenig, daß die Griechen nicht ein Paar Patres bei der Prozession in der Kirche ohne mindester Veranlassung erschlagen hätten; da spähten sie des andern Tages, ob sich die Lateiner nicht zu einer Rache aufmachen würden. Das werden sie aber nicht, dazu sind sie zu gut und zu klug. Der dreifache Nachtheil fiele doch nur auf ihre kleine Schaar, und das eben möchten die Griechen so gerne erleben. *) Qui s'attaque toujours avec tous ses forces vient ou confus ou faible, mais quand on s'epargne pour garder ses forces en prudence on se fait estimé et respecté aussi de ses plus grands et plus forts ennemis. Ich halte dafür, daß dieß der kluge Standpunct der Lateiner gegenüber der Griechen ist. Denken Sie, hochwürdiger Herr! wie groß mein Erstaunen und meine Freude war, mich in Bethlehem bei jener Religieuse etablirt zu finden, von der ich in Cairo und in Jerusalem mit ihrer Schule in Bethlehem schon so viel sprechen hörte. Sie ist eine fromme Nonne aus dem Orden der göttlichen Vorsichtig= keit, in der Kleidung eine Salesianerin, ihrer Lebensregel nach eine Terziaria. Sie spricht gut arabisch und französisch, der Na= tion nach ist sie eine Genueserin. Zwei landeseingeborne Mädchen unterrichtet sie sich zu Gehilfinen, mit allen bei uns in Europa be= kannten Beschwerlichkeiten. Auch ist die gute Schwester Elisabeth sehr viel krank, ebenfalls eine bekannte Sache. Ich kann aber deßwegen doch nicht einstimmen, daß von Krankheitsleiden befallenen Menschen der Unternehmungsgeist sammt der Ausführung abzusprechen wäre. Die Mädchenschule in Bethlehem gefällt mir recht gut. Wenn ich mich nicht in meinem Innern nach meiner Vaterstadt berufen fühlte, eine Seligkeit wäre es mir, hier Schule zu führen. Mit Vergnügen möchte ich mich der arabischen Sprache befleißen. Doch mit Ideen, die ich nicht auszuführen gedenke, beschäftige ich mich nicht gerne lange. Ich erzähle Ihnen lieber von Hebron, eine kleine Tagreise weit von Beth= lehem entfernt, der eigentliche patriarchalische Sitz Abrahams, Isaaks und Jakobs. Die Juden halten dort noch einen Baum in Ehren als einen Abkömmling dessen, unter dem Vater Abraham saß, als die drei himmlischen Erscheinungen zu ihm kamen und seiner Frau Sara einen Sohn versprachen. Hierher nahmen auch die heil. drei Könige ihren Weg, als sie von Bethlehem wegzogen, weil er der entgegen= gesetzte von Jerusalem ist. Die gute Schwester Elisabeth begleitete

*) Wer unaufhaltsam mit allen seinen Kräften kämpft, der wird entweder verwirrt oder schwach, doch wer an sich zu halten weiß, um seine Kraft mit Klugheit zu bewahren, der ist geachtet und geehrt auch von seinen größten und stärksten Feinden.

mich in die verschlossenen Gärten und zu den versiegelten Brunnen; die in der heil. Schrift nur ein poetisch symbolischer Vergleich zu sein scheinen. Diese hortus conclusus und fons signatus sind aber jedoch von den Zeiten Salomons her für sich selbst bestehende Gegenstände, die nicht als hoch dichterische Idee, sondern als poetische Thatsache seit dreitausend Jahren vorhanden sind. Nicht ganz zwei Stunden weit kommt man zu diesen salomonischen Werken, deren Ueberreste jeder Zerstörung der Zeit Trotz bieten. Die Gärten ziehen sich beinahe eine halbe Stunde lang durch ein nicht sehr breites Thal zwischen zwei sehr hohen Bergen hin. Der Eingang gleicht oben und unten einer ganz engen Bergschlucht; sonst sind sie nirgends zugänglich, als über die Höhe der Berge herab. Die Thalschlucht ist bald geschlossen, was sie heute noch durch verwilderte Gesträuche und Bäume beweist. Und so denke ich, soll sich einigermaßen ein Begriff von den verschlossenen Gärten auffassen lassen, welche nun freilich nicht mehr in salomonischer Pracht vorhanden sind; doch der Ort, wo sie waren, zeigt nebst seiner wilden Naturschönheit noch immer so viel sonderheitliches an einzelnen Parthien, daß sich die einstmalige, geschmackvolle Kunst darinen wohl noch leicht ahnen läßt. Daß Alles hier vereint war, was Natur und Kunst in ihren Producten erschöpfen kann, beweist die bei dem gemeinen Manne noch in gutem Andenken erhaltene Pomonique. Salomon hatte nämlich hier alle auf der ganzen Erde damals bekannten Bäume versammelt; sowohl Fruchtbäume, als der Gärten Zierbäume. Die Gärten damaliger Zeit standen an Kunstsinnigkeit den unsrigen gewiß nicht nach, wenn man die noch heute so bekannten und berühmten Gärten Salomons beachtet sammt den hängenden Gärten der Semiramis, und den überhaupt großartigen Geschmack der Babylonier. Die hortus conclusus gehören gegenwärtig in Abtheilungen verschiedenen Landbewohnern, die sie insgesammt Alle recht würdig in Ehren halten, wenn sie gleich nicht als Kunstgärten producirt sind. Eine Abtheilung davon erhält alle Fruchtbäume, wenn auch nicht mehr von der ganzen Erde, doch des Landes, zum fortbestehenden Andenken des vorigen Bestandes. Diese Bäume fand ich Alle im schönsten Flor, ganz überzogen mit weiß und rother Blüthe. Die Blumen im Grase sind von solcher Zartheit, und besonderer Eigenheit, wie ich nirgends noch welche gesehen. Zarte weiße Glöckchen sollen mir einstmal noch in spätern Jahren in Europa's weiter Ferne jenes erhaben selige Gefühl zurückrufen, was mich ruhend im Grase, unter herabgeschüttelten Blüthen vom leisen Lufthauche, bei ziemlicher Hitze, ergriffen. Sie sollen mir's zurück rufen und sagen: „Alles Uebel der Welt vergessend, ruhtest du auf dem Grase, in blühender Flur, in den verschlossenen Gärten Salomons, wo es mehr als gewiß ist, daß er dort die Ideen zu seinem hohen Liede faßte." Fasse ich wohl das Glück meines Lebens, einen Tag desselben hier verlebt zu haben! Wo sich um den Berg die Ecke biegt, da fließt ein Bächlein klar und silberrein, gar nicht, als könnt' es der schmutz'gen Erd' entquollen sein. Und doch fließt es aus der Felsenhöhle dunkler Schlucht, wo es hervortritt, da macht es eine kleine Bucht, sammelt sich in kristallhellem, klaren Raum über Kiesel rein, am zarten Blüthensaum, daß gar gerne man sich niederbeugt, um mit hohler Hand zu kühlen der Erinn'rung und Bewund'rung Fühlen, sammt der Sonne heißer Glut. Etwas weiter hinauf, wo die verschlossenen Gärten sich im Thalesgrund verlieren, ebnet und erweitert sich der Raum. Hier sind der fons signatus salomonisch Meisterwerk. Ein Becken, tief gemauert gleich einem zwei Stock hohen Hause, mit verziertem Steinesgrund in allen Formen ausgemeißelt. Zu Bädern wohl und im Wasser lustzuwandeln, mit solch' großer Kunst in der Tiefe Grund gestaltet. Doch leer auch, ohne Wasser, so wie den ersten ich geseh'n, dürfte er als offner Kunstsalon von Stein, der Versammlung hoher Freunde Lustort sein; wozu an den Ecken die breiten Treppen von wohlerhaltenem Steine führen, die Gesimse und Sculpturen um den obern Rand sind so fest und gut gestaltet, daß es einen staunen macht, wenn man der Zeiten Lauf bis zurück von dreitausend Jahren an einander reihet, und der Geschichte denkt, die uns bekannt, daß Salomons geringere Werke uns zum Andenken hier verblieben. Wo ist seines Tempels Pracht und Zier! — Die Größe dieser fons signatus beläuft sich etwa auf 400 Schritt Länge und 200 Schritt Breite. Der erste ist der größte und der schönste, ich fand ihn leer und trocken; der zweite ist etwas kleiner, er war halb mit Wasser gefüllt; der dritte ist der kleinste, der war bis oben am Rande voll. Vorne am mittlern Theile der Baute ist die Vorrichtung angebracht, um das Wasser ab- und zuzulassen; woher sich der Name der Versiegelten Brunnen schreibt. Nicht weit aufwärts von dem letzten kommt man zur Quelle, aus der die fons signatus ihre Wässer leiten. Die Wasserleitung Salomons, die das wasserarme Steinland heute noch mit Segen überfüllt, reichen über 14 Stunden weit im

22

Umkreise. Auch Jerusalem bezieht sein Wasser von hier. Diese Was=
serleitungen sind so stark und fest gebaut, als ob sie erst vollendet
worden, um noch hinfort den Tausenden von Jahren ihren Segen zu
entbieten. Es sind ausgemauerte Steinröhren, die sich in halbrunder
Wölbung etwa kaum zwei Schuh hoch über der Erde erheben. Man
hört den Lauf des Wassers darunter rieseln. Auch die ebene Straße,
in Stein gehauen, um die Berge Bethlehems, ist noch ein erkanntes
und geehrtes Andenken von den Werken Salomons, dieses weisen, in
jeder Hinsicht großen Königs. Und doch gibt es einen Berg des
Aergernisses, worauf sein Schloß gebaut und er geopfert jenen Götzen
finsterer Nacht in Gottverläugnung! — Unweit der versiegelten Brunnen
steht ein Schloß auf schöner Ebene in regelmäßigem Vierecke, mit
Thürmen an allen Ecken, guten Ringmauern und überhaupt noch von
solchem Ansehen, daß man seinen einstmaligen bedeutenden Bau darunter
leicht begreifen kann. Der gemeine Araber erkennt es als den Harem
Salomons. Was könnte wohl der Geschichte und der es umgebenden
Gegenstände nach natürlicher im Urtheile liegen? auch nicht, wenn es
einem die Tradition des Volkes als solches erklärte. So wenig, als
ich aber noch den hortus conclusus und sons signatus in den Reise=
beschreibungen erwähnt fand, so beeifert man sich doch ein wenig, der
Volkstradition zu widersprechen, indem man dieses Schloß aus den
Zeiten der Kreuzzüge her annimmt, was auch ohne Zweifel seine
Richtigkeit hat; denn das kann man sich mit gesunder Zusammenstel=
lung der Dinge leicht denken, daß die edlen Ritter der Kreuzzüge, die
in das heil. Land kamen, um alle Orte darinen in Ehren zu halten,
eine ohne Zweifel noch wohlerhaltene Ruine des hier gestandenen
salomonischen Schlosses wieder aufgebaut haben, von welcher Zeit
die Mauern ihre erneuete Festigkeit haben; darum widerspricht diese
Annahme jedoch keineswegs der Annahme, daß hier nahe an den
Gärten und den Fontains der Harem Salomons angebaut war, um
der Volkstradition ohne Widerspruch einigermaßen Glauben beizumessen.
Ich glaube Niemanden zu nahe zu treten, und am wenigsten der
Wahrheit, wenn ich der Meinung bin, daß derlei antique Gegenstände
und geschichtliche Oertlichkeiten von den Reisenden, und um so mehr
von den Beschreibenden zu wenig beachtet, und nur obenhin mit nega=
tivem Eindruck beachtet werden; woher so viele Widersprüche in der
Ferne entstehen gegen alt herkömmliche Landessagen, die, wenn man
die Oertlichkeit sammt Geschichte kennt, gar nicht anders sich bestimmen

laſſen. Was ſoll man denn denken mit ruhig unparteiiſcher Ueberlegt=
heit! wenn die Kinder der neueſten Zeit aus weiter Ferne mit flüch=
tigem Blicke und widerſpruchsathmenden Hypotheſen ſich's anma=
ßen, die geſchichtlichen Begebenheiten und örtlichen Gegenſtände beſſer
oder genauer zu beſtimmen, als Jene, denen es vom Anbeginn
der Sache in getreuer Uebergabe bekannt gegeben
iſt. Ueber dieſen Punct äußerte ſich Pater Eduard in St. Johann
ſehr faßlich. Er ſagte: „Uns iſt es wahrlich nicht ſehr angenehm, in
der größten Julihitze hinauszugehen, um das Feſt Maria Heimſuchung
zu feiern in dem alten Steingerölle. Wollten wir es aber dem Volke
hier weismachen, daß dieſer Ort vielleicht ohnehin nicht derſelbe mehr
iſt, an welchem Maria zu ihrer Baſe Eliſabeth kam, und daß es viel
feierlicher und auferbaulicher wäre, wenn wir das Feſt in unſerer
Kirche feierten, wo wir den Altar Maria Heimſuchung als den wahren
Ort ebenfalls in der Vorſtellung verehren könnten; wir hätten nicht
nur unſere katholiſchen Chriſten, hier als Landeseingeborne, wir hätten
alle Schismatiker ſammt den Türken hinter uns, um uns zu ſteinigen,
weil wir ihnen die Wahrheit ihrer Ueberzeugung abſtreiten wollten.“
Das iſt doch klar, daß Einheimiſche ihre Volksſagen und um ſo mehr
ihre bedeutenden Landesbegebenheiten beſſer wiſſen werden, als ein
Fremder. Schweſter Eliſabeth führte mich mit unſerem Bethlehemiten als
Begleiter nicht wieder denſelben Weg zurück; ſondern wir gingen über
die Berghöhe Judäas. Lauter Stein mit Gras und Blumen, und
weidender Ziegen, auf immer ſich wölbenden Hügeln einer über den
andern, auf maſſenloſen weit unabſehbaren Gebirgen. In zwei Stun=
den lag das ſchöne freundliche Bethlehem wieder vor uns da.

———

22*

# Hundertundsechzehnter Brief.

## An den hochwürdigen Herrn Chorvicar M.

Jerusalem, den 28. März 1848.

Gestern Früh um acht Uhr, nach dem Gottesdienste, ging ich mit dem Bethlehemsboten wieder nach Jerusalem zurück. Schwester Elisabeth, die gute Nonne, welche dorten Schule führt, ihr Vater und ihre nach schwerer Krankheit kaum genesene Mutter, ehrenwerthe begüterte Leute, die in Cairo ansäßig sind, begleiteten mich bis an den halben Weg. Ich schied so schwer von diesem lieben Bethlehem, dem Heiligthume der Kindheit Jesu, daß ich mich mit allem Aufgebote meiner ganzen Körper- und Willenskraft kaum aus der Kirche entfernen konnte. In Bethlehem fühlte ich es so recht lebhaft, wie lieb meinem ganzen Sein die terra santa ist. Wenn ich herumging, um die der Nachwelt noch bekannten merkwürdigen Orte aufzusuchen, um Bethlehem in seiner Lage und seinem Werthe nach kennen zu lernen, da durchlief mein Geist die Tage Davids und Salamons bis auf Christus dem Heile der Welt, und von Christus bis auf den heutigen Tag, da mein pilgernder Fuß diese Stellen betritt, die frommer Verehrung noch denkwürdig aufbewahrt sind. Mir war's, als ob ich meine Seele in steter Sehnsucht und Traurigkeit versenkt sähe, wenn ich wieder nach Europa werde zurückgekehrt sein. Vergebens stelle ich mir Steiermarks grüne Fluren und meine sonst so lieben Berge vor die Augen. Auch die Standarte von Juda war grün. Und wohin ich hier in Bethlehem schaute, wölben sich Hügel um Hügel auf dem judäischen Gebirge und athmen zum Himmel empor, wie freundliche Gärten mit ihren Abtheilungen und Einfassungen von netten Steinmauern und ihren Oliven- und Feigenbäumen. Und wo man bebautes Feld und Weingärten sieht, da steht das Getreide so üppig da, und die Rebe wuchernd. Und da, wo der Boden bebaut wird, ist der Pflug so klein, daß man meint, die Erde locke sich von selber auf. Ich lächelte oft über den Unterschied. Unsern Pflug führen zwei starke Ochsen kaum, der orientalische Landmann regiert den seinigen mit einer Hand. Um mich selbst noch an der Erinnerung zu weiden, will ich

Ihnen die Orte alle nennen die ein Pilger in's heilige Land in und
um Bethlehem nicht übersieht: Von Jerusalem weg auf dem halben
Wege die Cisterne, wo den drei Weisen der Stern wieder leuchtend sich
zeigte. Das griechische Kloster St. Elias. Der Stein an der Straße
mit der eingedrückten Gestalt des heil. Propheten. Rechts hin an
dem Wege nach dem Euphrat, das Grab der Rachel. Unweit davon
die durch Davids Vertrauen auf Gott hervorgerufene Quelle, die
heute noch ihr gutes Wasser spendet. Das Erbsenfeld. Die in Stein
gehauene Straße Salomons. Die Stadt Bethlehem auf dem Berge,
die man in den neuern Reisebeschreibungen gar so schmutzig dargestellt
findet. Es ist zwar wahr, auf Straßen-Nettigkeit wird eben nicht
viel Aufmerksamkeit verwendet; doch dieser Gegenstand kann sich ganz
leicht geändert haben, ehe die Kunde davon nach Europa kommt, ohne
von einer wohlthätigen Straßenkehrer-Gesellschaft unserer Städte ab-
zuhängen, die ihr Amt in manch' großer Stadt, wo deren genug sind,
besser versehen könnten. Möchten Diejenigen, die das Wort führen
können, es lieber bedauern, daß Bethlehem, die Geburtsstadt des Heilandes unsers Herrn Jesus Christus, nicht durch die allgemeine Verehrung der Christen gefegt und gereinigt wird, daß sogar der Stall,
von dem die dogmatischen Glaubenslehren an allen Enden der Erde
und in dem ganzen königlichen Europa sprechen, den Händen der Un-
gerechtigkeit überlassen bleibt, ohne daß man nur einen Wunsch dagegen
laut werden läßt. Dieser Stall nun, oder heil. Grotte, wie man
hier spricht, über welche die Prachtkirche der heil. Helena gebaut ist,
ist denn nun freilich der feierliche Hauptort, welchen man in Bethlehem
aufsucht. Unter derselben Kirche findet man noch die St. Josefs-Ka-
pelle als den Ort, wo der heil. Josef im Gebete verharrte, während
der Heiland auf Erden erschien. Die Gruft der unschuldigen Kinder.
Die Grotte des heil. Hieronymus, in der er so lange lebte und schrieb.
Sein Grab und das der heil. Paula und ihrer Tochter der heil.
Eustachia. Eine kleine halbe Stunde von dem Stalle entfernt, die
bekannte Milchgrotte mit Ruinen eines Frauenklosters der heil. Paula;
ebenfalls eine halbe Stunde von Bethlehem entfernt das Engelsfeld mit
einer Kapelle und den Ruinen eines Frauenklosters von der heil. Paula,
oder der heil. Helena. Der Brunnen mit den Knie- und Finger-Eindrücken
der heil. Jungfrau Maria. Hebron, der Wohnort Abrahams, eine kleine
Tagreise weit von Bethlehem. Vor der Stadt, die gegenwärtig sehr klein
ist, die Grundfesten des Hauses St. Josefs, aus welchem er zur Ver-

mählung mit Maria berufen wurde, auch sieht man die weitläufigen, starken, und einstens ein prachtvolles Gebäude verkündenden Grundfesten des königlichen Pallastes Davids. Fünf festgebaute Cisternen inner den Umfangsmauern behaupten ihre Plätze sammt der Brauchbarkeit ihres Wassers. An Salomons Werken sind noch in großartiger Anschauung erhalten: die in den Stein gehauene salomonische Straße; die Wasserleitung, über 14 Stunden weit; die verschlossenen Gärten und die versiegelten Brunnen sammt den wohlerhaltenen Ruinen seines Harems, welche zuversichtlich eine Ritterschloß = Baute aus den Kreuzzügen sind, die sich auf jenen Grundvesten erneuten. Um zu wissen, wie unzerstörbar die Grundvesten dieses Landes sind, muß man sie nur sehen. Nun sei es geschieden von Bethlehem! — Ich befinde mich ruhig und ungestört in Allem, was ich des Tages hindurch unternehme, in der feierlichen Stille Jerusalems, wie in der Heimat, das heißt: so wie sich die Poesie des Lebens die Heimat malt.

---

## Hundertundsiebenzehnter Brief.

### An den Herrn Medicin = Doctor K.

Bethanien, den 7. April 1848.

Ruhend im Grase und hingelehnt an einem Steine, um mich schreibend mit meiner Bleistifte bequem zu machen, wende ich mich an Sie, Herr Doctor! hier an dem Lieblings = Aufenthalt unsers Herrn und Meisters; weil ich bald mein irdisches Leben da verlassen hätte, wo Jesus so gerne weilte, und diesen Ort der Freundschaft weihte. Es ist mir angenehm, Ihnen das Wie zu erzählen. Es ist heute Freitag und das Fest der Auferweckung des heil. Lazarus. Um zwei Uhr in der Nacht zog eine ganze Prozession mit den Patres von St. Salvator mit großen Laternen bei dem Stefansthor hinaus, Gethsemane vorüber, über den Oelberg, Bethanien zu. Daß ich dabei nicht die letzte war, können Sie sich wohl denken; und daß ich auf ungebahntem Steinpfade über die Berge, und mir ganz unbekannten Wegen, bei halbem Sternen = und halbem Laternenlichte, so einigemale stolperte und der behende voraneilenden Schaar nicht leicht folgte, das werden

Sie auch ganz glaubbar finden. Doch wie gewöhnlich, so hatte ich auch heute einen sichtbaren Schutzengel zur Seite. Diego, ein Tisch= lerjunge vom Kloster, der mit seiner Mutter neben mir in der casa nuova wohnt, freute sich schon lange auf diesen Weg nach Bethanien, und bot sich mir als Begleiter an. Der gute Diego, er hielt getreulich Wort; mit vieler Sorgfalt brachte er mich an Ort und Stelle, das ist in die 30 Stufen einer schmalen Stiege abwärts liegende, ganz kleine Gruft des Lazarus. Sein eigentliches Grab geht von da noch tiefer hinein, wo man die gewöhnliche in Stein ausgehauene Grabesstelle sieht. In der engen Vorhalle, in welche Jesus das gebietende Wort rief: „Lazarus, komm heraus," wurde auf einem Steingerüste in der Ecke der Altar aufgerichtet. Nun, daß diese immer verschlossene Tiefe zu den luftleeren Räumen gehört, das läßt sich ermessen, und daß das Gedränge von Menschen, die diesen Raum sammt der Stiege bis oben an erfüllten, den Zugang der Luft sehr karg durchdringen ließen, das ist gewiß sehr gut erklärt. Ich dachte jedoch, so fest ge= mauert ich mich auch fühlte, ganz und gar nicht daran, war sehr wohlgemuth und machte mir von den Gepreßtsein auch ganz und gar nichts daraus; hieß bei Anfange der Messe ein Paar arabische Wei= ber still sein, welche die gefällige Beweglichkeit ihrer Kehle so ziemlich laut werden ließen, und schickte mich voll Kraft und guter Laune an, dem heil. Meßopfer beizuwohnen. Ich stand fest hinter dem Priester, der arme Ministranten=Bruder konnte sich kaum bewegen. Von jeher macht das Evangelium von der Auferweckung des Lazarus einen mäch= tigen Eindruck auf mich. „Und Jesus erschauderte in sich," ehe er den schon verwesenden Todten in's Leben rief. Mir scheint die ganze Gewalt der Gottheit im Durchzuge der geheimnißvollen Kraft seiner Gnade mit den verborgenen Kräften der Natur in der Darstel= lung dieser wenigen Worte aufgefaßt zu sein. Diese Betrachtung er= faßte auch mein Gemüth während der heil. Messe, sammt der leben= digen Vorstellung, mich am selben Orte zu befinden, wo jene Hand= lung des Herrn vor sich ging. Indeß wandelte der Priester die heil. Hostie auf, in deren Anschauen die Betrachtung den gegenwärtigen Glaubenswahrheiten traute, und Denjenigen, der hier den Todten in's Leben rief, geheimnißvoll in der Gestalt des Brotes schaute. Nach der Communion des Priesters communicirte auch ich mit mehreren andern Gläubigen. Und in der geraden Folge meiner Betrachtungen sah ich mich nun da, um diesen Jesus in meiner Seele aufzunehmen, diesen Gott und Herrn, dessen Ruf der Tod und das Leben gehorcht, welcher der Menschheit so Großes zutraut und es auch von ihr fordert, ihn in Brotsgestalt verwandelt zu erkennen, und ihn zu empfangen, damit er auflebe in der Seele und sie belebe zum ewigen Leben. Wohin mit solchen Erfassungen, du armes Menschenherz! — Mir ward das meinige zu klein, ich fühlte meine Sinne schwinden. Kaum war die Messe zu Ende, fingen die Leute an, den Ausweg zu suchen; das Gedränge wurde leichter und ich sank zu Boden, sah und hörte nicht. Wie im zurückrufen meiner schwindenden Sinne fühlte ich meinen Kopf an eine warme Menschenbrust gelehnt. Es war der Priester, der die Messe geendet, und der sich auf den Boden setzte, um die fliehende Seele festzuhalten, daß sie noch nicht scheide. Als man wieder Leben wahrnahm, riefen Mehrere: „nur Luft, nur Luft," das war das erste, was ich hörte. Darauf: „Wenn wir sie nur über die Stiege hinauf bringen könnten." Dieß regte meine Willenskraft, und meine heftige Reizbarkeit, weil ich fürchtete, man möchte mich tragen. Ohnmächtig wie ich war; nur so viel bei Bewußtsein, in die Luft zu kommen und mich nicht tragen zu lassen, reichte ich Jemanden meine Hand, richtete mich auf, und mit zarter Hilfe von Hand zu Hand kam ich glücklich über die Stiege, die frische Morgenluft weckte mich so viel, daß ich den dämmernden Tag erkennen konnte. Man führte mich unter einen Baum, die ehrwürdigen Väter gaben ihre Mäntel, um mich darauf zu legen und mich damit gut zuzuhüllen, denn der Morgen wahr sehr kühl. So ruhte ich wohl zwei Stunden lang. Man sagte mir später, ich sah aus, als wäre ich verschieden. Nachdem ich sehr angenehm geschlummert hatte, brachte man mir sehr guten schwarzen Kaffeh und mir ward sehr wohl. Pater Lorenzo sagte: „Kommen Sie, ich zeige Ihnen das Grab." Einige meinten: „Gott bewahre, sie darf nicht mehr hinunter gehen." Pater Lorenzo erwiederte aber: „das schadet ihr nicht." Ein solch wohlthätiges Verständniß meiner Eigenthümlichkeit erweckte meine Lebensgeister gänzlich, und ich ging ganz sichern Schrittes über die Stiege, um in das Grab hinein zu schauen, aus welchem Lazarus auf die Stimme des Herrn hervortrat. Dann bewunderte ich die noch stehenden hohen Mauern der Schloßruinen, wo die drei Geschwister wohnten, die Jesus oft besuchte. Später wurde eine Prozession gehalten mit gesungenen Hymnen, an den Stein, auf welchem Jesus ruhend saß, als er nach Bethanien kam, um seinen Freund in's Leben zu rufen, und bis wohin

Martha ihm entgegen lief. Er liegt mitten auf dem Wege, dieser Stein, und in der Ueberlieferung so treu aufbewahrt, daß ihn alles Volk jederzeit dafür erkennt und ehrt, und man Sicherheit genug gefunden, um ihn zu canonisiren. Damit er aber von den Fremden nicht reli= quienweise zerschlagen wird, so ist die Excommunication darauf gelegt, wenn Jemand ein Steinchen herunter schlägt; es fällt darum auch gar Niemanden ein. Hier zu stehen, auf den sich schwellenden Hügeln von Bethanien und weit in die Ferne um sich zu schauen, bis an die grünen Ufern des Jordans und an's todte Meer, an die fernen Berge und die nahen Gebirgsgruppen, muß man ausrufen, wie ich es auch that: „Unser lieber Herr wußte, wo es schön ist, weil es ihm hier so wohl gefiel." Ich lagerte mich ganz wohlgemuth in's Gras, aus dem mir die Blumen und besonders der rothe Mohn das Sinnbild stiller Freuden so freundlich lachten, und ihr schönes Farbenspiel erhöhten, daß es klar vor meine Seele trat, wie der Schöpfer der Natur mit seinen Geschöpfen durch Geschöpfe in Verbindung trete. Die heilige Gesell= schaft zieht über den Oelberg zurück nach Hause, es sind noch mehrere Patres mit dem Reverendissimus und andern Herren nachgekommen, man wollte für mich einen Esel besorgen, ich fühle mich aber wieder stark genug und mache mich auf, um die Communität zu Fuße zu be= gleiten. Die geistlichen Herren kennen jeden heil. Ort, da werde ich noch manch' merkwürdiges Interesse finden.

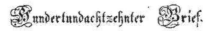

## An den Herrn Cameralrath L. und seine Frau.

Jerusalem, den 9. April 1848.

Von Bethlehem zurückgekommen, setze ich meine Forschungen in und um Jerusalem unermüdet weiter fort; wozu mir unsere deutschen Patres mit der edelsten Landsmanns=Treue an die Hand gehen. Wenn sie gleich keine Steiermärker und ich keine Böhmin und keine Tirolerin bin, so sind wir doch alle Oesterreichs ergebene Untertha=

nen, und das gilt im fremden Welttheile und unter andern Nationen so viel, als wären wir Kinder Eines Hauses. Gestern führte mich Pater Barnabas, der im heil. Grabe angestellt ist, weil er sich eben eine freie Stunde machen konnte, an einige mir noch unbekannte Orte; zuerst kamen wir in die einstmal in Jerusalem sehr großartige Johanniterburg, das Gebäude ist fränkisch gehalten, mit Bienenbögen an den offenen Gängen im Viereck um das Innere des Hofraumes, doch schon sehr verfallen und unbewohnt. Würde es aber bewohnt, so kostete es nicht viele Mühe, es wieder herzustellen. Was ich einmal gelesen, und was ich heut zu Tage für veraltet hielt, näm= lich: daß die Türken ihren Schindanger zum Spott der Christen in die Johanniterburg verlegten, ist gegenwärtig insoweit wahr, als ich ein halbverfaultes Kamehl im Hofe liegen sah, was mich auch die sonst mir sehr interessante Johanniterburg sehr eilig verlassen machte. Von da gingen wir in ein Haus, mitten in der Stadt unter den an= dern Häusern auf einem Hügel erhöht, mit einer Art Thurmruine und einem Portale, daß man es für eine einstmalige Kirche erkennen muß. Dieses Haus gehörte auch zu den Besitzungen der heil. Mutter Anna, und Maria die heil. Jungfrau bewohnte es längere Zeit nach dem Tode ihres göttlichen Sohnes. Eine Sache, die in ganz Jerusa= lem unter allen Nationen ihrer Bewohner, nebst allen andern unsern Glauben merkwürdigen Orten, so bekannt ist, wie jedes Gebäude der Neuzeit mit seinem noch lebenden Besitzer. Gegenwärtig gehört dieses Haus türkischen Arabern, ganz gemeinen Leuten. Die Weiber nehmen die Fremden, die dahin kommen, sehr freundlich auf, und für einen ganz kleinen Bakschisch zeigen sie einem mit vieler Aufmerksamkeit und Selbstgefälligkeit ihres Besitzes, die kleinen Fußtritte unser lieben Frau, die in einem Steine eingedrückt sind, der eben nicht sehr aufbewahrt ist. Er liegt da gleich vor der Thüre, wo die Weiber in ihre Zimmer aus= und eingehen, in einer Art Corridor zwi= schen Terrasse und Wohnzimmer. Diese dem Steine eingedrückten Fuß= tritte sind von der Kirche für canonisch wahr angenommen und ihr Besuch mit Ablaß begabt. Daß jener Stein mit seinen Eindrücken von Schuhen mit breiten arabischen Sohlen, wie ich sie heute noch in der Kirche erst bemerkte, von Christen und Türken, welche beide die Ein= drücke gläubig verehren, einen so gleichgiltig unverehrten Platz ein= nimmt, und durch die Länge der Zeit behauptet, ist wirklich merkwür= dig. Von Seite der Türken, wenn er ihnen zur Bakschisch = Einnahme dient, daß sie ihn nicht ansehnlicher placiren, und von Seite der Christen, daß sie ihn nicht suchen von den Türken loszubringen, um ihn in irgend einer Kirche würdig in Ehren zu halten. Doch nein, er bleibt hier; bewacht von seinem eigenen Genius an dem unbedeutenden Orte, und doch so hoch bedeutenden Orte, wo die heil. Jungfrau stand, bis einstens Liebe und Ehrfurcht ihren Tempel wieder darüber bauen. Ich maß die Länge dieser sehr kleinen jungfräulichen Fußtritte, wovon ich Ihrer Frau ein Längenmaß mitbringen werde. Wenn sie es zu klein finden sollte, so gehört nur noch die Anmerkung dazu, daß die Frauen hier zu Lande im Allgemeinen sehr kleine, nette Füßchen haben. Die türkischen Weiber führten uns auf die Terrasse, die einen Fußboden von so schönen glatten Steinen und regulärer Einfassung hat, daß man an ihr einen vorzeitlich höher gestellten Gebrauch als gegenwärtig erkennen muß. Hier wird ein runder Stein gezeigt, in Form einer abgebrochenen Säule, als Sitz der heil. Jungfrau, um vom Gebete auszuruhen, und wie die Türken-Frau namentlich sagte: um wegen Kreuzschmerzen vom langen Knieen sich an die Wand zu lehnen. Sie setzte sich darauf, um mir's zu zeigen, und hieß mich auch darauf sitzen. Mir war's so wohl in diesem Hause wie in einer Kirche, doch wir mußten weiter gehen. Wir suchten das Haus Simeons des Pharisäers, wo jenes Weib im Evangelium zur Tafel kam und die Füße Jesu mit Thränen benetzte, und welche man für Magdalena nimmt, die hier ihren ersten Act der Bekehrung übte. Doch gar so schön erklärt Stollberg in seiner Kirchengeschichte, daß diese nicht Maria Magdalena im Bethanien gewesen sei, deren Name von ihrem Schloße Magdalena herstammt, und die mit Maria der jungfräulichen Mutter unter dem Kreuze, vom Schmerze durchdrungen, als getreue Anhängerin Jesu sich bekannte. Sind nun diese begnadigten Marien eine oder zwei, der Fußtritt des Herrn hat sich zum Andenken an diese Handlung dem harten Steine eingedrückt. Wo soll denn die vielbesprochene Liebe Jesu sein, wenn sie sich hier in der Seele nicht regte, wo man so nahe dem zurückgelassenen Zeichen seiner Gegenwart steht! Weil dieß aber seine Feinde und Widersacher wissen, so suchen sie den Seelennutzen durch Zweifelsucht zu rauben, und alle diese Gegenstände als unzuläßig glaubbar zu erklären. Dieser Stein mit dem heil. Fußtritte nimmt ebenfalls einen ganz unbedeutenden Raum ein, in den Ruinen des Hauses, was einem Hofraume gleicht, nahe an einer Mauer. So viel kann man herausbringen, daß dieser jetzige Hofraum das Kirchenschiff mag gewesen sein, und daß hier über diesen Stein ein Altar gebaut war. Gegenwärtig sind diese Ruinen mit zeitweilig darauf gebauten unbedeutenden Häusern von einem Töpfer bewohnt, der sehr fleißig ist, denn man kann vor Menge der aufgestellten Töpfe kaum weiter kommen. Von Kirche und Kloster aus altchristlicher Zeit sieht man noch sehr kennbare Spuren. Eben so kennbar für die früher ehrwürdige Verwendung ist das Hospital der heil. Helena, gegenwärtig den Türken gehörig. Hier wurden alle fremden Pilger und Armen der Stadt gespeist. In einem großen Saal zu ebener Erde sah ich vier ungeheuere Kessel, in denen die Speisen für tausende von Menschen gekocht wurden. Sie stehen noch ganz wohlbehalten und von den Türken benützt da. Es sind ihrer sechs, so wie sie St. Helena machen ließ, die andern waren eingesperrt. Nun kamen wir beim Sionsthor hinaus, da wachsen ganze Spaliere von jenen **spinae** Christi, wovon man die Dornenkrone geflochten hat, sie haben zarte blaue Blüthen und grüne kleine Blätter. Ich brach mir einige Zweige ab, die ich mitbringen werde; die längern Dornen sind fingerlang mit Widerspitzen. Ein Paar hundert Schritte weiter steht die Burg Davids; das Coenaculum; das Haus Oled Edom, wo die Arche des Bundes aufbewahrt wurde. Für dießmal war nicht Zeit, es zu besuchen, wir gingen vorüber zu den alten Grundfesten, die das Haus bezeichnen, was an das Coenaculum angebaut war, und wo die heil. Jungfrau wohnte und starb. Auf dem Rückwege, an der alten Mauer vorüber, erzählte mir der ehrwürdige Pater von dem Tode Mariens und von ihrem Alter. Er citirte mehrere Schriftsteller mit verschiedenen Aussagen, und entschied nach seinen Zeitberechnungen 63 Lebensjahre der Mutter Jesu; 15 Jahre als das Wort ist Fleisch geworden, 15 Jahre nach dem Tode Jesu, der in seinem 34. Lebensjahre gekreuziget wurde. Und ich blieb stehen und rief mit ausgebreiteten Armen auf dem Berge Sion unterm blauen Himmel aus: „So war auch dieß mir vorbehalten, daß ich in demselben Lebensjahre nach Jerusalem komme, als Maria bei dem Tode ihres Sohnes unter dem Kreuze stand.“ Wir kamen quer über den Weg an eine helenische Säule. Die in Jerusalem sehr bekannte Geschichte davon ist diese: Als man den Leib der heil. Jungfrau vom Berge Sion aus dem Hause neben der Burg Davids auf den Weg gegen das Thal Josafat nach Gethsemane trug, in Begleitung aller Apostel bis auf den Thomas, und einer unzähligen

Menge ihrer Verehrer, standen hier eine verabredete Gesellschaft von Juden und viele ihrer Vorsteher, die sich's vornahmen, den Christen den heil. Leib der Mutter Jesu wegzunehmen, damit er nicht auch etwa wieder auferstehen möge, wie der ihres Sohnes. Als die Juden nun hier an diesem Orte Hand an die Tragbahre legten, erblindeten sie, wurden taub und lahm, und wußten sich vor Verwirrung nicht zu helfen. Die Apostel sagten ihnen: Sie sollen die strafende und mächtige Hand Gottes erkennen, und die heil. Jungfrau verehrend um Verzeihung bitten, was die meisten aus den Vorstehern auch thaten, welchen sogleich wieder geholfen wurde. Solche auffallende Begebenheiten muß man sich bei einem so unwandelbaren Volke, bei der tiefen Verehrung des anerkannten Gottmenschen als versprochenem Messias, ganz sicher und wohlbehalten vom Munde zu Munde vorstellen. Erzählen es die Leute heute noch als eine unbestritten bekannte Sache mit genauer Angabe des Ortes, um wie viel mehr wird es nach dreihundert Jahren, so wie alle merkwürdigen Begebenheitsplätze, als St. Helena ihre Denksäulen setzen ließ, im lebendigen Angedenken gewesen sein. Die heil. Jungfrau wurde in Gethsemane unweit der Höhle, wo Jesus seine bittere Todesangst ausgestanden hatte, in einem Felsengrabe beigesetzt. Wie bekannt kam Thomas am dritten Tage, und wollte die Mutter Jesu noch einmal sehen. Die Brüderschaar der Apostel begleiteten ihn alle zusammen, denn jedem war es lieb, ihre Freude, ihren Trost im Leben, die Mutter des Herrn noch einmal zu sehen. Doch sahen sie im Felsenraume nichts, als das leere weiße Grabestuch, mit weithin duftendem Balsams-Geruch. Fromme Seelen wollen wissen, wie sie im Aufflug gegen Himmel ihren Schleier zurück auf die Erde fallen ließ, und geben heute noch den Ort über den Garten Gethsemane genau an, wo er gefunden wurde. So viel ist gewiß, daß man, freilich nur mit seltener Begünstigung, ganz kleine Reliquien=Theilchen „von dem Schleier unser lieben Frau" bekommt. Hier in Jerusalem weiß ich nichts davon, es wird überhaupt sehr wenig von derlei Reliquien gesprochen, aber in Rom war ich selbst so glücklich, ein Theilchen dieses jungfräulichen Schleiers zu bekommen. Ich bitte aber, sich nicht etwa einen unsrigen Hutschleier von Tüllanglais vorzustellen. Die Landessitte der Frauen hüllt sie heute wie damals in lange Schleier vom weißem Baumwollenstoffe, über den Kopf bis an die Ferse wie in einen Mantel ein, der Habarah heißt; er ist drei Ellen breit und zwei eine halbe Elle lang. Das Vertheilen des

Mutter Gottes Schleiers zeugt jedenfalls von einer besondern Bege=
benheiten desselben. Im Nachhausegehen durch das Marienthor
führte mich Pater Barnabas in die Häuser der Communität, wo diese
ehrwürdigen Väter des heil. Landes ihre eigenthümlichen Schätze auf=
bewahrt haben, das sind: „die arme Christen=Gemeinde in
Jerusalem." Da leben die Familien vom Klosterbrote, was täg=
lich mit einem verwunderlichen Segen Gottes gespendet wird, als freie
Zinsparteien. Die arabischen Christen sind ganz arm, auch die
europäischen Christen, die da kommen als Pilger, sind ebenfalls ganz
arm, und leben von der wohlthätigen Güte der ehrwürdigen Väter,
die es von ihren eigenen Lebensbedürfnissen absparen, um keinem Frem=
den, der das heil. Grab besucht, etwas abgehen zu lassen, oder ihre
arme Christen=Gemeinde nicht darben zu sehen. Wenn nicht hie und
da einige Prinzen, Fürsten und Herren kommen, die eine Gabe für
ihre freundliche Bewirthung zurücklassen, so bekommen sie für den gan=
zen gastfreien Lebensunterhalt ihrer anderen Besuche nichts, weil diese
Alle, bis sie nach Jerusalem kommen, sehr froh sind, dort versorgt zu
werden; was Gott dem Lande und seinen Beschützern auch gewiß nicht
unbelohnt lassen wird. Daß großartigere Pilger = Wallfahrten von
Europa nach Palästina in der Erwartung stehen, bewährt sich durch
den wirklich schönen Neubau eines Pilgerhauses in Jerusalem. So
weit ist es nun fertig, daß man es ein orientalisches Prachtgebäude
nennen kann. Die Terrasse bietet einen Spazierweg wirklich erhabener
Art, mit der Aussicht auf's Pilgerthor und den Thurm Pisania, dem
gegenüber das Haus in bedeutender Größe angebracht ist. Der Bau=
meister, ein Frater Franziscaner, hat sich schon mehrseitig mit seinen
gelungenen Bauten großes Lob und Ehre erworben. Ich freute mich
ungemein, ihn eben im Hause zu treffen, als ich es besuchte, um diesen
berühmten Franziscaner Baumeister kennen zu lernen, von dem ich
schon in Alexandrien so vortheilhaft sprechen hörte. Er war auch so
freundlich, mich selbst in dem ganzen Gebäude herumzuführen, und mir
das noch Fehlende zu erklären, dessen ganze Zusammenstellung ich nur
bewundern konnte.

# Hundertundneunzehnter Brief.

## An den hochwürdigen Herrn Pfarrer Sch.

Jerusalem, den 12. April 1848.

Eine unserer geehrtesten und letzteren Beschreibungen von Jerusalem sagt: „Ringsum ist der Boden braun, aschenfärbig verbrannt, steinig, „nur stellenweise mit Erde überschüttet und angebaut, und sowohl auf „den Anhöhen als in der Fläche bloß mit einigen Oelbäumen bepflanzt. „Kein singender Vogel schwirrt in den Lüften, kein anderes lebendiges „Thier regt sich auf den Feldern, kein Geräusch schallt aus der Stadt, „kein Rauch, kein Windhauch erhebt sich. Alles ist still und stumm, „die ganze Natur scheint erstorben. Der Fluch des Herrn ruht sicht- „bar auf seiner Stadt, so wie auf dem gesammten Lande Judäas!" — So wie meine Augen die Stadt Jerusalem sehen, sammt ihren Um- gebungen, so möchte ich entgegen dieser vorgestellten Auffassung aus- rufen: „der Herr hat den Fluch von ihr genommen," denn ich sehe Wiesengrün und Blumen, gutgepflegtes Erdreich und Oelbäume ohne Zahl, so, daß jede Gegend einem Garten gleicht, und man unwill- kührlich die göttliche Vorsehung bewundern muß, weil die vielen Lampen, die Tag und Nacht am heil. Grabe und andern heil. Orten brennen, auch vieler Oelbäume bedürfen. Und nicht nur Oelbäume sehe ich, auch genügend Feigenbäume. Der Oelberg ist ein offener Garten von Oel-, Feigen-, Mandel-, Granatäpfel- und andern kleineren Fruchtbäumen. Freilich bin ich hier im Frühlinge, im April, wo noch die Sommerhitze nichts verbrannt, und das frische Grün in erfrischender Kühle wächst. Wenn ich hinausgehe vor das Sions- thor und hinüberschaue über den Bach Cedron und dem Thale Josa- fat, auf die sich schwellenden Hügel des judäischen Gebirges, so bleibe ich stehen, um meine Seele zu weiden an der Schönheit dessen, was mein Auge erfaßt, durch den hohen Werth, den jeder Blick auf alle Seiten, den der Glaube durch das Gehör mir fühlbar macht; an der Erinnerung, daß der Blick des Gottmenschen hier oft verweilte, daß dieß dieselben Berge sind, die Jesus Augen sahen. Gehe ich hinaus zum Pilgerthor und biege ich links um die Mauer gegen

Bethlehems Seite, wieder sehe ich nichts, als was mein Auge ergötzt. Schafe und Lämmer sehe ich weiden, Kamehle und Esel mit ihren Treibern, ihren Handel, ihre Werke zu vollbringen. Wenn ich nun, sei es auch zur Mittagsstunde, um die Stadt spaziere und auf einer Seite ihre erhabenen Mauern, auf der andern ihre Umgebung betrachte, kühlen mich angenehme Lüfte, denn es fängt schon an sehr heiß zu werden. Auch Windstürme habe ich in einigen Tagen übler Witterung genug gehört, und die altbekannte Freude der Morgenländer gesehen, wenn es regnet. Diese schreibt sich aus der einfachen Ursache her, weil das Land arm an Wasser ist, und das meiste Wasserbedürfniß durch das in Cisternen gesammelte Regenwasser gedeckt wird. Aus Mangel an Wasser gibt es in Jerusalem auch wenig Garten-Anlagen. Vögel schwirren und singen mir so manches vaterländische Liedchen vor, jeden Morgen wecken sie mich auf, obschon ich mitten in der Stadt wohne. Die Stadt selbst finde ich zwar nicht geräuschvoll wie ein Rom, Wien oder irgend eine große Stadt; sie ist aber keineswegs todt in ihrem Handel und Wandel. Der Bazar ist stets sehr belebt und die Boutiquen nach Art der Bedürfnisse zahlreich genug. Nun bin ich wohl auch um's Osterfest hier, wo von allen Seiten Fremde hereinströmen, und das mehr als gewöhnlich, wie man mir sagt, so, daß man sich jetzt schon vierzehn Tage vor Ostern kaum mehr durch die enge Pforte auf den großen Platz vor die Grabeskirche drängen kann. Doch Alles in größter Ruhe, Ordnung und Gelassenheit, nicht mit Stoßen und Ungeduld, Drängen und jeder der Erste sein Wollende, wie es bei uns meistens der Fall ist, wenn um irgend einer Ursache willen eine größere Menschenmenge versammelt ist. So finde ich die Stadt Jerusalem. Nur in das Lob, daß man vom Rauche nicht belästiget wird, muß ich noch mit einstimmen; denn dieß ist in Städten wirklich ein seltener Vorzug. Man bedarf hier der Heizung nicht so viel, das Holz ist auch sehr klug, es wird nach dem Gewichte verkauft. Meistens wird in kleinen Wirthschaften auf Kohlen in dazu verfertigten Thongefäßen gekocht, und wo Feuerung ist, sind die Rauchausgänge bei den Plattdächern wirklich so geschickt angebracht, daß man weder im Innern des Hauses noch von Außen von dem unangenehmen Rauche etwas zu leiden hat. Die Baukunst der orientalischen Häuser ist von ganz anderer gar nicht vergleichbarer Art mit der unsrigen. Mir gefallen sie besser, weil sie frei von den stolpernden Dachgerüsten, eine freie Aussicht, unter freiem Himmel auf ihren Terrassen gewähren, die man sich zu Gärten umwandeln kann, und somit sehr angenehm der schwarzen Dächer sammt ihren wohlbeladenen Rauchfängen enthoben ist. Gestern, Sonntag den 9. April, war ich mit Pater Sebastian dem Wiener und seinem Buchdrucker Johann, ein junger christlicher Araber, in der Jeremias = Grotte. Wenn es je irgend einen grotesken, imposanten Anblick einer Grotte gibt, in der ein Prophet lebte, so ist es gewiß diese. Die ganze Lage in ihrem Umfange im Berge mit ihrer groß= artigen Höhe ist wie gezeichnet in herrlichen Formen. Ja die Natur selbst hat diesen Ort für einen Propheten Jeremias gestaltet, um aus der Ferne der Zeiten die tiefen Geheimnisse des Leidens und Sterbens unseres Heilandes zu sehen, zu schauen die entsetzliche Noth= wendigkeit, das Menschengeschlecht auf so schauerliche Weise zu erlösen. Die Nothwendigkeit, welche aus der schwachsinnigen Widersetzlich= keit der Menschen hervorging. Die Nothwendigkeit, welche die Gesetze Gottes und seine Gerechtigkeit, hervorgerufen durch verkehrte Handlungen und Gesinnungen der Menschen, keineswegs aber die Nothwendigkeit, daß Menschen ungerecht handeln mußten, da= mit das Erlösungswerk auf diese Art vollbracht wurde. Sollte es nicht genug gewesen sein, daß Gott selbst Mensch geworden, um die menschliche Natur mit allen ihren Mühseligkeiten auf sich zu nehmen? mußte er so schmählich und schmerzlich sein Leben enden? — Ja wohl mußte er, weil er die Menschheit nun einmal erlösen wollte, und weil diese ihm sein Werk nun einmal erschwerte. Nicht einmal eine Stunde wachen konnten die Lieblingsjünger des Herrn bei seiner Todesangst, obschon er sie wiederholt dazu aufforderte. Mußten sie schlafen? — Gewiß um einer leichten Sache willen forderte sie Jesus nicht so dringend zum wachen auf. Dieß ist vor= über mit so vielen Anderem, und kann uns nun nur zur Belehrung dienen, auf welche Art und Weise wir das uns überlassene Mitwir= kungswerk vollbringen, und uns der Früchte einer so schauerlichen Er= lösung theilhaftig machen. Ueber die bekannte Geschichte der Frau des Pilatus, die nachmals eine sehr eifrige Schülerin des heil. Paulus wurde, und die durch nächtliche Einsprechungen im Traum so viel mit Jesus dem Gerechten, den unschuldig Verurtheilten zu thun hatte, daß sie mit dringenden Bitten ihren Herrn bestürmte, über ihn die Todesstrafe nicht zu verhängen, was er ihr auch versprach, in seiner wankelmüthigen Menschenfurcht jedoch nicht hielt, hörte ich

23

einmal einen sonst sehr frommen und geistvollen Herrn sagen, daß diese Eingebungen vom bösen Geiste hergekommen wären, um das Erlösungs= werk zu verhindern. Von welchem Geiste kamen dann die Einspre= chungen des Pilatus her, des ungerechten Richters, gegen sein eigenes anerkanntes Gewissen? vom Geiste Gottes, damit das Erlösungswerk auf die grausamste Weise vollbracht wurde??? — Ich zweifle nicht, daß hierin eine Verwechslung geistiger Anschauung zu finden ist, die keineswegs gleichgiltig auf belehrende Tendenzen übergehen kann, welche der Prophet Jeremias gewiß nicht so unbedingt gemeint hat, wenn er sagt: „Jesus mußte leiden, um in seine Herrlichkeit einzugehen." Es scheint ein equivoque zu sein, wenn es heißt: Jesus wollte leiden und so mußte er leiden." Wie kann man denn müssen, wenn man will? — Doch löst sich dieser Satz ganz einfach auf. Die Menschen brachten es dahin, daß Jesus leiden mußte, weil er sie erlösen wollte. Und so mußte er auch das Entsetzliche leiden, weil er leiden wollte. Das Innere der Jeremias=Grotte besteht in drei Abtheilungen, wovon die mittlere tief wie ein großer Saal sich zeigt. Rechts ist eine sehr große Vertiefung mit Steinsitzen, ganz geeignet zu einem Gesellschaftssaal. Vom Eingange links zeigt man den eigentlichen Aufenthaltsplatz des Propheten. Die Natürlichkeitsforscher erklären diese Grotte jedoch nur als einen Steinbruch, aus Noth= wendigkeit, um den characteristischen Aufenthaltsort eines Prophe= ten Jeremias, den ihm die Natur angewiesen, in Abrede zu stellen. Ich meinerseits will eben nicht in Abrede stellen, daß man diese schöne, großartige Höhle mit ihren prachtvoll weiß=, grau= und schwarz= marmorirten, doch immer nur dunkel gehaltenen Felsen auch zu einem Steinbruche benützte. Doch bei so vielen Steinbrüchen, die es gibt, sieht man keine Aehnlichkeit einer solchen Form. Sollte die Ehrwürdigkeit des Anblickes dieser Jeremias=Grotte von nahe und von fern die Kunsthauerei der Steinbrecher hervorgebracht haben, so muß ich wahr= lich gestehen, daß man sie noch mehr bewundern und merkwürdig finden muß, als wenn sie von Natur aus so gestaltet wäre, ob sie der Prophet Jeremias bewohnte oder nicht.

# Hundertundzwanzigster Brief.

## An den hochwürdigen Herrn Gubernialrath J. N. K.

Jerusalem, den 16. März 1848,
am Palmsonntage.

Da ich Merkwürdiges genug an diesen Tagen erlebte, so beeifere ich mich, Euer Gnaden wenigstens so viel davon mitzutheilen, als ich auffassen konnte. Ueber das Osterfest kommt wohl noch mehr. — Schon das Fest der sieben Schmerzen Mariä war feierlich und rührend genug. Ich brachte fast den ganzen Tag in der Grabeskirche zu. Tags darauf, als gestern Nachmittags, war großer feierlicher Einzug der Patriarchen. Der lateinische Clerus voraus, dann der griechisch-schismatische, dann die Armenier. Weder die unirten Griechen noch die Armenier haben einen Antheil im santo sepolcro und halten auch keine Feierlichkeiten, obschon jeder Theil seinen eigenen Patriarchen hat. In der Vorhalle wird dem einziehenden Patriarchen eines jeden Cultus sein Pontificalkleid angezogen, dann tritt er feierlich an den Salbungsstein, um ihn mit Kniebeugung und einem Kuße zu ehren; dann geht jeder Zug in Begleitung seiner Gläubigen, mit seinem Clerus, in die ihnen zugetheilte Kirche, von wo aus jeder Theil, seiner wohlverstandenen Eintheilung nach, seine Prozessionen und nachmittägig gottesdienstlichen Feierlichkeiten hält. Diese Einzüge sind wirklich prächtig zu sehen. — Ich stand am Eingange nahe am Salbungsstein, um nichts zu versäumen. Links am Eingange, fast mir gegenüber auf dem gewöhnlichen Wachdivane saß der Pascha Muhamed Zarif mit seinem Colonel, mit seinem Dragoman und anderen Begleitern. Indeß ich da wartete, dachte ich mir: Wenn ich es nur anzufangen wüßte, um mit dem Pascha zu sprechen, nur gar zu gerne möchte ich ihm die Falschheit der Griechen, besonders mit ihrem heiligen Feuer, und das Recht der lateinischen Kirche, sowohl ihren Glaubenssätzen als ihren Ansprüchen nach, auf die heil. Orte in Jerusalem recht klar vor Augen stellen. Da schickte der Pascha zu mir herüber, um mich fragen zu lassen, ob ich griechisch spräche. Was wäre mir wohl lieber gewesen? Statt dem Abgesandten zu antworten, machte ich die einigen Schritte hin zum Pascha, von

23 *

dem ich schon früher erfuhr, daß er französisch spreche. Er sah auf=
merksam herüber, als mich sein Botschafter fragte, und so war es mir
ein Leichtes hinzugehen, und ihm zu sagen: Votre Excellence! Grie=
chisch spreche ich zwar nicht, doch französisch, ich bitte mir die Stunde
zu geben, um mich präsentiren zu dürfen. Mit freundlichem Lächeln
und kurzer Bestimmtheit sagte er: „Morgen um drei Uhr." Das war
heute. Ich machte meine Verbeugung, und nahm meinen vorigen Posten
wieder ein, um mich meiner idealischen und so schnell organisirten
Audienz zu freuen. Der Pascha blieb mit seiner Umgebung, so lange
die Feierlichkeiten dauerten. Dieser Divan der gewöhnlichen Thorwache
ist von Reisenden schon so vielfach und für die Grabeskirche störend
besprochen worden, daß man sich einen ganz merkwürdigen Begriff
davon macht. Ich versichere Euer Gnaden jedoch, es ist weder etwas
Störendes, noch etwas Bedeutendes daran. Störend deßwegen nicht,
wenn man überlegt, wie nothwendig die Wache der Staats=
obrigkeit zum allseitigen Schutze ist. Auch ist der Divan
gleich beim Eingang in der Ecke drei Schuh hoch ober dem Fußboden
angebracht. Wenn die Leute nun ganze Tage da sitzen müssen, um
mehrere fremde Culten zu bewachen, damit Ruhe und Ordnung herr=
sche, so ist es wohl nicht zu verargen, wenn sie sich ihrer frugalen Le=
bens=Annehmlichkeiten bedienen, das ist ihrer langen Rauchpfeifen und
ihres schwarzen Kaffehs, der hinter einer Säule, auf einer Gluthpfanne,
in Kannen bereit steht. Uebrigens verhalten sich diese Leute sehr an=
ständig und ruhig. Ich habe sie nie anders als freundlich mit den
Aus= und Eingehenden gesehen. Und ich gehe doch schon seit längerer
Zeit ziemlich oft aus und ein. — Heute Früh begann der Gottesdienst
schon um sechs Uhr und endigte um zwölf Uhr. Die Festlichkeiten des
römischen Cultus hier zu sehen, und in Mitte ihrer Glaubensspaltun=
gen! wenn man nie die kirchlichen Ceremonien geachtet hätte, man müßte
sie hier ehren lernen. Von der reichen und zierlichen Beleuchtung mit
Kerzen und Lampen des Katafalks über das heilige Grab läßt sich gar
nichts sagen, wenn man sie nicht gesehen hat. Die ganze Rotonda an
allen vier Stock hohen Fenstern ist reichlich mit Lampen beleuchtet,
wozu alle drei Confessionen zusammen beitragen. Für heuer haben die
Griechen und Armenier dem lateinischen Sakristan die Geschmacks=An=
ordnung überlassen, ich zweifle auch gar nicht, daß es deßwegen so
hübsch ausgefallen ist; denn die Griechen überfüllen wohl gerne Alles,
doch ohne einen eigentlich ästhetischen Geschmack. Palmsonntag! in

Jerusalem! Um neun Uhr kam der Patriarch zur Palmenweihe ans heilige Grab. Nach den Functionen setzt sich der Patriarch auf seinen Stuhl und theilt die Palmen aus, die mit bewunderungswürdiger Kunst von Palmenblättern und Oelzweigen geflochten sind, in manneshoher Länge. Vergangenheit und Gegenwart verschmolzen in meinen Anschauungen, in allen meinen Wahrnehmungen. Palmen! die Friedenspalmen, die Weihe, die Prozession, das ganze Fest, ich hielt es in meiner Pfarre stets sehr in Ehren, und im Triumphe trug ich meinen Palmenzweig mit mir nach Hause. Ich verstand die Sache nicht so, wie sie mir heute vor Augen stand. Ich hatte keine Freude an den Palmen. — Nein, sie freuten mich nicht. — Hosanna dem Sohne Davids riefen sie, und hieben Zweige von den Bäumen und legten ihre Kleider über den Weg. O ihr Volk ihr! und drei Tage darauf schrieen sie: Kreuzige ihn, kreuzige ihn! sein Blut komme über uns und unsere Kinder!" Traut nur der Stimme des Volkes, und legt eueren Werth in seine Hand; kommt ein Anderer, der es zu gewinnen weiß, seid ihr am selben Tage noch verloren. — So möchte ich's der ganzen Welt hinaus zurufen. Seh't nur her auf die Geschichte Jesu! sie liefert euch das sicherste Beispiel. Die Geschichte hat es so fest gehalten, daß es die Kirchenfeste alljährlich erzählen. Ich nicht, ich mag nicht unter diesem wankelmüthigen Volke sein, das in drei Tagen seine bessere Erkenntniß verlor. — So raisonirte ich mit mir selbst und blieb ganz im Hintergrunde stehen, ohne Verlangen, mich um einen Palmzweig zu bewerben. Da kam der gute Bruder Sacristan, faßte mich bei der Hand und arbeitete sich mit mir durch das Gedränge, um mich an den Patriarchalstuhl zu bringen, zur Palmentheilung. Dieß warf mich aus meinen ganz eigenen Betrachtungen, ich dachte: Ohne Palmzweig mit der feierlichen Prozession zu gehen, dürfte mich doch nicht freuen und um eines Palmzweiges aus der Hand des Patriarchen, will ich mich gerne meiner eigenen Ansicht begeben und sie für unrichtig erkennen; doch kaum mit Mühe hingelangt, endigte der Kirchenfürst seine Theilung. Ich blieb mit meiner Meinung zufrieden. Als mich der gute Bruder wieder aus dem Gedränge hinausbrachte, wartete der Secretär des Patriarchen mit einer wunderschönen hohen Palme, um sie mir zu geben, und der deutsche Pater hatte auch eine für mich bereit. Nun war ich wenigstens von der Verlegenheit befreit, bei der Prozeſſion ohne Palme zu erſcheinen. Alle Conſulats=Herren in ihrer Galla, alle vornehmen fremden Herren, der öſterreichiſche Graf M. beinahe ganz in Goldſtickerei verbrämt, ſo groß er iſt, ein genueſiſcher Fürſt, gar ein frommer, lieber, alter Herr, mehrere andere anſehnliche Herren, worunter an würdevoller Haltung und Frömmigkeit Herr v. Boré, ein Franzoſe. Die Prozeſſion ging ausgezeichnet feierlich, andächtig und ordentlich, dreimal um den Grabeskatafalk. Der Prinz reichte der ſchwarzen Pilgerin die Kerze und ſtellte ſich an meine Seite. Hier kennt man die preziöſe europäiſche Auswahl nicht. Den Paſcha bemerkte ich unter dem Säulengange, er betrachtete mit Aufmerkſamkeit unſern Zug. Am Magdalenen=Altare, wo der lateiniſche Chor mit ſeiner ſchönen Orgel angebracht iſt, wurde das Amt gehal= ten. Ich hielt dabei meinen großen Palmzweig, und dachte ſo manch= mal, was ich denn damit machen werde, und auf welche Art ich ihn werde mitpacken können, um ihn nach Steiermark zu bringen, um Je= manden damit eine Freude zu machen; denn weil ich ihn nun einmal hatte, ſo war er mir auch lieb geworden. Doch dieſer Transports=Ver= legenheit war ich bald überhoben. Kaum war das Amt zu Ende, kam ein chriſtlicher Araber und bat mich ganz unwiderſtehlich, ihm meinen Palmzweig zu ſchenken. Anfangs weigerte ich mich eine Weile, da ſagte er auf italieniſch: Datemi quella palma, sono da Betlème. *) Nun denn, dachte ich: „der Betlehemit ſoll meine Palme haben." Und ich ging ohne Palmzweig nach Hauſe. Um drei Uhr war ich im Pa= lais des Paſcha. Ich bat mir bei Pater Sebaſtian den Johann aus der Druckerei aus, der ein beſcheidener Junge iſt. Er begleitete mich in ſeinem ſchönſten Feiertagskleide als Kavas und konnte eine geraume Zeit warten, bis ich von meiner Audienz herauskam. Seine Excellenz waren ſehr gütig und wies mich neben ſich auf einen europäiſchen Fauteuil. Gleich kam der Diener mit ſchwarzem Kaffeh und einer großen Taſſe mit verſchiedenen Conſituren, wovon ich während der Rede ganz gleichgültig ein Löffelchen voll nahm, um nicht abzuweiſen, den Kaffeh behielt ich, denn der gehört zur Annehmlichkeit des Geſpräches, und zur großen Unart und zur Beleidigung des Gebers, wenn man ihn zurück= weiſet. Mir gefiel der Kaffeh bei dem Paſcha von Jeruſalem ſehr wohl, er machte mich ſo ziemlich muthvoll, doch wozu wird es nützen! Viel= leicht hätte ich meine Zeit viel klüger verwenden

*) Gebet mir dieſe Palme, ich bin von Bethlehem.

können. — Nun denn, wenigstens hörte er mich mit sichtbarer Theil=
nahme an, und gab sich nicht wenig Mühe, mich richtig zu ver=
stehen, weil er in der französischen Sprache nicht sehr geübt ist. Auch
er gestand mir's zu, daß der Türke eher seinen Muhamedanismus fah=
ren läßt, ehe er den Fortschritt in der Civilisation aufgibt. Und daß
diese beiden Gegenstände Widersacher sind, ist jedem Türken von Distinc=
tion bekannt. Es war ihm klar, daß man die alleinige Wahrheit her=
vorsuchen müsse, und ich befliß mich nicht wenig, sie ihm in der latei=
nischen Kirche deposirit zu zeigen, deren vorzugsweise Achtung
er mir auch zuerkannte. Nun war ich auf meinem Feld wegen
den Griechen. Ich erklärte ihm das heilige Feuer am Charsamstage,
das der jedesmalige Pascha bekanntermaßen von der Gallerie des lateini=
schen Klosters aus mit ansieht. Er horchte mir mit Aufmerksamkeit 'zu.
Durch die Freundlichkeit seiner Rede aufgemuntert, bath ich ihn dringend
um Schutz und Gerechtigkeit für die Unsrigen, deren gerechte Ansprü=
che auf die heiligen Orte er zuließ. Ich stellte ihm vor, daß die euro=
päischen Mächte zu seiner Zeit es werden zu würdigen wissen, wenn
Türken die Kirche Gottes an den geschichtlichen Orten ihres Ausgan=
ges beschützen. Es wird eine Zeit kommen, wo man es
mehrseitig erkennen wird, was der Vorwurf bedeute, den die
Franzosen unter anderem König Philipp machen, daß er nämlich für
den Schutz der terra santa so wenig gethan hat. Wohl
hätte er sich durch Vertrauen auf Gott und die Verehrung der heili=
gen Orte, wenn er seine Religion wahrhaft verehrt
hätte, wozu er Ursache genug hatte, vom Sturze retten, und sein
Volk von Verwirrung befreien können. — Noch stellte ich ihm vor,
da er mir so gute Einsichten äußerte, daß Pilatus, dessen Geschichte
mit Jesu dem Gekreuzigten ihm bekannt ist, ebenfalls Gouver=
neur von Jerusalem war; und den Gerechten gegen sein
Gewissen und seine eigene Erkenntniß, bloß aus Men=
schenfurcht zum Tode verurtheilt hat. Er sei nun an derselben Stelle,
um Jesu den Gerechten, dem Sohne Gottes, in seinen Gläubigen,
in seiner Kirche, gegen die abtrünnigen Verfolger, die Griechen, zu
schützen, vor die er sich gar nicht zu fürchten brauche, und gegen die
er im schlimmsten Falle seine Soldaten aufstellen könne. Nun
dachte ich genug gesprochen zu haben. Seine Excellenz entließen mich
mit der freundlichen Zusicherung, für die lateinische Kirche gut zu sorgen.

---

# Hundertundeinundzwanzigster Brief.

## An Bruder Zeno.

Jerusalem, den 17. April 1848.

Nun habe ich die heilige Chorwoche in Jerusalem erlebt! Wer sich hiervon eine große Vorstellung macht, der hat wahrlich recht. Wohl ist auch der Patriarch ein Heiliger, wie ich noch keinen gefunden. Wenn unter seiner Theilnahme die Kirche im Oriente nicht gewinnt, möchte es wohl nicht leicht mehr ein Mittel geben, ihr dort zum Aufschwunge zu verhelfen. Seine Würde, seine Frömmigkeit, sein Anstand, seine Freundlichkeit, seine Gelehrtheit, seine Thätigkeit, nur sein „Dominus non sum dignus" bei der heil. Messe zu hören, was nie ohne Thräne und mit stets sich steigerndem Effecte gesagt wird, ist allein schon genügend, Jeden, der es betrachtet, zur Gottes-Verehrung mit zu erheben. Gestern am Palmsonntage pontificirte er in der Grabeskirche. Als er mit hellklingender Stimme das **Praefatio** sang, zog die griechische Prozession mit ihren unzähligen, ungeheueren Fahnen und ihrem schnufelnden Geschrei vorüber, daß nur heroische Sicherheit die Töne der wohlklingenden Harmonie des lateinischen Meßopfers treffen konnte, was Patriarch Josef Valerga auf so vollkommene Weise durchführte, daß es einen herrlichen Vergleich darbot, wie sehr die harmonische Kraft der katholischen Kirche über alle anderen Glaubensconfessionen e r h a b e n und s i c h e r sei, und wie sie sich unter allen verwirrenden Umgebungen in g l e i c h m ä ß i g e r R u h e in ihren Principien b e h a u p t e t. Wollte Gott, ich erlebte ihren T r i u m p h, über alle die verschiedenen Glaubensmeinungen der Menschen, wie ich hier in Jerusalem den T r i u m p h eines vollkommen erhabenen Gottesdienstes mitten unter ihren Schismen sah. Heute benützte ich den Tag, um das **Coenaculum** zu besuchen. Du magst dir wohl denken, mit welchen Erwartungen ich diesem ehrwürdigen Ort in die Nähe trat. Doch von allen heil. Orten, wenn sie auch die Türken besitzen, ist keiner so schwer zu besuchen, wie dieser. Dieser Gegenstand ist zwar schon oft besprochen, und ich fand ihn auch so. Kaum in's Thor getreten der einstmaligen Burg Davids,

so stellte sich meinen Anschauungen sogleich ein lebendiges Gleichniß entgegen, wie der Teufel dieß Kleinod der Christen an sich gerissen,
und wie er es bewacht, nur so viel, daß er wenigstens unserem Zutritt
weichen muß. Also wie? — Unter dem Thore standen mehrere e ch t e
Türken noch vom a l t en bei uns be k annten Schlag, obschon
ganz junge Leute. Einer nahm sich alsogleich um mich ganz freundlich
an, und wollte mich über die Stiege hinaufführen, da stürzte ein anderer wie eine Furie heran, um mich ihm zu entreißen, der Eine zog
mich vorwärts an der Hand, und so wäre ich bald auf empfindliche
Weise zwischen einem guten und einem bösen Prinzip in's Mitleid gerathen. Mit einigen ernsten doch freundlichen Worten kam ich so weit
los, um in meiner Börse einen Bakschisch zu suchen, mit dessen Theilung sich der Böse einstweilen mit einem Anderen beschäftigte, indeß
mich mein guter Freund ganz ohne Bakschisch - Interesse in den Saal
einführte, und mir da erzählte, so gut es ging. Doch gleich war der
Böse hintendrein, und packte den andern Guten ganz wüthend zum
ernsten Kampfe. Ich war ganz allein mit meinem kleinen Josef, der
mich begleitete, früher aber eine Menge Ausreden machte, um hinzugehen; weil er schon wußte, wie es hier zugeht. Ich fürchtete mich
vor diesem Hahnenkampfe zwar gar nicht, aber bange war's mir um's
Herz, weil ich dieses Getümmel an dem heil. Orte sehen mußte, den
zu betreten man sich gerne die Lebensgefahren einer weiten Reise gefallen läßt. Ich trat hin zu den Raufenden und befahl ihnen ruhig zu
sein, indem ich ihnen die Ehrwürdigkeit des Saales begreiflich zu machen suchte. Der Böse gehorchte auch, sah mich etwas besänftigt an,
und ging hinaus. Und ich konnte mich nach Muse aufhalten, weinte
selige Thränen der Rührung und des Dankes, mich hier zu befinden,
ließ die Fußwaschung, die Einsetzung des allerheiligsten Sacramentes
des Altars, die Zusammenkunft der Apostel, die Gegenwart der heil.
Jungfrau am Pfingstfeste, die Sendung des hl. Geistes, das erste
Concilium mit dem Ausspruche und dem Vorsitze des heil. Petrus, und
die oftten Besuche dieses Saales von der Mutter des Herrn an mir
vorüberziehen, und betrachtete mir das von der K a th a r i n a E m e r i ch
angezeigte Lampenbehältniß in der Mauer, worauf mein Blick gleich
beim Eintritte fiel. Und im Augenblicke erinnerte ich mich an ihre be-
schaulichen Geistesreisen, bei denen sie sogar s o l ch e K l e i n i g k e i t en
mit s o l ch' er G e n a u i g k e i t beschrieb; s i e, die doch gewiß nie mit
leiblichen Augen diese L ampennische sah, welche sehr veraltet aussieht,

und den von ihr bezeichneten, abgetropften Oelfleck wirklich bewahrt. Das kann ich versichern, daß keine Beschreibung Jerusalems und der heiligen Orte umfassender und richtiger ist, als die der Katharina Emerich aus ihren geistigen Anschauungen, und ich kenne deren doch die vorzüglichsten und bekanntesten. Der Türke zeigte mir den Ort, wo die Tafel stand, und erklärte mir, so gut es ging, den Gebrauch des Saales. An den Wänden sind Steindivane angebracht. Beim Eingange links in der Ecke ist die Stiege, welche zu den Gräbern Davids und Salomons führt; es waren auch noch andere Könige von Judäa in der Burg Davids begraben. Diese Gräber sind jedoch nicht einmal um einen Bakschisch zugänglich, um sie zu besuchen. Der andere Türke kam wieder, und mich däuchte es Zeit zu sein, diesen heil. Ort zu verlassen. Dieser schon in seiner Miene und durch seine Augen häßliche Mensch war jedoch so freundlich auf mich, daß er mir von dem Piedestal einer Säule Mauer herunterschlug, um sie mir zu geben. Ich nahm sie aber nicht, weil er einen abergläubischen Gebrauch damit verband, worauf er wieder böse wurde. Ich hatte Zeit, fortzugehen. Der Gute begleitete mich bis vor das Thor. Josef führte mich noch an den Ort, wo die Apostel das christliche Glaubensbekenntniß verfaßten. Obschon voll Stein, so kann man doch sagen, dieß ist ein anmuthiger Platz. Zum Andenken an die hier zum Grunde alles Glaubens festgestellten zwölf Glaubensartikel wurden zwölf Bogengänge über schöne Säulen gestellt, wovon noch vier stehen, die anderen aber der Zeit und der Verwitterung unterlegen sind.

---

## Hundertzweiundzwanzigster Brief.

### An den hochw. Herrn Gubernialrath J. N. K.

Jerusalem, den 24. April 1848,
am Ostermontag.

Der heutige Tag gewährt erst einen vollen ruhigen Rückblick, über die zurückgelegte heilige Feier dieser Woche, am Kalvarien-Berge selbst. Dienstag wurden die feierlichen Kirchenfunctionen in der Flagelations-

Kapelle gehalten. Die ganze Lage dieses Ortes gibt einen freundlich
ländlichen Anblick. Mittwoch Früh war das Fest in Gethsemane in
der Grotte der Todesangst. Weil aber gleich neben die unterirdische
Kirche über das Grab der heil. Jungfrau ist, welche die Griechen
besitzen, so war sehr viel Militär aufgestellt, um sich der Ruhe zu
versichern. Für uns trug dieß nur zur Verherrlichung unserer Feierlich=
keiten bei. Die Gefahr ist schon aufgedeckt, und kann daher leicht
vermieden werden. Die Griechen hatten ein Complot, daß dieß die
letzten Ostern sein sollten, daß mehr ein Lateiner in Je=
rusalem weile; Alle wollten sie in der heil. Charwoche morden und
verjagen. Nun so arg wird's wohl nicht werden. Die Obsorge scheint
sehr gut zu sein. Der Patriarch, den die guten Patres niemals allein
lassen, damit ihm nicht etwas Uebles widerfahre, steht bei dem Sultane
in Ehren, der Befehl ertheilte, daß die lateinische Kirche beschützt
werde. Nachmittag fand ich mich in santo sepolcro *) ein, wo die
Hymnen der Jeremiaden von den Patres ohne Orgel so schön gesun=
gen wurden, wie wohl kaum irgendwo. Der Patriarch saß blaß
auf seinem Stuhle wie der leidende Heiland selbst, dessen Betrachtung
unverkennbar auf seiner Miene schwebte. Als die Mette zu Ende war,
ging ich in die Kapelle zurück, um den deutschen Pater um eine Ver=
haltungsordnung für die heil. Woche zu bitten; da ich wohl nicht gerne
etwas versäumen möchte. In der Nacht in santo sepolcro zu bleiben
hatte ich schon aufgegeben, so sehr ich mich auch darauf freute, weil
ich merkte, daß man es nicht gerne sah, und so meldete ich mich auch
nicht darum. Ich fragte nach Pater Barnabas, man sagte mir
aspetate **), ich fragte zum zweiten= und drittenmale, und ich bekam
die Antwort aspetate. Gut, nun schien es mir doch schon ein wenig
lange, und ich dachte: nun kann ich nicht mehr warten, am Ende
könnte ich gar nicht mehr hinaus. Ich ging an's Thor, welches ich
fest verschlossen fand. Nun war ich auf die beste Art eingesperrt,
und mein sehnlichster Wunsch, um dessen Erfüllung ich schon den
Ordens=General in Rom bath, war erfüllt, ohne daß ich eine
vergebene Bitte wagte, und Andern die unangenehme Abweisung er=
sparte. Ich kann's nicht sagen, wie glückselig, eine Gefangene

---

*) Jm heiligen Grabe.

**) Warten Sie.

des Herrn zu sein, ich zurück in unsere Kapelle ging. Hier meldete ich mich gleich in der Sacristei und schickte noch einmal nach Pater Barnabas, um ihm zu sagen, wie es gekommen sei, daß ich mich hier befinde. Der gute Herr war voll Erbarmniß, daß er mir nichts zu essen geben könne, weil von meinem Dableiben keine Meldung war. Mir war's aber nicht um zu essen, noch um ein Bett um zu schlafen, ich war froh genug, hier zu sein. Der gute Pater brachte mir ein Stückchen Brot und ein Glas Wein, wir sprachen noch ein Weilchen, dann legte ich meinen Kopf an die Stufen des Altars und schlief sehr wohlthuend bis Mitternacht. Am Donnerstag begann der große Gottesdienst vor dem heil. Grabe um sieben Uhr, und dauerte ununterbrochen bis Mittag. Die Consuls, ihre Secretärs und alle andern vornehmen Herren, blieben bis an das Ende gegenwärtig. Beinahe alle Gläubigen gingen zur heil. Communion. Der Patriarch speiste über eine halbe Stunde lang ab. Um zwei Uhr hielt er die Fußwaschung, zwölf Patres vertraten die Stelle der Apostel. All' dieß geschieht vor dem heil. Grabe. Um vier Uhr wurde wie gewöhnlich die Prozession gehalten; dann die Anbetung des Hochwürdigsten die ganze Nacht hindurch, welches im heil. Grabe eingesetzt war. Die Kirche blieb verschlossen bis Freitag um ein Uhr, und somit kam ich in keine Verlegenheit, hinauszugehen zu müssen. Ich brachte denn die Nacht in der Engelskapelle, in der Anbethung des Allerheiligsten zu. In der Früh um drei Uhr wurde die Kapelle zu voll, weil sich die griechischen Pilger hineindrängten, da ging ich fort, und legte mich auf dem Kalvarienberge auf den Boden, wo Jesus an's Kreuz genagelt wurde. Hier schlief ich eine Stunde. Am Charfreitag Früh wurde der Gottesdienst auf Golgatha gehalten. Das Hochwürdigste wurde in der Sacristei in einen Kasten gesperrt und ein Licht davor gesetzt, weil man es, wegen nachfolgenden Umständen, nur auf diese Art von Verunehrung bewahren kann. In der Kapelle kann es nicht ausgesetzt bleiben wie bei uns am Charfreitage, weil der Durchgang in's Kloster ist, und der Pascha von Jerusalem mit seinem Gefolge und alle andern europäischen Herren am Samstage von der Gallerie des lateinischen Klosters dem Spectakel des griechischen Feuers zusehen. Auch Freitag gleich nach dem Gottesdienste, der bis Mittag dauerte, flüchtete sich Alles, was nur Anspruch machen konnte, in's lateinische Kloster. Die Kapellen-Thüre wurde gesperrt, die Frauen auf den Chor verwiesen. Pater Sebastian hätte mich auch gerne oben gewußt. Ich war wohl so gefällig, hinaufzugehen, jedoch in dem zusammengepreßten Gedränge wurde mir unwohl, vielleicht aber mehr noch von der Vorstellung: da bist du nun an diesem Tage in der Grabeskirche, was sich nicht gleich wiederholen läßt; du siehst Vorbereitungen, die die Aufmerksamkeit spannen, und würdest nur hören müssen, was die Andern sagen, ohne Dich selbst überzeugt zu wissen. Ich suchte mir den Weg über die Chorstiege zurück, und ging auf den Corridor auf Golgatha, wo ich gerade auf's Thor hinunter sah. Ich hatte keine Vorstellung von den Dingen, die da kommen sollten. Da öffnete sich das Thor mit beiden Flügeln, und das griechische Volk, welches lange schon auf dem großen Platze vor der Kirchthüre versammelt wartete, stürzte wie zum wüthendsten Landsturme herein, mit Geschrei und Geberden, als wäre der lebendige Teufel losgelassen. Mit Laufen, einander über den Kopf springen, pfeifen, in die Hände klatschen und tanzen, stürmten sie in die Rotonda, und in derselben um das heil. Grab herum; daß man es ihnen höchstens an einem Faschingdienstag auf freiem Platze hätte verzeihen können. Was aber ein solcher Aufzug an einem Charfreitag um's heil. Grab herum zu thun hat, das kann nur heidnisch sein. Nie könnte ich es glauben, wenn ich es nicht selbst gesehen hätte. Auf einmal packen sie einen unter diesem Lärm, und tragen ihn so hoch sie ihn halten können um die ganze Kirche herum, einen andern fangen sie ab und schleppen ihn wie einen Gefangenen, mit ihren Peitschen, die keiner Hand fehlen, auf ihn dreinschlagend. Auch die Türken schlagen mit ihren Peitschen wacker drein, nur um halbwegs ein wenig Einhalt zu thun. Als der erste Eindruck vorüber war, machte ich mir nichts mehr daraus. Ich ging mitten unter diesem Getöse herum, und redete mehrere von den ihren Unsinn erschöpfenden Gruppirungen an, wo ich junge Leute fand, ihnen bedeutend: was sie denn da machen, ob sie alle närrisch geworden seien; sie sahen mich an, als kämen sie zu sich und gingen auseinander. Einen Buben, der gerade vor dem Eingange in's heil. Grab seinen Muthwillen springen ließ, hielt ich an, und wies ihn in's Grab hinein, ob er vergessen habe, was dieser Ort hier bedeute, da lief in Eile ein Poppe daher, beutelte den Jungen ein wenig beim Schopf, und gab ihm mit seinem Käppchen eins hinauf, gegen mich that er aber ganz verlegen. Es schien mir nicht unmöglich, diese Leute zur Besinnung zu bringen, nur nicht für diesen Augenblick. Die guten Patres schwitzten vor Angst wegen mir auf ihrem Corridor, von dem aus sie mich in einigen Verhandlungen mit den Griechen sahen, daß sie mich nicht etwa auch packen und herumtragen sehen müßten, wie mir Pater Sebastian erzählte. Nun zum Glück nahmen sie meine Gegenwart unter ihnen nicht übel auf, sie legten mir gar nichts in den Weg. Um fünf Uhr mußten sie Halt machen. Da hatten die türkischen Offiziere eine hübsche Arbeit, unter diesem Gedränge so viel Raum zu schaffen, daß die Lateiner ihre feierliche Prozession halten konnten, um die heil. Orte am Kalvarienberge würdig zu verehren. Der Zug verfolgte seine gewöhnliche Ordnung, von allen Consulen und denen in Jerusalem gegenwärtigen fremden und einheimischen Christen, Alle mit brennenden Wachskerzen. Dieser ehrwürdige Zug ohne Gedränge, von den Kavas in rothen, goldgestickten Jacken, und silbernen Knöpfen auf ihren großen Stöcken, bewacht, die feierlichen Gesänge der Patres mit ihren sonoren Stimmen, die Predigten an jedem merkwürdigen Orte, ihrer achte, jede in einer andern Sprache, damit alle Nationen der gegenwärtigen Pilger das Wort Gottes am Grabe des Herrn verstehen. Welch ein Unterschied! Ist hier die katholische Kirche in ihrem Cultus nicht ehrwürdig zu finden? — Nach orientalischem Gebrauche wird die Grablegung ganz sinnbildlich vorgestellt. An dem Orte der Kreuzigung steht das Kreuz mit denen der beiden Schächer nicht so aufgestellt wie auf unseren Kalvarienbergen. Aber an diesem Tage kommt eins dahin, wo das Kreuz des Herrn in dem Felsen aufgepflanzt stand, an welchem eine gegliederte Gestalt, den Leib Jesu Christi vorstellend, angebracht ist, womit die Abnahme vom Kreuze unter Hymnen recht augenscheinlich vorgestellt wird. Welcher Geist, welches Herz kann hier wohl ungerührt bleiben! — Ich vermochte nicht hinzusehen, und blieb geflissentlich mitten in der Menge stehen, denn ich hüthete mich wohl, mich zu tief in Betrachtungen einzulassen. Nach Vollendung dieser Handlung, von der ich nichts gesehen hatte, ging die Prozession über die Stiege zurück, zwei Patres trugen die in ein weißes Tuch gehüllte Gestalt, um sie auf den echt noch aufbewahrten Salbungsstein zu legen. Zwei Stiegen führen auf Golgatha. Als sich der Patriarch mit seiner Begleitung wendete, sah mich der sarbinische Gesandtschaftssecretär, wies mir den Weg und hieß mich über die andere Stiege gehen; ohne zu wissen, wo ich hinkomme, dachte ich: weil man mich's heißt, so geh' ich denn; kaum war ich über der Stiege, als mich mitten durch die Menge ein reichgekleideter Kavas an der Hand fortzog, ob auch die Kleider krachten, und ich stand fest am Salbungssteine gegenüber dem Patriarchen, der in seiner kirchlichen Pracht auf einem Stuhle saß, umgeben von seinem Clerus in schwarzsammtnen Pluvialen, reich mit Gold gestickt, ein königliches Geschenk, nur zum Gebrauche am Charfreitag. Zwei Vasen standen vor ihm, aus denen er Myrrhen und Aloe nahm, in rührend tiefer Betrachtung unter Hymnen hinzustreuen, um den Leib des Herrn zu salben, wie es Josef von Arimathea und Nikodemus hier an dieser Stelle, auf diesem Stein gethan. Blaß, als wäre er selbst der leidende Heiland, beging der Patriarch Josef Valerga diese Handlung. Eine gläubige, der tiefern Betrachtung ergebene Seele, bei solch lebendiger, allen Sinnen zugänglichen Vorstellung, nach beinahe fünfhundert Jahren wieder der erste Patriarch in Jerusalem zu sein, die Lebensjahre Jesu Christi selbst zu zählen, denn der Patriarch geht in sein 34. Lebensjahr, den Namen dessen zu führen, der den Leichnam Jesu hier salbte, das sind zusammengedrängte Motive genug, um eine tüchtige Manneskraft zu erschüttern. Auch meine geringen Kräfte wären bald zusammengeschüttelt gewesen, wenn sich meine anschauende Betrachtung nicht einen Ausweg gebahnt hätte; nämlich daß, so wie ich stehte im innerlich stillen Gebete: Josef Valerga der Patriarch von Jerusalem in seiner würdevollen Stellung, Jesu vom Kreuze nehmen, und seine Wunden heilsam salben möchte. Das ist, in den Gliedern seiner Kirche. Daß Christus leider noch immer unter der Menschheit seiner Bekenner, zwischen Himmel und Erde am Kreuze mit ausgespannten Armen schwebt, gibt der Ort, wo dieses wirklich geschehen, das treffendste Zeugniß. Dieser Ort, wo Jesus am Kreuze erblich, ist noch heute der Ort der bittersten Hartnäckigkeit, des immerwährenden Streites der Griechen mit den Lateinern. Sollen diese vielleicht gänzlich abziehen, und ihre allseitigen Rechte denen überlassen, die sich die altgläubigen Christen nennen, und den Charfreitag am heil. Grabe auf diese Art in Ehren halten, wie ich es heute gesehen! Schmählich genug für die Christen in Europa, daß sie so wenig drum wagen, daß sie sogar im Wünschen verzagen, das kostbarste Stückchen Grund, auf dem ganzen Erdenrund, ihr Eigenthum zu nennen. Oder sind sie ihrer Wahrheit sich nicht mehr bewußt? — Die Priester hüllten das Leichentuch über die Gestalt und der Zug ging feierlich dem Grabe zu. Der Patriarch selbst ging in das Innere desselben, um die Handlung der Grablegung zu vollbringen. Pater Antonio lo spagnolo hielt hier die letzte Pre-

digt in spanischer Sprache. Nachdem wir in unsere Kapelle zurückgekehrt waren, mußte ich auf Zureden des Pater Sebastian, der mit
mehreren andern Conventualen nach Hause ging, mitgehen. Auch der
gute Bruder Sacristan sagte: Andate dunque non c' é per lei que-
sta notte. (Gehen Sie nur, diese Nacht ist nicht für Sie, um hier zu
bleiben.) Nicht sehr gerne, doch weil man es wünschte, verließ ich die
Kirche und ließ mir in guter Gesellschaft mit zwei Ellen langen Laternen heimleuchten. Unterwegs sagte man mir, daß die Griechen jetzt
erst und durch die ganze Nacht hindurch ihren ausgelassenen und
abergläubischen Tumult recht losließen, und daß ich froh sein sollte,
davon wegzukommen. Mit der Versicherung, die Kirche Samstag Früh
offen zu finden, begnügte ich mich. Samstag Früh jedoch, als ich an's
Thor eilte, fand ich es verschlossen. Mir blieb nichts übrig, als mich
in meinem Zimmer zu beschäftigen, das S ch w e r t d e r S ch m e r-
z e n zu betrachten, welches das H e r z d e r M u t t e r J e s u d u r ch-
st i e ß, und die Wachsflecken aus meinem Mantel zu putzen, mit denen
er wie weiß überzogen war. Indessen, so wie man mir erzählte, gings
im santo sepolcro dermaßen übel zu, daß der Patriarch sagte: „wenn
es so ist, so fungire er nicht wieder;" aus Vorsicht, daß nicht noch
mehr fremdes Ungethüm in die Kirche komme, um den feierlichen
Gottesdienst zu stören, ließ man sie gar nicht öffnen. Das war
den sich darin befindlichen Griechen eben recht. Der Pascha war
nicht da, auch keine Fremden, vor denen sie sich etwa genirten. Nun
gings los im Schreien und allerlei Neckereien, um die Lateiner bei
ihrer Messe zu beirren. Sogar Oel spritzten sie von dem Corridor
ihrer Kirche, der in einiger Erhöhung dem heil. Grabe gegenüber angebracht ist, wo die Lateiner jederzeit ihren Altar zu den großen
Functionen aufgestellt haben, auf die kostbaren Prachtornate herunter,
um sie zu verderben, und die Priester dahin zu bringen, daß sie im
Aerger ihren Gottesdienst unterbrechen, was sie natürlich nicht erreichten, so wenig als das Verderben der schönen goldgestickten Kleider von kostbarem Stoffe. Nachmittags brach die Geschichte mit dem
heiligen Feuer los. Niemand bekümmerte sich weiter um mich. G u t.
Daß es ganz schauerlich damit aussehe, so viel hatte ich wohl schon
vernommen, doch wie, davon konnte ich mir keine Vorstellung machen.
So viel wußte ich, daß die Engelskapelle geschlossen wird, worin
die griechischen und armenischen Poppen nach Angabe das Feuer vom
Himmel erwarten, welches ihnen der heil. Geist anzündet, und das

sie dann sogleich auf beiden Seiten, bei eigens dazu gemachten Löchern hinausgeben. Mit den daran angezündeten Lichtern treiben sie dann allen nur möglichen Aberglauben, wovon ich mir keine Begriffe machen kann. Einige besonders fromme Seelen verehren es als heilig, und bringen das Licht, nachdem sie ein Kerzchen nach dem andern anzünden, in wohlverwahrten Laternen bis nach Constantinopel und gar nach Rußland hinauf. Die Russen sind überhaupt sehr gute Menschen, die Unsrigen haben sie sehr lieb. Auch mir haben sie wohlgefallen, es sind ihrer zu tausenden am Osterfeste hier. Nur schade, daß diese gutmüthig, aufrichtigen Leute unter dem todten Tafelwerk des griechischen Schisma gehalten sind. Ich sage todt, weil ihnen der Geist der Gnade fehlt, den sie in ihrem Glaubenssysteme von sich weisen; denn sie sagen: der heil. Geist gehe nur von Gott dem Vater und nicht auch von Gott dem Sohne aus. Nun zu meinen eigenen Ueberzeugungen vom heil. Feuer, so gut ich es vermag. Um 1 Uhr ging ich ganz allein, mich dem Schutze der heil. Jungfrau empfehlend in die Kirche. Die Volksmenge war so groß, daß die ganze Grabeskirche damit überfüllt war. Ich nahm meinen Weg geradezu nach der griechischen Kirche, um dem heil. Grabe entgegen zu stehen. Ein junger Mensch, den ich nicht kannte, bot sich mir als Führer an. Mit namenloser Mühe kam ich vorwärts, doch zu bleiben war unmöglich, und ich sah nicht einmal hin an diese mir bekannten Lichtöffnungen, ich drängte mich mit Hilfe des guten Jungen wieder zurück, und ging in den breiten Corridor, um dort ein wenig zu athmen. Hierher auch, weil etwas Raum war, nahm der Feuerlärm seinen Durchzug, der doch mit zwei gesunden Augen zu schauen aus der Hölle kommt, das heißt: seine Lüge durch die Wirkungen beweist. Nachdem das Feuer durch die Oeffnung am Katafalk herausgegeben wurde, kam einer der Poppen mit einer von vielen Wachskerzchen zusammengedrehten Fackel vorangelaufen, sie so hoch haltend, als er konnte, und sich im Springen aufwärts schwingend. Das Volk im fürchterlichen Geschrei hinterdrein, ebenfalls im hinaufspringen während des Laufens ihre Kerzen anzündend, indessen war aber schon auf einmal Alles licht, weil Viele auf diese Art zum die Kirche laufen, und die Andern ihre Fackeln, Kerzen und Kerzchen bis zum kleinsten Kinde auf dem Arme, so schnell als möglich anzuzünden suchen. Als nun Alles in flammender Bewegung war, liefen sie wie im Sturme einer dem andern nach, seine Fackel über

24

den Kopf schwingend, springend und brüllend vor Geschrei, daß die Haare aufwärts flogen, der eine Sturm voraus, der andere mit Peitschenhieben hinterdrein. Ich lehnte an einer Säule. Nun gut, dacht ich: „So werden die Teufel in die Hölle verjagt." Ob dieser griechische Feuer Religions= Gebrauch eine derlei Gleichnißvorstellung, wodurch sich das Urtheil über heidnische Religions = Gebräuche in etwas mildert, beabsichtet, konnte ich noch nicht erfahren. Den Uns'rigen ist es zu sehr ein Gräuel, sammt der Erfahrung, daß nichts besser wird, daß sie darüber gar nicht reden mögen. Die Griechen selbst zu fragen, fehlt mir die Sprache, auch würden sie schwerlich Jemanden Rechenschaft geben, oder zu geben wissen. Worauf ich kommen konnte, ist es nur sinnlose Freude, das heil. Feuer, wie sie meinen, vom Himmel erhalten zu haben. Nach diesen Hauptceremonien geht der Pascha mit seinem Gefolge fort, um die Kirche der griechischen Willkühr zu überlassen. Auch der Patriarch mit der ganzen Communität, welche die heil. Woche über im Kloster der Grabeskirche zubrachten, gingen still und wehmüthig nach Hause. Ich stand am Salbungsstein, dem Thore gegen= über. Mir war's, als ob Christus mit allen Heiligen aus der Kirche hin= auszögen. Ich ging nicht mit; weil ich noch einen geschichtlichen Ueberblick über die griechische F e u e r l i c h k e i t nehmen wollte. Neben mir auf den Boden setzte sich ganz erschöpft der Dolmetsch des Pascha hin, der um der Sicherheit willen noch hier blieb. „Quel fatique, rief er aus: pour gar= der ces grecs!" *) Sie werden doch einen Unterschied unter denen, die sich Christen nennen, wahrnehmen? sagte ich. „Nun das ist wohl unver= kennbar;" meinte er. Ich äußerte mich, nicht begreifen zu können, wie denn die griechischen Poppen, die doch v ernünftig genug sein dürften, das Alles so können angehen lassen. — Ach, sagte er: die sind freilich gescheit genug, das thun sie aber eben aus guter Ueberlegung. Ich fragte, ob die Haltung der kirchlichen Functionen der Lateiner, als der wahren christlichen Reli= gion, nicht seine Achtung anspreche. „O ja," sagte er, „sie steht auch vor allen andern die erste oben an." Sagen Sie mir, denkt der Pascha eben so? „O ja," fiel er ein, „wir sprechen oft davon." Nun denn, sagte ich, so nehmen Sie die Lateiner unter Ihren besondern Schutz, daß ihnen ihre Rechte zuerkannt werden." Ein neuer Tumult um's heil. Grab machte den Dolmetsch auffspringen, um zu sehen, was es gäbe. Auch ich ging hin, fand aber die Kirche von aller Heiligkeit so leer, mitten im Uebermuthe, so wüst und öde, von Spott und Lästerungen so

---

*) Welche Mühe, diese Griechen zu hüthen!

überfüllt! um das heil. Grab herum sah ich unter Singen, Lachen,
Händeklatschen, Pfeifen und Schreien, Köpfe abbarbiren. Ich hatte
genug; ich konnte nicht mehr bleiben, und doch war es mir wie unmög=
lich, diesen Ort zu verlassen, mit dem Gefühle der Entwürdigung an
den Tagen, die das Fest der Menschen=Erlösung feierten, hier, wo sie
auf so schauerliche Weise vollbracht wurde. Ich ging auf Golgatha,
der stand ganz verlassen da. Ich kniete hin an den Ort, wo das
Kreuz stand, doch ich konnte mich in keiner Betrachtung sammeln. Mit
wehmüthigem Herzen und Thränen in den Augen dachte ich: „Wenn
es möglich wäre, daß die Heiligkeit dieser Stätte entehrt werden könnte,
so müßte ich mir selber sagen: „Geh' hinaus von hier.“ Da fiel mir
ein, daß ich das zum Troste der erlösten Menschheit zurückgebliebene
hochwürdigste Gut in der Kirche St. Salvator finde. Als ich mich
wendete, um fortzugehen, sah ich den Frater Sacristan mit trauerndem
Angesichte knieend beten; das war mir Trost, einen mitfühlenden Wäch=
ter an der heil. Stätte zurückzulassen. — In St. Salvator kam ich zu
meiner in Europa gewohnten feierlichen Anbetung des Hochwürdigsten,
um mich zu erholen von allem dem, was ich heute und gestern erlebt
hatte. Sonntag Früh war Alles zum feierlichen Gottesdienste vor dem
heil. Grabe bereitet, der von sieben Uhr Früh bis ein Uhr Mittags
ununterbrochen fortdauerte. Eine ganze Stunde predigte der Patriarch
in arabischer Sprache, mit einem Ausdrucke, der mir den Abgang des
Wortverständnisses ersetzte. Der Gottesdienst ging übrigens, mit Aus=
nahme eines flammenden Zusammenflusses der Beleuchtung am Katafalk
während der Messe, der von den Griechen mochte berechnet gewesen
sein, aber gleich wieder gedämpft wurde, in schönster Ordnung vorüber.
Heute Früh wurde der Gottesdienst in St. Salvator gehalten. Somit
hoffe ich, Euer Gnaden einen kleinen Ueberblick der heil. Charwoche
und des Osterfestes in Jerusalem vorgestellt zu haben. Noch schließe
ich ein verkürztes Schreiben ein, welches ich an den österreichischen
Minister in Athen, Baron P., abschickte, weil mich Se. Excellenz
freundlich genug aufforderte, meine Beobachtungen und Meinungen
unumwunden ohne Rücksichten auf andere Reisebeschreibungen auszu=
sprechen und sei es auch die seinige, welche ich auf dem Lloyd Erzherzog
Ferdinand gelesen hatte. Der Herr Baron P. führt darinen einen dem hohen
Gegenstande sehr würdigen Styl; auch ihn traf es, als er in Jerusalem
war, daß die Griechen und Lateiner zusammen das Osterfest hielten.

24 *

## Hundertunddreiundzwanzigster Brief.

### An Se. Excellenz den Herrn Minister Baron P.

Jerusalem, den 26. April 1848.

Es lebe Athen, aber nicht länger mehr das griechische Unwesen, welches nicht den Namen Religion verdient, denn es überbietet das Hei-
denthum, und bleibt ein unbegreifliches Geheimniß in den Rathschlüssen
Gottes, wie es sich noch bis heute erhält; da es zu gar nichts
dient, als den Namen Christenthum zu entheiligen, und die Kirche
Gottes, die sich nirgends in ihrer Wahrheit und Würde mehr zu erkennen gibt, als mitten unter ihren Schismen, zu verfolgen, und ihre
Ausbreitung zu verhindern. Einem ruhig beobachtenden Auge muß es
klar werden, daß Alles, was die späteren protestantischen Schismatiker
der Kirche Gottes vorwerfen, um ihren Abfall einigermaßen zu entschuldigen, sich von den griechischen Religionsgebräuchen herschreibt,
neben denen sich der lateinische Rythmus ausnimmt, wie das Bild
eines Engels neben der Vorstellung des Teufels. Das ist wahrlich
nicht zu viel gesagt, so wenig als der in öffentlichen Blättern gefun-
dene Ausspruch eines Amerikaners, der da sagte: er würde sich
schämen, Europäer zu sein, und diesem Unfug schweigend zuzusehen. Ich würde mich schämen, Augen, Ohren und
Zunge zu haben, und die Feder führen zu können, wenn ich nicht
davon Gebrauch machte, um den Christen wo möglich ihren Standpunct ein wenig anschaulich zu machen. Und sollte ich in die taube
Luft hinausrufen, so würde ich es thun, um mir selbst in den gerech-
testen Anforderungen Genüge zu leisten. Bei uns in Europa hat man
gar keine Begriffe von den am heil. Orte für die katholische Kirche
zu bestreitenden Gegenständen. Nach Allem, was ich las und erzählen
hörte, erwartete ich wohl Zänkereien und Streitigkeiten, doch keineswegs, daß die Ausübungen der griechischen Religionsgebräuche ausschließend die Entwürdigung der heil. Orte, von denen aller Glaube
in der Welt ausgeht, an sich trage. Es scheint, als ob Jedermann sich
vor dem Teufel scheute, um dagegen aufzutreten. Es ist unmöglich, Alles

zu überschauen, und von den Mißbräuchen und Aberglauben zu reden, den diese Leute am Charfreitage und Samstage in der Grabeskirche treiben. Hier wird es einem klar, warum der Türke den Christen ver- achtet, er kennt ihn ja von allen Zeiten her nur unter der griechischen Machthabung oder unter Feuer und Schwert der Kreuzzüge. Erst letzte- rer Zeit, seit die Väter am heil. Grabe sich mit ihren wenigen Gläu- bigen ein wenig bewegen können, und die barmherzigen Schwestern aus Frankreich sich in den türkischen Städten ansiedelten, schauen sie aufmerksam drein, als ob in dem Christenthume noch etwas Ehrwürdi- geres und Besseres verborgen liege, als sie kennen. Es ist nur traurig, daß ein so großes Volk, wie die Russen, in der Einbildung, alte recht- gläubige Christen zu sein, sich bethören und in den finstersten Aber- glauben verwickeln läßt. Wenn europäische Mächte der Nation der Griechen zur Selbstständigkeit verhelfen wollen, müssen sie vorerst darauf sehen, sie von ihren abergläubischen Religionsfesseln zu befreien, was sich nicht leichter erreichen ließe, als durch die Lostrennung des russischen Volkes von derselben. Wenn dem Kaiser von Rußland die Augen darüber aufgingen, und er es einsähe, daß Religionsanordnun- gen ihr eigenes Oberhaupt bedürfen, und daß der Regent seiner Staa- ten hierzu nicht der competente Führer, sondern ein gläubiges Mitglied und seiner Stellung nach der erste Beschützer und Protector, aber nicht Reformator ist, wie der Thron von England, die, nicht von den Glau- benslehren, nur von dem Cultus zu sprechen, im Gegensatze der Grie- chen gar zu kahl sind, um eine wahre Gottesverehrung zu bekennen. Uebrigens hat der Grieche sammt seinen Glaubensgenossen, den Russen, einen festen, ja unerschütterlichen Glauben, und der Engländer eine zarte innige Frömmigkeit, aber nicht ihrer Religionsleitung nach, son- dern ihrer Nationalität nach, weßwegen es jammerschade ist, in zu we- nig und zu viel von der Wahrheit der christlichen Glaubenslehren ab- gewichen zu sein. Unsere christlichen Regierungen in Europa, die sich zwar keine entschiedenen Religionsanordnungen anmaßen, und die weder rechts noch links im zu wenig und zu viel ihres religiösen Cultus abweichen, sind jedoch in ihrer humanen Toleranz schon so weit ge- gangen, daß man gar keine Religion als die herrschende mehr anzu- nehmen für nöthig findet. Der glücklichste Zustand des Menschen stellt sich unter der Beantragung des Hauptartikels auf: Zu glauben, was Jeder will, am liebsten gar nichts. — Noch steht die unumstößliche Glaubensnorm im Hintergrunde. Und aus den Anschauungen einer einfachen Philosophie geht die Ursache der Thronerschütterungen in ganz Mitteleuropa hervor. Sie steht da, eine gerechte Strafruthe, weil sich jene christlichen Mächte so wenig bekümmern, die durch das Erlösungswerk, durch das Blut Jesu Christi geheiligten, dem Glauben zur tiefsten Verehrung würdigen Orte, ihren ersten und eigentlichen Besitzern wieder zurückzufordern, und sie ihren unter schon so langem Drucke mit unüberwindlicher Geduld und Sorgfalt bewachenden Franziscaner-Vätern zur vollständigen Verehrung zu übergeben. Ibrahim Pascha selbst arbeitete hierzu an die Hand, wenn man ihn verstanden hätte, oder hätte verstehen wollen. Doch der schon zu fest gewurzelte, sehr undankbare Grundsatz: „Was brauchen wir uns mehr um den Ort zu bekümmern, wo der Glaube herkam, weil wir nun allenthalben seine Früchte genießen,“ bringt in seiner Erwiederung die Belehrung zurück: daß es eben nicht sehr gleichgültig ist, einen Ort, von dem die ganze Existenz abhängt, zu verlassen, oder ihn verlassen zu müssen. Als Ritter vom hl. Grabe beschwört Euere Excellenz eine Pilgerin hier an heil. Stelle, bei der mit dem Ritterschlage auf sich genommenen Pflicht, alle Kräfte anzuwenden, um die heil. Orte vom Unfuge zu befreien, dem Hause Oesterreich eine Vorstellung zu machen, daß es sich der terra santa mit erneuerter Liebe und Verehrung annehme. — Noch ehrt man allenthalben Oesterreichs Namen. — Sein eigener Sieg wird sein Lohn sein. — Und Oesterreichs Ehre und Nutzen wird hierdurch am eifrigsten befördert. Es ist nicht nöthig, auf Blutvergießen anzutragen, oder Kreuzzüge wie im Mittelalter aufzurufen; ein Vertrag mit der Pforte zur Zurückgabe der Sanctuarien als Eigenthumsrecht an die römische Kirche, die Aufhebung der Todesstrafe wegen Bekehrung zum Christenthume, und die Erlaubniß, römische Missionen halten zu dürfen, ist Alles, was nothwendig ist, und was mit einigen Beförderungen von Civilisation und Bildung zu Gunsten der Türken heut' zu Tage nicht umsonst gefordert würde. Auch ist es ja ganz leicht, darzustellen, welch' großen Gewinn das türkische Reich dadurch an Volks- und Landescultur erreichen würde.

# Hundertundvierundzwanzigster Brief.

## An die Frau des Herrn Gubernial-Secretärs K.

Jerusalem, den 30. April 1848.

On respire l'aire de la Bible dans toutes les parties de l'Orient *), sagt Herr v. Lamartine, um so viel mehr in Jerusalem. — Auch bemerkt er sehr richtig die Achtung für unsere Patres im heil. Laude, die ich mir zu bezeugen getraue, weil ich schon öfter gesehen, mit welch' achtungsvoller Zutraulichkeit ihnen türkische Soldaten zugehen und sie Vater nennen. Doch noch eine andere Bemerkung, die ich in Herrn v. Lamartine's Beschreibung gelesen, und mit der ich in meinen eigenen Bemerkungen mit einstimme, ist die: daß die Thiere im Orient viel zahmer und mit dem Menschen vertrauter sind, als bei uns. Monsieur L. sah Vögel, des Morgens gefangen, Abends mit den Kindern der Familie schon vertraut. Und rührend erzählt er die Anhänglichkeit seines gekauften Pferdes an seinen arabischen Herrn, obschon es ihn auf ausgezeichnete Weise nun als seinen Herrn erkannte. Auch sagt er gar so schön im Französischen: Qu'ils se conviennent mieux des jours d'Eden ou ils etoient encore soumis volontairement à la domination du roi de la nature **). Es war dieß mein eigener Gedanke kurz vorher, als ich ihn las, denn man ist hier an Lectüre verschiedener Art und Sprachen gar nicht verlegen, da man Zeitschriften hält und das Kloster eine gute Bibliothek besitzt. — Auf diese Art bekam ich auch ein Heft von Beurtheilungen und Citationen verschiedener neuer Schriftsteller in die Hand, wobei ich fand, daß die Romantik es auch wagt, sich in christlich fromme Form zu kleiden. Doch wer wird den narkotischen Geruch der Tuberose nicht scheiden können von dem erquickenden Geruche der vollen Rose? Ich will die Schriftstellerin nicht nennen, doch nur so viel hin erwähnen, daß Damen, die „für höhere Bildung weiblicher Jugend" schreiben, lieber in ganz weltlichem Bereiche verbleiben mögen, wenn sie von religiösen kirchlichen Erfassungen keine ande-

---

*) In ganz Orient athmet man biblische Luft.

**) Daß sie sich mehr den Tagen des Paradieses anschließen, da sie noch freiwillig der Herrschaft des Königs der Natur unterworfen waren.

ren Vorstellungen kennen, als schwärmerisch romantische Beispiele, die doch niemals mit dem geschichtlichen Werthe einer frommen Legende übereinstimmen können, und die der Jugend nachtheiliger fallen, als jede andere Weltromantik, und wofür ich jede Anleitung zur Lectüre noch mehr verwahren möchte. Das sinnlich bemakelte, tägliche Menschenleben läßt sich mit bloß religiösem Gefühlsleben nicht rein waschen, noch zum himmlischen Aufschwunge befördern. Jedoch ist es leider nur zu wahr, daß Geschichten von wirklichem Bestande und Werthe dem Geschmacke selbst erfahrener Gemüther, die die Jugend leiten sollen, täuschenden Fantasie-Gemälden weit nachstehen müssen. Ich weiß zwar ohnehin, daß Sie mit mir einverstanden sind, doch erlauben Sie, daß ich meine Meinung ausspreche. Von keiner Lectüre würde ich einer guten Mutter eifriger abrathen, sie den zartaufkeimenden Gesinnungen ihrer jugendlichen Töchter mitzutheilen, als die romantisch moderne Frömmigkeitslectüre, die mit ihrem süßträufelnden Gifte ganz geeignet ist, die leidenschaftlichste Sentimentalität in einer der Unterscheidungsgabe noch nicht fähigen Seele zu nähren, und welche um so gefährlicher ist, je mehr sie es wagt, die religiösen Gefühle, Gebräuche und Ausübungen der katholischen Kirche in ihrem klösterlichen Bereiche zum Thema ihrer fieberhaften Liebesgluth zu verwenden. Solche Art „Bildungs-Lectüre" ist die gefährlichste. — Und besonders, wenn sie von Frauen bearbeitet ist, die wohl Kennerinen der Irrthümer des menschlichen Herzens, der Conversation und des taggeformten Tones sind, doch keineswegs sich je um die Form und den Gehalt der kirchlichen Ascesse bekümmert haben, mit welcher sie es versuchen, an der Toilette zu spielen, wie mit ihren von heute auf morgen natürlich sich wechselnden Gefühlsbewegungen. Aus einer solchen hinter der Blendlaterne religiös verirrter Führung, ist sich weit schwerer zurecht zu finden, als auf einem offenbar anerkannten Lasterweg, oder einer irrigen Glaubensbahn, weil sie sich überzeugt wähnen, den Weg des Lichtes und der Begeisterung zu wandeln, wodurch man auch die oft sehr laut um Hilfe rufende Stimme des Gewissens so gut als möglich zu beruhigen sucht. — Weil ich nun schon einmal bei der Lectüre bin, so will ich bei gutem Einvernehmen mit Ihnen, gnädige Frau, mich noch weiter damit unterhalten. — Die katholischen Blätter gaben mir einen guten Ueberblick über die Lectüre Deutschlands, welches ohne weitern die Vorhand in jeder Art Lectüre hat, doch gegenwärtig nicht viel löbliches aufzuweisen scheint. Selbst die katholischen Blätter sind viel zu persiflirend, um den Werth und die Würde ihres Standpunctes zu behaupten. Sie sind zwar sehr zu entschuldigen, weil sie durch den Ton der Zeit dazu aufgefordert sind; auch muß man zugeben, daß sie nur, auf diese Art zubereitet, noch den meisten Lesern zugänglich und wohl auch gesund genießbar sind; so wie Man= cher zu seinem Wohlsein Nießwurz einnimmt, die einen Andern beinahe ums Leben bringen würde. — Ueber die örtlichen Beschreibungen von Jerusalem, besonders aber über die Echtheit der heil. Orte in Palä= stina, finden sich in neuester Zeit wohl meist nur protestantische Ansich= ten von solcher Gehaltlosigkeit, daß es einem däucht, es sei um die Buchdruckerschwärze schade. Ich möchte nur jedes gesunde Urtheil fra= gen, ob es nicht zum wenigsten herzlos und sinnwidrig ist, Jemanden ein schon lang besessenes und vielgeliebtes Gut abzuschwatzen oder für gehaltlos erklären zu wollen, wenn man nicht im Stande ist, ihm dafür Ersatz zu leisten. Gerade so machen es jene eisernen Beschreibungen, denen es zu thun ist, jeden geschichtlichen Glauben in Zweifel zu zie= hen. Das geschichtliche Interesse der heil. Orte abstreiten, heißt nichts anders, als so recht parteiisch gegen Alles auftreten, was die Geschichte Jesu, somit die allein wahre christliche Religion betrifft. Wären hier die heil. Eindrücke oder Angaben, die sich von einem Jahrhunderte zum andern bei einem Volke fortpflanzen, das seine Unveränderlichkeit bis auf die alltäglichsten Gebräuche seiner Lebensweise bewährt, unsicher anzunehmen, was sollte man denn von andern geschichtlichen Begeben= heiten mit ihren Ortsangaben denken? — Eine einfache Frage an die Gesammtheit historischer Verehrung wäre: Wie öde es wohl um das menschliche Wissen, ja selbst um die menschliche Existenz stünde, wenn geschichtliche Thaten der Vorzeit, und die örtliche Sanction ihrer Be= gebenheiten, so leicht in gerechten Zweifel zu ziehen wären. Der viel= berühmte und geachtete Herr v. Chateaubriand führt in seinen Reisen nach dem Oriente so viele Beweise der Echtheit der heil. Orte in Pa= lästina und besonders in Jerusalem an, daß zum Schlusse seine Worte für alle Zweifel und weitern unnützen Nachforschungen genügen, er sagt: „Will man hier zweifeln, so muß man gar nichts glauben." Zwei in der Ferne sehr verzeihlich unbegreifliche Zweifelhaftigkeiten über die Größe der Stadt und dem darin in einer Kirche sich befindlich sein sollenden Kalvarienberge, der sich doch zu seiner Zeit vor der Stadt befand, werde ich Ihnen ganz leicht geschichtlich erklären. Von der Größe der alten Stadt Jerusalem mit drei Ringmauern kann man sich

durch die Anzahl ihrer Bewohner, von denen man bei ihrer Zerstörung
liest, eine Vorstellung machen. Gegenwärtig nimmt sie den dritten Theil
davon ein, und behauptet noch immer denselben Raum der **Aelia Ca-
pitolina**, die Kaiser Hadrian 119 Jahre nach Christo auf dem
Schutte Jerusalems aufbauen ließ. Er schloß den ganzen Berg Morija,
worauf sich der Golgatha, das ist der Richtplatz der alten Juden, befand, mit ein, welcher zur Zeit des Herrn außerhalb der Stadtmauern lag, und ließ die ganze lange Strecke des Berges Sion, und
die von Morija nach Süden zu mit dem größten und bedeutendsten
Theile von Bezetha im Norden, außer den jetzigen Umfangsmauern.
Und so ist sich heute die Stadt Jerusalem gegen der zerstörten 40 Jahre
nach Christo, um die Ausdehnung vom Pilgerthore bis zum Damasker-
thore wie vorgeschoben, und um jene von Sion und Morija nach
Süden, wie von Bezetha nach Norden zu, verkleinert vorzustellen. Die
Stadtmauern sind von so gleichen und schönen Steinen gebaut, so gut
und unbeschädigt erhalten, daß sie meinem Auge wie eine neue um die
Stadt gezogene Schutzwehre erscheinen. Die Thore werden bei Sonnenuntergang geschlossen und bei Sonnenaufgang wieder eröffnet.
Die Burg innerhalb dem Pilgerthore, der Thurm Pisania genannt,
ist mit einem tiefen Graben umgeben, und seit Ibrahim Paschas Belagerung mit einer neuen Batterie verschanzt, so daß sie ganz vertheidi-
gungsfest dasteht. Diese Burg ruht auf der einst so großen Burg Davids, welche dieser himmlische Sänger verließ, um jene zu bewohnen,
die er sich am Berge Sion über das Haus Obed Edom bauen ließ,
wo er auch begraben wurde, und wo Christus späterhin sein letztes
Abendmahl hielt, welches heute noch als **Coenaculum** bekannt ist, und
gegenwärtig von den Türken als Hospital benützt wird. Die große
Burg Davids am Pilgerthore ruhte auf der, selbst nach Einnahme des
gelobten Landes, von dem jüdischen Volke sich noch so lange haltenden
Jebusitenburg, von welcher Jerusalem durch die Zusammensetzung mit
Jebus Salem ihren Namen herschreibt. Das hl. Grab, welches von
Golgatha nur 50 Klafter entfernt liegt, kam natürlicherweise in die
Stadt, nachdem dieser bei dem Neubaue mit eingeschlossen wurde. Da
es von den ersten Christen in eifrigster Verehrung im Andenken erhalten wurde, bauten die Heiden ihnen zum Spotte einen Venustempel
darüber, und zu Bethlehem über den Stall einen Adonistempel. Im
dritten Jahrhunderte nach der Bekehrung Constantins des Großen,
reiste seine Mutter die fromme Kaiserin Helena, in ihrem hohen Alter

von 80 Jahren nach Palästina, zerstörte alle Götzentempel und baute christliche Kirchen über die heil. Orte, vor allen über das heil. Grab, und suchte mit allen Kräften, die ihr unter kaiserlicher Machthabung von ihrem Sohne aus zu Gebote standen, im eifrigen Gebete das Kreuz Jesu Christi, welches sie auch am Fuße des Kalvarienberges tief unter geflissentlich darauf hingeführten Straßen=Unrath, sammt den Kreuzen der beiden Schächer und den übrigen Marterwerkzeugen fand. Ein mit kaum kennbaren Arabesken gezierter steinerner Stuhl, worauf St. Helena bei der Arbeit selbst gegenwärtig saß, ist noch in der ihr geweihten Kapelle aufbewahrt. Dieser Kreuzerfindungsort und der Kalvarienberg wurde erst später nach den Kreuzzügen von den französischen Königen unter einer großen Kirche eingeschlossen, deren Mittelpunct das heil. Grab war, ist und bleibt, und welche noch eben derselbe Tempel war, der im Jahre 1808 durch eine plötzliche Feuersbrunst zum Theil zu Grunde ging, den die Griechen jedoch wieder aufgebaut, und der dadurch in seiner Symmetrie mehr verloren, als ihr das Feuer geschadet hat. Die türkischen Fermane erkennen dem das Recht einer beschädigten Baute zu, der zuerst Hand an's Werk legt, sie wieder herzustellen. Die Griechen hatten aber die Baukosten sammt den Baumaterialien schon bereit, weßwegen ihnen auch die Schuld des Brandes beigemessen wird. Sie verkürzten die Lateiner nach der Wiederaufbauung um viele Rechte; welche, um Hand ans Werk zu legen, erst den weiten Weg nach Europa zu machen hatten, um da von einem Königreiche zu dem andern mühsame Sammlungen anzustellen. Indeß waren die Griechen mit ihrer ganzen Kirchenreparatur fertig, bei welcher Gelegenheit sie die Gruft der französischen Könige ausräumten, die noch die Gebeine eines Gottfried v. Bouillon und Balduin des Ersten, sammt seinen Nachfolgern, bis auf Lusignan den Letzten enthielten; schlugen große Stücke von dem Naturfels des Golgatha ab, und führten diese verehrten Gegenstände nebst andern Reliquien von der terra santa auf ein Schiff, um sie an die Engländer zu verhandeln. Das Schiff ging zu Grunde. Die Gruft der französischen Könige war unter der Baute neben dem Kalvarienfelsen angebracht, gleich rechts am Eingange der Kirche. Durch Zeichen an der Wand ehren und bewahren die Lateiner ihr Andenken. Nahe an dem Felsen in gerader Richtung von Golgatha herunter, der den spannenbreiten Riß, den das Erdbeben bei dem Tode Jesu entzwei spaltete, durch ein Fensterchen mit einer Lampe beleuchtet sehen läßt, ist ein kleiner Altarstein

mit einem Crucifix, Adam, dem Vater des Menschenge=
schlechtes geweiht. Am Fuße des Felsens ist der Sprung viel
breiter wie oben, worin man bei dieser wunderbaren Begebenheit einen
Todtenschädel fand, auf den das Blut der ausgebreiteten Arme Jesu
heruntertväufelte. Nach geschichtlichen Sagen hatten hier die ersten
Menschen ihre Wohnung aufgeschlagen, und Adam wurde in dem Fel=
sen begraben, auf welchem seine Schuld gesühnt wurde. Darum findet
man gewöhnlich unter den Crucifix=Bildern einen Todtenkopf ange=
bracht. Vor nicht gar langer Zeit kam ein sehr gelehrter protestanti=
scher Naturforscher nach Jerusalem, voll des Unglaubens, doch auch
voll der redlichsten Meinungen, das, was er nun einmal sieht, genau
mit seiner Wissenschaft zu durchforschen. Mit diesem Sinne kam er
nun auch über den Riß im Felsen, den er nach seinen genauesten Un=
tersuchungen für übernatürlich erklärte, und er, der bisher nichts für
übernatürlich anzunehmen gewohnt war, ergab sich der Verehrung
der Wunder Gottes, welcher der Herr seiner Schöpfung, und der Be=
schränker und Erweiterer seiner Gesetze ist. Um der allgemei=
nen Bemühung moderner Gelehrter, jedes Wunder für naturgemäß
zu erklären, aufklärend entgegen zu kommen, dürfte man nur sagen:
„Ein Wunder ist nichts anderes, als eine aufgelöste oder zusammenge=
zogene Kraft, denn eine Kraft ist Alles, was besteht." — Sehr
gut spricht hierüber Herr v. Lamartine: „Ist Natur und Wunder
nicht alles eins? Ist das ganze Weltgebäude etwas an=
ders als ein immer bestehendes Wunder, welches sich
alle Augenblicke wiederholt?"

---

## Hundertundfünfundzwanzigster Brief.

### An den Herrn Doctor K.

Jerusalem, den 8. Mai 1848.

Nun etwas Großartiges für Ihr Interesse, Herr Doctor. Eine Kur,
deren Sie sich verwundern werden, weil sie wirklich ein Wunder ist.
Ja wirklich ein Wunder, wie es sich still und ohne Aufsehen ereignete,

war ich so glücklich hier in Jerusalem mit anzusehen. Ich bitte nur
die Geschichte mit mir zu verfolgen. Ein reicher Leinwandhändler aus
Holland, der einige Falluten erlebte, und einmal, als er in der Dämmerung aus dem Hause trat, verkannt wurde von einem, der seinen
Feind tödten wollte, und der ihm eine gefährliche Kopfwunde beibrachte,
verfiel in Raserei, so, daß ihm sechs Männer bei seinen Anfällen nicht
gewachsen waren. Das Elend dauerte ohne Möglichkeit ärztlicher
Hilfe zehn Jahre. Seine Frau wollte ihn nicht von sich lassen, um
ihn in eine Verwahrungs = Anstalt zu geben. Ihre Kinder hatte sie
nebenbei auferzogen, und endlich in Paris in Versorgung gebracht.
Der Mann wurde etwas ruhiger, doch alle Aerzte in Amsterdam erklärten ihn uncurabel. Da faßte die gute Frau in ihrem lang-
wierigen Kummer, aus dem sie sich gar nicht mehr heraussah, den
Entschluß, nach Jerusalem zum heil. Grabe zu gehen, mit ihrem kranken
Manne, der noch in den besten Jahren, sehr rüstig und gut aussah.
Wenn kein Arzt mehr helfen kann, so wird doch Gott noch helfen
können, dachte sie, verkaufte, was sie hatte, ließ sich die ärztlichen
Zeugnisse über den unheilbaren Zustand ihres Mannes geben, und
wollte reisen. Nun handelte sich's aber wie und wohin? — Sie
war ihrer Straße gänzlich unkundig. Niemand interessirte sich anders
für sie, als sie zu verlachen, und zu sagen: sie sei so närrisch wie
ihr Mann, um mit ihm eine solche Reise zu unternehmen. Man gab
ihr den Reisepaß, weil sie ihn verlangte, aber keine weitere Auskunft.
Sie ging zum Bischof, um von ihm eine Reiseroute zu erbitten. Doch
da mußte sie froh sein, um nicht in ihrem ganzen Vorhaben selbst erschüttert zu werden, ohne zu wissen wohin, fortzukommen. Sie nahm
einen Wärter mit für ihren Mann, und zog in ihrer Unkenntniß der
Länder und des Weges von Holland herunter bis nach Rom, so weit-
läufig herum, daß sie leicht mit dem halben Aufgebot hätte in Jerusalem sein können. Ihre tausend Gulden waren angebracht, in Malta
hatte sie schon kein Geld mehr. Auch der Sprachen war sie unkundig,
sie verstand nur holländisch und deutsch, zwei der entbehrlichsten Organe
im Orient. In Rom consultirte sie den berühmten Doctor Alland, denn
im Falle als er vielleicht noch Hilfe möglich fände, wäre sie in Rom
verblieben. Aber auch Doctor Alland stellte ihr ein incurables Zeugniß aus. Von Rom weg wurde der Mann etwas ruhiger, sie konnte
den Wärter entlassen. In der Osterwoche kamen sie in Jerusalem an,
und wurden in einem Zimmer an der obern Terrasse neben mir ein-

logirt. Ich horchte die ersten drei Abende, was denn da für ein Pilger angekommen sei, mir schien's, als ob er nicht recht bei Sinnen wäre, obschon ich die Leute noch gar nicht gesehen hatte. Endlich begegnete ich der Frau, sie sprach mich deutsch an, und wir waren sogleich gute Freundinen. Tags darauf kannte ich ihre ganze Lage. Es kam der 3. Mai Kreuzerfindungsfest. Am Vorabende den 2. Mai war große feierliche Prozession in der Kapelle, worin die gesungene Vesper gehalten wurde, bei einer Unzahl von Lichtern. Herr Mühlbek, der durch die ganzen zehn Jahre seines Irrsinns von keinem Gebete, keiner Kirche, keinem Kreuzmachen etwas wußte noch wissen wollte, was seiner Frau am meisten schmerzte, weil sie ihn wie ein Thier, wie sie sich ausdrückte, zurücklassen müsse, wenn sie vor ihm stürbe, nahm die Aufforderung, uns in die Grabeskirche zu begleiten, ganz gutmüthig an, sah sich darin recht behaglich um, und nahm ganz ruhig das brennende Licht, welches man ihm reichte, um die Prozession zu begleiten. Er ging jedoch immer seitwärts, als ob er nur Alles beobachten wollte; die Angst der armen Frau, daß er etwa durch die Lichter in Rebellion versetzt werden würde, war erbärmlich, doch eben so groß und noch größer war ihr Vertrauen auf die Hilfe Gottes, wegen der sie hier war. Er hielt den ganzen nachmittägigen Gottesdienst ruhig aus, und ging mit uns nach Hause. Die arme Frau jedoch hatte sich auf den Steinen die Füße verkühlt, und vermuthlich durch die ausgestandene Angst, so wie durch die gesteigerte Kraft ihres Vertrauens, daß ihrem armen Manne hier am Grabe des Herrn möge geholfen werden, etwas überspannt; sie fiel in ein heftiges Fieber, daß der Klosterarzt sie recht gefährlich fand. Ich hielt mich viel bei ihr auf, und sah, es war am Kreuzerfindungstag, daß ihr ein ruhiger Schlaf sehr nothwendig wäre, zu dem sie sich auch geneigt zeigte, doch der ganz kindische Herr Mühlbek gab keine Ruhe, noch war er aus dem Zimmer zu bringen, auch war die arme Frau in der fürchterlichsten Angst, wenn sie ihn nicht um sich wußte. Da fiel mir ein, mit ihm spazieren zu gehen, was er mit wahrhaft kindischer Freude annahm. Ich mußte ihm versprechen ihn in's Kaffehhaus zu führen, um Zeitungen zu lesen. Ich erzählte ihm von dem schönen neuen Café, welches der Pascha vor dem Jaffathore anlegen ließ, und das eben vor ein Paar Wochen fertig und eröffnet wurde. Da die Frau wußte, daß mir ihr Herr so ziemlich parirte, wenn ich etwas sagte, so willigte sie gerne ein, um schlafen zu können. Nun dacht' ich: „Herr! laß doch ein solches Vertrauen nicht zu Schanden werden!" Wir gingen nicht zum Jaffathore hinaus, wohl aber durch die via dolorosa Gethsemane zu. Ich behandelte ihn und sprach mit ihm, ohne weiter von seinem kranken Zustande Notiz zu nehmen. Bei jeder merkwürdigen Stelle erzählte ich ihm, was hier vor sich gegangen, er hörte sehr aufmerksam zu. Auf einmal blieb er mitten am Wege stehen, und rief mit seiner ziemlich lauten Stimme und eisernden Geberde: „Hören Sie, das sag' ich Ihnen, wäre ich damals hier gewesen, so wie heute, das wäre nicht geschehen!" Ich erinnerte mich an die Geschichte Clodowigs, des ersten christlichen Königs von Frankreich, der eben so ausrief, als der heil. Remigius über das Leiden Christi predigte: „Wo waren meine Franzosen und ich, wir hätten ihn gerettet!" Heiliger, frommer, kindlicher Sinn! den dir Gott der Allmächtige mit Klarheit belohnen möge! seufzte flehend mein Herz empor, indeß ich mich doch lächelnd abwendete, denn seine Vorstellung und sein Wunsch, daß er damals hätte hier sein sollen, war gar zu ernsthaft; er perorirte mit aller Aufrichtigkeit seiner Gesinnungen. Zum Glück braucht man sich in den Straßen Jerusalems nicht so zu geniren, als wenn einem eine solche Scene in einer Stadt Graß begegnete. Ich suchte ihn zu beruhigen und weiter zu bringen, indem ich ihm die Geschichte fort erzählte, und sagte, daß ich ihn an alle die Orte führen werde, wo all' das vor sich gegangen ist. Wir kamen vor dem Stefansthor an den Platz, wo der heil. Stefanus gesteiniget wurde, was ich ihm denn auch getreu erzählte. Da zog er mich aber am Kleide, und sagte: „Hören Sie, wir müssen sehen weiter zu kommen, da gibt's böse Leute," womit er mich herzlich lachen machte. Wir verfolgten den schönen Weg hinüber nach dem Oelberg, und ich zeigte ihm den Ort, wo Jesus seine Todesangst ausstand, den Ort, wo die Jünger schliefen, wo der Verrath des Judas vor sich ging. Herr Mühlbek wurde immer stiller und ernster, am Rückweg sprachen wir sehr wenig, ich führte ihn in die Flagellationskapelle, beim Weggehen gab mir der ehrwürdige Bruder frisches Wasser aus dem Kettenbrunnen, weil er weiß, daß ich es sehr liebe, da ich öfter zur Kapelle komme. Herr Mühlbek trank auch. Doch mehr als ein gewöhnlicher Trunk schien ihm das Wasser zu sein. „—Das Wasser ist sehr gut, sagte er, da wird man gesund davon, ich werde wieder kommen mit einer Bouteille, um meiner Frau einen solchen Trunk zu bringen, damit sie auch gesund wird. In Allem, was er sagte, sprach sich das edelste Herz, die besten Gesinnungen aus. Kurz, Herr

Mühlbek kam zu sich; und je mehr er sich entwickelte, desto mehr zeigte er, einer der besten Menschen zu sein. Die gute Frau getraute sich's nicht zu glauben, sie verzagte beinahe weil sie sich fürchtete, er werde krank werden, da er die ersten drei Tage still und in sich gekehrt war, und sehr wenig aß, und sie sein immerwährendes Geschrei und sein essen für ein Paar andere starke Personen gewohnt war. Ich tröstete sie jedoch mit der vorüberziehenden Krise und der Entwickelung seiner Vernunftsorgane, was Gott sei Dank nicht vergebens war. Herr Mühlbek spricht und benimmt sich wie ein sehr angenehmer Gesellschafter, citirt die schönsten Stellen aus dem alten Testamente und dem Evangelio, welches er sehr gerne liest, und welches ich ihm schon früher hinaufgab. Er recitirt die schönsten und längsten Gedichte christlichen Inhalts als Morgen- und Abendlieder, politisirt, daß man nicht weiß, was man denken soll, wenn man weiß, daß der Mann, der über die Gegenwart so richtig zu urtheilen versteht, zehn Jahre bis vor wenig Tagen nicht bei Sinnen war. Bis an sein fünftes Jahr sagt er, sieht er genau zurück, und weiß sich der unbedeutendsten Dinge zu erinnern. Nur von den zehn Jahren seiner Geistesabwesenheit da weiß er nichts. Nichts von seiner ganzen Reise, er erinnert sich keines Ortes; er weiß nichts von Malta, wo Beide krank waren, weil sie einen heftigen Seesturm ausgestanden, daß sie ganz durchnäßt waren. Er geht gerne in die Kirche, seine Messe zu hören, und hat ein besonderes Zutrauen zu Pater Sebastian, bei dem er sich gerne in der Druckerei aufhält. Mir kommt er in seinem Verstande viel subtiler, klarer und umsichtiger vor, als er es je war; doch ich kannte ihn früher nicht, und sprach deßwegen im Vertrauen mit seiner Frau darüber, was sie auch zugab, mit der Anmerkung, daß sie darüber selbst in Erstaunen versetzt sei. Einigemale rief sie schon aus: „Ach der Mann wird mir gar zu gescheit." Er fängt auch schon an, seine Herrnrechte zu gebrauchen; er geht aus, wenn es ihm gefällt, er führt die Geld- und die Geschäfts-Angelegenheiten, geht zu den Consulaten, und weiß für Alles zu sorgen. Nächster Tage, wenn sich die Frau von ihrem Kranksein besser erholt hat, gehen sie nach St. Johann und Bethlehem. Wie gefällt Ihnen diese Geschichte, Herr Doctor? — Wenn Sie sie Jemanden erzählen und man sagt, das hat die Luftveränderung hervorgebracht, so wäre wohl sogleich der Rath zu ertheilen, daß die europäische Irrsinnigkeit sich in Jerusalem ein Hospital bauen möge, um so bald und auf so leichte Weise zu genesen, wie Herr Mühlbek.

## Hundertundsechsundzwanzigster Brief.

### An den hochwürdigen Herrn Pfarrer Sch.

Jerusalem den 12. Mai 1848.

Ein Mai meines Lebens in Jerusalem! Und das was für ein Mai, sagte Pater Sebaftian. Niemand weiß sich eines solchen zu erinnern. Diese Grüne, diese Frische, diese Fruchtbarkeit für drei Jahre, von der mir schon mehrere Landleute erzählten, mitunter etwas Regen, dessen sich die Leute hier besonders erfreuen, weil er ihre Cisternen füllt, ab= kühlende Lüfte, der azurne, heit're Himmel, die Orangeblüthen=Gerüche, die aus den Gärten auf den Terrassen herab in die Straßen duften. Kann man sich etwas Angenehmeres denken? Vögel schwirren in den Lüften und in den Häusern girren Turteltauben, und vor den Thoren der Stadt erquickt sich das Auge an den malerischen Gruppen der Oelbäume, und den dicht aneinander wogenden Hügeln des judäi= schen Gebirges, auf dessen Kronen Jebus Salem seinen Thron aufge= schlagen, und selbst als Krone allen Städten der Erdumkreisung vor= leuchtet, in welcher ihre Könige als Edelsteine glänzen, deren gleichen Werth die Geschichte irgendwo vergebens sucht. Für meine innere und äußere Anschauung bleibt Jerusalem die heilige, trotz ihrer Zer= störung die erhabene und unzerstörbare Stadt Gottes. Auch alle Morgenländer nennen Jerusalem nur die heilige, die edle Stadt. Der König der Juden, der vor der Stadt am Kreuzesstamme erhöht mit dreifacher Aufschrift als König der Juden die Erlösung des menschlichen Geschlechtes vom ewigen Verderben vollbrachte, konnte für den Werth eines solchen Werthes nur den erhabensten Ort der Erde wählen, vorbedacht von den Propheten, und wenn er es nicht gewesen wäre, so müßte er es durch das, obschon noch so schmerzliche Werk der Erlösung geworden, und der höchsten Verehrung würdig sein. Gar wohl wissen es die Menschen selbst zu behaupten, daß ihre Erlö= sung als ein blutiges Opfer vollbracht werden mußte; weil sie aber vom Anbeginn ihrer Schuld, keine Schuld auf sich tragen wollen, so wälzen sie heute noch ihren Unglauben und ihre Lieblosigkeit, die das Werk der Erlösung auf so schauerliche Art nöthig machten, und

25

um ihre Theilnahmslosigkeit an geschichtlicher Glaubens=Verehrung zu ent=
schuldigen, auf den Ort, und möchten ihn wohl gerne zur Büßung
einer Schuld der Vergessenheit preisgeben. Der Ort soll
die Schuld vergelten, nicht der Mensch!! Wenn der Prophet über Jeru=
salem klagt, wenn Jesus selbst über die Stadt weinte, und um dieß recht zu
begreifen, muß man sie von jenem Standpuncte aus betrachten, und sich
ihre Ausdehnung und ihre Befestigung hinzudenken, so war dieß nur
gerechtes Mitleid über deren Verwüstung durch die Verstocktheit ihrer
Bewohner, die für die Führungen des göttlichen Geistes kein Verständ=
niß hatten, durch welches die Erlösung auch auf leichtere Weise, meh=
reren Andeutungen nach, hätte können vollbracht werden. Erkläre sich's
Jeder nach seinem Sinne, so kann dem Nachfolger Jesu Christi doch
kein Ort auf Erden theurer, heiliger sein, als dieser, von dem der
Glaube in der ganzen Welt seinen Ursprung nimmt. Für mich wird es
ewig heißen: „Lauda Jerusalem Dominum! — denn auch mich hat
die heilige Stadt Gott lobend aufgenommen, das heißt, so lange ich
hier bin, sehen und hören meine Augen und Ohren anders nichts, als
Gottes Lob; in der feierlichen Haltung der Natur, wie in den Tag
und Nacht ununterbrochenen Chorgesängen, Prozessionen und Gebets=
übungen, welche jeden Tag mit erneutem Eifer abgehalten und ange=
hört, begonnen und geendet werden, um wieder anzufangen. Wer hier
rechtgläubig ist, der lebt nur für die Wahrheit des heiligen Glau=
bens in der Liebe Jesu. Die Seligkeit innerer Bewegungen, die ich
heute erlebte, kommen denen am Ostersonntage gleich. Das Leben im
Geiste steht unbeschränkt im weiten Raume vor mir, und ich sehe furcht=
los hinein und wandle darin mit ruhigem Schritt. Doch wie Sie es
verstehen, hochwürdiger Herr! nicht mit eitlem Wortgepränge, oder
täuschendem Ideenspiel, nein, mit der Gnade, die Gott der Herr mir
spendet, und die durch weise, kirchliche Hand geleitet wird. Ich will
auch den heutigen Tag in seiner Wiederkehr in Ehren halten zum be=
sonderen Andenken, daß ich einen Mai meines Lebens in Je=
rusalem verlebte; denn wenn alle Wünsche und Verlangen des
Menschen nur dahin gehen, ein seliges Gefühl zu erreichen, so finde ich
in mir das Ziel erfüllt. Ein Fremdling war ich stets auf Erden und
die Sehnsucht zog mich himmelwärts, daß ich so manchen bangen Tag
durchlebte. Wie einer, der im Käfig eingesperrt, an den Eisenstäben
rüttelt, so fühlte ich der Nerven Leiden, die dennoch stark genug die
Seele hielten, damit sie eher nicht entschwinde, eh' sie ihr Werk voll=

bracht. Doch hier, wo Jesus lebte, handelte und wandelte, wo seine Augen die Berge sahen, wo geschichtlich hier auf Erden die Erlösung und die Auferstehung gefeiert werden, hier ist's mir gut. Die der heil. Stadt ganz eigene erhabene Ruhe und Stille, welche nach dem Abzuge der Pilger wieder eingetreten ist, erhebt die Seele ganz wunderbar in nie versiegender Betrachtung in Gott. Am Dienstage Früh in der Charwoche zogen bei eilftausend Pilger unter türkischer Begleitung an den Jordan; ich hätte an Herrn Zeller, mit dem ich durch die Wüste reiste, eine gute Begleitung gehabt, doch mir war die Gesellschaft zu groß. Prinz de **Podenas**, ein französischer Emigrant aus Genua, sagte mir neulich: ich möge mich nur gedulden, er reise gewiß an den Jordan, und er würde die Besorgung für mich bei dem Consulate auf sich nehmen. Diese Reise zu machen, ist eben nicht gar so leicht, denn sie kostet viel, ist gefährlich und beschwerlich, der Kopf muß in Jerusalem losgekauft werden, damit man ihn wieder sicher mit nach Hause bringt. Land und Leute sind hier so unveränderlich, daß man Alles noch wie gegenwärtig findet, was das Evangelium vor Jahrtausenden erzählt, z. B. die Geschichte vom barmherzigen Samaritan und einem unter die Mörder Gefallenen, als er von Jerusalem nach Jericho ging. Auch heut zu Tage ist dieß noch der gefährlichste Weg. Die Beduinen lagern dort am meisten, kennen jeden Fremden in Jerusalem und wissen seinen Auszug an's todte Meer. Niemand geht ohne Militär-Bedeckung, denn nicht selten geschieht es, daß sie die Leute ausziehen und halb todt schlagen, wie es unlängst einigen Pilgern hier aus der casa nuova begegnete, die es wagten, ohne Landesschutz diese Reise zu machen. Ich hoffe sie in einigen Tagen auf die angenehmste Weise anzutreten. Am 10. dieses Monats lag vor dem Jaffathore eine zerlegte kupferne Barke, auf der die Engländer einen Versuch machten, das todte Meer zu befahren. Die Kamehle mußten sie jedoch wieder zurücktragen, weil sie das Wasser nicht tragen will. Gestern besuchte ich mit einem Holländer und seiner Frau zum zweitenmale das Coenaculum. Das erstemal lebte ich nur den Eindrücken, die das Betreten eines dem Christenthume so hochheiligen Ortes hervorbringen konnte; doch gestern geriethen die heiligen Eindrücke schon unterm Thore in Verfall. Vier Türken, worunter sich einer sehr böse zeigte, als ich das erstemal hier war, machten sich sogleich an's Zurückweisen, denn weil diese Leute willkürlichen Bakschisch fordern, so wird die Unmöglichkeit des Eintritts vergrößert, damit sich der Bakschisch auch ver-

25 *

größere; da ich dieß aber schon kannte, so drang ich vor, wie einer, der sein Recht kennt und es zu behaupten weiß. Die Leute wurden willig und forderten von jeder Person nur einen Piaster, wir waren unser vier, sammt einem deutschen Handwerker, der ein natürliches Zeichengenie besitzt, mit dem er alle Gegenstände gut treffend aufnimmt. Während die anderen vier ihre Piaster theilten, traten wir in den Saal, in dem auch sogleich ein sehr guter Mensch kam, den ich vom erstenmale her kannte. Kaum schickte sich der Maler, unter welchem Namen dieser Mensch bekannt ist, an, den Saal zu zeichnen, nur mit in der Hand gehaltenem Papier, und die gute Holländerin sich ihren frommen Betrachtungen überlassen zu wollen, so war der mir schon bekannte Diabolus hinter drein. Er sah mich sogleich an und ich ihn, forderte mit Keckheit Bakschisch, den ich ihm mit dem Bedeuten verweigerte, am Thore gegeben zu haben, worauf er nach mir schlug, ich aber nichts darnach frug, sondern mit der Frau ein Gespräch anfing, um dem Maler Zeit zu verschaffen, seine angefangene Zeichnung zu vollenden. Nun wendete der Böse seine Aufmerksamkeit auf ihn, hieß ihn und uns fortgehen, und da ich keine Notiz davon zu nehmen hieß, knirschte er mit den Zähnen, wie ich es in meinem Leben nicht sah. Herr Mühlbek suchte ihn in Beschlag zu nehmen, um ihn um Aufschluß über eine Thür zu fragen, während einem der Kopf schwindelte ob dem Lärm und Geschrei von einem Dutzend kleiner Buben und Mädchen, die sich im Saale herumtummelten und rechts und links um Bakschisch schrien und zupften. Dießmal verging mir jede Anwandlung von irgend einer heil. Betrachtung. Ich sah nur die Verworrenheit der Zeit und den Verfall des Glaubens, die Auslagen von Millionen für Splitterwerk, und die gleichgiltige Verlassenheit der kostbarsten Denkmale der Liebe Jesu Christi. Jener Böse ließ mir jedoch nicht lange Zeit zu meinen Ueberlegungen, denn nachdem er Herrn Mühlbek sammt dem Maler hinaus expedirt hatte, kam er auch über mich und Frau Mühlbek; da ich mich aber nicht gerne unter seinen Händen sah, so suchte ich den Ausweg selbst, doch auf der Stiege packte mich dieser Unhold an der linken Schulter, daß die Kleider krachten, als ich mich schnell losriß. Er hätte mich wohl gerne geschüttelt, daß die Seele frei geworden wäre. Ich machte mir jedoch zu meiner eigenen Verwunderung gar nichts daraus, stellte mich ihm ganz imposant gegenüber, und hieß ihn voraus über die Stiege gehen, sonst werd' ich es dem Pascha sagen; worauf er mit einem anderen Gesichte brummelnd weiter ging. Unterm Thore saßen mehrere andere Türken in ihrer ruhigen Behaglichkeit, ohne uns etwas in den Weg zu legen. Es scheint dieß der einzige böse Mensch dieser Art in Jerusalem zu sein, damit der Teufel seinen Repräsentanten habe, und zeige, daß er sich des heiligen Ortes bemächtigte, welchen ihm auch Niemand mehr streitig machen will. Wie ist es nur möglich! möchte man ausrufen, daß bis heute alle jene Mächte und Obrigkeiten zusehen konnten, und gleichgiltig bleiben und schweigen gegen das immer mehr Anschreißen der unserem Glauben so heiligen Orte! Man ist doch sonst nicht so gleichgiltig gegen örtliche Besitzungen. — Oder sollte der tröstlich ascetische Grundsatz, sich an keine Gegenstände zu binden, und das Geschenk der heiligen Kirche mit ihren Abläßen, den Kreuzweg in jeder Kirche besuchen zu können, so genügend sein, die terra santa in Palästina zu beseitigen und ihre Verehrung überflüßig zu finden? gegen sie gleichgiltig zu sein, weil dasselbe Gut durch den Glauben und die Einrichtungen der heil. Kirche ohne Bemühung allenthalben zu finden ist! — Der Dank für solch ausgebreitete Wohlthat soll wohl nimmer fehlen, doch der Werth des Ortes selbst, von dem die Gnade ausging, kann und darf darum doch nichts verlieren. — Gibt es denn keine Ritter vom heil. Grabe mehr, die für die terra santa sprechend auftreten, und Vorschläge machen könnten, auf welche Art und Weise die ohnehin der römisch-katholischen Kirche angehörigen Gebäude wieder in kirchliche Verehrung kämen, ohne daß man darum blutvergießende Kreuzzüge anzustellen braucht! Oder ist die Großartigkeit von Gesinnungen, seine Verehrung nicht an die Unsicherheit eines Ortes zu binden, indem man Gott im Geiste und in der Wahrheit an jedem Orte anbeten könne, ebenfalls genügend geworden, daß die Missionen Asiens denen von Amerika in jeder Art von Theilnahme zurückstehen müssen? — Wie soll das segensreich und fruchtbar sein, wenn Christen den von Christi Blut getränkten Boden gleichgiltig liegen lassen, um sich andere Ehrenplätze zu erjagen, und sich dabei beschwätzen, man brauche an den Ort sich nicht zu halten. Dieß ist so recht der Grund, auf dem die Oertlichkeit der ganzen Erde wankt, daß selbst die Throne sich erschüttern, und die Kronen auf den Häuptern zittern, daß sich auflösen die gesellschaftlichen Bande, und keines an dem andern hält, als die der Eigennutz des Lebens bindet, wie der Werth des Christenthums verschwindet. Freilich wäre unter solchen Umständen die Scheidung bald getroffen, unter denen, die dem Himmel, und denen, die der Welt angehören; doch ging die

Theilung schief für die Kinder Gottes, die ihren Antheil gar gut auch auf der Erde haben: „Die Sanstmüthigen werden das Erdreich besitzen." Auf die Erde kam Gottes Sohn, um Mensch zu werden. Auf die Erde wird Christus wieder kommen, um als Richter die Scheidung im Thale Josafat vorzunehmen. Wenn die Sterne aus ihren Bahnen treten, wird sich der Raum genug erweitern. Und wenn die Engel mit ihren Posaunen nach allen Weltgegenden die Todten zum Gerichte rufen, da wird das Volk umsonst nach Constitution schreien, und den Thron des Allerhöchsten stürzen wollen. Da heißt es Rechenschaft geben für das, was man der Ewigkeit im irdischen Leben so gerne abgestritten hätte. Ich für meinen Theil kniete eines Tages dort, wo die Knie-Eindrücke unseres Herrn zu sehen sind, und bath im festen Glauben und tiefster Ehrfurcht, mit inniger Bewegtheit, in der Betrachtung aller Umstände eines uns bekannten jüngsten Tages, um ein gnädiges Gericht für mich und alle Menschen.

---

## Hundertundsiebenundzwanzigster Brief.

### An den hochwürdigen Herrn Chorvicar M.

Jericho, den 18. Mai 1848.

Da wir so zeitlich von unserem Ritt an's todte Meer zurückkamen, und mir genug Zeit zur Ruhe bleibt, so wende ich mich an Sie, hochwürdiger Herr! mich Ihres Musiktalentes erinnernd hier, wo Jerichos Mauern einstürzten von dem Schale der Posaunen. Gestern nach dem Feste St. Pasqual, bei welchem der Patriarch pontificirte, warteten schon die Pferde, und ich machte mich auf einem sehr wohlbeleibten Araber-Schimmel mit Fürst de Podenas und seinem Bedienten in Begleitung einer Beduinen-Sauwegarde auf den Weg von Jerusalem nach Jericho. Die Leute geben einem auf halbem Wege eine Ruine an, als Bezeichnung des Ortes, wo der im Evangelio unter die Mörder fiel. Der Weg überhaupt ist so bergig, ja gefahrvoll, an großen Abgründen vorüber, die das Auge in ihrer Tiefe, und die schwarzen Fels-

berge in ihrer Höhe, und grotesker Form an sich ziehen, daß man doppelt nur dem sicheren Tritt der Thiere trauen muß, um nicht durch
Furcht seinen Sturz noch vorzubereiten. Ich saß zwar ganz ruhig auf
meinem braven Schimmel, frei athmend und herumschauend auf allen
Seiten, jedenfalls die beste Art zu reisen, wenigstens mir die liebste.
Um zehn Uhr kamen wir von Jerusalem weg, und um fünf Uhr waren
wir in Jericho oder in dem jetzigen Dorfe Riha. An einer wunderschönen grünen Bucht, um die sich ein klarer Bach wendete, stand ein
Zelt unter einem großen Baume, in welchem Engländer campirten. Wir
logirten uns in das Dorf ein. Eine ziemlich hohe Schloßruine, ich
dachte mir: Wohl noch immer den Platz bezeichnend, des verschonten
Hauses, an dem die rothe Schnur am Fenster hing, als die Einwohner
dieser Stadt auf Befehl Gottes getödtet wurden, steht die Burg und
des Gouverneurs Behausung da, und nimmt auf ihrer Terrasse in aller
Höhe noch die Fremden auf! Doch der Fürst hatte nicht Lust, hinauf
zu steigen, er wollte sich lieber mit einer der idyllisch ländlichen Hütten
begnügen, die uns in der Reihe am Ende des Dorfes entgegen
sahen. Die übrigen Steinhütten, etwa 30 — 40 an der Zahl, sehen
aus wie große Backöfen, in die man bei einem ganz kleinen Eingang
hineinschließt, und die über eine Vertiefung in der Erde gebaut sind.
Dahinein zu gehen hätte ich mich wohl nicht leicht entschließen können,
doch wo wir blieben, gefiel es mir sehr gut. Diese Hütten sind ganz
gleich gebaut. Eine Kammer für die Regenzeit etwa drei Schuh
tief in der Erde und gedeckt, vorne zu eine Erhöhung von etwa
drei Schuh vom Boden aufwärts und ganz offen, mit einem leichten
Reisigdach auf ganz dünnen Holzsäulen, unter dem man im freien Luft-
zuge, auf hübsch geglätteten Steinen schläft. Ganz am Rande einer solchen Luftbehausung schlug ich sehr vergnügt mein Lager auf. Der Prinz
miethete eine solche Hütte und logirte sich mit seinem Bedienten und
all' seinen Bequemlichkeiten, (denn er hat ein Packmula bei sich) in der
untern gedeckten Kammer ein, in der ich nicht verbleiben mochte. Meine
kleine egyptische Decke, die mir zur Parade und zum Sitzen auf dem
Pferde diente, legte ich zusammen unter den Kopf und die Liegerstatt
war fertig. An die Säule ober dem Kopfe band man meinen Schimmel, zu den Füßen des Fürsten Braun. Vor mir auf dem Boden lagen
andere freie Pferde, Esel, Schafe, Ziegen, einige gegen die unserigen
ganz kleine Ochsen, Kühe und Kälber, Hühner und Hunde, mitten
darunter mehrere Beduinen. Der Mond und die Sterne leuchteten hell,

ich war seelenvergnügt. Alle Nächte von zehn Jahren, in der besten europäischen Bequemlichkeit hinter den Mauern zugebracht, ersetzten mir diese Nacht nicht. Eine liebliche Mädchenstimme sang bis drei Uhr bei dem Reiben ihrer Mühle, es klang wie ein frommes Marienlied= chen, dieses ernste, sanfte Verschmelzen der so einförmig melancholischen Töne. Als wir in Jericho ankamen, war es noch hoch am Tage, und die Leute sehr freundlich um uns her. Ein Weib mit ihrem Kinde auf dem Arme machte das heil. Kreuzzeichen, um mir zu zeigen, daß sie Christin sei, was ein nebensitzender Mann bestätigte. Ich fragte ihn, ob er auch Christ sei, was er verneinte, und sagte, er sei Muselmann. „Ah, sagte ich, die Muselmänner werden alle Christen werden.“ Er lachte und meinte, „das wohl nicht.“ Ganz gewiß, sagte ich, denn der Muselmann wird es erkennen, daß Mahomed nur ein Prophet und Christus der Sohn Allahs sei. Der Türke hörte mir sehr aufmerksam zu, doch der Prinz suchte mich aus Vorsicht wegzubringen, damit die Beduinen meine Erklärung nicht etwa übel aufnehmen möchten. Gewiß selten ist der Fall des Zutrauens von Europäern, sich bei den Beduinen so ganz zu etabliren, wie wir es thaten, wir schliefen und speisten, saßen, sprachen und lasen ganz ruhig mitten unter ihnen. Ich ging spazieren, besuchte ihre Häuser, besah ihre Geräthe, fragte nach ihren täglichen Verrichtungen. Die wichtigsten im Jahre hatte ich alle in der bündigsten Folgenreihe vor Augen. Es ist so eben die Schnittzeit. Da sehe ich die Garben vom Felde heimtragen, sie werden auf die Steine der vorhin bezeichneten Luftgemächer, oder dem Vorsprunge der Behau= sung gelegt. Drei Weiber sitzen mit Steinen in der Hand, und schlagen die Körner in dem nämlichen Tact, wie bei uns drei Drischel. Ich be= merkte hierbei, daß das Dreschen des Getreides eine ganz naturgemäße Sache sein müsse, weil sich's von selbst in demselben Tacte gibt, den diese Leute doch gewiß nicht gehört haben, um ihn mit ihren Steinen nachzuahmen; die ausgeschlagenen Körner werden ausgebeutelt und aus= geblasen, und sogleich auf die Handmühle gebracht. Das ist ein runder weißer Stein, etwa anderthalb Schuh hoch und eben so dick im Durch= messer, er ist ausgehohlt, um die Körner aufzunehmen, die nur hand= vollweis hineingegeben werden. In der Mitte ist eine Mechanik ange= bracht, welche sich auf die Art, wie unsere Kaffehmühle bewegt, und die ein sehr feines, weißes Mehl bei einer Oeffnung hinausbeutelt. In einer anderen Hütte sah ich das Mehl zu einem Teige kneten, und jene fingerdicken, tellergroß runden Brote, auf einer eisernen Platte

über der Gluth backen. Dieß ist das arabische Brot, von allen tausend
Jahren her bis heute, in ganz Egypten, Syrien und Palästina. Darum
auch heißt es: „Christus brach das Brot," er konnte gar nicht anders;
dort hat man von unserem Laib Brot so wenig einen Begriff, wie wir
von ihren runden Platten, die in der Mitte auseinander gebrochen,
doppelt zusammengelegt, und auf diese Art sehr schmackhaft gespeist werden. Eben so geht es uns Europäern mit dem Begriffe: „Nimm dein
Bett und geh," wie Christus zu dem geheilten Gichtbrüchigen sagte.
Wenn man aber ein arabisches Bett hier ansieht, wie ich selber eines
besitze, nämlich eine gut geflochtene Strohmatte, in einfacher oder dop-
pelter Größe, um sie zusammengerollt unter dem Arme weg zu tragen,
fallen die schwerfälligen Vorstellungen ganz leicht weg. Alle die Arbeiten, die ich sah, vom Schneiden auf dem Felde, die Garben heimtragen
bis zum Brotbacken, verrichten die Frauen und Mädchen; die Buben
sehen zu und die Männer rauchen tout à leur aise (ganz gemütblich)
ihren Tabak. Die Männer sind im Durchschnitt etwas verwilderten
Aussehens, keiner geht ohne seinem langen Gewehr über die Schulter
aus. Selbst ihre Landsleute, unsere Führer, fürchteten sich, wenn sie
von ferne einen gewahr wurden. Doch kamen sie in die Nähe, grüß-
ten sie sich mit dem noch immer am meisten geehrten gangbaren Grüße:
Salem (der Friede sei mit euch), deuten auf Stirne und Mund, und
schütteln sich die Hände, in größerer Freundschaft und Vertraulichkeit
stoßen sie mit der Stirne zusammen. Wenn sie sich einmal die Hände
reichen, dann darf man aber auch sorgenlos sein. Ich fand auf dem
ganzen Wege so wie hier nicht Einen Menschen, der Mord oder Raub verdächtig aussähe. Es ist auch gar nicht zu zweifeln, daß diese verschrieenen
Beduinen, durch vorsichtiges Zutrauen und freundlicher Annäherung
von europäischer Seite, bei zweckmäßiger Landeseinrichtung, in Kürze
der Zeit ein gutes civilisirtes, das edle Erdreich pflegend und benützen-
des Volk würde. Männer und Weiber sind von Angesicht garstig und
schlecht gekleidet. Die Männer tragen den Kopf mit einem viereckigen
Tuche bedeckt, in der Größe wie unsere Sacktücher, mit zwei Reihen
Stricken umwunden, was wie ein Kranz aussieht. Auch die Kinder
sehen ganz verwildert aus, sie haben nichts Liebliches an sich. Grund
und Boden ist fruchtbar. Ich suchte vor Allem die in geistlicher Bezie-
hung im Vergleich stehende Rose von Jericho, welche ein auf der Erde
mit kleinen Blüthen, moosartig fortlaufendes geruchloses Gewächs ist,
welches rund beschnitten mit seiner ganz kleinen Wurzel ausgeris-

sen und getrocknet wird. Gibt man sie in's Wasser, entfaltet sie sich wieder. Ich werde einige mitbringen. Von den einstens berühmten Balsamstauden konnte ich keine Spur finden. Nachdem ich die Nacht hindurch mehr gewacht als geschlafen hatte, wurden wir um vier Uhr geweckt, um unsern Ritt nach dem Jordan noch bei frischer Morgenkühle fortzusetzen. Unterwegs begegneten wir die Engländer, die beinahe wie in der Luft geflogen hinter uns drein kamen. Eine Weile ritt ich mit ihnen um die Wette, da ich aber sah, daß der Fürst mit seinem Bedienten nicht Lust hatte, sich müde zu rütteln, so hielt ich an, und betrachtete mir die Häuser, Burgen und Städte, die sich der Wind in Ermanglung menschlicher Industrie hier zu bauen scheint. Die Gegend ist wüst und öde, doch fruchtbar, obgleich sandig, denn theilweise strotzet nur üppiges Unkraut. Als wir hinkamen an den von allen Reisenden besuchten, wunderherrlichen Ort, wo der Fluß sich scharf um eine Ecke biegt, schlug eine Nachtigall ihre wohlklingenden Accorde, und hörte nicht auf, bis ich aus dem Flusse wieder herauskam, in den hinabzusteigen meine erste Beschäftigung war, um meinen Taufbund zu erneuern in des Jordans kühler Fluth. Weiter abwärts von dem gewöhnlichen Lagerungsplatze ist ein eigener Ort für Frauen angezeigt unter Bäumen, deren einer mitten im Flusse steht und seine Aeste schützend breitet, daß man sich halten kann. Ein zartes Fläschchen mit Jordans Wasser, welches mir aus sprudelnder Quelle entgegen glänzte, soll mir nebst meinem unvergeßlichen Wonnegefühl zum Andenken verbleiben. Während ich meine Betrachtungen hielt, und Beobachtungen machte, kochte der Bediente vom Jordanswasser eine köstliche Genueser-Chokolate zum Frühstück, nach welchem wir mit einem guten Stock von Jordans Ufers-Bäumen Bom mit kleinen säuerlichen Früchten, bewaffnet unsern Weg nach dem todten Meere fortsetzten. Gerne hätte ich die Mündung des Jordans gesehen, die wir in einiger Entfernung vorüberzogen, unsere Führer wollten aber diesen unsichern Umweg, wie sie sagten, nicht machen. Der Jordan nimmt seinen Lauf aus dem See Phiala auf dem Berge Libanon unweit Cäsarea, geht unvermischt durch den See Tiberias und verliert sich hier in den See Asphalitis. Auch der Bach Cedron, der durch das Thal Josafat fließt, endet seinen winterlichen Lauf, weil er im Sommer kein Wasser führt, im todten Meere. Eben so nimmt der kleine Fluß Cison zwischen Nazareth und dem Berge Karmel, der zur Regenzeit stark anwächst, hierher seinen Weg, um sich in den asphaltischen See zu verlieren. Flüsse sind hier zu Lande weit

und breit eine seltene Erscheinung, darum ist diese Gegend von Abrahams Zeiten her, da sein Vetter Loth sie zu seinem Aufenthalte wählte,
als die schönste, beste und fruchtbarste bekannt, wovon sie wahrlich
Zeugenschaft gibt auf den ersten Blick, als man sie betritt. Die Natur
scheint die Spuren des alten Edom noch aufbewahrt zu haben, nach so
langer Verödung der herrlichsten Pracht! Freilich nur von der Vorstellung gedacht. Doch versichere ich nicht nur allein, auch der Fürst
und sein Bediener, Beide theilten meine Ansicht, meine Gefühle bei dem
Ueberblick der Gegend und des Sees, von dem ich nie etwas anderes
hörte und las, als daß man hier seines Lebens nicht sicher athmen
könne; so daß ich meine ganze Resignation zusammen nahm, um das
todte Meer zu schauen, welches silberhell glänzend zwischen zwei hohen
Bergen ruhig wie ein Spiegel, bei 30 deutsche Meilen im Umfange,
gegen dem rothen Meere zu daliegt. Die stille Klarheit des Wassers
macht es eben nicht so sehr verwunderlich, weil ältere Beschreibungen
der Reisenden, oder besondere Geschichtsforscher, die Thürme jener un-
glückseligen fünf Städte, die ihren Brand im Wasser hierunten kühlen,
zu sehen vermeinten. Ich sah zwar nichts davon, wohl aber fand ich
auf der Insel, in die wir ziemlich weit hineingingen, einen verbrannten
Kießstein, welchen ich Ihnen mitbringen werde. Als der Araber, unser
Begleiter, sah, daß ich damit bei dem Fürsten ein Aufsehens machte,
suchte auch er unter den Steinen, fand einen ganz kleinen, und zerschlug
ihn um das innen enthaltene, durch den Brand von Kies geschmolzene
blaue Glas zu zeigen. Wir hielten uns lange Zeit auf dieser Erd-
strecke in den See hinein auf. Das Wasser hell und klar, die Luft
angenehm und rein, nirgends könnt' es schöner sein! Bei dir, o Gott!
ist Verzeihung, so rief ich still in meinem Gedanken aus, denn wie
könnte sonst meine eigene heutige Erfahrung mit allem andern, was ich
je noch hörte, im Gegensatze übereinstimmen? Kein Vogel ist zu sehen,
das ist wahr, auch kein anderes Thier, doch Fliegen, die einem ein
wenig quälen, wie allenthalben, nahm ich genügend wahr. Ob Fische
im Wasser sind, das weiß ich nicht, gesehen haben wir keine, obschon
der Fürst und sein Bediener sehr vorwitzig in den See hineinsahen,
und mit hohler Hand das Salzwasser kosteten, wozu ich mich wohl
nicht verleiten ließ. Der Fürst konnte sich den ganzen Tag über nicht
mehr erholen von dem unerklärbar häßlichen Geschmacke, wie er sagte,
und von dem Brennen im Gaumen und auf den Lippen. Den Bedienten ekelte es dermaßen, daß er sich des Fiebers fürchtete. Ueber die

Fiſche im See ſind die Ausſagen ſehr unſicher, ſelbſt unter den Arabern. Von Bäumen mit Früchten ſah ich ſo weit mein Auge reichte, keine Spur, ſondern nur Geſträuche. Doch erzählt Herr v. Chateaubriand ſehr deutlich, daß er ſie wie kleine Limonien drei Stunden aufwärts von dem Einfluſſe des Jordans gefunden habe. Der See zieht ſich lange nächſt den Bergen hinauf, wohin mein Fuß nicht kam, und mein Auge nicht reichte, und wo denn wohl auch Bäume wachſen können. Wir verließen ungern nach einigem Aufenthalte dieſen merkwürdigen, für uns in der Gegenwart ſehr angenehmen Ort. Weit weg über Feld findet ſich der Boden voll Salz und geſprungen, was das Austreten des See's anzeigt. Bald nahten wir dem Dorfe Riha auf einer andern Seite wieder, und betrachteten in der Vorſtellung der Vorzeit das alte Jericho ſammt Jeruſalem von den Jebuſiten erbaut, und mit ſelbem bei der Theilung von Juda dem Stamme Benjamin zugefallen. Wo ſind dieſe Zeiten? wie verändert ſind die Gegenſtände? doch der Boden, wo die verſchiedenen Begebenheiten vorüberzogen, bleibt derſelbe. Wir kamen ſchon um 2 Uhr an, ich ging ziemlich weit in's Feld hinaus und fand unter einem Feigenbaume innerhalb eines Dorngeheges, neben Saffranſtanden, meinen geſuchten Ruheplatz, ſchlief eine Zeit lang und nun ſchrieb ich im Graſe, bis mich Prince de Podenas zum Diner rufen ließ, was in unſerer ländlichen Hütte nach einem ermüdenden Ritt ſehr gut munden wird, beſonders da es ſchon 6 Uhr Abends iſt.

---

Hundertundachtundzwanzigſter Brief.

## An Bruder Zeno.

Jeruſalem, den 21. Mai 1848.

Wenn Du es doch wiſſen könnteſt, theurer Bruder! wie glücklich ich bin! und die gute Schweſter Toni und die andern Brüder, Ihr dürſtet mich wohl beneiden, ſtatt um meinetwillen traurig zu ſein, oder Euch zu kümmern. Ich verſichere Dich, am Jordan herrſcht ein eignes Gefühl von Wonne, Kraft und Gnade, welches einem durchdringt, und die kleinen Reiſebeſchwerden reichlich lohnt, ja ich ſage nicht zu viel, die Beschwerden eines ganzen Lebens. Obschon ich heute noch vom langen Ritt über die beschwerlichen und gefährlichen Gebirgswege etwas müde bin, finde ich dennoch ein verstärktes Leben in mir aufwachen. Mein Gesicht und meine Hände sind aufgebrannt, nicht nur roth, sondern voll Blattern, so wie man sich am glühenden Eisen brennt, denn die Hitze am Jordan und dem See Asphalitis ist wirklich brennend. Doch wird es mir, so lange ich athme, zur erquickenden Erinnerung sein, wie ich die Biegung des Jordans, den Platz, wo Jesus von Johannes getauft wurde, wo der Prophet Elias im feurigen Wagen gegen Himmel fuhr, betrachtete. Dieser Platz kann gar kein anderer sein, als der dafür gezeigt wird. Seine Schönheit, seine Eigenheit zu sehen, und seine Eindrücke zu empfinden, dieß spricht von selbst für seine Bestätigung, obschon ihn einige Schriftsteller, doch ohne besonderer Ortsbestimmung, tageweit verlegen, wie denn überhaupt Alles in Zweifel und Abrede gestellt werden muß, um irgend einzelne Ansichten gegen allgemeine Annahme geltend zu machen. Mir kommt es wenigstens wohl sicherer vor, einen Ort der Verehrung, von der Mehrzahl und erwiesener Tradition durch die Dauer der Zeiten, als solchen anzunehmen, als ihn in lauter Zweifel, ohne irgend einer genügenden Bestimmung, in verschiedenen Gegenden aufzusuchen. Pflanzen und Gewächse fand ich an den Ufern des Jordans so zart und fein, wie sie mir nirgends auch nur ähnlich vorgekommen sind. Am todten Meere schien es mir, als ob Luft und Wasser von Gott Verzeihung erfleht hätten. Pater Sebastian erzählte mir, daß er es eben so gefunden habe, als er im September vorigen Jahrs dort war. Auch schoß der Franzose, mit dem er die Reise machte, eine weiße Ente, welche daher flog, und in's Wasser fiel. Der Jordan ist am selben Platze bei zwei Stunden weit entfernt. Auf dem Rückwege kamen wir an der Elisäus-Quelle vorbei. Ein verborgener, wild schöner, äußerst anziehender Ort, über dessen etwa vier Klafter breite Spiegelfläche ein großer Baum seine Aeste biegt. Wohlriechende Kräuter, besonders Münzen von vorzüglichem Aroma und wogender Höhe umkränzen den Rand des kristallklaren, etwa Schuh hoch über glänzend reine Kiesel rieselnden Quelwassers, welches seinen Lauf als Bach zwischen grünenden Ufern weiter nimmt. Wir tranken nach Lust in des Tages Hitze von diesem köstlichen Trinkwasser, und gönnten es auch unsern Thieren. Dieß ist das in der heil. Schrift bekannte Wasser bei Jericho, welches weniger trinkbar war in seiner faulen Verdorbenheit, als das gesalzene

Meerwasser. Da Quellen hier zu Lande selten sind, so war es für die Nähe einer großen Stadt gewiß eine ausgezeichnete Gnade, daß durch den Segen des Propheten Elisäus die unbrauchbare Quelle in eine solche Vorzüglichkeit von Reinheit und Güte verwandelt wurde, wie sie noch heut zu Tage jeden Reisenden erquickt. Hier wäre es gar nicht übel, eine Eremitage aufzuschlagen. Die Fremden schlagen auch gerne an diesem Ort ihre Zelten auf, um zu übernachten. Diese Quelle entspringt am Fuße des Tentations-Berges, wo Jesus in der Wüste seine Faste hielt. Der Berg ist mit einer kleinen verfallenen Kapelle geziert, doch die Höhle mitten am Abhange des hohen Berges, wo Jesus 40 Tage fastete, ist unzugänglich. Der ganze Berg ist wüst und öde, weder Wurzel noch Kräuter bietend. Vor einigen Jahren erstieg ein Engländer mit einem Araber, seinem Führer, diese Berg-höhle, und stürzte hinunter, daß er todt liegen blieb. Der arme Ara-ber getraute sich kaum zurückzukommen, weil er mit ihm allein war und es den Schein haben durfte, daß er daran Schuld wäre. Ge-wöhnlich nimmt man den Weg über das griechische Kloster St. Sabo zurück nach Jerusalem. Prinz de Podenas war jedoch schon früher einmal dort, und mich verlangte es eben nicht so sehr darnach, weil Frauen im Kloster nicht aufgenommen werden, und die Nacht in allei-niger Behausung ein wenig uninteressant zubringen müssen. Was dort merkwürdig ist, das sind die vielen Berghöhlen der Eremiten, die hier in großer Menge, in abgesonderter Versammlung lebten wie in Ober-egypten in der Thebais. Wir ritten wieder über Bethanien zurück, dem schönen Bethanien! — Bethphage liegt eine halbe Stunde weit von Bethanien aufwärts gegen Jerusalem links vom Oelberge. Es wird nur noch durch Ruinen angezeigt. Heute Sonntags erhielt ein protestantischer Convertit von dem Patriarchen die Firmung. Ein jun-ger anspruchsvoller Mann, der hier sein Glaubensbekenntuiß ablegte. Möge er in den guten Gesinnungen verbleiben, die er gegenwärtig äußert. Alle Christen der lateinischen Kirche freuten sich darüber; wo er geht, wünscht man ihm Glück. Ein anderer Protestant hier in der casa nuova, der als Maler bekannt ist, kam zu mir um einen Kate-chismus, damit er sich mit der römischen Lehre bekannt machen könne; denn dieser Mensch ist nicht wenig betroffen über die wunderbare, voll-kommene Heilung eines Holländers, Herrn M., mit dem er hierher ge-kommen, und dessen sinnenverwirrter Zustand ihm nur gar zu gut bekannt ist, weil er aus Gefälligkeit gegen ihn und seine Frau dessen

Pflege seit längerer Zeit der Reise auf sich genommen hatte. Da kein deutscher Katechismus aufzufinden war, so benützte ich meine schulmeisterlichen Uebungen, und schrieb ihm einen kurzgefaßten Auszug desselben, der mit vielem Danke angenommen wurde. Heute Nachmittags ging ich mit den Holländern, Pater S. und seinem Buchsetzer Johann spazieren. Wir kamen an dem Teiche Ezechias vorüber. Die Bauten solcher Wasserbehälter sind wirklich staunenswürdig in ihrer Tiefe und Festigkeit. An diesen Teich kommen jährlich Juden, Türken, Griechen, Christen, Alles untereinander, um ein Volksfest zu feiern. Auch der erwünschte Anblick eines Therebintenbaumes wurde mir zu Theil, wozu ich die Hoffnung schon aufgab, weil diese sonst um Jerusalem sehr häufigen Bäume in unsern Tagen sehr selten geworden sind. Johann, der meinen Wunsch kannte, rief schon von weitem, „ein Therebintenbaum," und wie ein Eichhorn war er oben auf dem großen Baume mit seinen ausgebreiteten Aesten, um mir Blätter und Früchte davon zu reichen; letztere gleichen unsern Kronawetbeeren. Unter dem Baume saß eine schöne Frau und um sie herum spielten eine Menge Kinder.

---

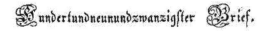

## Hundertundneunundzwanzigster Brief.

### An den hochwürdigen Herrn Gubernialrath K.

Jerusalem, den 2. Juni 1848.

Jerusalem und Gratz ist doch eine ziemliche Strecke weit von einander entfernt, doch kann ich nicht umhin, es Euer Gnaden in ganz besonderer Freude mitzutheilen, wie bekannt und daheim ich mich an unseres guten Kaisers Ferdinand Namensfest hier fand. Die Kirchenfeierlichkeiten wurden in aller Solemnität gehalten, es war Alles österreichisch, wie in der Kaiserstadt selbst. Ich kann es sagen, das freute mich herzlich. Pater Sebastian fungirte in St. Salvator, Pater Barnabas im heil. Grabe, Pater Eduard in St. Johann. Das sind die drei österreichischen Patres hier, denen man die Ehre erwies. Den 31. Mai Nachmittag ging der Patriarch und die ganze Communität auf den

Oelberg, um das Fest der Himmelfahrt unsers Herrn Jesus Christus zu feiern. Die Consuls und ihre Secretärs, alle sonst ansehnlichen Herren und viele Personen der christlichen Gemeinde zogen mit hinauf. Meine Wenigkeit war wohl nicht die letzte. Man gab mir vom Kloster aus ein Mädchen zur Begleitung mit; die gute Marie, die mit mir in St. Johann war, blieb mir auch dießmal wieder getreu zur Seite; denn man campirt die Nacht auf dem Berge; in der Kapelle, die ich mir sogleich als Nachtquartier erwählte, in Zelten und im Freien. Nun hatte dieß Fest für dießmal noch eine andere Bedeutung als die Feierlichkeit der Himmelfahrt Jesu Christi. Die Griechen wollten die Christen so viel zum Aerger reizen, damit sie einmal einen Barufa anfangen könnten, um dann in der Ueberzahl die Lateiner zu vertilgen. Zum Glücke kam das Complott wieder auf. Alles ging offenbar und geheim bewaffnet den Berg hinan, Griechen und Lateiner, um für den Nothfall sich wenigstens vertheidigen zu können. Die Unserigen hatten den strengsten Befehl, den Griechen nicht im Mindesten etwas in den Weg zu legen, denn diese fingen schon im vorigen Jahre mit ihrem Zeltaufschlagen, welches sie an die Kapelle nagelten, so daß die Lateiner, um ihre Prozession zu halten, darunter hätten durchgehen müssen, solch' empfindliche Neckereien an, daß die Communität ohne Prozession den Berg herunter ging. Heuer wollte man diesen Spaß weiter treiben. Schon beim Zeltenaufschlagen warfen sie unsere Geräthschaften auf die Seite, obschon die Plätze sehr genau für jede Glaubensconfession ausgesteckt sind. Kopten sind ihrer sehr Wenige, diese rühren sich nicht. Armenier sind Mehrere, doch thun sie den Uns'rigen nichts zu leide, wenn es jedoch zu etwas käme, so wären sie an der Seite der Griechen. Die ganze für dießmal etwas gefahrdrohende Sache wurde bei Zeiten noch dem Pascha angezeigt, der 200 Mann Soldaten sammt dem Colonel für die ganze Nacht auf den Oelberg beorderte, mit dem schriftlichen Gubernialbefehle, wenn die Griechen den Nagel, der das Zelt mit der Kapelle verbindet, nicht wegnehmen, es ihnen niederzureißen. Es kam denn wirklich so weit, daß der Befehl vorgezeigt werden mußte. Die Soldaten hielten sich in dem einstens lateinischen Kloster, nun türkischen Moschee ganz still auf, und sahen über die Mauer herunter, und wie die Griechen ihren angesponnenen Barufa ausführen wollten, waren sie im Augenblicke mit der Vorzeige ihres Befehles da, worauf der Nagel alsogleich von der Kapelle entfernt wurde. Die großmüthige Bescheidenheit unseres Patriarchen jedoch erlaubte ihnen, diesen verhängnißvollen Nagel nach Bequemlichkeit ihres Zeltes hinzumachen, wo sie wollten, wenn der Weg nur während der Prozession frei bliebe, welche auch glücklich ohne Störung vorüber ging. Früher noch entfernte sich Pater Sebastian mit seinem enthusia= stischen wackern Johann, der die Griechen gerne allein auf sich ge= nommen hätte, um irgend einer Unvorsichtigkeit auszuweichen, nach Hause. Ich begleitete ihn über den Berg hinab, meine gute Marie mußte mit. Am Fuße des Oelberges kamen zwei junge Bethlehemiten, stark und rüstig, dahergelaufen im Sturme, nach Art eines echt ara= bischen Blutes, erhitzt wie die Löwen, voll Ehrfurcht, als sie den Pa= ter sahen. Sie sagten ihm sogleich, daß die Nachricht einer drohenden Gefahr von den Griechen bei der Himmelfahrtsfeier nach Bethlehem gekommen wäre, und daß sie nun hier seien, um Befehl zu holen. Die Bethlehemiten seien Alle bei dem ersten Rufe bereit, sie werden in Eile hier sein. Pater Sebastian beruhigte die beiden beherzten Jungen mit väterlicher Milde und erklärte ihnen, daß es nicht nöthig sei, sich so zu sorgen, da von Seite des Guberniums schon aller Schutz vorhanden sei. Er empfahl ihnen noch alle mögliche Vorsicht und Gelassenheit gegen die Griechen, und die beiden Jünglinge gingen in kindlicher Er= gebung ihrer Anweisung, friedlich und gelassen nach Hause. Dieses Bild eines zur Hilfe muthigen Bereitseins, sammt der bescheiden demüthigen Unterwerfung an die geistliche Obrigkeit werde ich nie vergessen. Es war äußerst rührend zu sehen, wie diese zwei bethlehemitischen Jünglinge dem Pater ihre Bereitwilligkeit und ihr Vorhaben zur Vertheidigung vortrugen, und wie dieser sie hingegen wieder zu beruhigen suchte. Es zuckte den jungen Leuten in den Nerven, die Griechen ein wenig zusammen zu beuteln, deßwegen ist auch der Gehorsam auf den geringsten Wink der geistlichen Obrigkeit bewunde= rungswerth. Hier hat das Christenthum seinen Ursprung erhalten, es bewährt auch seine vorzügliche Ausübung. Die ehrwürdigen Väter am heil. Grabe sind den dortigen Gläubigen aber auch Alles, ihre Gerechtigkeit und ihre Barmherzigkeit. Uebrigens kann man sich bei uns keine Begriffe machen von dem Geduld fordernden Standpuncte, auf dem sie mit der edelsten Standhaftigkeit ausharren. Ich ging mit mei= ner Maria den Berg wieder hinan, um mich auf meinen schon früher eingenommenen Platz zu begeben, das ist der Naturfels, der, beiläufig drei Schuh im länglichen Viereck mit Marmor eingefaßt, den bei der Himmelfahrt des Herrn zurückgelassenen Fußtritt enthält, über welchen

26

die Kapelle gebaut ist. Den zweiten haben die Türken in einer ihrer größten Moscheen aufbewahrt. Auch hier, als ich mich hinkniete, sah ich vor mir in auferbaulicher Andacht den Colonel knieen. Anfangs staunte ich, denn daß es der türkische Obrist sei, wußte ich genau, weil ich ihn bei dem Pascha sah. Er bethete so tief versammelt eine lange Weile und küßte den Stein so ehrfurchtsvoll, daß ich nicht wußte, was ich denken soll, etwa ob der Türke ein frommer Christ geworden sei? Fürwahr, die Türken haben zum Christenthume nicht mehr weit hin, sie sind schon da (am Orte); wenigstens halten sie Christum, den sie der Geschichte nach besser kennen, wie viele Christen, besser in Ehren, wie leider noch mehrere aus den fein gebildeten Welt= zirkeln, die weder Glauben noch Vertrauen, weder für Gott noch für Gottes Sohn hegen. Der Türke verachtet den Christen auch nur, wenn er sieht, daß er die Ehrfurcht für seine Religion nicht einmal mit einem Morgen= oder Abendgebete bezeigt; was durch die Bequemlichkeit, Gott im Geiste und in der Wahrheit anzubethen, so ziemlich in Verfall gerathen ist; wenn man auch den ganzen Tag weder an Gott, noch an seinen Geist und seine Wahrheit denkt. Bei unserer egoistischen, in= dustriellen Lebensbetreibung ist man auch ganz leicht darauf gekommen, sich die feinsten philosophischen Beruhigungen aus den christlichen Wahr= heiten selbst herauszudistiliren. Gott ist überall, da wie dort. Es ist einmal so. Gott will es. Es ist Erfüllung der Strafe Gottes, wenn einem Andern ein Unglück trifft. Hier geht die Liebe unter und mit ihr der Glaube, der desto sicherer versinkt, je mehr sein durch Mangel an Liebe leck gewordenes Schiffchen mit industriellen Sicherheits=Producten beschwert war. Doch der Grund, warum der Unglaube, das ist der eigentliche, große Unglaube an ein obiges Dasein, unter uns Christen so weit in unsern Tagen eingerissen hat, wie eine ausgetretene Wasser= fluth, das ist unstreitig das zu vielseitige Sichbemühen, alles Ueber= natürliche in die Sphäre der Natürlichkeit zu ziehen, oder es ganz zu verweisen; „weil wir den Glauben haben, so bedürfen wir keiner übernatürlichen Ereignisse," und das Unnatürliche oder durch die Sünde von der Natur Abseitige ganz zu läugnen. Hier stehen wir nun sammt unserem Glauben mitten im Materialismus, weil wir die Verbindungen nach oben und unten selber abschneiden. Nicht, daß man etwa fremdartig natürlichen Ereignissen, die ihr Bereich bis in's Wunderbare führen, oder den Lauf der Phantasie Gehör soll ge= ben, daß dieses abgeschnitten wurde, das ist sehr gut, das heißt die

Rebe beschneiden, die durch den Geist Gottes ihren Wachsthum erhält; wir sind jedoch in unsern Tagen zum verschneiden gekommen. Statt ein oder zwei Augen, haben wir gar keines übriggelassen. Am meisten gefehlt ist es im Ganzen, wenn die Verweisung übernatürlicher Einflüsse, die Nichtachtung geistiger Lebensrichtungen von den Priestern selber ausgeht, „weil wir den Glauben haben," oder „weil wir uns täuschen könnten." Weil wir den Glauben haben, sollen wir dessen Früchte nicht verwerfen, sondern sie pflegen; und, weil wir uns täuschen können, dafür gibt es eine **Unterscheidungsgabe,** um welche wir heut' zu Tage eifrig bitten müssen. — Das waren so meine Reflexionen bei dem Fußtritte des Herrn, der bis zur Beweglichkeit deutlich einen halben Zoll tief in den Felsen eingedrückt ist. Um vier Uhr war die Vesper und die Prozession. Abends ging ich in's Freie hinaus spazieren, und besah mir die Gegend von der Höhe des Oelberges. Der Sterne am Himmel waren ihrer so viele und leuchteten so helle, daß es mich däucht, ich habe das Firmament niemals mit solcher Pracht geziert gesehen. Indeß soupirte man ein wenig unter den Zelten, als ich zurückkam suchte mich eben der Bediente des Fürsten de Podenas, machte mir einen Polster zum Sitzen zurecht und brachte ein Glas Wein, Brot und einen Teller voll Rosinen. Solch' liebevolle Sorgfalt kann man hier von allen Seiten finden. Im Zelte war der Genissero und einige Knaben. Man heiterte sich im Hin- und Hergehen recht angenehm auf, obschon Alles auf der Huth war gegen irgend einen feindlichen Angriff. Bald lagerte das ganze Zelt voller Türken um mich. Wir unterhielten uns im heitern Scherz, mit halbgebrochenen Worten so gut es ging. Ich fragte die Knaben, wie sie heißen, ein wackerer Junge sagte, er heiße Mustafa, und ich heiße Mahomed, sagte der Genissero im Stolze seines Bewußtseins, daß diese beiden Namen die ersten im Islam sind. Oh, sagte ich lachend: Tutti Mustafa e tutti Mahomed serano in pochi Christiani. *) Worauf sie herzlich lachten, und mir der Genissero einen tüchtigen Schlag auf meine dargebotene Hand gab, daß es so sein werde. Indessen hatten die Kopten ihre Räucherungen in der Kapelle, weßwegen ich auch nicht darinen war. Um zehn Uhr fing bei uns die Mette an. Um zwölf Uhr las der Patriarch die erste Messe, welche dann bis vier Uhr immer zu zweien zugleich fortgelesen wurden. Bis vielleicht einmal das Bild-

---

* Alle Mustafa und Mahomed werden in Kurzem Christen heißen.

26*

niß des würdigsten Patriarchen von Jerusalem nach Europa kömmt, will ich's wagen, mit wenigen Zügen es vorzutragen, so wie ich am Himmelfahrtsfeste wieder Veranlassung hatte, das Original zu betrachten: „Im Gebete ihn zu schauen, sieht man ein Kind im frommen Gottvertrauen, aus seiner individuellen Persönlichkeit lächelt zart jungfräuliche Bescheidenheit, doch sein Denken und sein Handeln ohne Leidenschaft, geht hervor aus voller Manneskraft." — Bei Sonnenaufgang zog die christliche Gemeinde von dannen, um die Heiligkeit des Ortes ihren Schismen zu überlassen. Das türkische Militär stand in Parade, als der Patriarch mit der Communität fortging und zog hinter uns d'rein ebenfalls ab. Das Ganze schien so bekannt feierlich, als wäre man in Oesterreichs christlichen Landen. Auf dem Heimwege freute ich mich noch über die zuvorkommende Freundlichkeit unsers Patriarchen gegen seine schismatischen Brüder, das ist gegen die andern Patriarchen, die uns begegneten, um ihre Feier auf dem Oelberge zu halten, auch sie erwiesen ihrerseits dem Lateiner ihre orientalische Ehrenbezeigung. Nachdem ich ein wenig geschlafen hatte, ging ich spazieren und besah mir die Neubauten, das ist das lateinische, geschmackvoll gebaute, neue Pilgerhaus mit seiner Fernaussicht auf den Terrassen, und die im Bau begriffene Kirche der unirten Griechen, ganz nahe an der casa nuova. Noch ist sie zwar nicht fertig, um was darüber sagen zu können, doch gefällt sie mir im Beginne nicht, weil sie zu nieder ist, und mit unsern hohen Kirchenhallen nicht übereinstimmt. Ueberhaupt scheint in dem, noch ein bedeutender Aufenthalt zur Vollkommenheit der christlichen Einheit verborgen zu sein, daß die Orientalen ihren eigenthümlichen Ritus beibehalten, wenn sie gleich mit der lateinischen Kirche sich vereinen. Ich hörte mehrseitig, daß diese nicht nur bereit wären', sondern es auch wünschten, mit uns ganz gleich zu sein, doch besteht in Rom noch die einmal gegebene Verordnung wegen damaligen Ursachen, die unirten Orientalen bei ihren Gebräuchen zu belassen. Nun scheint es wohl nur zur bureaukratischen Uebertreibung zu gehören, keinem Orientalen den lateinischen Ritus zu gestatten, doch ist es ganz gewiß, daß die Aufhebung dieser Verordnung nicht minder zu wünschen sei, als die des türkischen Kaisers, daß keiner seiner Unterthanen bei Todesstrafe Christ werde. Wenigstens haben die Patres hier in den practischen Anwendungen ihrer Missionen Ursache, es zu wünschen. Die englische Kirche ist ein sehr freundliches, ja für das Auge das schönste Gebäude in Jerusalem. Doch steht sie als echte Glaubensrepräsentation auf schwachem [Grund, denn noch ist sie bei weitem nicht fertig, und geht schon an einer Seite wieder ein. Das Hospital, was die Engländer namentlich für die Juden gebaut, oder vielmehr eingerichtet haben, um sie für ihre Mission zu gewinnen, ist aller Ehre werth. Ich hatte zweimal gute Gelegenheit, es zu besuchen, und darin umher geführt zu werden. Der freie, blaulachende Himmel, der von den offenen Terrassen durch breite Fenster in die Zimmer schaut, die nett und rein mit allen Bequemlichkeiten, sammt den niedlichen, kleinen, eisernen Gußöfchen mit Speiseröhren aus Amerika, nur mit Vergnügen anzuschauen sind. Auch der Doctor und der Inspector sind ausgezeichnete Ehrenmänner, mit denen ich einmal das Vergnügen hatte, von eilf Uhr Vormittags bis drei Uhr Nachmittags, über die Hauptabweichungen der Protestanten von der Lehre der katholischen Kirche zu debattiren. Wir interessirten uns alle Drei auf das Eifrigste dafür. Die Herren wechselten ab, weil sie ihre Geschäfte zu versorgen hatten, und überdieß im Beisammensein unser Gespräch im Doppelzuge mußte geführt werden; denn der Herr Inspector spricht deutsch und versteht nicht französisch und der Herr Doctor spricht französisch und versteht nicht deutsch, ich aber reiche für Beide mit der englischen Sprache nicht aus. Der Doctor fing gleich mit meinen Lieblingssätzen an; er sagte: „Was uns hauptsächlich trennt, das ist die Gemeinschaft der Heiligen und die Verdienste der guten Werke. „En ce cas, vous protestants vous etez mort au corp vivant*), sagte ich lachend, den Herrn Doctor um Vergebung bittend, der mich groß ansah und bath, ganz ungenirt meine Gedanken auszusprechen. Was ich denn auch in aller Freimüthigkeit that, und erklärte, wie zerfallen die Menschheit in ihrer Einzelnheit ohne Gemeinschaft der Heiligen bastehe, und wie armselig das menschliche Handeln sei, wenn es nicht verdienstlich für das ewige Leben könne gemacht werden. Der Herr Doctor war's mit mehrerem Anderen, was wir sprachen, zufrieden, und sagte, er würde mich in der casa nuova besuchen; als ihn Herr Calman ablöste. Dieser kam mit der Unterwerfung an das Oberhaupt der katholischen Kirche, dem römischen Papste hervor. Hierin waren wir bald durch das Evangelium selbst im Reinen, wie überhaupt nichts leichter ist, als die evangelischen Protestanten durch das Evangelium selbst zu widerlegen. Er zeichnete mir eine intellecte Land-

---

*) In diesem Falle sind die Protestanten bei lebendigem Leibe todt.

karte mit dem Finger auf den runden Tisch, und erklärte, daß die
römische Kirche von den Protestanten noch jederzeit als die Mutterkirche
angesehen werde. Nun denn, fiel ich ein, erlauben Sie, daß ich frage:
Haben die Protestanten auch eine Eintheilung der Sünden? O ja.
So kennen Sie wohl auch die Sünden im heil. Geist? die schwer
oder gar nicht vergeben werden, weil man gewöhnlich darinen verharrt,
und eine davon heißt: „der anerkannten Wahrheit widerstreben." Wenn
nun die Protestanten die Wahrheit der römischen Kirche anerkennen,
warum widerstreben sie ihr denn? und verzögern den schönen Einklang
im Christenthume, der aus ihren Mißtönen niemals wird hervorgehen,
weil sie die volle Harmonie des Glaubens von ihrem Chore ausge=
schlossen, die vom Anbeginne her zusammenstimmt. Es blieb uns nichts
mehr übrig, als einige rein materielle Hindernisse, daß wir nicht gleich
ganz England in den Schooß der römischen Mutterkirche zurückgeführt
hätten, und das waren meist die verheiratheten Pastors. Diese machen
wir zu Staatsbeamte, sagte ich, indem wir schieden, denn es war
schon drei Uhr. Herr C. versprach, mich vor meiner Abreise in der
casa nuova zu besuchen.

---

## Hundertunddreißigster Brief.

### An die Frau Baronin B.

Jerusalem, den 3. Juni 1848.

„Alle Pracht der Königstochter ist von innen, bunt ist ihr Ge=
wand mit Gold verbrämt." So spricht der 44. Psalm Davids. Buch=
stäblich wahr, finden Sie die Kleidertracht der orientalischen Frauen
heute noch so. Sie sind im Hause sehr schön gekleidet, doch wenn sie
ausgehen, ersparen sie sich die europäische Sorge, welche von ihnen der
Andern an Putz etwa nachstehe, denn sie sind Alle gleich. Die Frau
wie die Magd verhüllt ihr Gesicht mit einem feinen durchsichtigen
Tuche, wickelt sich in ihren über den Kopf geschlagenen, bis an die
Ferse reichenden weißen Habarah und trägt unter demselben, wenn sie

eine Frau aus dem gemeineren Volke ist, ganz verborgen ihr Kind mit sich. Im Hause tragen auch die minder begüterten Frauen Seide, Flor, Stickereien und allerlei Zierde. Die Haare hängen in unzählig kleinen Flechten über die Schulter hinunter, mit färbigen Bändern gebunden. Den Hintertheil des Kopfes deckt ein rothes Käppchen mit einer Metallplatte, und einer langen breiten Quaste. Um die Stirne ist ein weißes oder färbigseidenes Tuch geschmackvoll gewunden und mit frischen Blumen geziert. Schöne blühende Blumentöpfe, besonders Nelken von uns unbekannter Größe, zieren gewöhnlich die Mitte des Divans, das ist bei uns das Gesellschaftszimmer oder der Salon, der um die Wände mit weichen Divanen gepolstert ist. Bräute sind gewöhnlich roth verhüllt. Ich sah mehrere Hochzeitszüge bei der Nacht unter meinem Fenster vorüberziehen. Die laute Lustbarkeit dabei ist gar nicht zu beschreiben. Der Braut, die mitten unter den Gästen an zwei Frauen gelehnt, langsam vorwärts geschoben wird, tragen junge Knaben brennende Wachslichter vor. Ganz über das Gesicht vom Kopf bis an die Füße verschleiert, ist sie mit Geldmünzen auf dem Kopfe und um den Hals geschmückt, doch ihr Gesicht und ihre Hände sieht man nicht. Fackelträger ohne Zahl, je größer die Gesellschaft desto mehr begleiten den Zug. Voraus geht der Bräutigam unter seinen Gefährten. Hinter der Braut kommen die Frauen und jungen Mädchen aus der Verwandtschaft und Bekanntschaft, weiß verhüllt und ihr dreihalbtöniges Lied so laut wie möglich singend. Der Sinn ihrer beinahe tonlosen Einförmigkeit ist jedoch recht vielsagend; er heißt: Ich bin zufrieden, ich bin froh, eben so sei es die, der, die in der ganzen Familie, deren Name der Reihe nach hergenannt wird. Hat der Araber in einem Hause etwas genossen, so sagt er: daimi, der Segen bleibe in deinem Hause; um sich bei einem Besuche freundlich zu begrüßen, sagt er: Kief hadrak? wie steht es mit deinem Geiste? Ich wüßte wohl noch einen sehr interessanten Gegenstand, dessen Erzählung Ihnen gewiß angenehm wäre, da ich ihn aus sicherer Quelle mittheilen kann. Es ist die Geschichte der heil. Magdalena, so wie sie der hl. Antonius beschrieben hat, und wie sie wegen vielen Verwechslungen wenig bekannt ist, so bekannt der Name Magdalena in und um Jerusalem und in der ganzen Welt um der Lebens- und Leidensgeschichte unsers Herrn willen klingt. Ihr Vater war Fürst in Syrien, welcher zugleich über jene Gegenden, die an der Morgenseite des galiläischen Meeres gelegen waren, die Herrschaft ausübte, und nebst anderen

Ländereien die Stadt und das prachtvolle Magdalon zwischen Ka-
pharnaum und Naim besaß. Ihre Mutter war aus einem vornehmen
jüdischen Stamme von Jerusalem, und hieß Eucharia. Sie selbst war
von ausgezeichneter Schönheit und seltenen Geistesgaben, ihre Erziehung vornehm wie die am königlichen Hofe. Von der Schönheit
Magdalenens, die von ihren Aeltern Maria genannt wurde, und jenen
Namen erst später von ihrem Erbschlosse Magdalon erhielt, finden sich
noch verschiedene Beschreibungen der Vorzeit. Ihre Augen wurden
nachthimmelblau blitzenden Edelsteinen verglichen, deren strahlenden
Feuerfunken Niemand zu widerstehen vermochte. Ihre dichten blonden
Locken, mit den edelsten Perlen durchwebt, einem goldenen, reichwallen-
den Saatfelde. Prachtvoll und ausgezeichnet reizend war ihre kostbare
Kleidung, gleich jener einer Königstochter des Morgenlandes. In ihren
hellglänzenden Ohrgehängen strahlten große Edelsteine, und um ihren
blendend weißen Hals waren goldene Ketten geschlungen von der zartesten Arbeit. Sie hatte goldene Armbänder mit Perlen und Edelsteinen
durchwirkt, von den siebenfach strahlenden Farben des Regenbogens,
an ihren Fingern glänzten viele Goldringe von der feinsten Fassung
mit Perlen und blitzend geschliffenen seltenen Edelsteinen. Ihre ausgezeichnete Gestalt, ihr Reichthum, die Pracht ihres Hofstaats und ihrer
Kleidung waren die Ursache ihres Verfalles in Eitelkeit, lasterhafte
Gefallsucht und Wohlleben. Sie war neunzehn Jahre alt, als ihre
Aeltern bald nacheinander starben. Nach der Aeltern Tod erhielt sie ein
überaus hochansehnliches Vermögen, das herrliche Schloß und die
Stadt Magdalon am See Genesareth. Ihren Geschwistern Lazarus und
Martha überließ sie eine bedeutende Herrschaft und ein großes Gut bei
Jerusalem, und ihrer Schwester Martha noch insbesondere den Flecken
und den angenehmen Landsitz Bethania an der Morgenseite des Oelberges, von welchem noch ansehnliche Ruinen vorhanden sind. Daher
erklärt sich leicht der große Zulauf vieler vornehmer Juden bei der Er-
weckung des Lazarus in Bethanien. Nach dem Tode ihrer Aeltern ergab sich Magdalena der größten Ueppigkeit. Stolz und Herrschsucht
waren in ihrem Gefolge, ihr Gang war leichtfertig, wie ihre Geberden, frech war ihr blitzender Blick, immer lächelnd ihr liebreizender
Mund, gleich einem vergifteten Becher der Lust. Der heil. Evangelist
Lukas sagt: „Ein Weib, die eine Sünderin war.“ Der heil. Chriso-
logos erklärt, daß dieß so viel sagen wollte, daß die ganze Stadt
Magdalon bis hin in die Hauptstadt wegen ihrer übermüthigen und

zügellosen Buhlerei in Verruf gerathen sei. Bis in ihr dreißigstes Jahr lebte sie ohne Scheu. Doch erhob sich ihre großmüthige Seele bei dem ernsten Rufe Gottes, und Maria von Magdala steht an Heiligkeit zunächst an der Mutter des Herrn. Nun geschah es denn, daß im Frühlinge des zweiten Jahres des öffentlichen Lehramtes Jesu in der Bergstadt Naim an der Mitternachtsseite des Berges Tabor, nicht sehr entfernt von der Ortschaft Magdalon, der einzige Sohn einer reichen und vornehmen Witwe starb. Seine Leiche wurde im offenen Sarge nach noch heut' zu Tage gebräuchlicher Sitte des Morgenlandes zum Stadtthore hinausgetragen. „Eine große Menge Volkes folgte dem Trauerzuge nach." Beweis genug, daß der Jüngling von vornehmer Familie war. Wie das Evangelium erzählt: kam Jesus so eben herbei und erweckte den Todten. Darüber heißt es auch bei Lucas: „Und der Todte setzte sich auf, und fing an zu reden." Aber nicht etwa um eine gleichgiltige Begrüßung oder Verwunderung auszusprechen; sondern um eine nachdrückliche Rede an das versammelte Volk zu halten, daß Alle erschüttert wurden und weinten; wie es in uralten Ueberlieferungen erzählt wird. — Er sagte, wie seine Seele aus der furchtbaren Ewigkeit herübergekommen sei, und wie die Barmherzigkeit des Messias ihn aus dem Feuer der Hölle zurückberufen habe. Dieser Jüngling war ein erwählter Liebling aus den Anbetern Magdalenens, sie selbst begleitete seine Leiche, sah und hörte, was geschah. Magdalena war wie von einem Donnerkeile getroffen. Sie war durch das Wunder, was sie gesehen, und durch die Rede des auferweckten Todten wie umgewandelt. Mit einem Blicke übersah sie den Lasterweg ihres Lebens, die Schrecknisse der Ewigkeit zogen ihrem Geiste vorüber, und sie dachte an den furchtbaren Ausspruch des Herrn im fünften Buche Moses, wo es heißt: „ein Feuer ist angezündet in meinem Zorne, und es wird brennen fortan zu der Hölle ewigen Dauer." Magdalena, mit den großartigsten Bußgedanken in der Seele, macht sich auf, geht heim auf ihr Schloß, zerreißt ihre kostbaren Kleider, und die künstlichen Haargeflechte, zerschlägt die Gläser und kristallenen Vasen ihrer Lustgelage, zerstört die Spiegel, Hals- und Armbänder, Ohrgehänge und Ringe, alle die Zeugen ihrer Eitelkeit und verbrecherischen Lust. Niemand sollte sie haben, denn sie fürchtete, daß sie auch Andern zu Werkzeugen der Sünde dienen möchten. Sie legt ein Bußkleid an, und macht sich auf den Weg nach Jerusalem, um Jesus

den Tobtenerwecker, den erwarteten Meffias aufzusuchen, damit er auch
sie von dem Tode der Sünde erwecke. Sie nimmt nichts mit, als
eine kostbare Balsambüchse mit edler Narde. Unter Weinen und Seufzen
eilt sie hin in das Haus des Pharisäers, wo Jesus eben zu Gaste
gebeten war. Alle, die sie kannten in ihrer Pracht und in ihrem Lust-
leben, staunten über sie, und verwunderten sich. Sie sinkt hin zu den
Füßen Jesu, küßt und wäscht sie mit ihren Thränen, und trocknet sie
mit ihren langen Haaren. Sie zerbricht das Gefäß mit dem kostbaren
Nardenbalsam, und gießt ihn aus, daß das ganze Haus mit Wohlgeruch erfüllt wurde. „Wer viel liebt, dem wird auch viel
vergeben werden." Ihre Augen wurden Wassergefäße, von denen
es heißt im hohen Liede: „deine Augen sind wie die Fischteiche in
Hesebon!" die jedes Augenübel heilten und so klar waren, daß die
angrenzende Stadt sich darinen spiegelte. „In den Bußthränen
Magdalenens spiegelt sich aber nun eine ganze Welt,"
sagt einer ihrer eifrigen Geschichtsforscher. — Auch die Geschichte
der heiligen Pelagia, die als Schauspielerin mit ihrer Schönheit
in Alexandrien vieles Aufsehen machte, ist sehr merkwürdig. Sie
kam nach ihrer Bekehrung nach Jerusalem, und lebte im Mönchskleide
auf dem Oelberge als Einsiedler verschlossen in einer Höhle. Diese
Höhle der heil. Pelagia ist noch bekannt, doch besucht sie Niemand
mehr, weil es einmal nöthig wurde, diese Besuche bei Excomunication
zu verbieten. Zur Zeit nämlich, wo sich die Türken noch ein Hand-
werk daraus machten, Christen einzufangen, um dafür ein gutes Lösegeld zu bekommen, ließen sie aus der abgelegenen Höhle St. Pelagiens
keinen Pilger mehr herauskommen, die doch Alle meinten, diesen Ort
nicht unbesucht lassen zu dürfen. Um diese Leute nun nicht in der Ge-
fängenschaft zu belassen, mußte viel Lösegeld erlegt werden, und so
beschloß man endlich von Seite der Kirche den Verbot, der noch immer
geehrt wird.

# Hundertundeinunddreifsigster Brief.

## An den Herrn Med. Doctor K.

Jerusalem, den 6. Juni 1848.

Nunmehr werde ich mich hüthen, in den Straßen Jerusalems herum
zu gehen, denn noch sind ihrer vier, von denen einer nach dem andern
jeden Tag in einer andern Gasse der Stadt hingerichtet wird, und
mit seinem Kopfe unter dem Arme liegen bleibt, zur größten Gnade
bis am andern Tag. Nach dem Gesetze soll er drei Tage liegen bleiben, und wenn die Leute, vor deren Gewölben oder Häuser der Leichnam liegt, nicht zahlen, um ihn wegzuschaffen, auch noch länger; den
von Gestern ließ der Pascha zwar schon wegbringen, daß er heute
Früh nicht mehr da lag. Es fehlte sehr wenig, daß ich nicht in
der größten Unwissenheit und Unbefangenheit die Straße hinabging,
um den vor einer Stunde geköpften Beduinen ganz unvermuthet liegen
zu sehen. Ich war auf dem Wege nach dem Bazar, doch als ich an
die Ecke kam, um in die Gasse links abwärts zu biegen, fühlte ich mich
zum Glücke ganz fremd, und in der Erinnerung irre, wo ich das
Gesehene, was ich kaufen wollte, finden könne. Ich blieb stehen und
dachte: was soll ich mich denn so ermüden, um auf dem Bazar zu
suchen, was ich vielleicht hier finden kann, und in dem Augenblicke
sah ich es bei dem Verkaufsmanne neben an. Ich kaufte denn, was
ich brauchte, und ging wieder heim; denn ich fühlte mich etwas verstimmt, ohne zu wissen warum. Auch die Gesichter der Männer, die
mir begegneten, fielen mir im besondern Ernste und tiefem Entsetzen
auf. Als ich nach Hause kam, war die Neuigkeit bei meinen Holländern schon bekannt. Einige Häuser abwärts in der Gasse, an dessen
Ecke ich zum Glück nicht weiter ging, lag der Beduin mit seinem
Kopfe im Arme vor einem, mir im Vorübergehen gut bekannten Ge-
treidemagazine. Wie bin ich froh, dieser Alteration enthoben zu sein.
Die türkische Obrigkeit tritt gegen Raub und Mord sehr strenge auf,
sie will das Land besonders für Fremde in Sicherheit versetzen. Daß
man die Verbrecher in den gangbarsten Gassen der Stadt enthauptet
und da liegen läßt, geschieht zur Warnung und abschreckendem Beispiele,

Verbrechen zu begehen. Was übrigens die Dorfgerichtsbarkeiten betrifft, die haben ihr ganz eigenes Verwenden; jedes Dorf hat seinen Scheik oder Vorsteher, geschieht nun Jemanden etwas zu Leide, oder wird einer gar gemordet, so ziehen alle männlichen Dorfbewohner aus, was gewöhnlich nur in der Nacht geschieht, um ein anderes Dorf zu über= fallen, wo sie den Thäter wissen oder vermuthen. Ist dieser gefunden, so gibt er Blut für Blut, und die Sache ist freundlich abgethan, finden sie ihn nicht, so wird das Dorf geplündert, und mit seinen Bewohnern ein offenbarer Krieg geführt. Ich habe zwei auf diese Art verlassene Dörfer gesehen. Weibern und Kindern geschieht in der Re= gel nichts; denn diesen etwas Uebels zu thun, hält der Orientalist für Entwürdigung. Wegen diesen eigentlich gesetzlich angenommenen Ueber= fällen haben die Häuser sehr kleine Thore, um sie leicht zu verschan= zen, und die Männer schlafen nach Landessitte mit ihrer ganzen Be= waffnung. Der bekannte und berühmte Beduinen=Fürst und privilegirte Räuber Abu Gosch, der das schönste Dorf bei Jerusalem bewohnte, welches auch seinen Namen führt, lebt nun durch die kluge Anwendung des Ibrahim Pascha, ihn auf eine Zeitlang zum Gouverneur ernannt zu haben, ganz ruhig in der Stadt und macht als vornehmer Herr, wenn gleich nicht mehr Gouverneur, allen Behörden seine Besuche. Die Fremden reisen seither viel sicherer, ja man kann sagen, gänzlich unangefochten. Auch ich werde nun bald wieder unter die Reisenden gehören, um mich, so lange ich lebe, glücklicher zu schätzen, als es Moses war, der das auserwählte Volk aus Egypten führte, und nur von dem Gebirge Pisga in das gelobte Land sehen durfte, das mein Fuß nun schon drei einen halben Monat betritt. Der preußische Ge= sandtschaftssecretär, der Oesterreichs Geschäfte führt, Hr. Weber, ein an Bildung und Humanität ausgezeichneter Mann, meint, es dürfte eben jetzt die geeignetste Zeit zur Abreise sein, da nach unterbrochener Schiff= fahrt wegen der Blockade von Triest man nun erwartet, daß das nächste Schiff wieder in den Hafen einlaufen könne; daß man jedoch nicht wisse, wie lange diese günstigen Aussichten dauern. Um nicht irgendwo warten zu müssen, verweilte ich lieber in Jerusalem, weß= wegen ich gewiß nie einen Tag Zeitlebens bereuen werde. Doch da ich das Hierbleiben in meinem Lebensplane noch nicht angezeigt finde, so ließ ich meine guten Reise = Stiefletten ausbessern, obschon mir der Reverendissimus gütig sagte: „lassen Sie in Europa die Revolution austoben, und bleiben Sie bei uns." Wie sehr mich diese Rede

freut, brauche ich wohl gar nicht zu sagen; doch ich reise. Nur
muß ich Ihnen noch früher eine vielbesprochene, nicht für bekannt
angenommene Naturerscheinung erzählen, nämlich die von einer Kö-
nigsnatter mit einer Krone. Ich ging mit dem Holländer außen um
die Stadtmauern spazieren; meine Gedanken verfolgend, ging ich voraus,
da rief Hr. M, eines Schreiens, ich soll doch kommen und sehen.
Als ich vorüber ging, schlüpfte eine Natter mit gold'ner Krone unter
den Stein; er wollte ihn aufheben, damit ich sie sehe; ach lassen Sie
das, meinte ich. ich habe mein Lebtag keine Lust, die Schlangen zu
schauen. „Nein, mein Fräulein! das müssen Sie sehen, und ich geht
von da nicht weg;" nun denn, um ihm die Freude zu machen, kehrte
ich um, er hob den Stein, und eine etwa klein Finger dicke, ½ Ellen
lange, schwarzbraune Natter mit gold'nem Krönchen auf ihrem kleinen
Köpfchen, hob sich in die Höhe, und bog sich ganz majestätisch in
malerischen Wendungen, auf den Schweif sich stützend und den Kopf
aufrecht haltend, über den Berg hinunter. „Nun werden Sie es doch
glauben, daß es gekrönte Schlangen gibt," sagte Hr. Mühlbek.
„Ja, ja, ich habe sie gesehen, nur weiß ich nicht, ob die Krone erhoben oder in der Haut eingedrückt war, gelb glänzend war sie.

---

## Hundertundzweiunddreifsigster Brief.

### An den hochwürdigen Herrn Pfarrer Sch.

Jerusalem, den 13. Juni 1848.

„Wer des Lotos-Gewächses nur kostete, süßer denn Honig,"
„Solcher gedachte nicht mehr der Verkündigung oder der Heimkehr,"
„Sondern sie trachteten dort in der Lotophagen Gesellschaft"
„Lotos pflückend zu bleiben, und abzusagen der Heimat."

Odyssée IX, 94.

Aus den Sprichwörtern: „Apud Lotophagos haesit." Er hat die
Heimkehr vergessen. Deutlicher könnt' ich Ihnen, hochw. Herr! meine
gegenwärtigen innern und äußern Lebensverhältnisse nicht erklären.

Neulich ging ich einige Tage herum, als fühlte ich's in mir, daß man mich in meiner Vaterstadt für todt zählt. Leb' ich nur für mein ewiges Vaterland, nach der die Seele in Sehnsucht strebt, bin ich glücklich genug. Doch auch für mein irdisches Vaterland, für mein schönes Steiermark verlange ich, nicht todt zu sein, so lang ich lebe. Meine Wiederkehr hatte ich schon beim Auszuge beschlossen, um das Emporkeimen des Guten, und die Verbreitung desselben in Gratz zu erleben. In wenig Tagen, die ich noch der Andacht und dem wieder= holten Besuche der heil. Orte widme, nehme ich Abschied von Jerusa= lem, — der mir schwer fällt; denn wenn auf dem ganzen Erden= runde irgend ein Plätzchen ist, wo die Sehnsucht nach dem himmlischen Vaterlande ein wenig schweigt, wo das ruhelose Dasein in himmlischen Betrachtungen auf Erden sich selig fühlt, so ist es hier in Jerusalem. Hier, wo Jesus in seinem Lehramte, in seinem Leiden den Boden betrat, wo sein Auge auf den Bergen weilte, die noch heute dieselben sind. Vergebens stelle ich mir den vermißten Stundenschlag, den Glockenton, den Musikchor, die ländlichen Hütten unserer Landleute, das schöne Grün auf Berg und Feld, einen liebevollen Empfang meiner Freunde vor. Wie anlockende Vorstellungen mir auch abwechselnd vor die Seele treten, ich scheide schwer. Mein ganzes Leben scheint mir nur Vorbereitung zur Pilgerreise gewesen zu sein. Hier habe ich das Ziel gefunden, die Sehnsucht schweigt. Klar und in Einfachheit aufgelöst umgeben mich die sonst dunkeln Glaubens=Eindrücke, als wäre ich sammt ihnen aus der Nacht an der Morgenröthe Licht getreten. Und da soll ich leicht und gerne scheiden? — Doch ziehe ich es vor, im Scheiden Schmerz zu fühlen, von dem, was meine Ehrfurcht hebt, was die Dankbarkeit meines Seins bewegt, als mit fühlloser Kaltblütigkeit oder schwachsinniger Gleichgiltigkeit mich zu wenden, um nicht mehr dort zu sein, wo ich war. Auch die Pfingst= feiertage verlebte ich hier, und so zog ein Fest um das andere im Kirchenjahre an mir vorüber, mit solch einfachen Erkenntnissen, daß ich ausrufen muß: „Wie kann man etwas Zeitlebens wissen, es im= mer wiederholt vor Augen haben, dabei so alt werden, und es erst in der Betrachtung wie eine ganz neue, noch nie erhörte Sache in hellerem Lichte schauen. — Ich habe es gesehen mit meinen Augen, wie es im 121. Psalm heißt: „Jerusalem ist gebaut wie eine Stadt, die sich gut zur Gemeinschaft zusammenfügt."
„Da wallen die Stämme hinauf, die Stämme des Herrn: nach dem

Zeugnisse Israels, den Namen des Herrn zu loben." Ich habe es gesehen, wie die Pilger zu Tausenden herankamen zum Osterfeste von den entferntesten Gegenden, um den Namen des Herrn zu loben. — Wallfahrten sind noch zu allen Zeiten und in allen Ländern von Päpsten und weltlichen Fürsten geehrt worden, und häufig gab und gibt sich das Wohlgefallen Gottes durch Wunder kund, wie soll nun eine Wallfahrt in das Land, wo Jesus und Maria lebten, an dem Orte, wo das Heil der Menschen gewirkt wurde, anders, als vom höchsten Gewinne für zeitlich und ewiges Wohl in der Gemeinschaft der Heiligen anzusehen sein! — Mißbräuche abgewichener Secten oder irriger Köpfe werden selbst mit der heil. Schrift getrieben, wer wird darum die heil. Schrift aufheben oder gering schätzen wollen? Liebe und Weisheit heben um des Mißbrauches willen den Gebrauch nicht auf. — Wäre ein männlich adeliges Blut meine Gabe, ich verließe Jerusalem nur als Ritter vom heiligen Grabe! — So aber begnüge ich mich nur, was gewiß selten erhört, daß eine Frauenhand hob Gottfried v. Bouillons Schwert; ja ich zog es heraus aus der Scheide das Schwert, das zur Vertheidigung der kirchlichen Rechte, in Jerusalems Kasten verwahrt wird. Es ist nicht gar so wunderbar groß, wie man es manchmal bezeichnet findet. Leicht schwang ich es auf, mit bewegtem Herzen, und steckte es wieder ein in die Scheide, um es seinem Ruhestande zu übergeben, aus dem es sonst nur gehoben wird, um einen ehrenfesten Helden zum „Ritter vom heil. Grabe" zu schlagen. Auch die Spornen sind keine halbe Elle lang, auch nicht einer bracio; es sind ganz gewöhnliche, eiserne Spornen; oder erscheinen sie nur mir so gewöhnlich, weil sich mir das Wunderbarscheinende in wirklich bestehende Dinge auflöst? sogar, daß sich der heil. Hieronymus, wie es seine Geschichtschreiber erzählen, mit einem Stein auf die Brust schlug, um seine Buße und seine Ehrfurcht vor Gott auszudrücken, verlor für mich alles Unglaubliche, denn wenn man täglich hört und sieht, wie sich die Leute hier in der Kirche an die Brust schlagen, so findet man jenes ganz begreiflich. Nur der Mittelpunct der Erde, den die Griechen mit einer kurzen Säule in Mitte ihrer Kirche im santo sepolcro bezeichnend verehren, mehr als das heil. Grab, für diesen hat mir noch kein aufklärendes Licht einige Verständlichkeit ertheilt. Es ist unbegreiflich, wie diese Leute so anhaltend an einem schon so lange allgemein anerkannten Unsinn mögen stehen bleiben. Der Mittelpunct der Erde, an dem sich ihre Oberpriester bei großen Feierlichkeiten setzen, wird in seiner Wirklichkeit doch wohl im Kern der Erde stecken, oder wo von außen, wenn die Erde rund ist? Man ließe sich's gefallen, wenn er etwa noch an einem Puncte über dem Aequator aufgeschlagen wäre, von dem Jerusalem noch eine ziemliche Strecke entfernt liegt. Mag sein, daß sie damit den geistigen Mittelpunct alles Lebens, zwischen dem Kalvarienberge und dem heil. Grabe bezeichnen wollen; wenn ich griechisch sprechen könnte, würde ich mir Mehreres erklären lassen. — Zum Abschiede noch einen Blick über, um und in Jerusalem. Die Thore der Stadt heißen: 1. das Pilgerthor, oder Schloßthor, **Bab el Chalil,** bei den Christen Bethlehems- oder Jaffa-Thor; 2. das Säulenthor, oder Damasker-Thor, **Bab el Amud;** 3. das Blumenthor, oder Herodesthor, **Bab el Zahaire;** *) 4. das Marienthor, **Bab el Sitti Mariam,** bei den Christen Stefan sthor; 5. das Barbaskerthor oder Mistthor, **Bab el Mograbi**, durch dieses Thor führten die Juden Christum nach der Gefangennehmung zu Pilatus; 6. das Davids- oder Sionsthor, **Bab el Sagur**, auf dem Gipfel des Sions; 7. das Goldthor, oder Thor der Barmherzigkeit, **Bab el Daharie,** dieses Thor gegen den Oelberg zu ist das schönste und größte, doch fest vermauert, weil die Sage geht, daß an einem Palmsonntage ein christlicher Eroberer hier einziehen soll. Auch das Mistthor an einer abgelegenen Stadtecke ist verschlossen. Im täglichen Gebrauche sind nur vier Thore. Um sprechende Ueberreste vom alten Jerusalem zu finden, die man zwar in der Stadt selbst auch genügend sieht, muß man einen Spaziergang zum Damaskerthor hinaus machen, und sich rechtshin über das Steingeröle halten bis zu einem Olivenhain, da hinein ganz verborgen, da kann man sich's vorstellen recht lebendig das alte Jerusalem und seinen grauenvollen Untergang. Da sitzt man auf stattlichen Ruinen aus alter Zeit, die Millionen von Steinen zu seinen Füßen, die zerworfen aus hohen stolzen Gebäuden nach Tausenden von Jahren den Boden noch bedecken; da sieht man hin auf die Spuren der dreifach die Stadt umfangenden Ringmauern, in ihrer ausgedehnten Größe. — Der Prophet Daniel gab die Zeit der Geburt des Erlösers mit allen Umständen so genau, obschon sechshundert Jahre früher an, daß die Zeit seiner Ankunft gar nicht zu verkennen war, die Schriftgelehrten glaubten es jedoch nicht, und mordeten ihn, als einen in seinem

---

*) Dieß konnte ich niemals finden.

Lebenswandel unschuldig Anerkannten, sogar am Kreuze. Christus sagte deutlich das Schicksal der Stadt Jerusalem voraus, d a s und w i e es eingetroffen, steht schon lange genug aller Welt vor Augen, doch wo ist der Glaube selbst bei den sprechendsten Beweisen? — und namentlich bei denen, die sich zu den Gelehrten zählen? Ist die Geschichte sammt der Metaphysik in Verfall gerathen? Daß die Vorhersage der Zerstörung von Jerusalem nur eine Parabel des letzten Weltgerichtes war, das ist uns aus dem Munde Jesu durch alle Zeiten her klar. Die Parabel ist schon lange erfüllt, doch der Unglaube an ein allgemeines Gericht Gottes, der ist noch nicht gestillt. Das Gericht, die Hölle sammt dem Himmelreich ist beinahe schon abgestritten, nur d e r Tod, d e r Gewaltige, läßt sich nicht bedrohen noch erbitten, daß er weiche von den alten Glaubens-Typen. — Um Jerusalem sieht man das Thal Josaphat, die Quelle Rogel, welche die Grenze des Gebietes Benjamin macht, das Dorf Siloha, die Quelle Siloha mit dem Marien- oder Hiobs-Brunnen, Hakeldama, Gethsemane, der Oelberg, hinüber Bethfage und Bethanien, mit der Fernsicht an den Jordan und an das todte Meer, die Jeremias-Grotte, die Gräber der Propheten und der Könige, der Baum des Isaias, das Thal Gihon, das Riesenthal, das Gebirge Pisga, von welchem Moses das gelobte Land erblickte, das Thal Hebron, wo Abraham lebte, der Berg des bösen Rathes, den Mons offensionis, wo Salomon mit seinen Frauen den Göttern opferte. In Jerusalem: der Golgatha, das heil. Grab, die via dolorosa, die Flagellations-Kapelle, der Pallast des Pilatus, des Herodes, das Haus des Hannas und das Kajafas, das Coenaculum, die Grundvesten des Hauses, wo Maria, die heil. Jungfrau, starb, das Haus der heil. Mutter Anna, die Geburtsstätte Mariens, das Haus der heil. Anna in der Stadt, das Haus Simons, des Pharisäers, das Haus des heiligen Thomas, des Ungläubigen, der ein Reicher war. Doch sind die Reichen ungläubig, so sind die Armen leichtgläubig und so hat jedes seinen Antheil. Das Haus des reichen Prassers, der Ort, wo Lazarus starb, das Gefängniß des heiligen Petrus, das Haus des Zebedäus, das Haus der Veronika, das Haus der drei Marien. St. Salvator die Pfarrkirche, der Thurm Pisania am Bethlehemsthore, die armenische Kirche über den Ort der Enthauptung des heil. Jakobus, das Hospital der Kaiserin Helena, der Schwemmteich Bethesda, inner dem Stephansthor, worin die zum Opfer bestimmten Schafe gereinigt wurden; unweit davon die Omars-Moschee an

27

dem Platze des Tempels Salomons auf dem Berge Morija, die Ruinen der Johanniter-Burg. — Mich däucht nicht, als hätte ich etwas
Bedeutenderes anzugeben vergessen; übrigens ist jeder Schritt bedeutend
genug. Pater Barnabas, ein eifriger Geschichts- und Alterthumsforscher, wird ein Werk mit den vollständigsten Beweisen über die Echtheit der in Palästina angegebenen, verehrten heiligen Orte veröffentlichen,
auf welches ich mich in Ermanglung meiner genauern Beschreibung, und
in der gänzlichen Unberufenheit, Beweise zu liefern, berufe, und bei dem
nächsten Erscheinen desselben empfehlend darauf hinweise. Die Tages-
länge ist dieselbe, wie bei uns. Der längste Tag zählt 14 Stunden,
der kürzeste 9. Nur sind die Abende beinahe unmerklich; wie die Sonne
untergeht, ist's in einer Stunde auch schon Nacht, der Unterschied der
Zeit beiträgt 1¼ Stunde. Wenn hier um halb fünf die Prozession anfängt, ist es in Gratz 3 Uhr.

---

## Hundertunddreiunddreisigster Brief.

### An den Herrn Cameralrath L. und seine Frau.

Jaffa, am Feste der allerh. Dreifaltigkeit,
den 18. Juni 1848.

Freitag den 16. ging ich ganz allein mit dem Convents - Mufer um
10 Uhr Vormittag von Jerusalem weg. Mit zurückgewandtem Gesichte,
so lange ich noch einen Thurm erblickte, hielt ich meine Zügel, nicht
achtend alle Berg und Hügel, über die das arme Thier ganz müde,
weil es diesen Weg die Nacht hindurch gemacht, und nun wieder gehen
mußte, stolperte. Es ist dasselbe rothe Pferd, welches mich nach Jerusalem gebracht, sein Ausbleiben hat die Reise zur Morgenzeit verzögert,
und wäre ich diesen Tag nicht fortgekommen, hätte ich noch einen Monat warten müssen, oder bleiben, wenn die Blockade von Triest vielleicht nicht aufgehoben würde. Das arme Thier, kaum angekommen,
mußte wieder umkehren; ich merkte, daß es nicht mehr gehen konnte,
meine Last war ihm zu schwer; einen bedeutenden Berg abwärts, und

ich sah Jerusalem nicht mehr. Mein mattes Roß glitscht aus am har=
ten Fels und stürzt, und ich mit ihm. Zum Glück habe ich mich nicht
verwundet, doch auf das Pferd setz' ich mich nimmer, weniger aus
Furcht als aus Mitleid mit dem Thiere. Der Muker konnte es nicht
dulden, daß ich zu Fuß ginge, wie ich wollte, er bot mir seinen Esel
und sein Maulthier an. Nun standen mir drei Thiere zu Gebote, aber
keinem war es Ernst, von Jerusalem mich weg zu tragen; auf dem
Esel nun wollt' ich's wieder wagen, doch mit zwei Worten läßt
sich's sagen: ich fiel herab, der Sattel war zu locker und das Thier
ging schlecht. Nun wurde die Mula zurecht gemacht, die schien noch
etwas rüstiger zu sein. Es gieng so ziemlich, als aber zu Mittag die
Hitze stieg und die Fliegen lästig wurden, sprang es alle fünf Schritte
mit den Hinterfüßen in die Höhe, was einen sehr beschwerlichen Ritt
verursachte. Um meinen Führer jedoch nicht ungeduldig zu machen, wenn
ich zu Fuße ginge, so suchte ich mich darein zu finden. Es be=
gegnete mir auch bald etwas, was meine Aufmerksamkeit auf sich zog.
Vor Allem führte man mich einen viel besseren und schöneren Weg zu=
rück, als ich hierher gekommen war, die schönsten Maisfelder und grü=
nen Ebenen schmückten die lachende Flur, durch die eine ganze Horde
Söhne der Natur hinter mir drein kamen. An Thieren: Kamehlen,
Pferden und Eseln, zählte ich 50. Die Costüme der Männer von ver=
schiedener Form zu schauen, war genug. Eine Frau in schwarzem Kleide
und langem Schleier unter ihnen. Ich versichere, diese Leute machten
weit weniger Aufsehens damit, als wenn ich durch die Gassen einer
civilisirten Stadt gehe. Sie wanderten so ruhig ihre Wege, wie ich die
meinigen. Nach einiger Zeit verloren sie sich bis auf eilf, ich und mein
Führer waren 13, die schwarze Pilgerin voraus, die zwölf Araber
hinter drein. In stillem Ernste und heiterer Gemüthlichkeit ritten wir
bis Abends zusammen. Die Männer lächelten und freuten sich über
den weiblichen Muth, wie sie sagten, und wußten das Vertrauen heraus=
zuheben, was wieder Zutrauen und Freundschaft erweckt; um dieses
anzudeuten, gab mir ein Araber drei volle Weizenähren. Mein Führer
sprach ein wenig italienisch, um einigen arabischen Worten und unseren
Deutungen im Verständnisse nachzuhelfen. Um nur etwas zu sagen, rief
man mich ganz vertraut Mariam! Um sieben Uhr Abends stand
ich vor der feierlich stillen Klosterpforte von Ramleh. Freundlich aufge=
nommen und gut bewirthet, wie das erstemal, bleibt mir dieser ehrwür=
dige Aufenthalt unvergeßlich. Mit dankbarem Herzen für so viele sorg=

27 *

same Pflege und Erhaltung einer Pilgerin, die da kommt, die Fußstapfen des Heilandes zu küssen, bat ich den Muker, all' meine Lieben in Jerusalem zu grüßen, und um sechs Uhr Früh nach der ersten Messe ritt ich auf wunderschönem ebenen Wege, auf einem gut besattelten Esel Jaffa zu. Eine ganze Gesellschaft Landbewohner mit mir. Ein Packesel mit nett geflochtenen langen Körben voll schöner Aepfel, zwei schneeweiße Hühner, und oben an ein buntfärbiger Hahn mit blutrothem Kamm. Auf einmal bleibt mein Esel stehen und begrüßt mit dreimaligen Kopfstößen einen anderen Esel, auf dem eine junge Frau mit einem wunderschönen Kinde saß. Die Eidechsen liefen so freundlich über die Straße, daß ich ihnen hätte nachlaufen mögen, um sie zu fangen. Um 9 Uhr war ich in Jaffa, eigentlich J a p h a d i e S c h ö n e. Ja schön ist Jaffa und schöner noch mag sie zur Zeit ihrer Blüthe gewesen sein. Fest am Meeresstrande steht die Stadt auf einem Berge, alle Nationen lassen hier die Farben ihrer Flaggen in dem Winde flattern. An Feld- und Baumfrüchten reich, bietet sie einen frohen Aufenthalt in besonders reiner, gesunder Luft. Was mir hier zuerst begegnete, war der genuesische Werkelmann, der mit seiner ausgezeichneten Orgel in Jerusalem ein Paar Mal unter meinem Fenster stand, gerade zur Zeit, wann die Unruhen Europas ahnungsvoll mir Kopf und Herz beengten. Ich hatte an ihm sogleich einen guten Freund, der mich in's Kloster führte, in dem ich die Holländer fand. Auch hier freundlich aufgenommen, muß ich bis morgen warten, um mit einer türkischen Barke nach St. Jean d'Acre zu fahren. Das Kloster steht hoch auf dem Berge mit der Aussicht über das Meer, auf einer, aus schönen Steinen gebauten großen Terrasse. Aus der einstmaligen bekannten Stadt Cäsaräa werden immerhin Steine mit vieler Mühe hierher geführt. Jaffa, das einstmalige Joppe, wo der h. Petrus zu Hause war, bietet in seiner Pfarrkirche das Altarblatt zur Erinnerung an die belehrende Erscheinung eines weißen Tuches vom Himmel herab, mit reinen und unreinen Thieren, und dem Worte: „Iß," mit der Erklärung, daß nicht nur die Juden, sondern alle Völker zum Christenthume berufen sind. Auch T h a b i t a, die fromme Frau, die den Armen so viel Gutes that, lebte hier, starb, und wurde vom Petrus wieder zum Leben erweckt. Für die Mädchenschulen werden täglich Schwestern vom heiligen Josef erwartet, ihre Kleidung soll meinem Pilgerkleide ähnlich sein, und aus dieser Ursache umrangen mich die Kinder bei meiner Ankunft gestern, daß ich nicht wußte, was ich von dieser Erscheinung denken soll, bis sich's aufklärte. Die Mädchen reflectirten bei all' ihrem freundlichen Empfange doch sogleich, wie sich's denn machen würde mit einer Lehrerin, die sie nicht verstehen. Heute nach dem Gottesdienste ging ich an den Meeresstrand, setzte mich an's Ufer und sah den spielenden Wellen zu. Ich weiß nicht, was ich dem stillen Vergnügen dieses feierlichen Tages vergleichen könnte! Ich suchte mir kleine Muscheln, die in dichten Schichten übereinander lagen, und die eine schöner wie die andere glänzten, zum Pilger-Angedenken, daß ich über's Meer gezogen. Nachmittags fingen einige Männer am selben Orte eine Schildkröte, nach Angabe ihres Augenmaßes bei zwanzig Cent- ner schwer, die Männer machten Schlingen aus Stricken, und ihrer vier konnten sie kaum aus dem Wasser ziehen. Sie wurde auch so- gleich getödtet und zertheilt. Herr Mühlbek war mit dabei. Als ich zurück in's Kloster ging, begegnete ich in der Stadt dem wackeren Con- sul, der nebst seinen Handelsgeschäften die Geschäfte Oesterreichs führt. Er ist ein geborner Araber, doch spricht er italienisch, um die europäi- schen Geschäfte führen zu können. Das Land seiner Vertretung scheint er in ausgezeichneten Ehren zu halten. Ein alter Maria Theresia Gre- nadierhut bedeckt sein Haupt, ein schneeweißer langer Schnurbart ziert seine Miene, und ein enganliegender etwas abgenützter Schlafrock bis an die Fersen, mit langen, vom vielem Gebrauche schwarzberänderten Taschen, gibt ihm seine ausgezeichnete Haltung. Doch troß dieses son- derbaren, etwas barock scheinenden Costüms ist an ihm der Ehren- mann nicht zu verkennen. So wie seine Kleidung allgemein als lä- cherlich bekannt ist, eben so ist er selbst als ein achtungswürdiger Mann bekannt. Er hat auch wirklich ein edles Aussehen, und mit seiner berech- neten Amtsmiene scheint er vollends ein Oesterreicher zu sein. Der gute Buchsetzer-Junge Johann lief zu Fuße über die Berge. Heute war er da, und heute läuft er auch wieder fort die ganze Nacht hin- durch, um morgen früh bei seiner Presse zu sein. Ich gab ihm Briefe und Grüße mit. Es freute mich. Was ist es auch für einen Araber, 9 — 12 Stunden über die Berge zu gehen und in der Nacht zurück zu kehren, er erträgt es leichter noch wie sein Pferd, hinter dem er drein zu laufen gewohnt ist. Nun ist auch die Barke bedungen und die Abreise für morgen bestimmt. Auch der Prophet Jonas schiffte sich in Joppe ein, um dem Befehle Gottes, der Stadt Ninive den Unter- gang anzukündigen, wenn sie nicht Buße thue, zu entgehen. Ich fühlte mich ebenfalls sehr geeignet, einem solchen Befehle mich zu entziehen.

# Hundertundvierunddreißigster Brief.

## An Bruder Zeno.

Berg Carmel, am h. Frohnleichnamsfeste,
den 22. Juni 1848.

Dir meinen Gruß vom Berge Carmel. Daß ich den heutigen Fest=
tag hier verlebe, ist mir ein Triumph, den ich für aller Welt Freuden
nicht hingebe. Wer Glauben hat, der ehret hoch den heiligen Frohn=
leichnam, der geheimnißvoll zurückgeblieben in der Verwandlung des
Brotes und des Weines an dem Tische des Herrn. So still und ein=
sam dieses Fest gehalten wurde, so abgeschieden von aller Welt, er=
schien es mir doch triumphirend aufgestellt auf des hohen Berges
Spitze, der mit schroffer Ecke in das Mittelmeer sich biegt, hinüber=
schauend über dessen Fläche, wo ganz klein das fernere Gebirge liegt.
Ach, könnte ich Dir nur eine Viertelstunde lang diesen Anblick verschaf=
fen, wie gerne möcht' ich ihn Dir gönnen! — Das Kloster, ein sehr
schönes neues Gebäude, groß und räumlich, noch nicht ganz vollendet
an der einen Seite, die ich zu einem Frauenkloster gestalten würde,
wenn ich könnte, wie ich wollte, ist an die in das Meer sich biegende
Spitze gebaut. Gleich der sichersten Naturfestung steht Berg und Kloster
da. Die Carmeliter sind auch zur Sicherheit mit Kanonen versorgt,
und mit so braven, großen Haushunden bewacht, daß sich einer ohne
schützender Hausprotection gewiß nicht weiter traut. Die Kirche ist
in runder Form elegant über die Grotte des Propheten, die sein
Wohnort war, gebaut. In der Rotonda geht man über einige
Stufen abwärts, um in die Grotte von Stein, ganz ihrer Na=
tur gemäß mit einem äußerst einfachen Altar, hinabzukommen, dar=
über steht der Hauptaltar, zu dem man im Halbkreise von beiden Sei=
ten auf weiß marmornen Stiegen, etwa zu dreißig Stufen hinansteigt.
Da oben ist auch die Sacristei, und ein Bild der heiligen Theresia,
wie ich noch in meinem Leben keines in solcher Entsprechung sah. Sie
sitzt in Lebensgröße, die Feder in der Hand haltend, um der Welt die
Begeisterung ihres inneren höheren Lebens mit all' seinen Gaben mit=
zutheilen. Leute kommen wenige herauf, von der Stadt Kaisa, Christen

sind dort nicht so viele, auch haben sie eine Pfarrkirche, welche die Patres abwechselnd besorgen, und der Berg ist ziemlich hoch, um hinauf
zu gehen. Fünf Patres und acht Laienbrüder, einige weltliche Diener,
machen die ganze Gesellschaft aus. Das hält aber die frommen Gottes-
diener nicht ab, ihre kirchlichen Feste und Andachten mit derselben Prä-
cision auszuführen, als wenn sie von Tausenden von Gläubigen umgeben wären; es soll sie auch nicht aufhalten; denn Tausende von
Gläubigen binden ihre frommen Gedanken aus den fernsten Gegenden,
an den zu allen Zeiten in Heiligkeit bekannten Berg Carmel. Montag
den 19. trat ich Abends um 6 Uhr in der Gesellschaft des Holländers
Herrn Mühlbek und seiner Frau, von Jaffa weg in die Barke, die um
8 Uhr abfuhr. Die ganze Nacht fortgefahren, landeten wir den 20.
um vier Uhr Nachmittags in St. Jean d'Acre. Wir hatten eine
wunderherrliche sternenhelle Nacht, leider habe ich aber davon nicht viel
gesehen. Das Schwanken auf der Barke ist noch weit empfindlicher wie
auf dem Dampfer; ich lag wie ohnmächtig dahin, bei jeder Bewegung
oder einer Rede in tödtliche Uebelkeiten versenkt. Ich war froh, meinen
Kopf an einen Polster lehnen zu können, den ein Grieche, der sein
Bettzeug ausbreitete, mir in die Nähe brachte. Das war für diese Schifffahrt nicht genug; als wir landeten, blieb die Barke ziemlich tief im
Wasser stehen, weil sie zu groß war, um nahe an's Ufer zu fahren,
nun hieß es, sich hinaus tragen lassen, zur größten Buße, die mir noch
begegnete. Da die Reihe auf mich kam, ließ ich mir's noch gefallen,
denn zwei Matrosen gaben sich die Hände, und so wie die Kinder En-
gerltragen spielen, trugen mich die guten Leute mit aller Vorsicht aus
dem Wasser. St. Jean d'Acre, die vielberühmte Stadt, für die ich un-
gekannter Weise eine besondere Vorliebe jederzeit noch fand, wurde mir
sehr unangenehm, als ich sie betrat. Die würdevolle heilige Stille von
Jerusalem, und der daher um so ungewohntere Tumult eines belebten
Seehafens, das unvermuthete Aufreißen und Herumwerfen meiner lieben kleinen Angedenken auf dem Zollamte, die ich mit so viel Sorgfalt eingepackt, und P. Sebastian so gut zugenagelt hatte, daß man
beim Aufschlagen den Deckel gewaltsam mitten durch sprengte. Daß im
Kloster keine Frau bleiben könne, Alles trieb mich an, nur gleich eine
Gelegenheit zu suchen, um wieder fort zu kommen. Ich ging tiefer in
die Stadt, um mir vor der Hand einen Aufenthaltsort zu finden. Bei
meiner Gesellschaft mochte ich nicht bleiben, weil sich einige Fremde
hinzugesellten. In dieser etwas mißstimmigen Situation, welche Freude,

welch' ein Glück! zwei ehrwürdige Carmeliter = Brüder traten meinem
Weg auf der Straße entgegen. Wie lang gesuchten Freunden eilte ich
ihnen zu, alle Mißtöne lösten sich in die angenehmste Harmonie auf.
Die Brüder waren mir eben so freundlich und bekannt, mit wenig Wor=
ten erzählte ich ihnen meinen Wunsch, als Pilgerin den Berg Carmel
zu besuchen, und zuvorkommend luden sie mich ein, mit ihnen zu gehen,
da sie eben in die Barke treten. Welch' mehr als erwünschtes Ereig=
niß. Diese Nacht werde ich auf dem Berge Carmel zubringen, und die
lärmende Stadt sogleich verlassen! Am Hafen ging ich auf die Dogana,
gab meine Abreise an, und ließ meine mir äußerst werthen Habseligkei=
ten in einem palmblätternen Korb in der Türken Gewahrsam bis zu
meiner Rückkehr. Um 5 Uhr war ich schon wieder in der Barke und in
anderthalb Stunden in Kaifa. Nirgends waren meine Ueblichkeiten hef=
tiger, wie auf dieser kleinen Fahrt, wozu wohl das anfänglich etwas eifrige
Gespräch mit dem Procurator des Klosters und Fra Carlo beitrug, der
durch die ganze Welt reiste, um zu dem Bau desselben zu sammeln. Sie
waren hier in Acre, um einige häusliche Bedürfnisse einzukaufen. Endlich
erlag ich einem wohlthätigen Schlummer auf dem Boden des Fahr=
zeuges, zu den Füßen der Carmeliter=Brüder, die auf einer Bank saßen,
auf der ich mich nicht mehr erhalten konnte. Ich träumte, ich saß einem
Matrosen auf der Achsel und hielt mich mit der Hand an seinem Kopfe,
um aus dem Meere an's Ufer getragen zu werden. Als ich erwachte,
stand die Barke. Mich graute vor meiner geträumten Expedition, die
ich in meinem Leben nicht versuchte. Da es zum Aussteigen kam, trat
ein Matrose herzu, der mir seine Achsel bot, um auf die geträumte
Weise durch's Wasser an das Land zu kommen. Hätt' ich's nicht ge=
träumt, nimmer hätt' ich mich zu entschließen vermocht. Ich hielt ganz
gut die Balance ohne mindester Sorge. Der Pater Procurator blieb in
der Stadt in einem sehr angenehm pfarrlichen Aufenthalt. Die P. Car=
meliter sind hier so achtungsvoll vom Volke in Ehren gehalten, wie
in der ganzen terra santa die P. Franziskaner. Es war nur freudig,
mit ihnen durch die Stadt zu gehen und zu sehen, wie selbst die Türken
ihre Verkaufsplätze verließen, um sie zu grüßen. Fra Carlo und ich,
wir erstiegen in Dreiviertelstunden den Berg. Die Aufnahme als Gast
war sehr freundlich, die Bedienung durch einen eigens für die Pilger
bestellten Cameriere sehr gut. Man lebt hier wie auf einem Schlosse.
Auf der einen Seite das Meer am schroffen Abhange am Fuße des
Berges, an der andern, die sich gedehnter über den Abhang nach der

Ebene zieht, Feldbau, dem so wie in ganz Palästina nichts fehlt, als die europäische Ackerbau=Gesellschaft, das heißt, nicht um dort Feste zu halten und gelehrte Abhandlungen vorzunehmen, sondern das Land zu benützen. An Fruchtbarkeit fehlt es nicht. Das liebe Grün drängt sich durch Sand und Stein, das sich durch noch anzubringende Wasserleitungen oder neu gegrabene Cisternen sehr wohl veredeln ließ; den Mangel an Wasser und die große Hitze mögen der Fruchtbarkeit kein kleines Hinderniß setzen. Indeß sah ich den Conventsgarten voll von dem schönsten Grünzeug aller Art. Der Generalvicar, ein Malteser, Pater Cyrillus, ein gar würdiger Herr, lud mich ein, länger hier zu verweilen. Doch zu wandern wie von einem Sterne zu dem andern, das ist meine Vorschrift, seit ich Jerusalem verließ Und morgen scheide ich von hier, um einen neuen Stern in Nazareth zu finden. Der Consul in Kaifa sprach mir das Glück zwar gänzlich ab, ja eigentlich die Mög=lichkeit, meine vorhabenden Bereisungen zu vollenden, und zur Abfahrt des Schiffes in Bairuth einzutreffen. Ich habe mir's jedoch ausgerech=net und ich hoffe Alles zu erreichen. Der gute Constantino führte mich in die Prophetenschule, eine halbe Stunde vom Kloster abwärts der Landseite zu. Diese merkwürdige Felsenhöhle läßt einem einen ziemli=chen Zeitraum durchschauen in ihrer unveränderlichen Unvergänglichkeit, wie Schulen aus dem Antriebe des Geistes, und aus den Be=dürfnissen der Menschheit in der Urzeit schon entstanden. Als ich herumsah auf die Naturfelsensitze, schien es mir wohl mehr als klar, daß Jesus hier gewesen.

---

## Hundertundfünfunddreifsigster Brief.

### An die Frau Oberamtmannin M.

Nazareth, den 24. Juni 1848.

Ihren jungfräulich zart heranblühenden Töchtern Freude zu machen, und ihre fromm jugendlichen Herzen aufzumuntern zu einem standhaften Glaubensbekenntnisse, durch geschichtliche Darstellung wirklicher Begeben=

heiten in örtlicher Zusammenstellung, wähle ich es, Ihnen von Nazareth,
dem Wohnorte der heil. Familie, die Geschichte der h. Anna, so wie ich
sie aus den sichersten Quellen, mit aller Uebereinstimmung des örtlichen
Zusammentreffens nach eigener Ueberzeugung vor mir habe, genau zu
erzählen. Auf dem Berge Carmel, an der Meeresgrenze des gelobten
Landes, wohnten schon seit den Zeiten der Propheten Elias und
Elisäus fromme Männer, welche in einsamer Zurückgezogenheit ein
beschauliches Leben führten, voll der Betrachtung über die Verheißung
des Erlösers, dessen Ankunft nach den Prophezeiungen in den heiligen
Schriften, und nach bereits geschehenen Erfüllungen, nun recht bald zu
erwarten war. Auch wurde diesen heiligen Männern die Geburt der h.
Anna als Ahnfrau des Erlösers von Gott geoffenbart. Sie hatten ihre
Behausung auf der Höhe des Berges, wo noch jetzt das Carmeliter-
Kloster steht, welches von Türken und Arabern hochgeehrt wird. Jener
h. Ort wurde damals von vielen frommen Wallfahrtern aus dem
israelitischen Volke besucht; besonders kamen gerne die Priester aus dem
Stamme Levi, um sich über die Ankunft des Messias zu besprechen.
So kam auch Nassan oder Stollanus aus dem Priesterstamme Levi
zu ihnen, der in der h. Schrift sehr wohl belehrt war, und nachmals
der Vater der h. Anna wurde. Ihre Mutter hieß Mirjam oder Emerentia. Der heil. Cyrillus erzählt: Mirjam wurde 77 Jahre vor Christo
zu Bethlehem geboren. Sie war aus dem Stamme Juda, eine fromme
Jungfrau und dem Willen Gottes ergeben. Sie wallfahrtete mit ihren
Aeltern nach dem Berge Carmel am Meere, wohin von Bethlehem vier
Tagreisen sind, um dort die frommen Einsiedler zu besuchen, wo sie
Stollanus von ihren Aeltern zur Ehe verlangte, die sie ihm auch gerne
zusagten. Fromm wie sie war, bereitete sie sich mit Fasten und Gebet
zu ihrer Vermählung vor. Da wurde sie einmal im Geiste verzückt, und
sah, wie aus einer Wurzel zwei herrliche Bäume hervorsproßten, empor-
strebten und in prachtvoller Blüthe dastanden. Aus dem einen Baume
kam unter blühenden Zweigen die Frucht des Feigenbaumes hervor,
und aus dem andern unter noch viel höheren und schöneren Zweigen,
und glänzend duftenden Blüthen, die rothglühende Frucht des Granat-
apfels. Der Zweig des ersten neigte sich vor dem zweiten, der hoch sich
gegen Himmel erhob. Da hörte sie eine Stimme von oben herab, welche
sprach: „Die Wurzel, aus welcher diese Bäume hervorgegangen, ist
Emerentia, welche bestimmt ist, den Edelsten und Größten in Israel
auf die Erde zu bringen." Emerentia verstand dieses Traumbild und

betete in Demuth den Willen des Herrn an. Sie vermählte sich mit
Stollanus, und bekam zwei Töchter, Sobe und Anna. Der eine Baum
ihres Gesichtes bedeutete Sobe die Mutter der heiligen Elisabeth, welche
die Mutter des h. Johannes des Täufers wurde, und der andere
Baum die h. Anna, die Mutter Maria, von welcher geboren wurde
Jesus, das Heil der Welt. Stollanus zog vom Berge Carmel hinweg
und wohnte mit Emerentia in der Stadt Bethlehem. Anna liebte die
stille Einsamkeit, die Welt mit ihrer Eitelkeit hatte keinen Reiz für sie.
Sie fand ihre Freude nur in Gott, und vertiefte sich in den Betrachtungen über die Ankunft des Messias. Da erschien ihr einmal der Erzengel Gabriel und verkündete ihr, sie werde die Mutter jener Jungfrau
werden, durch welche der Messias auf Erden erscheinen wird. Und um
dieselbe Zeit erschien der Erzengel auch Joakim oder Heli, welcher
in der Stadt Nazareth wohnte, im Traume, und befahl ihm, Anna die
Tochter Nathans zu Bethlehem als Braut heimzuführen. Joakim war
aus dem Stamme Juda und aus dem königlichen Geschlechte Davids;
Anna aber war nach ihrem Vater aus dem priesterlichen Stamme
Levi. Obschon die Juden sonst aus ihrem Stamme nicht hinausheira-
then durften, so konnte dieß der Fall in den Stämmen Juda und Levi
sein, und so wurde bei der Vermählung Joakims und Anna der königliche Stamm mit dem priesterlichen vereinigt. Auch wird es klar, warum
Einige behaupten, Maria stamme aus Juda, Andere aber, sie stamme
von Levi ab. Joakim war 46 Jahre alt und Anna zählte 24, als sie
sich ehelichten. Sie lebte zu Nazareth voll Gottesfurcht in stillem häuslichen Frieden, Allen, die sie kannten, zur Erbauung. Daß Joakim und
Anna sehr begütert waren, daß sie es wußten, welch' kostbares Gut
ihnen Gott anvertraute, wird einem in Nazareth wie in Jerusalem so
anschaulich klar, daß es gar nicht zu bezweifeln bleibt. Beide Töchter
des Stollanus waren gut verheirathet und reichlich ausgestattet, das
überliefert die Tradition an Ort und Stelle bis heute noch. Elisabeth
war eine reiche Frau in der Stadt Sephor, dem jetzigen St. Johann,
und Anna hatte das Haus nahe am Stadtthore in Jerusalem und ein
anderes in Mitte der Stadt, ein großes Schloß auf dem Berge, eine
halbe Stunde von Nazareth, wovon die Ruinen noch stehen, und das
Haus in der Stadt selbst, wo nachher die h. Familie lebte. Josef hatte
seine Behausung mit seiner Werkstätte einige hundert Schritte weit davon entfernt. Der h. Epifanius erzählt weiter: Ihr Vermögen theilten
sie stets in drei gleiche Theile; den einen Theil schickten sie an den

Tempel in Jerusalem ab, den andern vertheilten sie unter die Armen, und mit dem dritten bestritten sie ihr Hauswesen (die Epistel am Festtage der heiligen Anna, als Bild einer sorgsamen, wohlhabenden Hausfrau, ist ganz gewiß nicht ohne Bezug auf die Lebensverhältnisse dieser geehrten Frau gegeben worden). Der h. Joakim opferte unabläßig auf dem Berge, damit die Erlösung Israels bald erfolgen möchte, und die heilige Anna in ihrem Garten. Da sah sie auf einem Lorberbaume ein Vogelnest, und sie betete zu dem Herrn: „Er möge ihr doch schenken, was er diesen vernunftlosen Thieren verliehen habe." Da erschien ihr ein Engel und sagte: „ihr Gebet habe bei Gott Erhörung gefunden." Denn Anna war sehr traurig, da sie schon durch zwanzig Jahre kinderlos blieb, was damals als die allergrößte Schmach galt; sogar von dem Reiche Gottes des Messias wurden solche Leute ausgeschlossen. Um Gott noch mehr zu ehren, ging sie mit Joakim nach Jerusalem, um in dem Tempel zu opfern; da wies sie aber ein Priester, Namens Issaschar, mit rauhen Worten zurück. Zu Joakim sagte er: ein kinderloser Greis mit 66 Jahren habe keinen Antheil an dem Messias, und zu Anna sagte er: Sie müsse sich schwer gegen Gott versündiget haben, weil sie in ein kinderloses Alter übergehe. Sie sollen sich nur beide hinwegbegeben, damit sie der Fluch des Herrn nicht ereile. Oeffentlich beschämt und trauernd gingen sie fort, da erschien ihnen in der großen Seitenhalle des Tempels in vollem Glanze der Engel Gabriel, und verhieß ihnen die Mutter des Herrn als Tochter, der sie den Namen „Maria" geben sollten. Maria bedeutet in der Wortauslegung: mein Licht, Stern des Meeres, Erleuchtung, Meer der Bitterkeit, die hohe Frau, die Beherrscherin. Joakim und Anna gingen innerlich getröstet aus dem Tempel und opferten daheim, Anna in ihrem Garten. Da roch sie an einer Rose, und die Geburt der seligsten Jungfrau Maria wurde als eine Frucht des Gebetes und der Gnade bestimmt. Das Haus der heiligen Anna, welches heute noch in freundlicher Abgeschiedenheit von anderen Häusern zwischen dem Tempel und dem Stadtthore als eine unbenützte türkische Moschee dasteht, war in christlichen Zeiten ein Nonnenkloster, worin die unbefleckte Empfängniß der h. Jungfrau verehrt wurde. Joakim und Anna machten ein Gelübde, das ihnen von Gott geschenkte Kind ihm gänzlich aufzuopfern. Sie hielten Wort; als Maria drei Jahre alt war, übergaben sie ihr Kind dem Dienste des Herrn in den Tempel. Anna und Joakim, heißt es ferner, blieben nun zu Jerusalem und lebten in der Nähe des Tempels. Weßhalb auch die heil. Mutter Anna ihre Tochter selbst im Lesen der heiligen Schrift unterrichten konnte, in welcher Beschäftigung sie gewöhnlich abgebildet wird. Sie blieben dort, bis die heilige Jungfrau in ihrem fünfzehnten Jahre mit dem heil. Josef vermählt wurde. Joakim starb vor Freude noch vor der Abreise in Jerusalem, als er 80 Jahre alt war. Die heil. Mutter Anna aber zog mit Josef und Maria nach Nazareth. Sie wurde nach einer alten mündlichen Ueberlieferung, welche Metafrastes und Johannes Damascenus aufbewahrt haben, 76 Jahre alt, und entschlief im Frieden des Herrn in den Armen Maria und Jesus, der bei ihrem Tode 18 Lebensjahre zählte.

---

## Hundertundsechsunddreifsigster Brief.

### An den hochw. Herrn Gubernialrath K. ·

Nazareth, den 28. Juni 1848.

Die Stadt Nazareth, wo der Engel Maria die Botschaft gebracht, ist zwar eine kleine Stadt, doch fast ganz katholisch, bis auf einige Türken. Die Griechen haben sich eine Kirche vor der Stadt gebaut. Die unirten Griechen benützen die einstige Synagoge der Juden. Die Einwohner setzen auch einen edlen Stolz darein, die Mehrzahl der fest und recht Gläubigen in der terra santa zu sein. Die Kirche über dem Sanctuarium ist groß und schön, in der Benützung dreier Etagen gebaut, wo im Mittelpuncte das lebensgroße Bild des Nazaräers einen angemessenen Platz fände, wenn von so vielen Kunstgemälden in Europa eines hinüber geschickt würde, dort, wo der Nazaräer lebte. Das geräumige Kirchenschiff mit seinen Seitengängen und Altären, das Sanctuarium oder der Ort, wo das Wort ist Fleisch geworden, über eine breite Stiege von 30 Stufen abwärts, der Hochaltar, über dieses Heiligthum gebaut, in halbrunder Form über zwei Stiegen nach aufwärts, ähnlich der Kirche auf dem Berge Carmel. Oben ist eine sehr gute Orgel angebracht, die von einem Pater mit Meisterhand gespielt wird. Geht man die Stiege hinab, kommt man

dem Altare entgegen, der an die Felsenwand gebaut, die Stelle des
Häuschens vertritt, welches auf wunderbare Weise übertragen, jetzt in
Loretto zwischen Rom und Ankona verehrt wird. Die Häuser in Nazareth, als eine Bergstadt auf ungleichen Felsriffen, steht keines neben
dem andern, und sind noch so gebaut, wie sie es vor 2000 Jahren
waren. Das ist gewöhnlich mit einer oder zwei Kammern in den
Fels gehauen, mit einem Ausgang hinter dem Berge, vorne an steht
das aus Steinen gebaute Haus, welches seine Gemächer in gleicher
Richtung, mit denen gleich Grotten in den Bergen hat. Diese Felsen-
Gemächer sind bei der Hitze des Landes ein sehr nothwendiger Gebrauch, darum darf es einem nicht wundern, daß man sie noch eben so
wie vor den Tausenden von Jahren gebraucht; denn auch die Sonnenhitze hat an ihrer Cultur seit der Zeit her nichts verändert. Nun was
das Haus der heil. Familie betrifft, so steht der gebaute Theil gegenwärtig in Italien und nicht in Nazareth, doch die Felsenkammern, die
sind da; die erste war das Wohn- und Bethzimmer der heil. Jungfrau,
eine zweite etwas seitwärts eingehauene, mit einem Ausgange hinter
dem Berge, dessen ziemlich große Thüre, mit starken Pfosten, Schloß
und Angeln, versteinert ist, bewohnte zur Pflege und Bewachung
der heiligen Jungfrau eine Verwandte, die das Haus auch versorgte während der Abwesenheit Josefs und Mariens auf der Flucht
nach Egypten. Maria, die Jungfrau von Nazareth, befand sich in der
ersten Felsgrotte in Gebet und Betrachtung versenkt, als der Erzengel
Gabriel vor ihr stand, jedoch nicht in ihrer Kammer. Der Engel trat
nicht über die Schwelle. Auch jetzt noch gibt es viele Gemächer, die
nicht mit Thüren von den andern abgeschlossen sind, sondern mit einer
offenen Säulenwand, was sich hier augenscheinlich vorstellen läßt. Da
der Kaiserin Helena, welche die heiligen Orte in ganz Palästina mit
so viel Sorgfalt aufsuchte und bezeichnete, Alles möglich war, so ermit-
telte sie dieses und ließ an die betreffenden Stellen Säulen setzen, wie
man noch viele solche helenische Marmorsäulen sieht. Nun hier in Nazareth ist nur noch die eine Säule, nämlich die den Ort bezeichnet,
wie weit der Engel vorgetreten, auf eine ganz eigenthümlich wunderbare
Weise vorhanden. Vor etwa zweihundert Jahren meinten die Türken,
daß die Christen hier Geld und Kirchenschätze vergraben haben, weil
sie wohl wußten, daß zur Zeit der Kreuzzüge und der französischen
Könige viel Aufwand in den christlichen Kirchen gemacht wurde. Nun
gruben sie an der Säule, unter der man den Reichthum zu finden

dachte, doch vergebens, sie konnten der Säule nichts abgewinnen. Nun
fingen sie an zu hauen, und so blieb die Säule, wie man sie heute noch
sieht, oben am Plafond fest, und unten hängt sie spitz abgehauen ganz
frei etwa drei Schuh hoch von dem Boden entfernt, so daß man nicht
weiß, was man von dieser monströsen schwarzgrauen Säule, die so zu
sagen in der Luft, nur oben befestigt, da hängt, denken soll. So erhält
sie sich schon zum Erstaunen aller Gläubigen und Ungläubigen Jahrhunderte. — Heute Früh nach der großen Messe ging ich mit einem
christlichen Araber, einem Diener des Klosters, gekleidet wie ein Beduin, seine Flinte auf dem Rücken, zu Fuß über die Berge nach Canna
in Galiläa, dem jetzigen Dorfe Rhenni, dem man überall noch Spuren
ankennt, daß es eine wohlhabende schöne Stadt war. Die großen Heerden schöner Rinder, wie ich sie in ganz Palästina nicht gesehen, die Ziegen mit halbdrittel breiten und halben Ellen langen Ohren. Gut be-
baute Felder, Alles zeugt davon. Eine Viertelstunde weit vor der Stadt
(damals, wie sie größer war, mag er wohl näher daran gewesen sein)
ist der Brunnen oder die große Cisterne, wo das in Wein verwandelte
Wasser geschöpft wurde, welcher von den Bewohnern, die keine Christen sind, noch immer hoch in Ehren gehalten wird. Man bot mir im
Vorbeigehen davon zu trinken an. Das Haus, worin das Wunder
geschah, bietet eine angenehme Lage mit einem verwüsteten Garten.
Es enthält gleich zur ebenen Erde hinein einen länglichen ziemlich
großen Saal, der zur griechischen Kirche umgewandelt ist. An der Wand
sind zwei steinerne sehr große Wasserkrüge, in Krugform gehauen, mit
eisernen Reifen festgemacht, der eine ist noch wohlbehalten, der andere
vor Alter, was man ihnen wohl ansieht, beschädigt. Wenn man es
auch nicht weiß, daß eine Metrete oder Maß, wie es im Evangelium
angegeben ist, und ein Krug ihrer zwei oder drei enthielt, eine griechische Amfora, das ist 20 unsere Maß hält, so müßte man sich von
selbst vorstellen, daß diese Wasserkrüge von solcher Gestalt und Größe
sein mußten, weil das Wasser von einem einzigen Brunnen außer der
Stadt mußte geholt werden, und weil die Juden so viel Wasser zu
ihren Waschungen brauchten. Die Krüge, die ich sah, haben ganz
die berechnete Größe der damaligen Zeit. Daß der Bräutigam bei dieser Hochzeit der heilige Johannes, der Lieblingsjünger Jesu soll gewesen sein, ist so ein Lieblings-Gedanke eines protestantischen Irrthums
derer, die den jungfräulichen Lieblingsjünger Johannes nicht als
solchen erkennen wollen. Nirgend, in keiner ältern Geschichts-

Uebertragung ist auch nur diese Vermuthung zu finden; wohl aber erzählt der Kirchenschriftsteller Nikeforus Kalistos, daß der Bräutigam Simon der Cananäer war, ein Sohn des Kleofas, der ein Bruder des heil. Josefs war. Uebrigens, wenn man den Vermuthungen nachgehen wollte, so läge es weit näher, den Bartholomäus oder Nathanael, der ein Jünger und Freund Christi und in Canna Hausbesitzer war, als solchen anzunehmen. Das Haus des heil. Bartholomäus steht noch als eine rüstige bedeutende Ruine da, ich nahm mir davon ein Steinchen zum Andenken mit. Auf dem Wege zurück betrachtete ist mir den Berg Tabor, den schönsten und auch seltensten Berg im ganzen Gebirgslande. Hoch, allein dastehend, ähnlich unsern Bergen, nicht kahler Felsstein, beinahe mannhohes Gras und Wälder aus dichtbelaubten Bäumen, hebt ihn unter all seinen Nachbarn auffallend hervor. Auf seiner Spitze stehen noch Spuren eines christlichen Klosters und jährlich wird das Fest feierlich dort gehalten. Auch ich wollte hinauf und hatte gestern meinen Esel schon bestellt, da ich aber allein bin, und eben jetzt keine andere Reise = Gesellschaft sich hier befindet, so mußte ich der liebevollen Sorge unserer Patres nachgeben, die ihre Pilger nicht gerne einer Gefahr ausgesetzt sehen. Ich begnügte mich denn, den Berg Tabor so genau als möglich zu besehen, und mir von meinem Begleiter die Gattung wilder Thiere nennen zu lassen, die als Bewohner desselben bekannt sind. Bisher kam mir weder in Afrika noch in Asien eine Spur von einem wilden Thiere vor; nicht einmal eine Natter, wenn ich auch Tage lang bei der größten Hitze über das Gebirge reite, die einem bei uns auf jedem Spaziergange mit ihrem Geruche incommodiren. Salamander sieht man viele, doch nicht von bedeutender Größe; und ganz kleine Eidechsen kreuzen sich über den Weg. Nahe bei Nazareth flog mir ein Zug Pelikane über den Kopf. Diese großen weißen Vögel sind sehr interessant zu sehen, wie sie sich in der Luft fortschwingen. Und auf dem Wege nach Canna zeigte mir mein Führer einen wilden Hund oder Schakal (die ich in der Wüste zwar wohl schreien hörte, doch keinen sah). Der gute Mensch legte schnell seine Flinte an, um auf ihn zu schießen; zog aber eben so bereitwillig zurück, als ich ihn am Aermel hielt und mir den Schuß verbath; dafür erzählte er mir, daß es auf dem Tabor große Schlangen, Tiger, Panther, Hyänen und alle Gattungen wilder Thiere gäbe. Die Ebene von Esdrälon, auf der sich der Tabor erhebt, zeigt bei all ihrem Wüstliegen von der besten Fruchtbarkeit, es fehlt ihr wie der

Gegend von Jericho nichts als europäische Propfreiser und Hände, die den Boden zu benützen wissen. Wenn man nur das zusammenge= haltene Erdreich um Bethlehem sich denkt, mit den linienweisen Mauern, welch schönen Anblick das bietet. Eine Terrasse erhebt sich über die andere und bilden die erhabensten Amphitheater. So tragen die mit guter Erde bedeckten Berge doppelt so viel wie ein ebenes Land, wenn man sie zu benützen weiß, und wie viele Menschen könnten in diesen Ebenen leben, wenn sie cultivirt würden. Es ist wahrlich nicht nöthig, daß sich die Menschen durch Revolutionen um's Leben bringen, oder es herbeiru= fen und erwarten, daß Gott selbst durch Hunger oder Sterbfälle einige Millionen weniger mache! Lagere ab Europa, deinen Ueber= fluß auf eine deiner bisher gewonnenen Cultur wür= dige Art, die anderen Welttheile sehnen sich darnach! — Canna liegt an der Westseite des Jordans, an dem man von hier auch kom= men kann; denn er fließt durch den See Genesareth. Die Stadt Tiberias, welche Herodes Antipas zu Ehren des Kaisers Tiberias erbaute, be= zeichnet ihren Platz nur mehr durch ein türkisches Dorf. Bethsaida und Kafarnaum, von denen keine Spur mehr übrig ist, lagen nicht weit von einander entfernt am galiläischen Meere. Eben so Bethulien, die Stadt der heil. Judith, die sich einen Kranz von Lilien um das Haupt schlang, als sie in das Zelt des Holosernus trat, weil seit uralter Zeit der Lilie die Macht beigelegt wurde, Zaubereien unschädlich zu machen, und Gefahren zu entfernen. Susanna bedeutet im Morgenlande Lilie. Ein noch sehr tiefsinniger morgenländischer Gedanke ist der: Um einen Vergleich von der Reue Evas wegen ihres Vergehens zu geben, sagen die Rabbiner: der See Tiberias sei aus ihren Thränen entstanden. Die Stadt Naim, vier Stunden von Nazareth, behauptet sich noch ganz als dieselbe. Sehr mehrwürdig ist in der Beschreibung des Baron Geramb zu lesen, wie er bei dem Thore der Stadt Naim auf den Knien den Ort verehrte, wo Christus den todten Jüngling zum Leben erweckte, und ein vorübergehender Türke zu ihm sagte: „Schämt ihr euch nicht, ihr Franken, jene Orte, zu deren Verehrung ihr so weit herkommt, in solcher Verwüstung zu belassen, und besonders ihr Patres, die ihr den Werth derselben am besten kennt, und darum euch auch hier zu Lande befindet!" Der Pfarrer von Nazareth, der Baron Geramb begleitete, übersetzte ihm traurig die Rede des Türken, und stellte diesem so gut als möglich vor, daß unter solchen Regierungs = Umständen, wo jede

28

kleine Mauer=Ausbesserung so viel Geld, Schritte und Bitten kostet, nur um die Erlaubniß dazu zu erhalten, daß man etwas baue, es nicht möglich sei, die heil. Orte zu verehren, wie sie es wohl selber wünschen. Die Belehrung des Türken dürfte jedoch von den Fran=ken*) in Europa nicht ganz unbeachtet bleiben, um etwas anzuwenden, daß sich die Dinge ändern. Einige diplomatische Handgriffe, wenn es christlichen Fürsten Ernst wäre, durch die Verehrung der heiligen Orte die Liebe Jesu Christi in ihrem Her=zen zu nähren, wären zweckdienlicher, als die Gaben der Gläubigen zu Capitalien sammeln und die Interessen davon abzugeben, und wenn man auch die Sammlungen selbst in großen Massen übermachte, so heißt dieß nichts, als das Geld aus dem Lande schicken, und den Gläubi=gen in Palästina ist sammt ihrer Ortsverehrung noch nicht gehol=fen; denn je mehr bares Geld man von Europa zu bekommen weiß, desto mehr Zahlungen werden auferlegt. Warum sollte man auch von den Türken eine freiwillige Discretion erwarten? Hätte man kluger Weise von Europa aus, durch die Jahre her mit all dem Gelde als ehrliche Käufer die wichtigsten Gegenstände an sich gebracht, man wäre lange im Besitze der unschätzbarsten Güter auf Erden.

---

## Hundertundsiebenunddreißigster Brief.

### An Bruder Zeno.

Nazareth, den 25. Juni 1848.

Nur ganz kurz will ich Dir meine Reise hierher so viel es mir mög=lich ist, in ihrer Lieblichkeit andeuten. Sonntag den 23. ging ich um 8 Uhr Morgens vom Monte Carmel herab, Constantino begleitete mich. In Kaifa hielt es ein wenig schwer, ein Thier zu bekommen. Endlich verschaffte mir P. Honorius, der Procurator, einen einohrigen Esel, mit dem ich in Begleitung meines Führers Michelo um halb zehn fortzog und Abends um 8 Uhr ganz im Dunkeln, da die Abende hier

---

*) Unter Franken verstehen die Orientalen jeden Europäer oder Katholiken.

nicht so lange sind wie bei uns, in Nazareth ankam. Hier erfuhr ich's einmal, was es heiße, Durst empfinden, oder vielmehr seinen Durst stillen zu können. Wie damals von Jericho zurück, hatte ich Blattern im Gesichte, und die Hände waren vor Hitze aufgeschwollen. Signor Carlo, der Cameriere für die Pilger in der casa nuova, tauschte seinen guten Braten mit meiner Eierspeise, die man mir eilig machte, da ich zum Speisen zu spät ankam, weil er urtheilte, daß es besser für mich sei, da ich die ganze Woche kein Fleisch gegessen habe, und heute gar nichts; denn hier reist man nicht, um alle Stunden einzukehren, man sitzt des Morgens auf und reitet fort, bis man Abends sein Ziel erreicht hat. Der Cison, ein kleiner Fluß zwischen dem Berge Carmel und Nazareth, der zur Regenzeit stark anschwillt, bot mir eine Mittagsruhe, unter hoch blühendem Oleander, der ganz wild neben Gesträuchen hier wächst, die mit zarten blauen Blüthen mit dessen Schönheit im Wettstreite stehen. Nazareth heißt: Blume. Die holdeste, jungfräuliche Blume blühte darin; nannte man sie deßwegen so? — Nein, sie hieß schon früher so. Der bedeutende Name ging lange voraus. Um Nazareth blühen die schönsten und meisten Blumen, aus was für Gegenden man auch kommen mag. Vor Allem hebt eine Distelblume ihr Haupt empor, blau, groß und schön, wie keine andere Blume des Feldes. Ganze große Räume sieht man mit wildem Fenchel, weil nichts gebaut wird und mitten drin die große Pappelstaude und der hochrothe vollblühende Mohn, wie selber bei uns kaum bei der besten Gartenpflege zu sehen. Nazareth steht auch da, gleich einer gut verwahrten Festung; denn es ist wahrlich nicht sehr leicht, es zu erreichen, über alle die schneckenförmigen Berge, die man auf kahlem Felsenstein schroff abwärts reiten muß, um wieder aufwärts in die Stadt zu kommen. Auch von Jerusalem weg kostet es schon große Ueberlegung, auf welche Seite man sich wenden soll. Der Weg, den ich machte, ist der sicherste. Nach Jaffa, zu Wasser nach Kaifa, und von da über Land nach Nazareth. Ein anderer bekannter und beliebter, aber wegen Mord und Räubereien sehr unsicherer Weg geht von Jerusalem über Naplus bei Samarien, das ist das alte Sichem, wo Jakob mit seinen Söhnen lebte, der Jakobsbrunnen, bei welchem Christus mit der Samaritanerin sprach, und dessen damaliger Brunnenrand in St. Johann Lateran zu Rom aufbewahrt ist, wird an seiner unversiegbaren Quelle von Christen, Juden und Türken verehrt. Gerne und furchtlos hätte ich diesen Weg eingeschlagen, doch die guten Patres ließen es in ihrer wohl-

28*

meinenden Sorgfalt nicht zu. Nun nur noch das Wichtigste von Nazareth
außer der Kirche, die über das Heiligthum gebaut ist. Da ist vor Allem
die Werkstätte des heil. Josefs vorhanden, die einmal zur Kapelle ge=
macht, nun aber ganz verödet ist. Ein sehr großer Stein, an dem
Jesus mit seinen Jüngern öfter gespeist, liegt in einer über ihn gebau=
ten Kapelle, denn aus und ein gebracht konnte er nicht werden, ohne
eine Seitenwand einzureißen. Dann die Synagoge, jetzt eine griechische
Kirche, in der Jesus zum erstenmale redend unter die Juden auftrat,
und aus welcher sie ihn hinausgestoßen, und auf die höchste Bergspitze hin=
aufgejagt, um ihn von oben herunterzustürzen. Man kann sich den Auf=
zug so ganz natürlich vorstellen. „Und er entkam ihren Händen." Auf
einer Bergstelle wird der Platz gezeigt, wo die heilige Jungfrau zitternd
in Todesangst nacheilte, nicht mehr weiter vermochte, und ohn=
mächtig hinsank. An einer andern Stelle sind ihre Knie=Eindrücke sicht=
bar, zum Zeichen ihres Dankes gegen Gott, als sie ihren Sohn von
seiner Verfolgung wieder befreit sah. Auch die Höhle, in welcher er
sich verbarg, ist noch bekannt. Das Leben Jesu betrachtend, sieht man,
wie er sich keineswegs den schwachen, menschlichen Lebensverhältnissen
entzog, nebst allen seinen Wundern, ausgenommen nach den Wirkun=
gen des innerlich göttlichen Geistes, die jedem Menschen angeboren
sind, um zu zeigen, wie klug und genau sie beobachtet werden sollen.
Bald nach dieser Geschichte ereignete sich das Wunder zu Canna in
Galiläa. Ueberhaupt kann man bei jedem Schritte, den man hier macht,
ganz mit Gewißheit denken: Jesus, Maria und Josef gingen auch hier.
Vor der Stadt ist der noch immer benützte Brunnen, wo Maria Was=
ser holte, und der kleine Jesus den Krug zerschlug, dafür aber das
Wasser im Schürzchen nach Hause trug. Wie oft haben wohl Jesus
und Maria das Wasser aus diesem Brunnen getrunken! Es waren
mehrere Weiber da, die mir freundlich ihre langhälsigen Krüge boten.
Ich trank nie in meinem Leben so gut. Kam auch eben in der Mittags=
hitze zu Fuße von Canna zurück.

Hundertundachtunddreifsigster Brief.

### An den hochwürdigen Herrn Chorvicar M.

Auf der Barke vor St. Jean d' Acre
den 26. Juni 1848.

Man bestellte mich um 6 Uhr auf die Barke, die wahrscheinlich vor Mitternacht nicht abstoßen wird. Ich bin der erste Passagier hier, es werden auch nicht mehrere nachkommen, weil das Batiment mit Frucht beladen ist. Da liege ich nun ganz angenehm auf meinem Weizenbettlein und lasse mich von der untergehenden Sonne bescheinen, besehe mit Muße den Hafen und die gut befestigten Mauern von St. Jean d' Acre, dem alten Ptolemais. Alte und neue Zeit sammt jener der Kreuzzüge, die sich an der Stadt, und die Stadt an ihnen mit ihrem Namen erhalten haben, wie stimmt ihr nun zusammen, wird die Zukunft euch in Einklang bringen? — So klangen meine Ueberlegungen. Nebstbei fiel mir ein ganzer Kriegsplan ein, wie dieses Acre leicht zu bezwingen wäre. Ausgebildet lag er vor mir da, und vergnügte mich nicht wenig. Die ganze Lage war mir anschaulich, denn so wie die bedeutenderen Wege in Palästina, so ist mir Acre am Hafen von der Seeseite, wie von Nazareth herüber von der Landseite bekannt. Als ich damit fertig war, und meiner Sache so viel wie gewiß, wenn die Ausführung an mir läge, fiel es mir ein, meine Bleistifte zu nehmen, um meine angenehme, ganz ruhige Lage auf der aufgeschütteten schönen Weizenfrucht noch angenehmer zu verwenden, und mein Wohlbehagen mir schriftlich aufzubewahren. Der aufgehäufte Weizen erinnert mich vor Allem an die Getreide-Verkaufsplätze in Egypten, und auch in Jaffa, wo ich sie unlängst gesehen habe. In großen Haufen liegen die Körner frei auf dem Platze, und das in ungeheurer Menge, wovon ein kleiner entwendeter Verlust ganz unmerklich erschiene. Sie liegen jedoch sicher. Bei uns möchten die offenen Getreide-Speicher bei der besten Wache nicht wohl räthlich sein. Ueberhaupt stimmen mehrere Beispiele dafür, daß die Araber kein räuberisches, noch weniger diebisches Volk seien. So laufen z. B. die kleinen Kinder Tage lang ohne Aufsicht unter ihren Gespielen herum,

ohne von ihren gelbbekränzten Häubchen oder Halsschmucke auch nur
ein Stück zu verlieren. Ich möchte wissen, mit wie vielen Zwanzigern
bei uns ein Kind des Abends heimkäme, wenn ihm die Mutter eine
Schnur voll um den Hals hinge. Nun werd' ich Ihnen erzählen,
wie es heute in der Stadt Acre aussah, und wie es mir erging:
Allein mit einem christlichen Araber-Jungen bestieg ich an der casa
nuova heute um 8 Uhr Früh einen Esel, um auf der Landseite in
St. Jean d' Acre einzuziehen. Auch dieser, Giovane, mein Begleiter,
versicherte mich, wie so mehrere Andere, der Zufriedenheit des ganzen
Landes, wenn die Europäer kämen, um davon Besitz zu nehmen; nur
fügte dieser uncultivirte Sohn der Natur sehr klug hinzu, daß nichts
gewonnen wäre, wenn sich die einzelnen Nationen darum stritten.
Wenn es nicht im kirchlichen Einklange geschähe, worin alle Nationen
im Christenthume zu einer alleinigen verschmelzen, so bleiben sie lieber
und glücklicher in ihrem gegenwärtigen Schutz- und Trutz-Bündniß. —
Der Anblick über Berg und Thal ist wunderschön. Die Gegend von
Galiläa ist überhaupt viel fruchtbarer, als die von Judäa. Viele Bäume,
Gesträuche, Felder, Weingärten, grüne Hügel und Plätze, und manche
Lage erinnerten mich an unsere steirischen Spaziergänge am obern
Rosenberg, nur daß man bei uns allenthalben mehr ebene Plätze und
die Berge mit Waldungen bedeckt findet. Um 4 Uhr kam ich über
eine Sandebene neben dem Meere in Acre an. Das Kloster der Fran-
ziscaner, mit dem Aufgange unter dem Stadtthore, durch alle Soldaten, ist ganz merkwürdig, denn es steht mit der Kaserne in so enger
Verbindung, deren Gänge man eher durchwandern muß, um auf die
freundliche Kloster-Terrasse zu kommen, daß es scheint, als lebten die
Patres mit den türkischen Soldaten in gemeinsamer Communität. Freundlich aufgenommen, wie in allen Klöstern, schickte man mich in die
Pfarrkirche mit einem Diener, die mitten in der Stadt ziemlich weit
vom Kloster, ebenfalls in ihrem Eingange von Soldaten besetzt ist;
und in die Schule, in der ich einen Pater Benjamin in eifriger Be-
theiligung mit derselben fand. Kaum im Kloster angekommen, war
gleich der österreichische Consul von Kaifa da, seinem ganzen Ansehen nach
ein tüchtiger Ehrenmann, der mir's durchaus absprach, daß ich Bairuth zu rechter Zeit erreichen könne. Er lachte, mich hier zu finden,
und meinte, ich habe ein übernatürliches Glück, überall so fort zu
kommen; auch versprach er selbst auf das Zollamt zu gehen, damit
man mir bei meiner Abreise ohne Anstand und Bezahlung mein Kist-

chen mit meinen Jerusalems = Andenken zurück gäbe. Als ich in die
Stadt auf den Platz kam, war mein erstes Augenmerk, die mit ab=
gebrochenem Kopfe größte Minaret, statt dem einige lebendige Türken=
köpfe von der Höhe herunter sahen, auf ein gymnastisches Gaukelspiel,
über welches die ganze Stadt in Bewegung war, bei türkischen Tam=
burinen und zweitönigen Pfeifen. Die Türken sehen derlei sehr gerne
und zeigen sich sehr lustig dabei, wenn einer dem andern auf den Achseln
steht. Alle Terrassen von den Häusern sammt den Stadtmauern waren
lebendig von Zusehern. Hinter dem Hauptgetümmel plagte sich ein
Türke mit einer Hand, Weinblätter auf ein Geschwüre auf dem Ober=
theile des andern Armes zu legen; er dauerte mich mit seiner ver=
gebenen Mühe, und ich dachte es einmal zu versuchen, Dienste einer
barmherzigen Schwester zu verrichten, ich verband ihn glücklich, und
sah dafür eine wahrhaft von Dankbarkeit durchdrungene Miene. Der
Pater Presidente verhandelte für mich mit dem Capitano der Barke,
unter welchem Einflusse der ehrw. Väter man dann auch ruhig und
sicher vertrauen kann. Auf der Dogana hatte ich bei aller Vorsorge
des Consuls noch ordentlich Streit; eigentlich ich machte Streit, weil
man mir meinen egyptischen Korb, mit dem ich durch die Wüste zog,
austauschte. Der türkische Zollbeamte ließ sich jedoch nicht aus seiner
türkischen Gleichmüthigkeit bei seiner Wasserpfeife bringen. Doch schickte
man in die Magazine, meinen Korb fand ich nicht. Einer, mit dem
ich meinen Hauptstreit führte, ohne daß wir uns gegenseitig anders
als durch ein allgemeines Verständniß verstanden, machte mit treuher=
zigem Handschlag Freundschaft mit mir, und begleitete mich an den
Hafen, wo ich ihm noch zum Abschiede bedeutete, daß ich wieder
kommen werde, um mir für meinen Korb die Stadt Acre einzutauschen.

———

# Hundertundneununddreißigster Brief.

## An den Herrn Cameralrath L. und seine Frau.

Bairuth, am Feste St. Peter und Paul,
den 29. Juni 1848.

Helfen Sie mir der göttlichen Vorsehung danken, die hier in Bairuth, wo ich so ganz fremd bin, wo die wohlthätige Pilgeraufnahme in den Klöstern keine Anweisung mehr hat, wieder gütig für mich sorgte. Der Weg von Jaffa nach Bairuth führt auch zu Lande, ich machte ihn jedoch zur See. Von St. Jean d' Acre fuhr ich auf einer mit Weizen beladenen Barke ab, bei Sarepta vorüber, wo der Prophet Elias von einer Witwe zur Zeit der Hungersnoth ernährt wurde. Es war Dinstag den 27. Tags darauf, als ich abfuhr, blieb die Barke bei Saiba stehen, das ist das alte, in der heil. Schrift sehr bekannte Sidon, dann kamen wir bei Sur dem alten Tyrus vorbei, wo mein einziger Reisegefährte, Mahomeds Enkel mit seinem grünen Turban, ausstieg und auch blieb; ich aber rollte mit meinen Gedanken durch die Geschichte der Zeiten, und betrachtete die Ueberreste dieser merkwürdigen, einst so herrschenden Städte, und zog dann gleich dem Zeitenmesser mit meinen vier alten Schiffsleuten allein in der Barke vorüber, vorüber bei Tyrus und Sidon, denen es sammt ihrem Mangel an Gotteserkenntniß am Tage des Gerichtes besser gehen wird, als jener kleinen Stadt, welche die Wunder Gottes schaute und doch nicht glaubte. — Ganz in Lieblichkeiten versunken, lag ich ohne etwas zu essen, in seliger Entzückung, oder wenn man will, in Ohnmacht auf meinem Weizenbettlein hingestreckt, und kam mit schwachen Kräften, die sich jedoch gleich wieder sammelten, als die Füße das Land betraten, gestern den 28. Früh um 6 Uhr in Bairuth an. Ich ließ mich sogleich in die Kirche führen, meldete mich nach der Messe in der Sacristei bei dem Pater Presidente, der mich in seinen Divan lud. Das Kloster ist hier nicht für reisende Gäste eingerichtet. Wohin ich mich wenden werde, das wußte ich nicht, denn hier in Bairuth war ich ganz fremd, sogar ohne irgend einer Anempfehlung. Zwar sagte mir der Patriarch in Jerusalem: „In Bairuth finden Sie Herrn

v. Boré." Was hilft mir's, dachte ich, ich weiß ihn nicht zu finden, und wenn ich's wüßte, ich suchte ihn gewiß nicht; denn für mich hin war Herr v. Boré in Jerusalem nur der stolze Franzose, der alle armen Leute in der casa nuona aufsuchte, mit der deutschen Pilgerin jedoch kein Wort sprach, er interessirte mich, weil ich an ihm eben so viel Geist, als seltene Frömmigkeit wahrnahm. Man trug mir an, in seiner Gesellschaft von Jerusalem wegzureisen, um mit ihm den Libanon zu besteigen, ich meinte jedoch, dieß könne etwa nur ein Antrag der Dienerschaft sein, und da denn die Deutschen auch ihren Stolz behaupten, so sagte ich, ich sei zur Abreise noch nicht bereit, was denn auch wirklich die Wahrheit war. Nun muß ich freilich die Reise auf dem Libanon, der nach dem Euphrat und den Rosenhainen an seinen Ufern beigesellen, und mich begnügen, zu rechter Zeit angekommen zu sein, um heute noch mit dem österreichischen Lloyd nach Smyrna zu fahren. Gestern Früh handelte sich's nur, wo? die Zeit bis dahin zubringen. Der Pater Präsidente, so wie fast alle Franziscaner, die ich im Oriente antraf, ein heiterer, geistvoller Mann, interessirte sich für die terra santa, und erzählte dafür auch mir bei schwarzem Kaffeh einige europäische Neuigkeiten; unter andern, daß die Frauen in Frankreich Clubbs machen, um zu revoltiren. Sie wollen das Ministerium besetzen, die Männer sollen die Secretärs sein. Ich lachte nicht wenig darüber. Wenigstens wissen die Frauen doch, was sie wollen, sagte ich, wenn sie revoltiren, der französischen Republik-Verfassung fehlt ohnehin sonst nichts mehr, als die Ausführung dieser Idee. Im Divan befand sich auch eine alte Frau, eine Malteserin, die im Kloster gut bekannt ist. Ihrer Schwiegertochter, einer Wienerin, Freude zu machen, bat sie mich mit ihr zu gehen. Frei wie ich war, hinzugehen wo es auch sei, machte ich mir ein Vergnügen daraus, sie zu begleiten. Meine kleine Bagage blieb im Kloster, Frau Therese Cremona hatte auch wirklich eine Freude, als hätte sie ihre beste Freundin gefunden; lud mich sogleich ein, bei ihr zu bleiben, verschaffte mir alle möglichen Bequemlichkeiten, deren ich nach einer zweinächtigen Seebarkenreise bedurfte, und erquickte mich mit guter Kost und ihrem freundschaftlichen Vertrauen. Sie heißt Therese Graf, und hatte lange ein heißes Verlangen, die heiligen Orte zu umfangen. Als Madame Pfeifer von Wien abreiste, erbot sie sich zur Begleiterin, doch Mad. Pfeifer wollte allein reisen und die arme Therese mußte zurückbleiben. Sie gab jedoch ihren Plan nicht auf, führte ihn aus, und da sie auf

ihrer Rückreise in Bairuth kein Geld mehr hatte, gedachte sie so lange
zu bleiben, bis sie welches verdient habe, um fortreisen zu können.
Doch war es ihr beschieden, hier zu verbleiben; sie, die nie an's Heirathen
dachte, wie sie sagt, ist jetzt eine begüterte Kaufmannsfrau, Hausbesitzerin
und Mutter von zwei lieben Knaben. Ich befinde mich bei dieser edlen
Familie versorgt, gepflegt, geehrt wie unter meinen besten Freunden.
Ein solches Begegnen im Leben ist wahrhaftes Leben. Wenn man
sie findet diese Kostbarkeit eines frommen christlichen Glaubens, aus
dem solch Handeln, solch wahrhafte Menschenliebe entspringt, in dem
man sich erkennt und liebt, ohne sich je fremd gewesen zu sein. —
Herr Zacharie, ein Triestiner, Vetter des in Gratz in jedem guten Cir-
kel unvergeßlichen Tanzmeisters Cuzzi, ein verständiger junger Mann,
derzeit Bräutigam der Schwester des Hrn. Cremona, ein liebenswürdig
häusliches Mädchen, machte mir als Italiener, er nennt sich zwar
mehr Malteser, weil er in Malta erzogen wurde, mit seinen klaren
Ansichten über die Dinge, sehr viel Vergnügen. Er meint in seiner
Bescheidenheit, beinahe verwildert zu sein gegen die Feinheit der
Europäer. Es ist aber gar nicht so. Nebst der ganz besondern Geschicklichkeit, vier bis sieben Sprachen zu sprechen, zeichnen sich selbst
die, aus europäischem Stamme hier Eingebornen mit sehr guter Lebensbildung aus, welche bei ihrer Einfachheit, die ein Eigenthum des
Orients ist, nur an Werth gewinnt, weil die Ansichten und die Meinungen dadurch klarer werden, so wie der Umgang im Leben unge-
zwungener, und somit auch angenehmer. Man spricht bei uns viel
von den morgenländischen Ceremonien, ich versichere aber hingegen,
man ruht hier aus von der europäisch zierlichen Geschraubtheit eines
sogenannten gebildeten Lebens, ohne auch nirgend, selbst nicht bei dem
gemeinen Manne, an gewisse Rohheiten zu stoßen. Baron Baum,
österreichischer Consulats-Secretär, ein Pole, ein feiner, gelassener,
gefälliger Herr, beredete mich, den Gedanken, bei der Zeit über Constantinopel zu reisen, aufzugeben, und lieber in Smyrna zu warten, als mich
durch Gallacz herauf unter die Unruhen der Ungarn mit den Croaten zu
begeben. Gut, ich werde mich zu trösten wissen, in Triest den Kranz meiner
Reise zu schließen; obschon ich gerne Constantinopel sammt den Sultan gesehen hätte. Es wäre mir dort nicht schlecht gegangen, da ich eine Einla-
dungsadresse des Mons. Gaillard, Ritter der Ehrenlegion, und Colonel in
des Sultans Diensten, bei mir habe, bei seiner Familie zu verbleiben, so
lange ich wolle. Der Colonel ist ein Franzose und ein sehr frommer Christ,

das habe ich in Jerusalem gesehen. Ich hätte mit ihm die Reise nach dem Jordan machen sollen, er mußte aber eilends fort, und so kam ich auf seine Verwendung an den Prinzen de Podenas. Um zwei Uhr gehe ich noch einmal auf das Consulat und von da auf den Lloyd.

---

## Hundertundvierzigster Brief.

### An den Herrn Medicin=Doctor K.

Smyrna, in der Quarantaine,
den 5. Juli 1848.

In der Quarantaine, als ärztliches Interesse gut verwahrt und fest verschlossen, schreibe ich nun gleich zuerst an Sie, Herr Doctor. Die Quarantaine in Smyrna sieht nicht nur nicht etwa abschreckend, sie sieht sehr großartig und hübsch von außen her, im Innern hat sie geräumige Gebäude und Spaziergänge mit so viel Bequemlichkeiten, als unter solchen Umständen möglich ist. Nachdem die ganze Anstalt wegen pestgefährdeten Personen besteht, so wären möblirte Zimmer gegen die Ansteckung eben nicht empfehlend, darum hat aber auch der, der ohne Gepäcke reist, den leeren Boden, um sich darauf zu setzen. Für mich haben sich die Umstände zwar ganz angenehm gestaltet, ich lebe sehr vergnügt, obschon ich mich ebenfalls in einer etwas unangenehmen Situation befinden könnte. Meine Baarschaft war nur bis Jerusalem berechnet, und so wie ich mein Haus verlassen hatte, konnte ich ganz zuversichtlich erwarten, daß man mir für die Rückreise das Nöthige nachschicken würde; machte daher die sichersten Anstalten der Nachsendung. In Bairuth angekommen, sagte mir Baron Baum sogleich: „Für Sie liegt schon seit drei Monaten ein Brief da, er wurde vergessen." Einen auf die einfachste Weise adressirten Brief von meiner Schwester, worin sie mich dringend bat, um der Erhaltung meines Hauses willen so schnell als möglich zurückzukommen, erhielt ich in Jerusalem. Die Schifffahrt war unterbrochen, ich konnte nicht fort, obschon ich meinem Vorhaben gemäß im Juni in Graz zu sein ge=

dachte. Nun diesen zweiten Brief von Herrn Baron B. erhielt ich verspätet auf dem Consulate in Bairuth. Ich las ihn sogleich, und der Inhalt sagte, daß unter einem 2c. Geld abgesendet würde, was hier nicht vorhanden war. Baron Baum las selbst den Brief und ich erklärte ihm, daß ich mich darauf angewiesen befinde. Dieser sehr fein gebildete, sehr menschenfreundliche Herr, der den Consul in seiner Abwesenheit vertrat, zeigte mir die freundlichste Theilnahme mit Wort und That; denn er sicherte mir einen Platz gratis auf dem Lloyd bis Triest zu; gab mir eine Anweisung, auf welche Art ich mich an den Consul in Smyrna zu wenden habe, wenn ich in der Quarantaine angekommen sei, schickte seinen Kavas auf die Dogana, meinen Korb auszulösen, und ließ mich auf seine Anordnung an Bord führen. Vier Knaben unter zehn Jahren, gleich Engelchen, schaukelten mich auf den Wellen bis hin zur Schiffsstiege, die mir nun schon bekannt ist, und die mich wieder führte in den sichern Schutz des österreichischen Lloyds, auf dem mich der Capitän sogleich mit den freundlichen Worten begrüßte: „denken Sie, Sie sind zu Hause." Nachdem ich meinen Lieblingsplatz neben dem Steuermanne eingenommen hatte, und mich allein befand, weil die Passagiere theils im Schiffsraume sich bequem machten, theils noch nicht an Bord waren, faßte ich die Korallen meines Rosenkranzes an eine andere Schnur, wobei ich mich so glücklich fühlte im Besitze meines Rückblicks in der Gegenwart, als ob ich nie glücklicher gewesen wäre, oder es niemals werden könnte. Als das Schiff vom Anker stieß, j'admirois la beauté des ondes qui se brissoient par la majestieuse passage du vapeur, sur la mer, clair et tranquille comme le miroir du ciel. *) Auf einmal sah ich auf, als rief mich ein anderer Anblick, und Herr v. Boré, der Franzose, Conte di Pelli, der Secretär des Patriarchen, und Herr Baron Amarelli, ein neapolitanischer Professor, den ich noch von Alexandrien aus kannte, standen vor mir, und riefen zusammen wie aus einem Munde: „Nun sind wir wieder Alle beisammen." Sie können sich's denken, wie angenehm meine Reise in dieser mir bekannten Jerusalems-Gesellschaft geworden; wir waren Alle seelenvergnügt. Doch verhinderte mich dieß Vergnügtsein nicht an meinem

---

*) Bewunderte ich die Schönheit der Wellen, die sich theilten bei dem majestätischen Durchzug des Dampfschiffes auf dem ruhig klaren Meere, in dem sich der Himmel spiegelte.

Leiden auf der See. Man schickte mir den Diener des ersten Platzes, um mich hinabzuführen, ich konnte aber ohne zunehmender Ueblichkeit nicht einmal daran denken. Man brachte mir die Speisen von der Tafel auf's Verdeck. Capitäns wie Diener haben die gleiche Gefällig= keit und Anspruchslosigkeit, was so eigentlich zur Veredlung und Ver= schönerung des Lebens dient. Ueberhaupt herrschte auf dem Schiffe eine Ruhe, eine Sicherheit, die einem bei den sturmbewegten Zeiten Europa's Wunder nehmen muß. — Auf dem Verdecke konnte ich das Seeübel noch am leichtesten ertragen. Welch' köstlicher Anblick, wenn ich bei der Nacht die Augen öffnete, und den hellen sternenbesäeten Himmel über mir sah, ich fühlte es nicht, daß es mir an Bequem= lichkeit mangle. Eine so herrliche Nacht, frei unter heiterem Himmel zugebracht, lohnet das Leiden der tiefsten Ohnmacht, besonders wenn das ganze Leiden in ein Paar Tagen so ganz vorüber ist, daß man sich heiterer und stärker fühlt wie jemals. Uebrigens schlafe ich die meiste Zeit wie ein kleines Kind in der Wiege. Die Seereise bis Smyrna ging in fünf Tagen ganz gut vorüber. Wir kamen an die Insel Pathmos, wo der heilige Johannes hin verwiesen war, und die Apocalips ihr Dasein erhalten, an der die menschlichen Ge= danken voll Irren und Wanken, noch sinnen können bis an das Ende der Zeiten. An der Insel Cypern landeten wir, und sahen hinein auf ihre Weingebirge und stellten uns vor, die Zeiten der Kreuzzüge mit dem wackern Johanniter=Orden. Tags darauf blieben wir vor Rhodus, wo wir zur Genüge den Platz uns denkbar machen konnten, wo der weltberühmte Koloß auf Rhodus gestanden. Ausschiffen durften wir nicht, weil unser Schiff unter Quarantaine stand, obschon Conte di Pelli sehr gerne bei den Kapuzinern in Rhodus am Tage Mariä Heimsuchung, der noch dazu ein Sonntag war, die Messe gelesen, und wir sie eben so gerne gehört hätten. Von Rhodus bis Smyrna kommt man immer neben bedeutendem Gebirge vorüber, welche die Ge= gend für Segelschiffe sehr gefährlich machen. Der Dampfer macht den Weg in 30 Stunden. Man kann dieser Erfindung der Maschinerien und dem glücklichen Gebrauche davon, besonders auf Oesterreichs gut eingerichtetem Lloyd nicht genug Dank, nicht genug Bewunderung zollen. Den 3. um Mittag schifften uns die Boote an der Quaran= taine in Smyrna aus. Das Gebäude liegt in einer freien, freundlichen Ge= gend, genügend von der Stadt entfernt. In Bairuth und in den andern Inseln sieht man viele von den Arnauten, sie sind gekleidet wie die Grie=

chen, mit weißer Fustanella und rothen Jacken, Gürtel und Pistolen; doch haben ihre Gestalten die anmuthige Beweglichkeit eines Griechen nicht. Könnte ich wünschen, alle diese griechischen Inseln würden sich wieder vereinigen in ihr eigenthümliches Reich. Auch dieß von den Dichtern so feenartig besungene Mitilene, Smyrna, die es zunächst erstritt, auf die Geburtsstätte eines Homers Anspruch zu machen, von dessen lyrischem Gesange die ganze classische Alterthums=Geschichte der Griechen abhängt. Seit beinahe 3000 Jahren noch in Ehren gehalten, nach dem Tode von sieben Städten bestritten, um ihn als Sohn zu erhalten, war Homer, ein blinder Mann in seinem Leben, gezwungen, folgende Rede der Nachwelt zu hinterlassen: als er einmal um eine Herberge bat: „O ihr Bürger der liebenswürdigen Stadt „Cumä, die ihr am Fuße des Berges Sardena wohnt, dessen Gipfel „von Waldungen beschattet wird, welche milde Kühlung verbreiten, die „ihr das Wasser des göttlichen Hermus trinkt, habt Achtung gegen das „Elend eines Fremdlings, der kein Haus hat, in welchem er Zuflucht „fände." So ist das Loos der ausgezeichnetsten Geister sowohl nach als vor 3000 Jahren. — Die Maroniten anf dem Berge Libanon sind ein gutes, frommes, treuherziges Volk, friedlich und fröhlich, in Jerusalem habe ich mehrere von ihren Ordens=Geistlichen gesehen, die in unserer Kirche nach griechischem Ritus die Messe lasen. Um sie zu characterisiren, wird es genügen, die Rede eines ihrer Bischöfe aus Hakländers Reisen anzuführen, der ihn mit seiner Gesellschaft in der Nacht nicht von sich lassen wollte: „Seht meine Kinder, der Sturm „hebt sich aus den Schluchten empor und zieht über uns zusammen, und „ihr verschmäht mein Haus, wollt fort in die Nacht und ich kann „euch nichts mitgeben, als meinen Segen. Die Dunkelheit wird euch in den „Bergen überraschen, und wenn euer Pferd ausgleitet und stürzt, seh't „ihr vergeblich umher nach dem Leuchten eines gastlichen Herdes." Die Sprache des Morgenlandes hat ihrer Natürlichkeit gemäß einen höheren Schwung.

# Hundertundeinundvierzigster Brief.

## An den hochw. Herrn Pfarrer Sch.

Smyrna, in der Quarantaine,
den 20. Juli 1848.

Aus der Quarantaine! werden Sie denken, und wie werden Sie
mich bedauern, hochwürdiger Herr, denn die Quarantaine ist wohl eine
der größten Schrecknisse einer orientalischen Reise. Und noch dazu eine
etwas längere von 12 Tagen. Doch für mich ist sie sehr leicht zu ertragen, ich bewohne zwei Behausungen, eine bei Tage, die andere bei
Nacht. Während ich aber hier so angenehm lebe, wie ich es Ihnen zu
erzählen eben im Begriffe bin, übernimmt mich ein Gefühl von Tag
zu Tag, daß ich, bis zu empfindlichem Kopfschmerze in meinen Nerven
angegriffen, mich dünke, als wär' ich todt in Gratz *)
Nachdem ich auf ein Jahr meinen Abschied genommen habe, kann ich
mir keine Vermuthung denken, daß ich todt sein soll. Der Kanzler vom
französischen Consulate, der mit seiner Familie von Rhodus hierher
kam, und mit die Quarantaine aushält, lud mich mit Monf. Boré
zur wohlbesetzten Tafel, um mir's unter seinen drei lieben Kindern, fühlbar zu
machen, daß ich lebe. Ja unter diesen edlen Menschen fühlte ich es auch,
daß ich meinen Geburtstag recht angenehm verlebte. Nach Tisch machte ich
mit M. Fleura eine Parthie Schach, und zu Hrn. v. B. zurückgekommen, lasen wir zusammen die Vesper. M. Boré ist unerschöpflich, den Abwechslungen der täglichen Lebensbeschäftigungen ihre Annehmlichkeit zu verschaffen.
Nun werde ich erst erklären, wie dieß Alles zusammenhängt. Mad.
Fleura, die mit ihrem ganzen Hausbedarfe reist, um in Smyrna zu
verbleiben, lud mich sogleich ein, bei ihnen zu schlafen. Monf. Boré
lud mich bei Tage in sein sonnig großes Zimmer, und an seinen Tisch.
Nun sehen Sie, hochwürdiger Herr, ob ich mich im Gott-Vertrauen
getäuscht habe. Da ich in Bairuth statt Geld einen leeren Brief gefunden, und etwa in einer Schule auf dem Libanon hätte verbleiben
können, wenn mich die Hand des Herrn nicht anders führte, dürfte ich

*) Als ich nach Gratz zurückkam, erfuhr ich, daß man um diese Zeit meine
Wohnung aufgegeben, die Schule aufgelöst und mich in der ganzen
Stadt für todt gehalten habe.

mich jetzt in den dringendsten Lebensbedürfnissen befinden. An den ersten Tagen schickte Hr. v. Michanovitz, Oesterreichs Consul in Smyrna, dem ich auf Anweisung des Hrn. Baron B. in Bairuth alsogleich schrieb, um zu fragen, was ich bedürfe, ich sagte: Alles, was nöthig, um hier in der Quarantaine zu leben. Nun aber, da Hr. v. M. weiß, wie gut ich versorgt bin, beläßt er die Sache auch so, wie sie ist, womit ich sehr zufrieden bin; denn ich wünschte meinen gegenwärtigen Stand= punct zwischen meinen beiden Behausungen, um ein eigenes Zimmer sammt einem eigenen Tisch nicht zu vertauschen. Auch gefällt es mir sehr, mich unter französischer Protection zu befinden. Oesterreichs Con= sulat wird sich für diesen Schutz mit eben so vielem Vergnügen ver= bindlich zeigen, als diese Verbindlichkeit mit Freundlichkeit auferlegt wird. Ich lebe wie im glücklichen Eldorado, unter einem ungetrübten heitern Himmel, jeder kommende Tag so schön, wie der vergangene. Ich schlafe ungestört allein in einem Zimmer, aus dem sogar die Mäuse entflohen; wenn ich komme, ist das Bett schon geordnet, und Zuckerwasser bereitet, des Morgens habe ich genügende Zeit, meine Betrachtungen über den Meeresspiegel in den weit ausgebreiteten Him= melsraum hinaus zu senden, den Delphinen, die spielend aus der Ober= fläche des Meeres hervortauchen, zuzusehen, oder mich theils an dem Gebete, theils an den Exercierübungen der türkischen Quarantaine=Be= satzung zu vergnügen. Mit der fränkischen Exercier=Methode unterhalte ich mich ganz besonders, denn dafür scheinen die Türken nicht 'sehr geschickt zu sein. Doch ihr Morgengebet, das Mehrere zusammen mit ihren Verbeugungen wie ein Exercitium vornehmen, hat mich schon wirklich erbaut. Der Türke, wenn er auch ein vornehmer und reicher Mann ist, schämt sich des Gebetes nicht, das hab' ich oft auf dem Schiffe bemerkt. Auch einen echten Magier hatten wir auf der letzten Fahrt, mit spitzer Kappe nach Art der gemalten Zauberer. Auf dem Schiffe, wenn er betete, nahm er einen weißen Schleiermantel mit Mond und Sternen durchwirkt über sich, und wendete sich gegen Sonnenaufgang, die Mahomedaner wenden sich nach Mekka, die Sa= bäer gegen Mittag, andere morgenländische Völker wenden sich im Ge= bete nach einer Himmelsgegend, die sie Kebla nennen. Die Juden nehmen ihre Richtung nach dem Tempel von Jerusalem; die alten Normanen schauten nach Morgen, und auch die abendländischen Chri= sten bauen ihre Altäre gegen Aufgang der Sonne, wenn sie regelrecht stehen. Soll sich der aufwärts strebende Geist nicht dahin wenden, wo

Gott ist? und Gott ist überall. Soll sich der frommgläubige Christ nicht dahin wenden, wo der Erlöser im heiligsten Sacramente zurück= geblieben ist? So viel noch zu meinen Morgenbetrachtungen; dann frühstücke ich ganz behaglich mit der liebenswürdigen Familie Fleura. Von da nehme ich meinen Weg, um Monf. Boré guten Morgen zu sagen, da wird dann conversirt, gelesen, geschrieben. Um 11 Uhr kommt das eigentlich arabisch zubereitete Frühstück mit zwei Speisen, Confitu= ren und Wein. Wir machen deutsche Lection, lesen und schreiben wieder, es kommt eine Visite oder wir machen eine, ich gehe zu Mad. Fleura, man macht ein Spiel Echeque. Ich komme zurück in meinen Tagesauf= enthalt, wir nehmen Thee, ich liebe ihn nicht sehr heiß. Monf. B. hat sehr schöne französische Erbauungsbücher, ich lese vor, ist mein Thee gekühlt, liest Monf. B. Wir sprechen hier und da über das Gelesene, und über die politisch jammervolle Lage von Europa, die aus mehre= ren französischen Journalen leicht ersichtlich wird. Den 10. Tag haben wir den Univers von Paris schon hier in der Quarantaine in Smyrna, von Marseille geht der Dampfer in 6 Tagen. Den Univers lese ich am liebsten, ich wünschte ihn in Graß zu finden. Diese Zeitschrift weckt wieder einige Achtung in mir, die ich über das leere Wortge= pränge der lügenhaften Zeitschriften ganz verlor. Es ist sechs Uhr, der Bediente bereitet den Tisch zum Diner. Man speist sehr gut arabisch und wohlverstanden, offenherzige Gespräche würzen noch mehr die für sich schon sehr schmackhafte Mahlzeit. Nach aufgehobener Tafel, die an einem kleinen Tisch mit zwei hübschen Stühlen gehalten wird, welche die Schwestern de la charité an Herrn v. Boré aus der Stadt her= übergeschickt; die ersten Tage hielten wir unsere Mahlzeit auf dem Bo= den sitzend, auf einem Koffer; wobei auch wir als Christen unser Gebet verrichten, nicht nur allein die Türken unter unsern Fenstern. Monf. B. begleitet mich über den Hof in das obere Haus zur Fami= lie Fleura. Hier werden Stühle in den kühlen Hofraum gebracht, und bei hellem Mondenscheine auf die angenehmste und freundlichste Weise conversirt, dazu kommt noch Conti di Pelli und Baron Amarelli. Hr. v. Fleura, ein sehr fein gebildeter, wohlunterrichteter gelassener Mann, Madame eine eben so feingebildete, zärtliche Mutter und umsichtige Hausfrau, was sich in ihrer Quarantaine=Wirthschaft sehr klar ergibt. Französisch, italienisch, griechisch und arabisch wird in der Familie mit gleicher Gewandtheit gesprochen. Beide sind eingeborne Landeskinder des Orients, von fränkischer Abstammung, sie vereinen auch glücklich

29

die feinere Cultur und Wissenschaft des Abendlandes mit jener unschätz=
baren Einfachheit und Gewandtheit im Umgange des Morgenländers.
Monf. Fleura stellt seinen Tubus auf, durch den man den Mond sehr
groß und nahe sieht, so schön und zart im glänzenden Eiskristall, daß
ich ihn mir nicht genug sehen kann. Dann kommt köstlich schwarzer
Kaffeh in den niedlich orientalischen Tassen, man sagt sich gute Nacht,
um sich morgen wieder zu finden. So ist uns denn nun der größte
Theil der Quarantaine=Zeit verflossen, ohne daß Jemand von uns
müde geworden wäre. Im Gegentheile fühlt es jeder so wie ich, daß
ein eigener Stern hier walte, da wir abgeschlossen von der Welt uns
in paradiesischer Zufriedenheit erhalten. Auch die Biene weiß aus allen
Blumen Honig zu ziehen. Sagen Sie, hochwürdiger Herr! bin ich nicht
zu beneiden? Jedoch werde ich nie die Wohl treffen, am Gestade des
Meeres zu wohnen, seine Ausdünstung macht mich leiden, sie legt sich
mir auf den Magen, so daß ich es fühle, ich würde erkranken, wenn
mein Geist nicht so angenehm beschäftigt wäre um die Herrschaft
über den Körper zu erhalten. Zur Vollendung unsers vergnügten Bei=
sammenseins hätte Conti di Pelli gerne ein Zimmer zur Kapelle umge=
staltet, um darinen die Messe zu lesen, doch der Bischof gestattete es
nicht, dafür kam am selben Tage der abschlägigen Nachricht der Ma=
gier zu Hrn. v. B., welcher mit ihm persisch sprach. Ich horchte ihren
Deutungen und gewahrte bald, daß der Magier, der sich schon auf dem
Schiffe gerne an uns hielt, mit aller Treuherzigkeit die Cabula erklärte,
wobei Monf. B. sehr aufmerksam zuhörte; auf einmal sah ich ihm's jedoch
an, daß er genug hatte, er nahm seinen Univers und schien sich das
Gehörte damit vergessen zu machen. Ich fragte ihn späterhin, und es
w a r  s o, die Berechnung dieser Leute soll etwas Entsetzliches an sich
haben.

---

# Hundertundzweinndvierzigster Brief.

## An den hochwürdigen Herrn Gubernialrath J. N. K.

Smyrna, den 20. Juli 1848.

Meine Reise von Jerusalem weg ist ein wahrhaftes Wandern von einem Sterne zu dem andern. Auf dem Berge Carmel, zu Nazareth, in der Quarantaine, leuchteten mir Sterne der ersten Größe und hier in Smyrna lächelte mir das günstige Gestirn schon von ferne entgegen, denn ich wußte, durch die Anempfehlung des Hrn. v. Boré in dem französischen Pensionate der soeurs de charité aufgenommen zu werden. Nachdem eine ehrwürdige Matrone mit ihrem Stock in der Hand und ihrer doctorlichen Würde zu uns Frauen kam, um uns von der Quarantaine freizusprechen, machten wir uns auch sogleich auf, um sie zu verlassen. Mir gefiel die ganze Anstalt recht gut. Außer dem Oeffnen der Koffer und dem Lüften der Kleider weiß ich von keiner Ungelegenheit. Mir machte zwar auch dieß keine Arbeit. Der Gesundheitszustand geht gut, die Luft ist rein, seit dem Jahre 1844 hat sich die Pest nicht mehr gezeigt. Monf. B. nahm sich auch auf der Ueberfahrt in die Stadt, der Pilgerin freundlich an. Auf der Gondel fühlte ich mich ganz von der Vorstellung beseelt, wie Gott selbst als Mensch in einer Gondel fuhr, um die Gewässer der Erde zu heiligen, mit dem Gebrauche, sie zu befahren. Ich war mir so sicher im Schwanken des Schiffleins, mir war's, als begleitete mich der Nazaräer selbst; dessen beglückende Nähe mir von Nazareth bis in den Hafen von Smyrna, in allen mich umgebenden äußeren Gegenständen eine sichere Stütze war; besser wo, als im Pensionate der barmherzigen Schwestern, könnte ich nicht übergeben werden. Ueberdieß kam ich eben zu den Prüfungen recht; die eigentlich ganz im Stillen unter dem Lehrpersonale und der Superiorität des Hauses abgehalten wurden; eben so im Collegium der Lazaristen. An bestimmten Tagen hierzu wurde mit großer Feierlichkeit die Prämien-Vertheilung vorgenommen, sowohl im Hofraume der Lazaristen, als der soeurs de charité waren Stühle zu hunderten bereitet, die mit verdoppelter Menge Zuhörern, von allen Seiten stehend, vermehrt wurden. Die Wände des Hauses waren von oben

29*

bis unten mit den buntfärbigsten Draperien behängt. In beiden der Institute producirten sich die Zöglinge um der Sprachkenntniß willen mit einer französischen Theater-Vorstellung, nach welcher die Unzahl von Prämien, die auf einem langen Tische bereit lagen, bestehend aus Büchern, Bildern, Kleidern und nützlichen Gegenstände aller Art, von den angesehensten Personen vertheilt, wobei jedem ein Kranz mit weißen Rosen auf das Haupt gesetzt wurde. Nebst dem Bischofe, den Consulatsherren und den ersten Familien der hier in Smyrna ansäßigen 24,000 Europäern, waren der Pascha und viele angesehene Türken und Griechen, deren Söhne das Institut in gänzlicher Versorgung hält, gegenwärtig. Auch die Superiorin der soeurs de charité, die mich mit sich nahm, saß mit mehreren ihrer Schwestern mitten unter der Anzahl von geputzten Damen, um der Prämien-Vertheilung der Lazaristen-Zöglinge beizuwohnen. Zwei Tage darauf hatten wir diese Feierlichkeit im Hause. Einfach ohne aller Uebereilung, elegant und nett wurde Alles zubereitet, die Schriften mit Stahlfedern geschrieben, wie es im ganzen Orient, in allen Kanzleien und Schulen gebräuchlich ist, so gleich und schön, die Federzeichnungen so kunstvoll, daß ich mir eine Cahier von der Superieur erbat, um sie nach Graz zu bringen, waren vorgelegt. Ein Saal voll der schönsten, nett und rein verfertigten Handarbeiten war ausgestellt. Die Mädchen erhielten in ihren weißen Kleidchen mit recht liebenswürdig sittsamen, offenem Benehmen ihre Prämien sammt ihren Kränzen von weißen Rosen. Die ganze Versammlung löste sich in voller Zufriedenheit. Noch am selben Abende kamen zwei der reichsten Juden, um ihre Töchter für das nächste Schuljahr dem Institute zu übergeben, mit der namentlichen Anforderung, sie ganz nach fränkischem Fuße, ohne Ausnahme, selbst in der Kleidung, zu erziehen; soll da nicht auch die Religionslehre mit begriffen sein? Wenigstens wurde keine Ausnahme davon gemacht. Was diese betrifft, werden die Zöglinge von den Schwestern im Allgemeinen unterrichtet, natürlich ohne Einfluß fremder Religionsmeinungen, eben so wie ohne Benützung irgend eines heil. Sacramentes ohne Zustimmung der Aeltern. Das Institut zählt gegenwärtig 50 Pensionistinen und 400 auswärtige Schülerinen, mit einer so zweckmäßigen Einrichtung, wie ich sie nirgends gesehen. Nun das Haus bauten sich die Schwestern ganz nach eigenem Geschmacke, da kann man sichs denn freilich nach Gutdünken einrichten. Jedoch meinem Verständnisse und meinen Ansichten angemessener fand ich die Art und Weise, wie sie die Kinder unterrichten und mit ihnen umgehen, nirgends; worüber mir eine der Schwestern eine sehr treffende Antwort gab, als ich ihr bemerkte, da mir besonders die häusliche Erziehungseinrichtung, die sie ihren Zöglingen zu geben wissen, in's Auge fiel, und sagte: „Schwester, so viel ich sehe, führen Sie deutsche Erziehung, denn ich meine mich in einem von mir selbst realisirten Institute zu befinden. Wir führen katholische Erziehung, erwiederte sie, darum finden Sie sich mit uns so einverstanden. Ja wohl, was katholisch ist, das findet sich im Einklange, sei es von einem Ende der Welt bis zu dem andern. Hier verschmilzt die Nationalität in harmonische Accorde, und der Franzose und der Deutsche und der Italiener sie sind Freunde und begrüßen sich im innigsten Seelenverbande, wo sie sich treffen, auch in dem fernsten Lande. Wenn ich ausgehe und wieder heimkomme, führt mich mein Weg an der Hauskapelle vorüber, die wie eine kleine Kirche aussieht, und für die Anzahl der Schülerinen geräumig genug ist. Sie steht den ganzen Tag zum beliebigen Eintritte offen, was dem Hause auch gewiß den Segen des Himmels bringen wird. Wirklich merkwürdig ist der besonders schützende Einfluß, daß dieses Haus mitten in dem bekannt großen Brande von Smyrna erhalten wurde; nicht einmal die Mauern sind geschwärzt, oder auch nur im mindesten beschädigt, obschon das festangebaute Nebenhaus bis auf den Grund abbrannte. Die Wohlthätigkeit dieses Ordens an die Menschheit kennt keine Grenzen. Abgesehen davon, was ich schon von der zweckmäßigsten Sorge für die Kindererziehung erzählte, spenden sie täglich mehr als 200 Brote an die Armen der Stadt. Da sie hier kein Hospital versorgen, sondern sich bloß der Erziehung widmen; so haben sie am Eingange ihres Hauses eine Apotheke mit einem Salon, der täglich von 60 bis 100, manchen Tag bis 200 armen Kranken voll ist, denen sie mit Aderlassen, Zahnreißen, Geschwüren aufschneiden, Halswehmitteln, für Fieber und verschiedenen solch' kleinern Uebeln helfen können. Da ist nebst der Apotheke, für die die Schwestern bei Sonnenaufgang schon ausgehen, Kräuter zu sammeln, ein geräumiger Kasten mit Kinderwäsche, Decken und verschiedenen Kleidungsstücken, sogar auch Schuhen. Diese Sachen sind nett und mühsam von unbedeutenden Flecken zusammengestückt, und propre verwendbar gemacht; so sah ich einmal einen kleinen Türken mit zwei Jahren, bunt gekleidet, dankbar lächelnd seine Wohlthäterinen ansehen; doch nicht nur das Kind, ich weiß es, der Türke als Mann ehrt, achtet und schätzt diesen Orden. Und wenn die Türken das Chri=

stenthum seinem Werthe nach kennen lernen, um es zu achten, so bre=
chen die barmherzigen Schwestern hierzu die Bahn. Täglich Früh gehen
ihrer zwei die Armen in den entferntesten Stadtvierteln aufsuchen, um
ihre Lage zu erleichtern, sie zu trösten, sie zu pflegen. Da ist es aber
nicht nur der Christ, der sich ihrer Hilfe zu erfreuen hat, der Türke,
der Jude, der Grieche, der Protestant, Alle erfreuen sich ihrer Pflege,
alle hegen gleiches Zutrauen zu den Schwestern. In Bairuth besuchte
ich sie auch, fand sie alle gleich liebenswürdig, freundlich, unbefangen,
dort führen sie ebenfalls die Schule und haben nebstbei die Verpflich=
tung auf sich genommen, die Sträflinge in den Arresten, das sind die
türkischen, zu besuchen, und ihre Pflege zu bewachen. Eines Ausspru=
ches einer barmherzigen Schwester in Smyrna muß ich noch erwähnen:
„Si une soeure de charité a son Dieu et les pauvres, elle a
tout ce qu'il faut, il vaut tout egal ou elle se trouve, ou en
France, en Europe, en Orient, en Amerique ou dans la Chine,
la terre pour elle, est egale*). Soll es in Deutschland nicht auch
Jungfrauen geben, von gleichem Muthe, von gleicher Liebe Gottes
beseelt! —

---

## Hundertunddreiundvierzigster Brief.

### An die Frau Gubernial=Secretärin K.

Smyrna, den 26. Juli 1848.

Smyrna, mit 120,000 Einwohnern und 24,000 Katholiken, hat An=
lage, eine in guter Bildung vorzügliche Stadt zu sein. Sie könnte
ganz leicht das Recht einer der ersten See=Handelsstädte behaupten.
Ueberhaupt hat der Orient in seiner gleichmäßigen Ruhe an Bildungs=
Anlage, vor der, sich in Europa durch große Unruhen entwickelnden

---

*) Wenn eine barmherzige Schwester ihren Gott und die Armen hat, hat
sie Alles, was sie braucht. Es gilt ihr gleich, ob sie sich in Frankreich,
in Europa oder im Oriente, in Amerika oder in China befindet, für sie
hat die Erde gleichen Werth.

Vollkommenheiten viel voraus: Die fast gleiche Haltung des gemeinen
Mannes mit dem vornehmeren und reichern; die ohne Eifersucht ge=
pflogene Einheit in irgend einem Kleidungsstücke, oder des Schnittes
der Kleidertracht. Z. B. der allgemein rothe Feß im ganzen Orient,
den der letzte Eseltreiber mit dem Effendi und dieser mit dem Pascha
und dem Sultane gleich hat. Der allgemein schwarze Schleier der
Frauen in Smyrna, der die Dame in ihrer edlen wahrhaft schönen
Frauengestalt, wie die Magd bedeckt, wenn sie in die Kirche gehen.
Einmal meinte ich, zwei vornehme Damen bei der Frühmesse in unse=
rer Hauskapelle zu sehen und verwunderte mich darüber. Als ich hin=
aus ging, sah ich sie mit aufgehobenem Schleier; es waren die zwei
Mohrinen, welche die Hausarbeit im Kloster besorgen. Eben so deckt
das schwarzseidene Mäntelchen der Malteserin, und der schwarzseidene
Habarah der Egyptierin *) die gemeine Kleidung einer armen, wie
die kostbare einer reichen Frau. — Unter den Mohren und Mohrinen
gibt es wirklich auch recht hübsche mit ihren schwarzsammtenen Gesich=
tern und blendend weißem Feld, in dem sich der leuchtende Augapfel
spiegelt. Was aber an Schönheit im ganzen Orient eine Anerkennung
verdient, das sind die Zähne, die an Gleichheit, Stärke und Weiße in
ganz Europa keine Aehnlichkeit finden. Die Fingerspitzen der orientali=
schen Frauen, eigentlich die Nägel sind mit Hhenna roth gefärbt, dieses
Färben macht stark und gesund, heilt auch schmerzhafte Finger und
Füße. Gesicht und Hände werden mit Kkohl blau tätowirt mit Sternchen
und Tupfen. Diese Farbe legt sich so stark in die Haut, daß sie durch
kein Waschen mehr vergeht. Hier sehe ich sie zwar nicht mehr, die Lan=
des=Eingebornen sind doch noch immer griechischer Abkunst; auch gibt
es sehr viele Franken in Smyrna, von denen die schönste Straße den
Namen führt, der Bazar ist meist gedeckt, wie in den andern Städten
des Orients, Handelszweige und Verkaufsläden gibt es eine Menge.
Die Hitze wird mit jedem Tage drückender, man lebt wie in einem
Bade. Doch Abends kühlt man sich in der erfrischenden Luft angenehm
wieder ab. Je weiter man die Welt kennen lernt, desto mehr lernt man
auch die Einrichtungen Gottes auf Erden bewundern. So heiß die
Sonne bei Tag den Boden auch trifft, so kühlet ihn die Luft bei Wen=
dung der Erde. Die saftreichsten Früchte stillen und erquicken den drückend=
sten Durst. Die Cholera hat sich von Constantinopel hierher gezogen,

*) Ueberwurf vom Kopf bis an die Ferse.

man erzählte schon von einigen Sterbefällen. Vorgestern wurde alles
Obst in das Meer geworfen, heute jedoch wieder als unschädlich erlaubt. Weintrauben, groß und schön, wie ich sie niemals gesehen, Feigen und Melonen, die schöne Angora, es wäre wahrlich schade, wenn
diese Früchte vergebens reiften. Ich empfehle allenthalben das Gefrorne, hier zu Lande Sorbet, als bewährtes Mittel gegen die Cholera,
und wende es auch fleißig selbst an, um mich in der fast brennenden
Hitze zu kühlen; es ist auch so wohlfeil, daß ich schon scherzend sagte,
in unserem Schneelande muß man sich schämen, das Gefrorne so theuer
zu bezahlen, indem man hingegen hier das Eis Tage weit vom Libanon
herbeiführt, und zu meiner Verwunderung in wollenen Säcken aufbewahrt. Nun noch etwas von meinem angenehmen Aufenthalte im französischen Institute, in dem ich wie eine Pensionistin lebe. Die letzte
Abtheilung des dreitheilig gebauten Hauses, worin sich die Pensionistinen befinden, heißt das Haus Mariä. Die Kleinen erzählen mir's
auch mit ganz eigenthümlichem Stolze, daß dieß das Haus der heiligen
Jungfrau sei, und daß sie ihre Kinder sind. Man muß es aber auch
nur aus dem Munde eines sechsjährigen Mädchens hören, um gerührt
zu werden. Wenn ich diese französischen Damen, diese echten Töchter
eines heil. Vincenz de Paul mit ihren großen weißen Hüten, und dem
Löschhorn in der Hand, um die Lichter am Altare auszulöschen, an-
schaue, so sehe ich an ihnen ihr eigenes lebendiges Sinnbild, das ist:
Schäferinen im Maierhofe des Herrn, um seine Lämmer auf gute Weide
zu führen. Abends sitzen sie wie himmlische Tauben mit ihrem weiß
flatternden Kopfputz im Hofraume beisammen, um sich ihrer Ruhestunde
gemeinschaftlich zu erfreuen. Ich bin hier so heimisch, als befände ich
mich in meinem eigenen Institute unter meinen anvertrauten Kindern.
Die Recreations-Stunden der Mädchen werden mit Singen, Tanzen,
Fortepiano-Spielen, kleinen gymnastischen Uebungen, Seil springen,
Reif fangen, Steinchen werfen ꝛc. zugebracht, besonders gut gefällt mir
der Gesang bei dem Anfange der Schulstunden, der ohne Instrumen-
tal-Begleitung, so wie auch in der Kirche vorgetragen wird. Der Fleiß
der Mädchen, Morgens das Haus zu scheuern, ist wirklich lieb zu
schauen, jede weiß ohne vieles Commando das Ihrige, die untern
Meisterinen haben Acht, die kleinsten Mädchen von 6—8 Jahren nehmen ihr kurzes Beschen und kehren ganz geschickt den Hof und den
Säulengang, die Größern spülen die Kaffehschalen, putzen die Lampen,
decken den Tisch, räumen weg u. s. w., jede macht ihr Bett. Vor der

Prämien = Vertheilung reinigten sie zusammen das ganze Haus. Aus diesem Institute kommen die Mädchen gewiß nicht unbehilflich heraus, was sonst eine gewöhnliche Klage über klösterliche Erziehung ist. Die Mädchen präsentiren sich auch sehr unbefangen und gut, ihre ganze Haltung zeugt von edler Bildung, ihre Kenntnisse und Geschicklichkeit sind nach meiner Ueberzeugung zu bewundern. Es scheint aber auch unter ihren Angehörigen die Furcht nicht zu herrschen, daß ihre Kinder durch diese liebenswürdige Thätigkeit an ihrem Ansehen verlieren, oder daß das Institut dadurch gewinne. In unsern Städten wünscht man zwar wohl auch die häuslichen Tugenden, und die Arbeitsamkeit eines Mädchens, besonders wenn es die Nothwendigkeit erheischt, oder wenn man romantisch davon gerührt ist, nur liebt man nicht sehr, die Mittel anzuwenden, um den Zweck zu erreichen. Thätigkeit und häusliche Beschäftigung fordern von Jugend auf Uebung, ohne Furcht, dadurch zur Gemeinheit herabgezogen - zu werden, oder mit den nombreusen*) Lehrgegenständen dann nicht im Einklange zu stehen. Doch der Hauptvorwurf, den ich in diesem Puncte unseren Müttern machen könnte, ist eben der, daß man im Allgemeinen genommen die Mädchen um der häuslichen Verwendung willen viel zu früh dem Unterrichte entzieht; denn nebst dem Abgange wissenschaftlicher Bildung entsteht daraus auch der Mangel an Characterfestigkeit; weil sie eigentlich für nichts in einmal selbst gefühlte Sicherheit irgend eines Unternehmens sind gebracht worden, da man in früher Jugend alles Mögliche zu lernen beginnt, ohne etwas zur Vollendung zu bringen. Die Aeltern sollen ihre Töchter bewährten, gut eingerichteten Erziehungs=Instituten ruhig anvertrauen, nicht aber im herumlaufenden einzelnen Unterrichte ihre Bildung suchen. Doch aber eben hierin besteht bei uns noch die größte Mangelhaftigkeit, um den bessern Ständen in der Erziehung ihrer Kinder helfend an die Hand zu gehen. Diese ganze Richtung ist nur auf Privatunternehmungen angewiesen, durch unregelmäßige Vermehrungen derselben zum bloßen Erwerbzweig herabgewürdigt, und da **Niemand** unterstützend auf derlei Schulen einwirkt, so sind sie bei eigenem schwachen Kraftaufwande auch mit dem besten Willen nicht im Stande, mit einer genügend zweckmäßigen Einwirkung aufzutreten. Der österreichische Consul trug mir an, hier deutsche Schule zu führen. Ich bath ihn jedoch recht dringend, das Land vor den verschiedenen Schulunternehmungen bewahrt zu halten, um nicht den Keim der edlen

---

*) Unzähligen.

Cultur dadurch zu verwirren. Sind Sie froh, sagte ich ihm, daß Sie sich in Smyrna eines guten Erziehungs = Institutes erfreuen können; helfen Sie lieber seine Kräfte zu concentriren, als sie zu zerstreuen, die Deutschen lernen ohnehin gerne die französische Sprache, und wenn es auf eine deutsche Meisterin ankömmt, die soeurs de charité werden auch hierin nicht ermangeln, eine deutsche Schwester aufzustellen. Ich ermangelte nirgends, wo ich bei Authoritäten Veranlassung fand, den Nachtheil der vielseitigen kleinen Unterrichtsanstalten zu erheben, und wünschte nichts so sehr, als daß man ihn in großen wie in kleinen Städten gehörig in's Auge faßte, damit man sich für eigentliche und zweckmäßige Erziehungs=Institute mehr verwendete. Diejenigen, die da meinen, daß durch Freilassung des Unterrichtes, besonders für Mädchen, in industrieller Hinsicht durch Erwerbsfleiß etwas gewonnen wird, sowohl durch Aneignung von Kenntnissen des handelnden Theiles, als durch Bevortheilung des zu Behandelnden, die irren sich gewaltig. Nun will ich Sie aber mit diesem Gegenstande nicht weiter ermüden.

---

## Hundertundvierundvierzigster Brief.

### An den hochwürdigen Herrn Chorvicar M.

Smyrna, den 4. August 1848.

Von lauter Zeitungenlesen bin ich beinahe selbst schon zur Politique geworden, das möchte Sie nicht wenig in Erstaunen setzen, hochwürdiger Herr! nicht wahr, das müßte eines der ersten Kunstwerke sein, wenn meine Plattheit politisch könnte gestimmt werden. Nun hören Sie ein wenig, was ich hier Alles erfahre, wogegen ich streite und was ich gar nicht gelten lasse. Mein gutes, liebes Steiermark soll sich als Republik ausgerufen haben, ich las den Artikel zwar selbst im Univers, und einige Herren erzählen mir's als interessante Neuigkeit, ich sagte aber: Meine Herren, ein Land, was noch im vorigen Herbste seinem Monarchen solch' zarte Aufmerksamkeit bewies, wie ich es selber sah, (da ich eine Fußreise nach Stainz machte, um zu versuchen, wie gut ich zu Fuße sei, um eine weite Reise anzutreten) wie die Landleute unaufgefordert ihre Häuschen weißten, auf weißüberhängten Tischen und Bänken Blumen und Früchte hinausstellten, Bäume als Spalier mit Blumen und färbigem Papier aufpflanzten, und mit emsiger Hand die Steine von der Straße hoben, weil ihr Kaiser vorüberfuhr. Ein solches Land schreit sich nicht zur Republik aus. Auch auf dem Berge Carmel wollte man mir diese Neuigkeit aufreden. Ich sagte jedoch, weil man mir zugleich das Gedenkbuch brachte, ich werde Ihnen die Wahrheit davon gleich schriftlich bezeugen; und schrieb nebst meinem Namen mit sicherem Stolze: „Aus Steiermark, unter der Regierung des Kaisers von Oesterreich." So lange Haus Oesterreich der Frömmigkeit und Häuslichkeit getreu bleibt, so lange wird es die schützende Hand Gottes seinen Feinden nicht überlassen; wenn diese gleich meinen, sie haben das Priesterthum sammt der Regentschaft schon in ihrer Gewalt. Unser wackeres Militär wird sie schon wieder hinausmanipuliren. Ich las in Jerusalem eine Schrift, die in Deutschland herauskam, gegen das Militär derart bearbeitet, daß es sehr begreiflich ist, woher und wohin die ganze Bewegung ihre Wege nimmt. Diese gewissen Menschenbeglücker wissen den Soldatenstand so schmählich darzustellen, wie den Priesterstand. Es ist beinahe lächerlich, was man mit den Jesuiten treibt. Weil man die Kinder von der Gespensterfurcht so ziemlich entwöhnt hat, so erschrecken sich jetzt die philosophisch aufgeklärt sich dünkenden Geister vor einem Jesuiten, und wissen nicht, auf welche Art sie ihn aus der Welt hinausbeschwören möchten. Dieser Tage erzählte man gar, man habe vier flüchtige Jesuiten ins Meer werfen wollen, wenn nicht andere sie rettende Personen dazu gekommen wären. Die Christen verfolgen die Jesuiten. Ein hübscher equivoque.*) Bloß weil sie Jesuiten heißen, und die Weisheit und Festigkeit ihrer Gesellschaft einer gewissen unterminirenden Gesellschaft gegen Kirche und Staat mit ihrem gewaltig geistigen Einflusse, allen jenen künstersonnenen Bemühungen, auflösend entgegenstehen. Warum soll man's denn nicht offenbar wissen, aus welchem Grunde ein so offenbares Handeln hervorgeht! — Auf der Barke vor St. Jean d' Acre machte ich einen ganzen Kriegsplan, die terra santa mit leichter Mühe einzunehmen, ich zog schon mit drei Banden klingenden Spieles in Jerusalem ein. Hr. v. B., dem ich meinen Plan zum Zeitvertreib erzählte,

*) Gegensatz.

hieß ihn vollkommen gut und sagte: er hätte nie geglaubt, daß eine Frau so durchdachter strategischer Ansichten fähig wäre. Ich erzähle ihn jedoch nicht weiter, am Ende gefiel er Ihnen etwa so gut, daß Sie ihn halb gehört und somit zerrissen ausführten; dann wäre uns wieder nicht geholfen. Ich werde mir schon einmal einen österreichischen Prinzen dazu auffinden. Hier sagt man zwar, ich fände keinen mehr, der Adel sei aufgelöst. Man fragte mich in unserer Amtskanzlei, die ich öfter besuche, was ich davon denke? Ich habe meinerseits nichts dagegen, sagte ich; wenn der Adel in der Menschheit auf einer Seite gleich untergeht wie die Sonne am Abende, so steht er auf der andern Seite gleich jener am Morgen wieder auf. Ohne Adel lebt die Menschheit nicht. Von dem neidbewegten Communismus ist hier Alles voll in der Rede. In Europa muß es gräulich aussehen, wenn sie diesem Trugbilde nachjagen. Erhaschen werden sie es niemals, weil eigentlich gar nichts daran ist. — Doch hören es selbst die Widersacher desselben nicht gerne, wenn man den Neid zur Triebfeder legt. Auch ich spreche dieß garstige Wort gar nicht gerne aus; doch ist es mehr als klar, daß der Communismus von dem Sinne ausgeht: „Weil ich nichts habe, sollst du auch nichts haben." Und wo er denn etwa nicht daher ausgeht, so führt er doch gewiß dahin. Man sagt zwar, man will nur jenen Communismus, den Christus und seine Apostel in der ersten Christenzeit einführten; warum verfolgt man aber dabei die geistlichen Ordensstände, warum erkennt man nicht, was diese der Welt Gutes thun? Den wahren Communismus lernt man gewiß bei den ehrwürdigen Vätern in der terra santa kennen, die ihr gemeinschaftliches Regiment führen, und einem jeden mittheilen, was sie an sich selbst nur immer locker machen können. Auch hier in Smyrna ist ein Franziskanerkloster mit einer ganz gut europäisch eingerichteten Kirche, und einer ausgezeichneten Orgel, mit einem eben so ausgezeichneten Pater Organisten. Während diesem Spiel wie mit himmlischem Glockenton den Vorhang fallen zu sehen, der das wunderschöne jungfräuliche Madonnenbild in Lebensgröße am Hochaltare deckt, ist wirklich ein imposanter Anblick, und ohne Christ zu sein, möchte man fragen: Wo ist das Land, wo diese Jungfrau lebte, die hier so hoch verehrt wird! Wohl mir, daß ich es glücklich gefunden dieses Land. Welche Schwierigkeit man selbst hier sich vorstellt, das heilige Land zu besuchen, können Ihnen die Worte des Herrn v. Michanoviz, des österreichischen Consuls, eines Croaten, bezeigen, der von seinem Kanapee auf-

stand, als ich ihm seine Fragen über meine Reise beantwortete und
ausrief: „Hören Sie, Fräulein, da muß man Ihnen ein Compliment ma=
chen, wenn Sie sich wagten, diese Reise allein und durch die Wüste zu
machen." Uebrigens schien er für die Pilgerschaft nicht viel Interesse
zu hegen. Am Thore des Consulatshauses sitzt ein verunglückter Schiffs=
capitän, dessen Segler von einem Engländer angestoßen zerschellte, so
daß der arme Mensch mit seiner Mannschaft kaum das Leben rettete.
Er spricht mich deutsch an, wenn ich aus und ein gehe und erzählte
mir schon sein ganzes Schicksal; er dauert mich nicht wenig, und gerne
möchte ich ihm mehr von meinen sehr wenigen Piastern mittheilen. In=
dessen erzählte ich ihm in der Theilnahme seines Geschickes von der
h. Chorwoche in Jerusalem. Er ist österreichischer Unterthan, altgrie=
chischer Religion. Wie er hörte, was seine Glaubensgenossen am Char=
freitage am h. Grabe treiben, bekam der gute Grieche Agnosti solchen
Abscheu, daß er mich dringend bath, ihn zu einem römischen Priester
zu führen, um sich der katholischen Kirche einzuverleiben. Ich führte
ihn auch zu dem Herrn Decan der Lazaristen, der ihn im Unter=
richte aufgenommen hat. Auch mit den Protestanten habe ich ein eige=
nes Glück, wenn ich mit einem zur Rede komme, daß sie nicht böse
werden, wenn ich ihnen so ganz einfach meine Meinung ausspreche.
Hier hatte ich's öfter mit einem zu thun; und konnte ihm's im Ge=
spräche so manchmal erklären, wie der Protestantismus nicht leichter
als mit dem Evangelium in der Hand zu schlagen sei, das schon vor=
hinein, ehe es geschrieben wurde, nur Tradition war. — Wir wurden
so einig, daß er sagte: Uns trennt ja ohnehin nichts, als der päpst=
liche Stuhl in Rom, den wir nicht als Nachfolger Petri erkennen.
Gut, mein Herr, sagte ich: die Nachfolge Petri auf dem römischen
Stuhle bis an das Ende der Zeiten nicht anzunehmen, ist nicht nur
reine Willens = Verstocktheit, es ist auch höchst unklug und unphiloso=
phisch, sie zu widersprechen. Hat Petrus selbst, wie es die Apostelge=
schichte erzählt, schon Ursache gehabt, unter der ersten kleinen Versamm=
lung des Christenthums in seinem ihm von Jesu Christi übertragenen
Amte als Schiedsrichter in Glaubenssachen aufzutreten; um wie viel
mehr sind solche Entscheidungen bei Zunahme so vieler verschiedener
Völker zu erwarten? — Ist es nicht eine offenbare Gotteslästerung,
eine solche Unklugheit von Jesu dem Herrn vorauszusetzen, ein Reich
ohne Oberhaupt in dieser verwirrten Welt aufzustellen? — Der Pro=
testant stützt sich nicht nur auf die Verleumdung der römischen Päpste

ihrer Reihenfolge nach, er fängt schon bei Christus selber an. Ich
werde auch nie einen andern Glaubensgenossen als Christen erkennen,
als den der römischen Kirche, welche die reine Christuslehre vom
Urgrunde her behauptet hat. Alle Schismatiker nehmen das, was sie
für ihr Christenthum brauchen konnten, nur von ihr. Für mich gibt es
nur Ein Christenthum und nicht mehrere, die anderen sind nur An-
glikaner, Lutheraner, Kalviner und wie sie heißen. Ich unterrichte als
Lehrerin meine Kinder: „Wer ist ein Christ?" Antwort: „Der
die Lehre Jesu Christi befolgt." Hat Christus mehr als eine
Lehre hinterlassen? — wo soll ich sie der Grundphilosophie nach suchen?
Nicht im Urgrunde, woher sie ausgegangen ist? Von den Aposteln her,
denen Petrus von Jesu Christo selbst vorgesetzt war. Etwa bei einem
spät nachfolgenden Reformator, dessen bekannte Fehler die menschlichen
Schwächen der hie und da aufeinander folgenden Statthalter der
Kirche Gottes bei weitem überbieten! So entschieden ich meine Meinung aussprach, so schieden wir doch als gerührte Freunde. Der gute
Herr wurde ein wenig nachdenkend. Ich meinerseits bin den Luthera-
nern eben nicht abgeneigt. Ich finde unter ihnen manch tiefe Jesus-
Liebe und viele Menschenliebe; was mich gar nicht zweifeln läßt, daß
sie zur Einheit der Einen, alleinigen wahren Christuslehre einkehren,
ehe noch ihr viertes Jahrhundert vergeht. Nun etwas von dem türkischen Ramasan. Die Juden hielten das für kein Fasten, über welches
die Sonne nicht untergegangen war, und so die Morgenländer überhaupt.
Die Türken, welche eben jetzt Ramasan halten, essen den ganzen Tag
über nichts, sogar von ihrer lieben argilé *) enthalten sie sich, sie
gehen ernst einher und der ganze Tag bis zu Sonnen-Untergang auf
der Gasse wie im Hause, ist ein Tag der Trauer. Von da an wird
der Abend jedoch ein Abend der Freude. Es wird festlich gespeist, Lichter angezündet, die Frauen ziehen ihre besten Kleider an, sie bekommen
die Freiheit, auszugehen, Alles ist belebt und voll der Freude. Wie
verkehrt ist doch der Menschen Thun! Daß die Türken so fest an
ihrer Religion hangen, ist Ursache, daß das Volk an
Cultur nicht vorwärts kann. Daß die Christen so indif-
ferent gegen ihre Religion sind, ist Ursache, daß sie an
Bildung noch bei weitem das nicht erreicht haben, was
sie gewinnen könnten. Ja, wo die Religion in Ehren steht, steht auch

*) Wasserpfeife.

Bildung und Humanität in guter Richtung da. Cultur des Landes und der Menschen geht aus dem Christenthume, selbst für die verwildertsten Völker hervor. Ich freue mich eben nicht sehr, heimzukehren, wenn man Alles unter einander wirft, was bisher zum guten Gebrauche gedient, so wie es die Kinder vor einigen Tagen machten, als sie ihre Ferienzeit antraten. Ich saß Abends unterm Baum im Hofe, auf einmal wie im Sturme flogen alle Becher, Stühle und andere lockere Gegenstände um mich herum, welche die Mädchen im momentanen Muthwillen aus den Zimmern warfen und hintendrein schreiend und lärmend nachliefen. Es bekam ihnen der Spaß jedoch nicht gut zu stehen. Die Meisterin hatte sie gleich beim Kopf. Mir galt die kleine Vorstellung statt der französischen Revolution sammt der in Wien. Die Meisterhand wird wahrscheinlich auch nicht lange verziehen, um wieder Ordnung herzustellen. Wenn sie schon Lärm schlagen, so sollen sie doch was Rechtliches zu begehren wissen, nicht aber zerwerfen und umstürzen, ohne zu wissen, wie wieder aufbauen. Nun lassen wir das, es haben mich nur die Kinder daran erinnert. Die Kapuziner haben eine wunderschöne Kirche hier, und ein Haus als Kloster, so freundlich wie ich nie ein Kapuzinerkloster gesehen. Auch das Geläute ist sehr angenehm, doch nicht so stark wie in unseren Kirchen, weil die Glocken nicht so groß sind. Die französische Kirche der Lazaristen, sacre coeur *) genannt, ist die besuchteste, aber auch die kleinste, mit einem fein gepflasterten, und mit hohen eisernen Gittern eingefaßten Vorraum, im Innern sehr nett und geschmackvoll eingerichtet; politirte Bänke, eben so die Beichtstühle, welche von allen drei Seiten von oben bis unten mit grünseidenen Vorhängen versehen sind. Die Strahlen-Jungfrau prangt als echt französisches Gemälde in Lebensgröße an einem Seitenaltare. In jeder Kirche sieht man täglich unter jeder Messe zahlreiche Communicanten. Was ich aber noch zum Lob und zum Danke an das Haus der soeurs de charité, in dem ich schon seit drei Wochen, um das Schiff zu erwarten, als Gast bewirthet werde, sagen muß, ist die Wohlthätigkeit, die jeder Hilfsbedürftige in ihrer Apotheke findet. Man hilft hier ohne lange Untersuchungen, dem Menschen in seinen Bedürfnissen, nicht aber dem Zeugnisse, was er bei sich haben muß, wenn er irgend eine Unterstützung in seinem Elende braucht. — Morgen scheide ich von Smyrna, aus der

*) Zum heiligsten Herzen Jesu.

Stadt, wo der heilige Polycarpus, ein Jünger des heil. Apostel Johannes, als Bischof der ersten Christengemeinde vorstand, und die Verfolgung ihrer aufkeimenden Macht gar bitter erfahren mußte. Auf der Spitze eines hohen Berges sieht man ein von Steinen zusammengetragenes großes Denkmal, wo Polycarpus, der Bischof von Smyrna, als Glaubensbekenner von den wilden Thieren zerrissen wurde.

---

## Hundertundvierundvierzigster Brief.

### An Bruder Zeno.

Im Hafen von Corfu,
den 10. August 1848.

Nun ist es vorbei; wenn Du mich frägst, ob ich die Dardanellen besucht, kann ich Dir nicht antworten: Ja ich habe mit ihnen gesprochen. Tschenekalesi und Kilidil Bahar bleiben mir zur anderen Seite, mein Weg führt mich wieder durch Griechenland meiner Heimat zu. Ich will mir's auch noch recht betrachten, dieses Land der höheren Poesie und Kunst; diese lieblichen, fruchtbeladenen, grünen Inseln im Archipel! — Ida, der höchste Berg am Parnaß, dem die herrlichsten Flüsse Griechenlands entquillen, an dessen Fuß das einst so berühmte Troja lag, von dem der Nachwelt keine Spur mehr sichtbar ist. Die Insel Candia, das alte Creta, behauptet noch die alte Stelle. Sehr schön drückt sich einer der geschätztesten Autoren aus, wenn er sagt: „Man wähnet theure Jugendfreunde eines classischen Unterrichtes zu finden, wenn man die Berge, die Inseln, die einzelnen Orte Griechenlands vorüberzieht." Von den Bergen Aigaleos und Korigalos nebst ihren Gefährten sagt er: „Jeder besonders geformt, jeder von eigenthümlichem Character, bieten sich im majestätischen Reigen die Hand, um den Lieblingssitz der Götter schirmend zu umspannen." Daß die Griechen geborne Dichter und Redner sind, kann einem nicht Wunder nehmen, da die ganze Nation der ältesten Geschichte bis heute nur poetisch wiederklingt. Ich will es versuchen, Dir die eblere Seite des Characters der mit uns lebenden Griechen zu schildern, die mir so wohl gefällt, wie sonst ein schönes Gedicht: Vor Allem kennt der Grieche keinen Rang-Unterschied, er mißt den eigentlichen Werth des Menschen, den er vorurtheilsfrei mit seinem scharfen Auge zu finden weiß. Furchtlos ist sein Blick, frei und edel seine Haltung und sein Gang. Kein Ausbruch seines Zornes, den er in sich zu verbergen weiß, entstellt die Harmonie seiner gefälligen Persönlichkeit. Seiner Rede weiß er eine besondere Zierde zu geben, das trauliche Du ist in seiner Sprache für Jedermann eingeführt, ohne Sorge, eine unverzeihliche Beleidigung auf Leben und Tod, aus dem Wohlklange seines harmonischen Sprachgebrauches zu veranlassen, die Geschranktheit der Hofdienerei verachtet er. Der Grieche ist redselig und weiß mit Witz und guter Laune den gewöhnlichsten Unannehmlichkeiten des Lebens zu begegnen. Seine Genügsamkeit, außer der Zierlichkeit einer schönen Kleidung, für die er kein Geld spart, ist unglaublich. Doch noch eine Eigenschaft, die man mir erzählte, zieht meine Bewunderung am meisten an. Es ist ein fester Freundschaftsbund. Finden zwei Männer durch gleiche Herzensstimmung sich aneinander gezogen, so wird eine Verbrüderung geschlossen bis in den Tod. Eine Jungfrau wird gewählt, im weißen Kleide, und feierlich in der Kirche am Altare legt sie vor Zeugen die Hände der Freunde ineinander, die sich Freundschaft schwören und auch halten. Ein großer Autor sagt wie mir aus der Seele: „Die Griechen sind lenksam wie die Kinder, aber sie haben gleich diesen ein tiefes Gefühl für gerechte Behandlung." Man muß sie üben, um mit ihnen und unter ihnen zu leben. Eben so rufe ich mit freudigem Herzen mit eben diesem Autor aus: „Herrliches Volk, herrliches Land, deine Stunde ist gekommen, du wirst frei und mächtig sein, nur den Engländern traue nicht. Der Deutsche ist die Stütze deiner Auferstehung. *) Die Insel Zante il Fiore di Levante, Leucadia, Ithaka, Kefale, wie im Kreise spielend, ergötzen sie das Auge. Den 5., das war Samstag, fuhr ich ganz allein mit meinen Ruderern in einer Gondel an den Dampfer Orient, um doch ganz gewiß aus dem Orient in Triest anzukommen. Bis Sira waren sehr viele Leute auf dem Schiffe, wir lagen 24 Stunden vor Anker, ich konnte mich kaum ein wenig von den Ueblichkeiten und Ohnmachten erholen, die mich auf der See sogleich befielen. Auch hier

---

*) Ich spreche hier nur von den Griechen der Nation, nicht von denen ihrer Religion.

30

in Corfu ankerten wir, und mir ist wieder gut, um die schöne Stadt mit ihrer schönen Berg-Umgebung voll von Oliven-Wäldern zu bewundern, um Dir, theurer Bruder! schreiben zu können, und von Griechenland Abschied zu nehmen. Von Sira weg hatten wir einen etwas bedeutenden Sturm. Mein Aufenthalt unter freiem Himmel auf dem Verdecke wurde mir auch hier gestattet, weil man wohl sah, daß ich im unteren Schiffsraume noch mehr leiden würde. Alles flüchtete sich jedoch nach abwärts. Ich blieb allein. Das Schiff warf sich nach allen Seiten, oft kaum so, daß es nicht seitwärts überschlug. Bei solchen Affairen wird man nicht schlecht zerbeutelt. Ich legte mich mitten auf dem Bord an die Lichtöffnung des ersten Platzes, meinen Tornister unter dem Kopfe, schlief ich halb ohnmächtig ein. Doch wurde der Sturm in der Nacht immer heftiger, die Wellen schlugen ober dem Schiffe zusammen. Ein solcher Beguß schüttete sich denn über und über mich her, und da sich eine Welle gerade an meinem Gesichte brach, so war Ohnmacht und Schlaf zugleich verschwunden, ich sprang auf, erwischte nur schnell meinem Tornister und meinen Paraplüistock und sah mich um, wo ich denn sei. Wind und Wellen hausten unter einander, das Schiff schlug beinahe über, man konnte sich nicht aufrecht erhalten. Das ganze Verdeck voll Wasser, ich naß, als wäre ich dem Meere entstiegen, der Himmel dunkel, kein Stern in der Ferne, doch so viel Dämmerlicht, um all' diese Schrecknisse sammt den Capitän, der die Wache hielt, zu sehen, weil er mich sogleich an der Hand fing, da ich mich nicht auf den Füßen halten konnte; denn als ich aufsprang, schwenkte sich eben das Schiff wie zum Umsturze! „Wo wollen Sie hin?“ fragte mich der Capitän. „Ich weiß es nicht,“ antwortete ich ihm. Nun führte er mich sehr barmherzig mit vieler Mühe sich mit der Hand an's Schiffgeländer stützend, hinter das Steuerrad, wo die Zwilchbalken übereinander lagen, die bei Tage wegen der Sonne über das Verdeck gespannt werden. Sie waren noch trocken, und boten mir ein weiches Bett. Wie wohlthätig ich darauf hinsank, das entschwindet jedem Ausdruck. Mein Dank bleibt der menschenfreundlichen Sorge des Herrn Capitäns, der ernst und denkend seiner Inspection für diese verhängnißvolle Nacht nachging. Meiner bemächtigte sich sogleich der Schlaf und eine sanfte Ohnmacht, sammt der Vorstellung, in den Fluthen des Meeres zu versinken. Ich fühlte mich ganz willig ergeben. Wenn es bei wirklichem Ernste nicht schlimmer wäre, wäre der Tod im Meere noch ein ganz sanfter Freund. Ich schlief sehr gut, bis mich am Morgen ein tüchtiges Gekrach erweckte. Ich machte mich auf, um zu sehen, was denn geschehen sei. Alle Welt lief aus dem unteren Schiffsraum herauf, der Vordertheil war voll von Menschen. Der Sturm hatte den vorderen Mastbaum abgebrochen, das war aber auch sein Kunststück, nach dem ihm verlangte; nicht zwei Stunden, und die Sonne stand am Himmel, und wir rauschten unseren Weg ganz angenehm entlang. Sehr schön sind die Furchen gleich einer breiten Straße noch lange zu schauen, welche der Dampfer durch die Meeresfluthen zieht.

---

## Hundertundfünfundvierzigster Brief.

### An die Frau des Herrn Oberamtmanns M.

Triest, den 16. August 1848.

Weil ich weiß, wie Sie sich für mich sorgten und doch im Vertrauen auf die göttliche Vorsicht meine glückliche Rückkehr nicht bezweifelten, so freuen Sie sich denn mit mir, und helfen Sie mir Gott danken, der mich so ruhig und sicher, ja angenehm, bei diesen allgemein sturmbewegten Zeiten in den Hafen von Triest einlaufen ließ. Ich kann der Wahrheit gemäß nicht anders, als es wiederholt erzählen: die ganze Zeit meiner Reisen, wohin ich auch immer kam, zeigte mir die Erde ihre paradiesische Seite. Sogar die feindliche Flotte entfernte sich, Niemand wußte, wohin sie kam. In der steten Erwartung, sie passiren zu müssen, fragten wir in Triest, und die Triestiner uns, wo sie denn hingekommen sei. Man vermuthete, sie habe sich gegen Venedig gezogen. Die Herren Capitäns hatten unterwegs ein wenig Angst, es war das erste Schiff, welches nach zweimonatlicher Unterbrechung wieder in den Hafen einlief. Einmal begegnete uns ein anderer Dampfer, der Vapor Dalmata, ein solches Begegnen ist ein ganz eigen imposantes Ereigniß; jenes Schiff, welches das andere zuerst sieht, brennt sogleich eine Kanone ab, das andere erwiedert den Gruß, die Sorge des zu nahe Aneinanderkommens ist nicht klein. Der Capitän der Dalmata benachrichtigte den unserigen durch das Sprachrohr, daß wir die Kriegsflotte zwischen

30 *

Rovigno und Capo d'Istria passiren werden. Wir ankerten in dem
Hafen von Luschin, um dort nähere Erkundigungen einzuziehen; doch
so viel wir von ferne schauten, so sahen wir wohl einzelne Schiffe, aber
keine feindliche Flotte, und wir stiegen ungehindert in Triest au's Land.
Sogar die letzte Sorge, wegen der Cholera Quarantaine halten zu müs=
sen, weil unser Schiff von Constantinopel kam, wo sie ein wenig hef=
tig war, fiel in zwei Stunden nach unserer Ankunst weg. Die Sanitäts=
Anstalt sprach uns frei. Schiffsgesellschaft hatte ich dießmal für mich
hin eben keine interessante; es war etwas langweilig. Da ich immer
auf dem Verdecke unter freiem Himmel schlief, sah ich einmal eine wun=
derherrliche Lufterscheinung. Es rauschte ober mir; ich sah auf, eine
feurige Kugel in der Größe des Vollmondes entwickelte sich gerade ober
dem Schiffe, davon bildeten sich eiförmige Gestalten der Größe der
Kugel entsprechend, doch jede kleiner bis zur gegliederten Zahl etwa über
40, die in schlangenförmigen Biegungen von Abend nach Morgen zogen.
Ich sah ganz erstaunt diesem Schauspiele zu, denn ich hatte nie etwas
der Art gesehen. In Albanien gefielen mir die Felsenhöhlen der Pirats *)
wo sie zu hunderten darinen stecken. Etwas Erbärmlicheres, um sein
menschliches Leben zu fristen, kann es doch gewiß nicht geben! Es ist
ihnen auch nicht beizukommen, um sie auszurotten. Die türkische Regie=
rung läßt die waldartigen Gesträuche theilweise niederbrennen, um ihnen
den Aufenthalt nach den Gebirgen zu verleiden. Von hier aus suchen
sie die Schiffe zu entdecken, um dann in der Verborgenheit ihrer Höh=
len zu lauern, ob ihnen ein's nahe kommt. Segelschiffe fangen sie mit
Pechhaken, rauben sie aus, und bohren sie sammt den darauf befind=
lichen Personen in den Grund. Ein solches Spektakel ereignete sich kurz
vor unserem Vorbeizug. An einen Vaporwagen sich die Leute denn frei=
lich nicht. Der unserige zog auch eine Strecke sehr langsam, zum Schutze
eines uns nahe kommenden Seglers. Was die Seefahrt betrifft, kann
man die Erfindung der Dampfschiffe nicht genug loben. Ehe ich an's
Land stieg, warf ich noch einen Blick zurück in die See, und in meinen
Gedanken dankte ich den österreichischen Lloyds, die mich trugen, für
ihre Sorgsamkeit und freundliche Behandlung. Es fand sich gleich ein
Träger, der meinen egyptischen Korb auf sich nahm, und mich in der
Stadt zu einer Frau führte, die Zimmer an Fremde gibt Ich bin mit
wenigen Kosten sehr zufrieden logirt. Bei Herrn von Ch. fand ich das

---

*) Seeräuber.

Geld, welches in dem Brief angezeigt war, der in Bairuth liegen blieb.
Die unterbrochene Schifffahrt verhinderte das Nachsenden. Ich bin sehr
vergnügt dabei, nun durchwandere ist erst Tirol und Baiern. Zweimal
schon speiste ich bei der liebenswürdigen Familie Ch., die eine fromm=
kindliche Liebe für das heil. Land äußert. Der junge Herr fragte mich
heute sehr wichtig, ob denn Jerusalem wohl nur einem Dorfe mit einigen
Häusern gleiche, wie er gelesen habe, und ob es denn wohl den Na=
men eines Gott verfluchten Steinhaufens in Palästina verdiene. Das
gehört zu unsern verschiedenartig europäischen Ansichten, meinte ich; denn
ich weiß wohl, daß man sich verdienstlich betheiliget, das heilige Land
in Vergessenheit zu bringen. Ich muß aber um Vergebung bitten, dieser
Meinung kann ich nicht sein. Ich halte sogar meine Schuhe in Ehren,
mit denen ich den Boden betrat; es sind auch dieselben Stiesletten, die
ich von Graz weg auf dem Fuße hatte, die ich nie wechselte, die in
Rom, Athen und Jerusalem neue Absätze bekamen, und mit denen ich
wieder in Triest ankam. Hier wurden jedoch neue gekauft, weil ich in
den noch zu besuchenden Städten bei Damen meine Visiten zu machen
gedenke. Eine sehr flinke Italienerin machte mir ein neues Kleid, und
ein romantisch hübsches blondes Mädchen einen neuen Hut. So aus=
gestattet ging ich gestern an dem Festtage Maria Himmelfahrt in die
Jesuiten=Kirche, in der eigentlich das Fest gefeiert wurde. Ich war be=
troffen über die blendende Großartigkeit dieser schönen Kirche. Es weht
einem auch ein ganz eigener Geist verborgenen Lebens darinen an. Das
Altarblatt ist von ausgezeichneter Größe und Schönheit in seinem Ge=
mälde. Triest gefällt mir überhaupt in jeder Hinsicht sehr gut. Die
Leute zeigen ein sehr eifriges, doch einfach ruhig religiöses Benehmen
in ihren zahlreichen Kirchenbesuchen. Die Priester am Altare zeigen
eine unverkennbare Frömmigkeit. Nirgendwo fand ich mich noch so
auffallend angesehen wie in Triest, was mich sehr wunderte, da hier
so viele Fremde die Straßen füllen. Nun weiß ich's aber, es gilt
bloß der Pilgerin, die aus Jerusalem kömmt. Gestern machte ich einige
Spaziergänge, um die schönen Volksgärten zu besuchen, die wahrlich die
Namen schön und angenehm verdienen, mit ihren Alleen und Bos=
quetts, dann noch das herrlich frische Wasser, das Gefrorne, besser,
mehr und wohlfeiler wie bei uns in Graz. Die mit Trottoirsteinen ge=
pflasterten, breiten, langen Straßen, der Corso mit dem kostbaren Waa=
renhandel, die wunderschönen hohen Gebäude, die Börse, der Pallast
mit seinen Glasdächern, die man im Durchgang sieht, das große noble

Kaffehhaus, und merkwürdig seinem Baue nach das Säulenkaffehhaus vor dem Polizeiamte, wo das Gefrorne ganz eigens zu empfehlen ist; besonders wenn es so heiß ist, wie hier im August; ich fand es in Smyrna kaum drückender. Triest ist eine schöne, angenehme Stadt, wer hier zu leben hat, kann zufrieden sein.

## Hundertundsechsundvierzigster Brief.

### An die Frau Baronin R.

Görz, den 20. August 1848.

Der freundlichen Theilnahme des Herrn Barons verdanke ich die angenehme Verlängerung meiner Reise, die ich mir auch noch zu Nutzen machen will. Den 18. Früh um 8 Uhr ging ich zu Fuße von Triest weg. Neben dem Meere hin stieg ich über die schönen Gruppirungen der Felssteine hinunter, um meine Füße im Wasser zu kühlen, eigentlich um ihm zu danken im stillen Vertrauen, daß es mich getragen hat, hinüber und herüber, um die Sehnsucht mir zu stillen. Einsam und allein, als wäre Gottes Erde leer, wandelte ich ruhig über die Berge, nochmal den Blick hin über das Meer geworfen, bis das feste Land es deckte. Doch ehe ich dieser einsamen Wanderung überlassen war, denn ich ging nicht auf der Seite von Montfalcone, hatte ich in Prosek einen etwas unangenehmen Aufenthalt. Ein Weib bot sich an, meine Reisetasche zu tragen, ich gab sie ihr, und sie führte mich, ohne daß ich wußte wohin, in's Zollamt. Hier fiel man über meine arme ohnehin ganz kleine Reisetasche her, warf alle Kleinigkeiten heraus, mir wars nur um meine Reisenotizen bange; ein solches Benehmen gegen eine Fußreisende schien mir überhaupt nicht ämtlich zu sein. Ich sagte: davon werde ich in Wien Nachfrage thun, ob Oesterreichs Unterthanen unter dem Schutze der Obrigkeit reisen, oder ob sie wie Verbrecher im Lande umher ziehen, die sich fürchten müssen, irgend einem Gefälle zu unterliegen, oder die sich's müssen gefallen lassen, wenn man ihnen in einem Augenblicke ihr Eigenthum auf die undelikateste Weise zerstört.

Der Herr Beamte rief mir wohl ein citto entgegen, warf jedoch einen Theil auf den Schreibtisch, den andern sammt der Tasche auf den Sessel und ging in das zweite Zimmer. Ich blieb eine Zeitlang in der Erwartung stehen, da es mir jedoch zu lange wurde, etwas zu erwarten, so ging ich hinein und bat ein wenig ernst, mich abzufertigen, da Fußreisenden eine überflüssige Ruhestunde sehr abgehe. Bei dieser Gelegenheit habe ich's wahrgenommen, wie solch' kleinliche übel angebrachte Bureau-Behandlungen die sanftesten Gemüther in Gährung bringen können. Um 10 Uhr Nachts bei Sternenhimmel kam ich in Görz an, kehrte bei Reichwirth ein, weil man mich eben dahin führte, und so müde und schläferig ich auch war, so mußte ich noch stundenlang die theilnehmende Verwunderung zweier junger Mädchen im Hause befriedigen, und ihre Fragen über meine Reise in's h. Land beantworten, denn die Abgabe des Passes erfolgt gleich beim Eintritte in ein Haus. Gestern Sonntag wies man mich wieder in die Jesuitenkirche, obschon etwa hundert Jahre keine Jesuiten mehr hier waren. Ebenfalls eine großartig schöne Kirche. Darauf meldete ich mich bei Gräfin M., wo ich überaus freundlich, ja liebevoll aufgenommen wurde. Der Bediente wurde sogleich um meine Reisetasche geschickt und nun bin ich hier zu Hause. Comtesse Josefine, ein liebenswürdiger Engel an Character wie an Gestalt, voll Sorgsamkeit und Umsicht für Andere, trat mir ihr Zimmer und ihr Bett ab, und schätzt sich glücklich, um einer Pilgerin willen, die das h. Land betreten, auf einem Sofa sich zu begnügen. O glückselige Schwärmereien des Lebens! wenn man derlei kindliche Gefühle dafür nimmt. Der Graf läßt mich nicht wegreisen, er sagt, ich müsse ausruhen. Comtesse Nina A., eine fromme Stiftsdame, ist voll der Begeisterung, vom h. Grabe nur reden zu hören, und Graf und Gräfin St. mit ihren lieben Kindern äußern ein so herzliches Interesse für meine Reise und hören mit solchem Vergnügen davon erzählen, daß ich mir dabei vorkomme, wie ein Baum, der seine Früchte abschüttelt. Man führte mich auch bei dem Erzbischofe auf. Ich besuchte das ganz neu erbaute Institut der barmherzigen Schwestern, und das Waisenhaus, was eine sehr gute Anstalt für 24 verlassene Mädchen, die als Mägde erzogen werden, von Damen erhalten und überwacht wird. Auch den h. Berg besuchte ich. Gräfin M. fuhr selbst mit, bis an den Fuß des Berges, dann gab sie mir ihr Kammermädchen zur Begleitung, denn man muß dort oben übernachten. Dieser bei Görz berühmte Wallfahrtsort, zu dem immerfort Menschen aus fernen Ländern, besonders aus

Krain, Kärnthen, Mähren, Böhmen, Ungarn u. f. w. herzukommen, schreibt seine Geschichte von einem armen Landmädchen her, die Agnes hieß und auf diesem Berge wohnte, zu dessen Spitze man drei Stunden lang aufwärts steigt. Sehr müde und ganz im Finstern kamen wir an das Gebäude, das einem veralteten Ritterschlosse sammt der Kirche gleichsieht. Wir fanden kein Thor, endlich nach langem hin und her gehen entdeckten wir in einem Nebengebäude Licht, wurden freundlich aufgenommen und schliefen recht gut, für ein ganz kleines Trinkgeld; verrichteten Morgens sehr früh unsere Andacht, frühstückten gut und kamen in einer Stunde über den Berg herunter, dessen Aussicht auf seiner Höhe ein unbeschreibliches Bild bietet. Der grüne Isonzo biegt sich am Fuße des Berges schroff über die Ecke zwischen den andern Bergen gegen der Seite von Klagenfurt auf eine so imposante Weise, daß man unwillkührlich stehen bleibt, um ihn zu betrachten. Auch die Franziskaner in Castaguiavizza besuchte ich, die das Grabmal Carl des X. von Frankreich bewahren. Die Lage des Klosters auf einem nicht sehr hohen, grünen Berge vor der Stadt, mit einer herrlichen Aussicht auf die reizende Umgebung, ist der schönste Ort, an dem man sich ein Kloster denken kann. Görz ist überhaupt eine sehr angenehme Stadt mit bescheidenen, thätigen Einwohnern; mir wird sie sehr angenehm im Gedächtnisse verbleiben.

## Hundertundsiebenundvierzigster Brief.

### An den Herrn Cameralrath L. und seine Frau.

Udine, den 24. August 1848.

Gestern den 23. reiste ich mit vielen Segenswünschen und den Worten: „Sie hätten noch länger bleiben sollen," um 3 Uhr Nachmittags mit der Carrierra aus dem Hause des Herrn Grafen M. von Görz weg, und kam Abends um acht Uhr in Udine an, wo ich mir im großen Hotel Europa sogleich ein Zimmer nahm, um mich bequem zu machen. Unterwegs war mir bloß die Stadt Cividale mit ihrer Dom-

kirche merkwürdig. Ueberhaupt ist keine Reise im Fahren so reich an
Bemerkungen, als im zu Fuße gehen. Heute brachte ich den ganzen
Tag bei Frau Heuman zu, in einem Judenhause mit einer reichen
Seidenfabrik. Mad. H. hat ein sehr fromm christliches, talentvolles
und sehr geschicktes Fräulein als Gouvernante bei ihren beiden Töch=
terchen. Dieses Fräulein besuchte ich nun, weil sie sich in meinem Hause
zur Erzieherin völlig ausbildete, und mir mit ihrem wohlgesitteten Be=
nehmen und der guten Anwendung ihrer Geschicklichkeiten viele Freude
und Ehre machte. Fräulein Agnes befindet sich auch schon seit meh=
reren Jahren zur vollen Zufriedenheit ihrer Seite, wie von Seite der
M. H. in deren Hause. Man hält ihr zu Liebe gar oft Fastenspeis=
Tafel, und von selbst weist ihr M. H. die Zeit zum nachmittägigen
Gottesdienste an Sonnabenden an. Sonntags nimmt sie ihre Zöglinge
mit in die Kirche. Ueberhaupt genießt Fr. Agnes im Judenhause Rechte,
den Ausübungen ihrer Religion zu genügen, wie man es leider über=
zeugt ist, daß es in vielen Christenhäusern nicht gestattet wird. Ich
meinerseits fand eine so freundliche Aufnahme bei M. Heuman, als ich
Fräulein Agnes meinen Besuch machte, und so viele Freundschaft und
Aufmerksamkeit, als wäre ich im Hause meiner Verwandten angelangt,
das innigliche Interesse, was man für Jerusalem und für meine Reise
äußerte, selbst von einigen Herren, die mit am Tische speisten, und
die eben von Wien angekommen waren, machte mich meinen,
unter warmglühenden Christen mich zu befinden. Ich fand über=
haupt gar nichts jüdisches im ganzen Hause, woran man sich hätte
stoßen können. Mad. H. hatte mich sogleich eingeladen zum Speisen
und zum Schlafen, der ganze Tag wurde mir zum Opfer gebracht.
Vormittag im Gespräche, Nachmittag zum Spazierengehen. Madame
Heuman führte mich in Begleitung ihrer kleinen Familie, Frl. Agnes
und einem Verwandten vor Allem mit zarter Aufmerksamkeit in die
größeren Kirchen, besonders aber rühmte sie mir Maria della grazia,
und zeigte mir die unzähligen Krücken, Opfergaben und Votivtafeln der
wunderbaren Heilungen und Unglücksverhinderungen, die durch die
Vorbitte Maria della grazia hier erlangt werden. Man führte
mich auf das Castell, welches im Nothfalle in Vertheidigungs=
zustand oder vielmehr im Strafstande, wenn seine glühenden Kugeln
in die Stadt fliegen sollten, versetzt ist. Man erzählte mit Eifer alle
die Schrecknisse der Agitation, welche sogar die großen starken Bäume
auf dem beliebten schönen Spaziergange der Stadtbewohner in Be=

wegung setzte, daß er nun kahl und verwüstet dasteht. Darauf gingen wir in die Seidenfabrik. Es lohnt sich wirklich, ein solches Gebäude zu besuchen. Ich möchte es sogar Jeden rathen, der seidene Kleider trägt, damit er dafür seinen gehörigen Respect bekäme. Wenn man die Arbeit von dem Faden an, den der Wurm spinnt, der von den Cocons in Schnelligkeit aus dem siedenden Wasser herabgehaspelt wird, auf die kunstvollen Maschinen gebracht, und mit unbegreiflicher Geschicklichkeit und vielen Handgriffen nur zur gelben, rohen Seidensträhne gebracht wird, bis man ihn im Webstuhl und den verschiedensten Farben verarbeitet, möchte man vor Sammt und Seide wahrhaft seine Bücklinge nicht umsonst verschwenden. In der Hausflur, wo die Cocons unter einem Säulengange von hundert Arbeiterinen abgehaspelt und zubereitet werden, machte mich die jüdische Hausfrau mit selbst genügender Zufriedenheit auf die fromm geistlichen Lieder aufmerksam, welche ihre christlichen Arbeiterinen während einer wunderbaren Thätigkeit und Schnelligkeit in ihren Verrichtungen sangen, in der andern Wendung des Corridors betheten sie laut und andächtig während der Arbeit den Rosenkranz. Mir ist noch nirgend eine solche Ordnung, ein solcher Fleiß, eine solche auferbauliche Einrichtung unter einem großen Hausgeschäfte mit vielen Personen vorgekommen, wie hier. Es fing an zu regnen, wir mußten heimkehren, sonst hätte man mich auch noch auf den Campo santo*) geführt. Wir verlebten den Abend vor und nach dem Souper noch sehr angenehm in traulicher Rede, dann führte mich Mad. Heumann in ein sehr nettes Zimmer mit weißen Vorhängen von oben bis unten, und einem Bette, wie ich fürwahr noch keines gesehen. Ich kann es nur einen angenehmen Federpfuhl nennen, obschon ich sonst die Federbetten gar nicht goutire. Die schneeweiße Reinheit ladet mich jedoch ein, recht gut darinen zu schlafen. Auf dem Kasten hinter einer Uhr, die darnach künstlich eingerichtet ist, schimmert ein Lampenlicht hervor, von welchem das Zimmer in einer lieblichen Beleuchtung steht. Ich erinnerte mich dabei, daß es ein uralt jüdischer Gebrauch sei, daß fromme Frauen am Sabbaths-Abende Lampen brennen, zur Tilgung der Schuld, welche Eva im Paradiese begangen.

---

*) Friedhof.

---

# Hundertundachtundvierzigster Brief.
## An den hochwürdigen Herrn Gubernialrath K.

Trient, den 29. August 1848.

Diese für jeden Christen so merkwürdige Stadt wählte ich, um Euer Gnaden meine glückliche Heimreise zu melden. Zur vollen Erfüllung meiner Wünsche befinde ich mich in Trient, betete im Dome und in der Domkirche Santa Maria um eine günstige Verbindung eines nächsten Kirchen-Conciliums. Ein sehr großes Bild mit der Vorstellung aller anwesenden Personen der Ordnung ihres Ranges nach, bei der Sitzung von dem letzten großen Concilium von Trient, ist im Dom neben dem Hochaltare zu sehen, doch ist es für gewöhnlich verhüllt. Ich fand hier eines der Klöster für Schule und Erziehung, für Mädchen der Mad. Therese Vernerzi, deren angenehme Bekanntschaft ich in Rom gemacht habe, als sie vom hl. Vater die Bestätigung ihres Ordens, als Töchter vom hl. Herzen Jesu erhielt. Ihre Tracht schwarz, aber noble, gefällt mir recht gut, sie ist geschmackvoll. Hingegen fand ich eine Art barmherziger Schwestern, ein Spital, die mit ihrer Abart von Hauben, die zwar nicht übel ins Gesicht stehen, doch keiner soeur de charité aus Frankreich mit ihren weißen Hüten ähnlich sehen. Uebrigens beweist die Reinlichkeit in den Krankenzimmern, die reichgefüllten Wäschkästen, das freundliche Benehmen der Schwestern (die von der Haus-Inspection als Mägde benannt und behandelt werden, was sehr undelicat ist, und was gewiß nicht geschehen würde, wenn dieser so achtungsvolle Orden in gleichmäßiger Verbindung unter einander stünde), daß sie würdige Früchte ihres guten Willens und ihrer Bestimmung bringen. Die Franziskaner, die ich besuchte, um zu fragen, ob Fräulein v. Mörl in Kaltern noch lebe, haben am Ende der Stadt auf einer Erhöhung eine freie Aussicht und einen angenehmen Aufenthalt für ein Kloster. Der Provinzial ist ein äußerst liebevoller, freundlicher, frommer Herr. Seine Theilnahme an dem hl. Lande ist die eines liebenden Jüngers des Herrn. Mit Eifer und warmen Interesse saß er gestern stundenlange bei mir in der Sakristei, ließ mich mit guter Kost versorgen, und wies mich unweit vom Kloster an eine Mühle, deren fromme Frau eine Freude hatte, eine Pilgerin aus Jerusalem zu beherbergen, wie einer, der nach langer Sehnsucht plötzlich Nachricht von

feinen Lieben bekömmt. Ein kleines nettes Zimmerchen mit Heiligen-
Bildern und einem schneeweißen Bette wurde mir freundlich aufge-
sperrt, worin ich auch unvergeßlich gut schlief, trotz allem Geraffel der
Mühlräder fest an der Wand. Ich war aber auch ziemlich müde, denn
seit einigen Tagen machte ich eine etwas angestrengte Marschroute,
wenn auch nicht immer zu Fuße. Den 25. fuhr ich um 7 Uhr in der
Früh im Postwagen von Udine weg, und kam Abends um 8 Uhr in
Treviso an. Dieser Weg bietet so manches Sehenswerthe. Die wun-
derschönen, geraden, breiten Straßen, durchaus zwischen Alleen von hohen
Ulmen. Die 1800 Schritt lange Brücke über den Tagliomento, Porte-
none, Conegliano, die lange Brücke über den Piavestrom. — O schönes Italien, wenn man die abgebrannten Häuser in ihren schwarzen
Ruinen sieht, die abgehauenen Baumstämme, die ungeheueren Kanonen
auf den Straßen, möchte man ausrufen. „Du bist nicht gemacht zum
Kriegführen, du bist der Garten Europas, der Sitz der Kirche Gottes."
Ich fasse hier nur kurz zusammen, was ich im langen Detail gelesen,
und übersende Euer Gnaden die Ansicht, weil sich's wirklich der Mühe
lohnt, ein Volk von seinen anerkannten Verkennern so klar aufgefaßt zu
finden. Das ist die wahre Art und Weise, um Nationen mit Nationen
zu verbinden. Was in diesem öffentlichen deutschen Blatte*) von einem
Deutschen gesagt ist, ist Wort für Wort meine eigene Erkenntniß, doch
citire ich diese freundlich wahre und gut getroffene Character-Schilde-
rung Italiens lieber nach andern gediegenen Ansichten, so fällt dabei
die Meinung weg, als ob ich mich auf meinen Reisen durch Italien
von der Nation zu vortheilhaft hätte einnehmen lassen. Ich sage bloß,
was ich hier im kurzen Recit übersende, stimmt genau mit meiner eigenen Ueberzeugung überein. Es heißt: „Der leitende Gedanke des em-
„pörten Italieners ist Haß, aber ihm zum Grunde liegt bewußt die
„mißverstandene, unbewußt die wahre Freiheit. Der Italiener haßt
„nicht als Mensch den Menschen, denn seine Herzens- und Geistesanlagen
„berechtigen ihn zu der höchsten menschlichen Stufe. Vor Allem zeichnet
„er sich durch ein zu wenig gekanntes Mitgefühl für Kranke aus. Ita-
„lien ist die Wiege und Zierde der Krankenhäuser. Ein anderer herr-
„licher Zug an dem Italiener ist seine wahrhaft rührende Liebe, und
„der unbedingte Gehorsam der schon erwachsenen Kinder gegen ihre
„Aeltern. Selbst das ergraute Haupt beugt sich den Aussprüchen des

---

*) Aus der Grazer Zeitung vom 19. December 1849 bei genauer Ausar-
beitung meiner Briefe aufgenommen.

„Vaters, die es über deſſen Grabe noch ehrt. Eben ſo findet man eine
„wahrhaft brüderliche Verträglichkeit unter den Verwandten, eine feſte
„zärtliche Familienliebe. Häufig und in die Dauer von Jahren wohnen
„dort mehrere verwandte Familien unter einem Dache, die alle insge=
„ſammt Einem Oberhaupte gehorchen. Der Italiener kennt keinen Stolz;
„nicht Geburt, Rang, Adel, Reichthümer, Kleider und andere Dinge
„ohne inneren Werth, nicht Geiſtesvorzüge, welche er dem Geringern
„am wenigſten fühlen läßt. Zwiſchen dem Herrn und den Dienenden
„herrſcht eine Leutſeligkeit, Freundlichkeit und ſo wenig Unterſchied, als
„wären es Familienglieder. Man findet aber auch oft beiſpielloſe Treue
„und Ergebenheit der Diener, ſo wie die dankbarſte Erkenntlichkeit der
„Herren, in deren Häuſer namentlich weibliche Dienerſchaften ohne
„Sorge und im Frieden ihre alten oder kranken Lebenstage zubringen.
„Kunſt und Wiſſenſchaft genießt bei dem Italiener das höchſte Anſehen.
„Der Dichter, der Künſtler, der Gelehrte iſt der Willkommenſte im
„fürſtlichen Hauſe; ihn bei ſich zu ſehen, entſteht Wetteifer. Der reichſte
„Adel ſchickt ſeine Söhne auf die Univerſität, um den Doctorhut zu
„erlangen, er übt weder die Advocatur, noch die Medicin aus, aber
„ſeine Familie fühlt ſich geehrt. Nicht Wapen zeigen ſie, nicht Adels=
„Diplome, wohl aber die Verdienſte ihrer Vorfahren um Wiſſenſchaft
„und Kunſt. Den deutſchen Gelehrten und Künſtler beobachtet er zwar
„lange mit Mißtrauen, und wirft ihm alle erdenklichen, ja ſelbſt lebens=
„gefährlichen Hinderniſſe in den Weg; hat dieſer aber die Probe über=
„ſtanden, ſo fliegen ihm Souetten und Lorberkränze entgegen, und er
„wird mit all' der, dem Süden eigenen Affection der Ihrige genannt.
„Fremd iſt dem Italiener auch die Prahlſucht; man wird an ſeinem
„Aeußern den Beſitz auch ungeheurer Reichthümer nicht erkennen. Lo=
„benswerth ſind ſeine Genügſamkeit, ſeine Einfachheit, ſeine Nüchtern=
„heit. Und am meiſten Unrecht geſchieht dem Italiener, wenn man ihm
„Trägheit und Mangel an Arbeitſamkeit vorwirft. Der Landmann arbei=
„tet ſo viel, daß man ſagen kann: „Laſſen wir den deutſchen Land=
„mann hingehen, er wird es ihm ſicher nicht nachmachen können." Der
„Handwerker? Sehen wir die bei uns arbeitenden Maurer an, und
„vergleichen wir ihre Leiſtungen gegen den andern nebenſtehenden, die
„jeden Augenblick ihre Pfeife ſtopfen, und Kehle und Magen befriedigen.
„Und welche von beiden tragen genauer ihren Verdienſt zu ihren Fa=
„milien nach Hauſe? — Der Studierende? Der, welcher nur aus Ach=
„tung und Liebe für die Wiſſenſchaften ſtudiert, den kann man doch

„nicht anders als fleißig nennen. Das ist wahr, daß der Italiener leichter „lernt, schneller begreift. Alles ist seiner Natur fremd, was nicht eine „poetische Form hat. Dafür kann er aber nicht. Es ist seine sinnige Natur, „der göttliche Funke, welcher die Sitten erweicht, das eisige Herz löst, nichts „Starres, Trockenes, Finsteres liebt, die sein Genius belebt, sein Aether „benetzt, sein azurblauer Himmel färbt." Und ein solches Volk, dem man, obschon bei andern dunkleren Flecken im Jammerthal der Zähren, diese edleren, die Menschheit adelnden Charakterzüge bei ruhig unparteiischer Beobachtung nicht absprechen kann, soll es nicht den andern Völkern als ein achtbares Beispiel vor Augen stehen, was die Religion Jesu Christi, was seine h. Kirche in ihrer Leitung, in ihren Heilsanstalten an der Menschheit vermag, wenn sich selbe ergebend und vertrauungsvoll an sie wendet, denn alle diese in Italien anerkannten Tugenden sind reine Tugenden des Christenthums, in denen Italien stets möge bewahrt bleiben, oder besser noch, immer mehr und mehr als würdige Träger des Kirchenstaates den andern Völkern vorleuchten. Und möchten jene Deutschen, die einstens unter einem Kaiser Heinrich **IV.** die Mailänder so bedrängten, daß sich von da aus der Haß der Lombardie gegen die deutsche Nation unaussprechlich den Nachkommen anerbt; möchten jene Deutsche doch einmal aufhören zu protestiren gegen kirchliche Einrichtungen, die sich so segensreich an einem ihr ergebenen Volke zeigt. Möchten sie doch einsehen, daß fortgeerbte Vorurtheile weder zur Aufklärung noch zur höhern Lebensbildung dienen; sondern daß sie selbe nur verhindern und zurückhalten! — Von Treviso ging ich den 26. Früh um 6 Uhr, nachdem ich mir die Kirchen und die Stadt besehen und in einer Kaffehschänke eine Tasse schwarzen Kaffeh genommen hatte, zu Fuße weiter, durch Castelfranco, eine wunderliebliche Stadt mit einer schönen Domkirche. Die Leute begegneten mir hier voll Verwunderung und Achtung. Durch ganz Italien wie im Oriente, zu Fuße oder im Postwagen, bei vornehm oder gemein klingt die erste Frage, ob ich verheirathet bin, und die verneinende Antwort stimmt zur vollen Zufriedenheit. Daß es im unverehelichten Stande ein **Etwas** gibt, was dem Menschen heilig ist, das bezeugt die Menschheit selbst; darum kann es nur bisweiliger Unsinn sein, gegen die freiwillige Nubilität aufzutreten, und sie derart zu verfolgen, wie man es leider in so vielen gangbaren Schriften finden muß. Drei Miglien vor Bassano übernachtete ich in einem Dorfe, den 27., es war Sonntag, man läutete in der sehr schönen, großen Dorfkirche feierlich zum Gottesdienste, ich trat hinein, um Messe zu hören, und blieb beinahe wie bezaubert stehen, als ich die weite Kirchenhalle ohne Kirchstuhl, mit blendend weiß verschleierten Frauengestalten auf den Knieen, wie überschüttet sah. In Bassano frühstückte ich in einem Kaffehhause, der Kaffehsieder, ein feingebildeter Mann, interessirte sich ganz warm für meine Reisen, es kam ein Oberlieutenant der Nationalgarde dazu, der mich nach einigem Gesprächs-Aufenthalte selbst bis ans Thor begleitete, und von da einen Mann beorderte, der über eine Stunde weit mit mir ging, damit ich den rechten Weg nicht verfehle, weil sich mehrere Straßen theilten. Das ist gewiß ein freundliches Betragen gegen Fremde, was die reisende Pilgerin auch dankbar erkennt. Ich ging den ganzen Tag im stillen Seelenvergnügen fort. Etwa nach vier Uhr kam ich zur Brücke über die Brenta, gleich stand ein Garde-Offizier vor mir mit all' seinen ganz gerecht ämtlichen Fragen, die ich ihm eben so gerecht beantwortete. Endlich trat er zwei Schritte zurück, und sah mich vom Kopf bis zum Fuße an, sein Blick haftete auf meinem gußeisernen Cruzifir, das ich im Gürtel trage. „Also, Sie sind eine Jesuitin? fragte er: Si Signor, sagte ich, so gut wie Sie, weil Christus auch Jesus hieß, und daß Sie ein Christ sind so gut wie ich, daran wird nicht zu zweifeln sein." Der Herr Gardeoffizier sah mich groß an, bot mir die Hand und einen Sitz, für den ich dankte, gewann warmes Interesse für die terra santa, rief alle seine Kameraden zusammen, um ihnen das Wunder zu zeigen, daß eine Frau von Jerusalem hier vorüber ziehe. Ich konnte mich jedoch nicht verweilen, die Gegend, so schön sie ist, so ist sie nach Aussage dieser Herren selbst etwas unsicher, und da mochte ich mich nicht gerne in die Nacht hinein verlieren. Der Herr Lieutenant rief einen Knaben und befahl ihm, mich bis in die Stadt noch 4 Miglien weit zu begleiten. Die Hitze des Tages war drückend heiß, ich war sehr müde, endlich erreichten wir Primolano, wo die Leute gleich alle zusammen liefen. Ich setzte mich vor einem Hause auf die Bank, und bat um ein Glas Wasser; es war 5 Uhr vorüber. Um hier zu bleiben, war es mir noch zu hoch am Tage, auch gefiel es mir eben nicht sehr gut. Ich schickte meinen kleinen Begleiter dankbar zurück, und verfolgte allein meine Straße weiter, die immer herrlicher sich zeigte. Die grotesken Berge wurden immer höher, so daß sie der Blick kaum mehr erreichte, links die Brenta mit ihrem steingrünen Wasser, die Adlerhöhlen wie natürliche Thore in die Felsen hinein, kurz der vollendete Uebergang der schönen Italia in das ernst

sich erhebende Tiroler-Bergland. Die Schatten verlängerten sich ge=
waltig, der Abend breitete seine Ruhe gebietenden Flügel aus, die
das Licht des Tages verhüllten, daß sich zwischen den Bergen in hoher
Ferne das hereinleuchtend glänzende Blau nur mehr wie mit Gold um=
säumte, bis sie vollendet eintrat, die Abendstille. Wilde Schönheit, unwill=
kührlicher Schauer, erhab'ne Ruhe, angenehmes Quacken, sehnsuchtsvolles
Zirpen der Grille, dunkle Schatten ungeheurer Felsberge, schroff neben
der Straße! — Was sucht der Mensch mit all seinem Trachten und
Mühen nach Ehrenstellen und Glücksgütern, als glücklich zu sein? Ich
war es hier. — Ich weiß nicht, werde ich meine wohlhinterlassene
Schule wieder finden oder nicht, mit der ich mich beinahe meine ganze
Lebenszeit abmühte, oder werde ich noch glücklich meine Vaterstadt,
für die mein Herz schlägt, erreichen oder nicht, oder wird sie meine
Dienste ferner brauchen oder nicht, ich bin glücklich, daß ich mich
Niemanden vertauschen möchte. — Als ich dem kleinen Orte Crigna
in die Nähe kam, kam mir eine ganze Schaar Sänger entgegen, das
jagte mir ein wenig Angst ein, doch fand ich meinen Weg ganz ruhig
neben ihnen vorbei, obschon nicht ganz unbemerkt. Die Wirthsfrau,
bei der ich einkehrte, eilte mit ihren acht Kindern sogleich auf mein
Zimmer, voll Neugierde über den schwarzen Gast, der ganz allein im
dunkeln Abendscheine ankam. Als sie nun hörten, daß ich aus dem
heil. Lande komme, konnten sie sich schon gar nicht mehr entfernen.
Wie lieb ist doch ein heilig fester Glaube, wie entzündet er die Herzen
der Unschuld in Liebe! Ich gab den Kleinen Bildchen, die sie gewiß
in Ehren halten werden, von der Pilgerin, die die heil. Orte gesehen.
Es wird ihnen aber auch zum Verdienste gereichen, so wie ihrer Mut=
ter, die mich mein Nachtlager nicht bezahlen ließ. Ich machte mich
sehr früh auf, doch als ich an der Kirche vorüber ging, läutete man
zur Frühmesse, die ich hörte, mich an die Geschichte in Foligni erin=
nernd, daß mit der Zeit nichts gewonnen sei, die man dem Gottes=
dienste abspart. Ich dachte mir, will's Gott, finde ich heute eine
Fahrgelegenheit, und bringe mir die Zeit reichlich ein. Ich hatte mich
auch nicht verrechnet; nach einer Stunde kam ein Steirerkalesch hinter
mir drein gefahren mit dem Kutscher allein, ich fragte, ob er mich auf=
nehmen wolle, was er sogleich einging und mit mir davon sprengte,
als flögen wir durch die Luft. In Burgo erfuhr ich, daß ich mit
der Briefpost fahre. Der Postillon mit neu silbernen Borten und hell=
rothen Aufschlägen nahm mich mit Erlaubniß des Postbeamten wieder

mit; der mich hierher brachte, war ein Arzt, der die Post benützte, die ich deßwegen nicht erkannte. In Percina und Trento gings eben so, und um 1 Uhr Mittags war ich in Trient, ich wußte kaum wie. Den Postillonen gab ich jedem einen Zehner, womit sie sehr zufrieden waren, und ich ersparte drei Tage Zeit, die schönen Gebirgsgegenden vor mir bewundernd, ohne in einen Kasten eingesperrt zu sein. Diese Straße bietet dem Auge eine herrliche Abwechslung von Marktflecken und schönen Bergschlössern dar. Auch war es mir sehr angenehm, so schnell zu fahren, doch gehört wirklich ein gesunder Körper und eine muthvolle Seele dazu, besonders wenn man in einem Marktflecken über das Steinpflaster rollt, möchte es einem die Seele bald hinausstoßen, wenn man sich nicht leicht zu halten weiß, wie ein Vogel, dem es gleich gilt, wie hoch er fliegt.

---

## Hundertundneunundvierzigster Brief.

### An den hochwürdigen Herrn Pfarrer Sch.

Kaldern, den 30. August 1848.

Die Gegend in den Bergen, wo Kaldern liegt, ist es werth, man möchte sagen, sie ist dazu auserwählt, sie ist es würdig, ihrer natürlich herrlich schönen Anlage nach, ein solches Kleinod der göttlichen Gnade zur höhern Erhebung der offenbaren und geheimen Glaubensbegriffe, zum Erstaunen eines Jeden, Maria v. Mörl als Wunder der Natur und der Gnade zu bergen. In unsern Tagen, wo die Vorstellung solch außergewöhnlicher Begebenheiten des innerlichen Seelenlebens, das seine Macht über die Sinnenwelt, äußert ganz in Vergessenheit gekommen ist, da das sinnliche Leben im Allgemeinen den Ueberschwung genommen hat. Ohne weiterer Ueberlegung dieses Gegenstandes werde ich nur kurz erzählen, was ich selbst gesehen, und von glaubwürdigen Augenzeugen gehört habe. — Als ich in das Zimmer des Fräuleins trat, sah ich sie in schwebender Haltung, etwas seitwärts gewendet, wie hingegossen, aufrecht auf ihrem Bette knien, die Hände zum Gebete erhoben, die Fingerspitzen berührten das Kinn;

31

ihr großes Auge ist aufwärts gewendet, das Gesicht in voller, runder, schöner Form, weiß wie Wachs, mit schwachem Anflug von Roth unterlaufen. Kein Maler kann sie treffen. Man sagt: ein Jeder sähe sie mit anderem Ausdrucke ihrer Miene. Ich sah sie himmlisch schön. Ganz weiß gekleidet, mit ihren schwarz aufgelösten langen Haaren, die nie gekämmt, in schönster Ordnung zweitheilig die Schultern decken, zerdrückt die Schwere ihres Körpers auch nicht ihr schneeweißes Bett, auf dem sie immer kniend und betend verharren würde, wenn der Befehl des Beichtvaters sie nicht zum Ausruhen brächte, der sie nun schon seit dem Jahre 1833 bewacht, das sind bis jetzt 15 Jahre; man holte ihn damals, um ihr die Seele auszusegnen, sie verfiel in Ertase, und kam nicht mehr daraus. Pater Capistran, von dem man nicht weiß, wer mehr zu bewundern ist, er in seiner theilnehmender Ausdauer, oder das Fräulein in ihrem Zustande, sagte mir selbst, daß es nun so lange sei, und daß sie seither, außer einigen Beerenfrüchten oder Eingesottenen, keine ordentliche Nahrung mehr genießt. Ein Paar Turteltauben und ein kleiner Feldhase dienen ihr manchmal zur Gesellschaft, wenn sie auf Befehl vom Gebete und ihren innerlichen Anschauungen ausruht. Auch beschäftigt sie sich mit Bilder, auf die sie ihren Namen schreibt, auch Briefe schreibt sie, in ganz einsacher Schulform, ich habe einige gelesen. Seit einigen Jahren lebt sie mehr in der Verborgenheit im Kloster der Terziarinen, da ihr von Ihrer Majestät der Kaiserin eine Fräuleinstiftung angewiesen wurde. Ihre Schwester lebt bei ihr zur Pflege. Früher war sie in ihres Vaters Hause, welches jetzt im Besitze des Bruders ist. Damals, wie mir die Wirthsleute erzählten, war Kaldern Jahr aus Jahr ein mit Fremden überfüllt, die zu Tausenden kamen, Maria v. Mörl zu sehen. Nun aber wird Niemand mehr ohne geistlicher Erlaubniß vorgelassen; schon deßwegen, weil sie im Kloster lebt. Nur das durchziehende Militär hat ohne besonderer Erlaubniß freien Zutritt. Das versichere ich noch, daß es einen ganz eigenen Eindruck macht, sie zu sehen. Pater Barnabas, der sie gut kannte, gab mir am heil. Grabe einen Rosenkranz für sie mit sammt seinem Gruß, das war genügend, um mir Eingang zu verschaffen. Die ganze Zeit des italienischen Krieges über war sie sehr krank und trauernd, sie weinte viel, man erwartete fast jeden Tag ihre Auflösung. Nun scheint sie sich zu erholen; wenn ich meinem Wahrnehmen trauen soll, so wird sie, der Welt noch eine Zeitlang ein unauflösliches Räthsel, leben. Domenika Lazari, ein

ähnliches Leidensbild, die hinter den Bergen in einer fast unzugäng=
lichen Gegend lebte, weinte über den italienischen Krieg blutige Thrä=
nen, sie starb im April, sonst hätte ich sie schon zugänglich gefunden.
Tirol, wo es scheint, daß das geistig ganz innerliche Seelenleben in
Gott, mehr Pflege und Anerkennung findet wie irgendwo, birgt noch
mehrere solch bloß contemplativer Seelen.

---

## Hunderlundfünfzigster Brief.

### An den Herrn Med. Doctor K.

Innsbruck, den 4. September 1848.

Da ich es weiß, daß es Sie freut, Herr Doctor! auch von dieser
Seite Italiens etwas zu hören, die Wälsch=Tirol mit Deutsch=Tirol in
Verbindung bringt, so werde ich Ihnen etwas von meiner Reise von
Trient bis Innsbruck erzählen. Um 12 Uhr Mittags fuhr ich mit einem
Stellwagen aus der Krone von Trient weg bis Glurn, um dann die
Straße seitwärts nach Kaldern einzuschlagen, die ich zu Fuße ging.
Der Wagen war voll Herren, die über eine Pilgerreise meiner Art in
ein allgemeines Erstaunen ausbrachen. In Glurn trennte ich mich von der
Gesellschaft, und wanderte ganz wohlgemuth mit meinem Tornister über der
Achsel, der ganz einsam abgelegenen Straße zu; keine Seele begegnete
mir. Die Gegend, je näher gegen Kaldern zu, wird immer schöner und
angenehmer, obschon bergig, doch sehr freundlich in abwechselnden
Gruppirungen grüner Hügel. Nun wurde es aber dunkel; kein Stern
am Himmel zeigte sich; kein Ende des Weges ergab sich, so daß ich
mich dem Gedanken ergab, die ganze Nacht so fort in die Berge hinein=
zugehen. Endlich kam ein Heuwagen hinter mir drein, neben dem ich
noch eine halbe Stunde fortwanderte, bis ich im Markte anlangte.
Stockfinster, wie es war, und fremd wie ich war, kostete es mich
einige Mühe, einen Gasthof zu erfragen; man hatte kein leeres Zimmer;
in einem zweiten gings mir wieder so; da erbot sich ein guter
Mensch, der es hörte, mich zu den Terziarinen in das Kloster zu
führen; weil ich denn nur gekommen bin, um Maria v. Mörl zu
sehen, und mich wirklich in der Verlegenheit um ein Obdach befand,

31 *

so nahm ich sein Anerbieten an, und müde, daß ich mich kaum mehr bewegen konnte, mußte ich nun noch den ganzen gar nicht kleinen Markt= flecken fast eine halbe Stunde weiter hinaus gehen. Es war freilich schon spät, um ein Nonnenkloster zu beunruhigen, denn es war neun Uhr, als ich in Kaldern ankam. Mein guter Führer beruhigte mich jedoch mit seiner Zuversicht einer guten Aufnahme, und läutete an der Pforte. Nach einiger Zeit öffnete sich ein Fenster, und als Antwort auf die Anfrage ertönten die nicht sehr feinen Worte, ganz vermuthlich von einer Magd: „Geht's nur zu die Bauern da n'aus". Nun hätt' ich über Stock und Stein im Finstern wohl kein Bauernhaus gefunden. Ich bath meinen Führer, der ganz verlegen war, mich wieder in den Markt zurückzuführen, indem es doch noch mehrere Gasthäuser dort geben werde. Nachdem ich wieder einmal aus Mangel eines Zimmers abgewiesen wurde, daß ich schon bald im Ernste gefaßt war, auf der Gasse ver= bleiben zu müssen, nahm mich der Stern auf, der mir sein schönstes Zim= mer bot. Die Hausfrau blieb noch lange bei mir und erzählte mir von dem Fräulein v. Mörl, die sie von Kindheit an kannte. Die Kunst der Aerzte sieht hier ihr Feld auf eine merkwürdige Art erweitert. Den andern Tag konnte ich mich von dieser wunderbaren Erscheinung selbst überzeugen, die seit 15 Jahren ohne Nahrung, fast ununterbrochen im Gebete schwebend auf ihrem Bette lebt, vor 5 Jahren, ehe sie in's Kloster kam, in Ruhestunden durch Anordnungen ihre Geschwister ver= sorgte, und ein ganzes Hauswesen führte, seither aber nun jede Woche den Todesact übersteht, und dann wieder lebt. Donnerstags Abends verfällt sie in die tiefste Leidensextase, die an ihr das Leiden Jesu erkenntlich macht, bis sie Freitag Nachmittags dem Tode übergeben ist, von dem sie wieder in ihre gewöhnliche Gebetsextase übergeht. Es mangelte gar nicht, daß sich ärztliches Interesse von nah und von fern mit ihrem Zustande betheiligte, ohne was anders zu bezwecken, als ihre Leiden zu vermehren. Um 1 Uhr zu Mittag ging ich zu Fuß von Kaldern weg, neben der Brenta hinauf durch Weingärten und schöne Dorfschaften. Pauls mit einer ausgezeichneten Kirche und angezogenen Hei= ligenstatuen in Glaskasten von gothischer Form. Eine heilige Anna, in ihren Gesichtszügen ein Meisterstück von Leben und Andacht, werde ich nicht leicht vergessen. Seelenvergnügt wanderte ich über die Eisch der Stadt Botzen zu, in der ich schon um 5 Uhr ankam. Die Stadtpfarr= kirche ist ein sehr auffallendes, großes, gothisches Gebäude, der Thurm von ganz eigener, eckiger Form, das Dach eine Art Mosaikarbeit von gefärbten Ziegeln. Ich besuchte die barmherzigen Schwestern und das Terziaren-Kloster, welches eine ansehnliche Schule hält. Die Schwestern sind sehr einfache, gute, vernünftige und geschickte Personen. Es gefiel mir sehr gut bei ihnen; ich schlief in einer so lieben Zelle, die mir eine der Schwestern mit großer Herzensfreude über eine Nacht abtrat. Das ist so der rechte Klostergeist, der uns Weltleute auferbaut, und zur Achtung hinzieht. Den 31. ging ich um 11 Uhr Mittags zu Fuß von Bozen weg. Um 2 Uhr begegnete ich einer leeren Landkutsche, mit der ich um 8 Uhr Abends in Brixen ankam. Eine Strecke fuhr ein tüchtiger Tirolerschütze mit, der mir erzählte, wie von 17 Schuß 15 gewiß treffen. Man lernt auf solche Weise die Denkungsart und den Standpunct eines Landes so ziemlich kennen. — Später kam ein Weinheld, der bei jeder Schänke halten ließ. Ich wollte wieder zu Fuß gehen. Der Kutscher, ein bescheidener Mensch, ließ es jedoch nicht angehen, weil es schon dunkel wurde, und ich die Stadt nicht hätte erreichen können. Der Herr war ein Baron. Wenn Mahomed auf seinen Reisen nach Tirol und Steiermark gekommen ist, und solche Leute unter den Christen begegnet hat, so wundert es mich nicht, wenn er in seinem Glaubenssysteme das Weintrinken verboten hat. Ich fing an, den heil. Schutzengel anzurufen, und der Herr Baron fing an einzuschlafen. Als er nach einer guten Weile erwachte, war er ein Anderer, interessirte sich sehr für meine Pilgerreise und fragte mich, was ich denn sagen möchte, wenn man mich für eine Jesuitin hält. Ich sah ihn verwundert an und fragte, ob ich mich denn etwa mitten im Christenthume vor der Jesusverfolgung zu fürchten hätte? — Ich erfuhr so manche verirrte Landesansicht. Am 1. September besah ich die Stadt Brixen mit ihrem fürstlichen Pallaste. Der Bischof ist ein Herr von 84 Jahren, ein vortrefflicher Schriftsteller; das Werk der christlichen Wohlgezogenheit von Bischof Gallura möchte ich der ganzen Welt anempfehlen, ich benütze es fleißig in meiner Schule. An geistlichen Instituten sind die Klarisserinen, die Terziarinen und die englischen Fräulein, welche ein sehr gut eingerichtetes drei Stock hohes Haus mit weiten Gängen, mitten in einem schönen Garten mit ihren Zöglingen bewohnen. Solche Erziehungs-Institute machen die Zierde und den Wohlstand einer Stadt geltend. In den weiblichen Ordensständen, die so segensreich für die Welt wirken, besteht die ehrenvollste Emancipation der Frauen. Um 11 Uhr ging ich zu Fuß von Brixen weg nach Mittenwald. Ich begegnete zwei Tirolerinen, mit denen ich die lichte

sehr schöne Franzensfestung mit ihrer kleinen gothischen Kapelle und
ihren ungeheuren Kanonen besuchte. Nachmittags fuhr ein Jäger-Offizier in einem Kalesch vorbei, im nächsten Orte traf ich ihn wieder, er
stand an der Straße und lud mich ein, mitzufahren. Da ich an ihm
einen wohlgebildeten, gutdenkenden Herrn erkannte, nahm ich die Einladung ohne Bedenken an. Wir sprachen über verschiedene Gegenstände,
endlich kamen wir auf die beiden Jungfrauen im Fleimserthal und in
Kaldern. Theils schien dem Herrn Jäger-Offizier die Sache zu interessiren, theils stellte er seinen totalen Unglauben darüber entgegen.
Auf einmal zogen sich die Wolken zusammen, Sturm, Regen, Hagel,
Alles, nur nicht der Himmel selber, fiel über uns her; so übel ergings
mir auf der ganzen Reise nicht, der Wind hemmte einem den Athem,
und die Schlossen fielen so stark, daß ich mich beinahe des Lebens
fürchtete; doch machte uns das Alles in unserem Gespräche über die
wunderbaren Tiroler-Jungfrauen nicht irre. Es war nicht anders, als
ob die Windstöße gegen die Zweifel einer möglich übernatürlichen Einwirkung in die Sinnenwelt, auf uns einstürmten. Ich sagte schon einigemale im Scherze lachend: „So geben Sie doch nach, daß das arme
Paraplui nicht ganz zu Grunde geht; denn geistigen Anstürmungen
hält man dieß schwache Werkzeug vergebens entgegen." Wir lachten
halb im Scherze, halb im Ernste, die Sache wurde auch immer ernster.
„Sehen Sie doch, wie ich wegen Ihrem Unglauben in's Mitleiden
komme," meinte ich weiter, „doch bin ich's mir gewiß, daß Sie für
den Glauben zu streiten noch wacker werden bereit sein, wenn wir dem
uns drohenden sarglant spectakle nicht ausweichen können." Der
wackere Held erwiederte auch: „Ich verspreche es Ihnen, daß ich mein
kleines Scherflein beitragen werde, um diesen vorgebildeten Sturm aus-
zuhalten, so schlimm er auch sein möge." So kam ich ganz durchnäßt
in der kleinen Stadt Sterzing an, froh, in einem guten Zimmer mich
erholen zu können. Zum Schlusse muß ich Ihnen einen gemüthlichen Zug der Landleute erzählen. Noch in Wälschtirol, bat ich an
einer Landwirthschaft um ein Glas Wasser, die Rede ergab sich, daß
ich eine Deutsche bin, worauf ein junger Mensch mit tiefdurchdringen-
der Stimme sagte: „Siamo tutti fratelli."*) In Deutsch-Tirol erzählte ich diese Worte bei irgend einer Gelegenheit; ein deutscher Landmann bemühte sich mit vieler Herzlichkeit, die italienischen Worte im
Gedächtniß zu behalten.

---

*) Wir sind Alle Brüder.

## Hundertundeinundfünfzigster Brief.

### An Bruder Zeno.

Scharning, an der Grenze von Baiern,
den 6. September 1848

Das Tirolerland habe ich nun durchwandert, und es so einigerma=
ßen kennen gelernt. Jeden Tag werden meine Fußreisen interessanter,
so daß ich zu thun habe, um die Eindrücke des Morgenlandes, von
dem ich komme, bei dem sanften Schimmer der im Untergehen sich ver=
weilenden Sonne am Himmel im Abendlande, nicht zu vergessen. Inns=
bruck in seiner ländlichen Lage am Fuße hoher Gebirge mit ihren zer=
streuten Häusern und unterlegten Gärten, wenn man hinunterschaut
von der anderen Bergeshöhe, von der man in gut angelegten schnecken=
förmigen Straßen zu ihr abwärts fährt, bei dem schönen Stifte Wil=
dau mit seinen zwei schönen großen Kirchen, vorüber weiter hinaus die groß=
artigen Gebäude der Seidenfabriken, hat wahrlich nur ein dichterisches
Ansehen. Das Innere der Stadt gewinnt jetziger Zeit durch sehr schöne
Neubauten, welche breite Straßen formen. Ich besuchte sogleich meine
Jugendfreundin, die jetzige Appellationsräthin Gf., die ich ganz in ih=
rer liebenswürdigen, unbefangenen Freundlichkeit fand. Da sich ihr
Herr in Frankfurt befindet, wurde mir sogleich sein Zimmer zum belie=
bigen Aufenthalt eingeräumt, und der Schlüssel zum willkührlichen Aus=
und Eingehen in die Frühmesse übergeben; so verlebte ich in Innsbruck
sehr vergnügte Tage. Fräulein Cajetana, ihre Schwester, führte mich
auf den beliebten und sehr geschmackvoll gehaltenen Spaziergang am
Berge Issel, und in das Museum Ferdinandeum, wo ich Ursache fand,
die Maler und ganz natürliche Schnitzkunst der Tiroler in Holz zu
bewundern. Auch zeigte man mir die silberne Verdienstmedaille der Ba=
ronin N., welche sie als Anerkennung ihrer allseitigen Aufopferungen zum
Besten des Landes vom Kaiser erhielt. Wenn Oesterreich auch Frauen
auf solche Art zu ehren weiß, so weiß ich nicht, auf welche Art die Emancipa=
tion der Frauen noch soll errungen werden, oder kennt und weiß man
nicht, was man ohnehin schon hat? Oder will man die Behauptung
seines Rechts in überbotenen oder unanwendbaren Forderun=
gen behaupten? Das Schutzengelfest feierte ich verflossenen Sonn=

tag noch in Innsbruck in der Jesuitenkirche. Das schöne Lied mit der Orgel verklang gleich einem mahnenden Abschiedssang. Wo man Erbauung, Schönheit und Würde im kirchlichen Gottesdienste sucht, dort findet man sie bei den Jesuiten. Das sah mein unparteiisches Auge in Rom, wie in Innsbruck und wenn ich sage, auch bei uns in Gratz, wird mir Niemand zu widersprechen wissen. Die verblendete Welt tritt das mit Füßen, was sie sucht, und sieht das nicht vor ihren Augen, was sie wünscht. Lang bewährte Gesellschaften zu zerstören, nota bene die der Kirche, der Cultur und den Wissenschaften solche Dienste geleistet haben, wie die Gesellschaft Jesu, sind nicht nur schmähliche Eingriffe in die menschlichen Eigenthums-Rechte, es ist ein offenbar barbarisch sündliches Auftreten, was schon darum störend in's Christenthum eingreift, weil ein solches Handeln von selbst schon dem Christenthume zuwider ist. Als ich mit meinen Reflexionen beschäftigt an der Hofkirche vorüberging, trat ich hinein, um sie doch auch zu sehen, und bald wäre ich mit zur Statue geworden vor Erstaunen über die kolossalen 24 broncenen Prachtstatuen der Könige, Herzoge und Fürstinen aus dem Mittelalter. Ich hielt mich eine gute Weile auf, sie näher in ihrer Kunstarbeit, wie in ihrer Vorstellung zu betrachten. Im oberen Theile der Kirche ist das Grabmal des Kaisers Maximilian, der mich immer sehr unterhielt. Seine ganze Lebensgeschichte ist in zwei Schuh großen Quadratfeldern von weißem Marmor, in dem feinsten Basrelief, als unnachahmliches Kunststück der feinen Marmorsculptur um den Katafalk angebracht. Den 4. besuchte ich die barmherzigen Schwestern, wo mich die Irrenanstalt mit den Fantasien einiger mir vorgeführten Kranken sehr unterhielt. Bei der Oberin hatte ich die Freude, Fürst Hohenlohe kennen zu lernen, und mit ihm einige zeitgemäße Worte zu wechseln. Frau Appellationsräthin Gs. kennt das Fräulein, welches nach unheilbarem Contractsein, ohne Bewegung ihrer Glieder, im Vertrauen auf die göttliche Hilfe, durch sein Gebet, ohne fremder Hilfe das Zimmer des frommen Bischofs verließ, und jetzt noch, nach dem Verlaufe mehrerer Jahre gesund vor den Augen ihrer Verwandten und Bekannten, die sie früher kannten, in Innsbruck lebt. Gestern den 5. verließ ich um halb 4 Uhr zu Fuß diese liebe Stadt, um meinen Weg nach Zierl einzuschlagen. Mit gespannter Aufmerksamkeit ging ich an den Bergen vorüber, um die bekannte Martinswand, den steilsten Felsen im ganzen Land, nicht zu übersehen, die durch Collins Gedicht, unvergänglich wie der Fels, in der Geschichte „Kaiser Max auf der Gemsenjagd," besungen wurde.

Ich verfehlte fie gewiß nicht, denn es begegnete mir eine gute Frau, deren Sohn vor einigen Jahren von dieser Wand herunterstürzte, sich das Kreuz zerbrach und noch immer in dem erbärmlichsten Zustande lebt. Die gute Frau zeigte mir die Höhle, wo der Kaiser durch den Berg ging, und den gegenwärtig künstlichen Weg, um zu ihm empor zu gelangen. Sie erzählte mir, wie die jungen Prinzen hinaufstiegen und wie der ganze Hofstaat, Kaiser und Kaiserin, die Erzherzogin und ihre Söhne ihren armen Sohn besuchten, und die beiden Hofärzte bezeugten, daß sein Leben außer ihrem ärztlichen Bereiche hinausgetreten sei. Die Erz= herzogin Sofie, eine Dame von seltener Energie, so wie ich sie mir vorstelle, und zu sehen wünsche, ließ dem armen Menschen ein ganz neues Bett machen. Kann man von einem Hofe mehr Herablassung, mehr gemüthliche, huldvolle Freundlichkeit gegen die geringsten seiner Unterthanen erwarten! Die Kirche in Zierl, noch von Kaiser Mar er= baut, wird nun neu gebaut. Kaiser Ferdinand, der verhindert wurde, den Grundstein selbst zu legen, übertrug diese Feierlichkeit an Herrn Appellationsrath Gf., einem gebornen Zierler. Ich konnte mich nicht so leicht von Tirol trennen und verweilte in Zierl, man führte mich auf den schönen Kalvarienberg. Heute zu Mittag ging ich jedoch in der brennendsten Sonnenhitze über die Berge nach Seefeld, einem berühm= ten Wallfahrtsort, dessen Geschichte sehr merkwürdig ist. Ein junger Geistlicher aus dem Cistercienser=Orden zeigte mir die in einer Monstranze in eigener Kapelle seit dem Jahre 1213 aufbewahrte h. Hostie, etwas röthlich und zusammengekrümmt. Ritter Oswald Milsen, man zeigte mir die Ruinen seines Schlosses auf hoher Bergesspitze, hatte eine sehr hof= färtige Frau, die ihn dazu überredete, daß er am Chordonnerstag bei der Communion von dem Pfarrer eine große Hostie verlange, weil er Ritter sei, der sich nicht so wie die gemeinen Leute begnügen dürfe, auch soll er nicht wie diese auf den Knien hinzugehen; sie selbst ging jedoch gar nicht zur Kirche. Der Ritter auf seinem stolzen Roße ritt bis unter die Kirchthüre, trat vor, um die von dem Pfarrer schon früher bewil= ligte größere Hostie, um nicht den gemeinen Leuten gleich zu sein, zu empfangen. Wie sie ihm aber auf die Zunge gelegt wurde, fing er an zu sinken, schon bis an die Knie, da hielt er sich in der Angst mit bei= den Händen an den Altarstein, der heute noch dessen Eindrücke zeigt, und biß in die Hostie, daß das Blut ihm aus dem Munde floß. Das Loch, so weit er hinuntersank, ist gut eine halbe Elle tief, ich maß es mit meinem Stocke. Den Ritter rettete die vollkommene Reue, im Augen=

blicke der Gefahr, mit Leib und Seele zugleich dem göttlichen Gerichte für seine Hoffart anheim zu fallen. Der Pfarrer reichte ihm die Hand und Herr Oswald kam nicht mehr auf sein Schloß. Er bat, bei den Geistlichen, einem Augustinerkloster, verbleiben zu dürfen, lebte fromm und bußfertig, und verlangte, bei seinem Tode unter der Kirchthüre begraben zu werden, über die er im blinden Stolze mit seinem Roße schritt. Als die Frau die Geschichte ihres Eheherrn erfuhr, ergriff sie ein Schrecken, daß sie Alles liegen und stehen ließ, und sich in den Wald verlief, wo man nach langem Suchen ihre Schuhe fand, von ihr aber niemals mehr eine Spur entdecken konnte. Seefeld ist ein angenehmer Ort, doch war es mir noch zu hoch am Tage, um zu verbleiben, dafür traf es mich wieder, in die dunkle Nacht hinein zu wandern. Von ferne sah ich noch bei gutem Sonnenlichte die Berge mit dichten Wäldern überwachsen. Wälder liebe ich sehr, doch sind sie mir etwas fremd geworden, und mir war's, als dünke mir's schauerlich, allein in der dämmernden Nacht hindurch zu gehen. Die von ihrer Arbeit heimziehenden Landleute begegneten mir, endlich wanderte ich in feierlicher Stille meine Straße allein, die sich ganz allmälig von beiden Seiten mit Wald verwachsen fand. Die hohen Berge in ihren verschiedenartigen Gruppirungen traten hinter dem Schatten der Bäume noch auffallender hervor, vor mir eine tiefe Bergschlucht, doch weit entfernt, mich etwa zu fürchten, oder diese hervorgetretene Situation entsetzlich zu finden, kam sie mir herrlich, erhaben vor. Ich nahm meinen Rosenkranz zur Hand, betete und ging seelenvergnügt weiter; doch wurde es allmälig so dunkel, daß mir die Bergschluchten ganz schwarz entgegen schauten. Ich hörte Wasser rauschen, und bemerkte ein Haus etwa wie eine Mühle, ich ging über die Brücke, etwas seitwärts dem Hause zu, welches mir in der Dämmerung drei verschlossene Thore bot, an die ich mit meinem Regenschirme stieß, ohne daß sich Jemand meldete. Nun gewahrte ich ein zerbrochenes Fenster, in welches ich hineinrief, ob nicht Jemand im Hause sei, doch ein eigenes wirklich schauerliches Gefühl, in einen leeren Raum hineinzurufen, ohne Erwiederung einer menschenfreundlichen Stimme, durchzuckte mich. Das Haus war verlassen. Auch ich eilte, es zu verlassen, um keine Zeit zu verlieren, und in Gottes Namen in guter Gesellschaft meines h. Schutzengels, wer weiß wie weit noch, im Dunkel der Nacht in die Berge hineinzugehen. Kaum war ich wieder auf der Straße, mit dem Gedanken: „Herr, mein Gott! Du wirst mich führen, wie es Dir gefällt!" so trat der Mond mit seinem freundlich sanften Lichte hinter den Bergen hervor, beleuchtete die Straße wunderhell, und malte mir die grauen Felsen vor meinem Auge so lieblich, daß meine gute Laune sich hob, und ich dachte: wenn's so geht, kann sich der Weg bis Scharning so lange ziehen, als es ihm gefällt, mir gefällt es auch, ihn zu verfolgen. Um 8 Uhr erreichte ich einen netten Gast= hof in dem vom Mondenlichte hell beleuchteten, sehr hübschen Marktfle= cken, wurde von der echt tirolischen Hausfrau und ihrer Schwester so= gleich in Empfang genommen, und konnte ihnen nicht genug vom heil. Lande erzählen. In einem wohl eingerichteten Zimmer mit feiner Be= dienung, schreibe ich noch ganz wohlgemuth meinen Brief, denn ich bin gar nicht müde.

## Hundertundzweiundfünfzigster Brief.

### An den hochwürdigen Herrn Chorvicar M.

Moosburg bei Landshut, den 10. September 1848.

Sehen Sie, hochwürdiger Herr! ich gedenke meiner Reise im Durch= zuge durch Tirol und Baiern noch die Krone aufzusetzen, und wünschte Ihnen etwas von den Annehmlichkeiten meiner Fußreisen mitzutheilen. Welch' wunderschöne Gegenden von allen Seiten, die malerischen An= lagen von Landhäusern auf den Bergen, der fruchtbare Grund bei Matrei. Der Eissack, der dem Brenner entspringt, und bei Brixen in die Etsch sich schwingt, nach seinem herrlichen Absturz und Steinlauf bei Goßensen; der Lauf des Inn, die Bergströme, die schauerlich wild= schönen Stürze zwischen himmelan sich thürmenden Felsen, Abgründe von allen Seiten, der Walchersee mit seinen Wellen gleich dem Meere. Kein Wasser kann klarer sein, als wenn sich die Sonne in diesen Wellen spiegelt. Einerseits der grüne Wald, an dem sich die Straße neben dem See wohl stundenlang hinzieht, bis sie sich hinter die Berge verliert, der Kesselberg mit seinem furchtbaren Abhange, und den Sturz= bächen rechts und links, beiderseits an der Straße der dichte Wald, weiter abseits das Rauschen eines Wasserfalles, der als Wildbach weiter strömt. Kaum aus dieser grotesken, mit vieler Kunst angelegten Bergstraße aus dem Wald hinausgekommen, sieht man links den großen Kohlensee, neben an den Wohlgeruch der Heumahd, die friedlich freundlichen Landbewohner, die schönen Mädchen, nun wieder in die Berge, der erquickende Waldgeruch, ein kühler Bach; nun Rocheln, ein wunderschönes Dorf, wie viele andere, die netten Häuser große breite Fenster, gutgemalte Heiligenbilder zieren die äußern Wände, das Schulhaus, an Thor und Fenstern voll Blumengewinden, mitten in einem blühenden Garten; der Kirchhof voll zierlicher Kreuze mit Blumen bekränzt, der Boden blühend bis zur Kirchenthüre. Die Verstorbenen scheinen mit den Lebenden im freundlichem Verkehr zu stehen. Doch die stillen, frommen, erhabenen, heiligen Eindrücke, die eine christliche Gemeinde in ihrer Pfarre an einem Festtage, welche Tage man selbst an der Natur feiernd wahrnimmt, wenn man durch Feld und Wald zieht, dem theilnehmenden Wanderer hinterläßt, erreicht keine Beschreibung. Dieses ländliche Hochgefühl beglückte meine Seele am Feste Maria Geburt in Königsdorf; wovon unsere feinen Stadtzirkeln leider so wenig Kenntniß haben, als das gebildete Europa überhaupt von der Verehrung der heil. Orte in Palästina, von denen aller Glaube der heil. Kirche ausgeht. Von Scharning, der bairischen Grenze, ging ich in 12 Stunden zu Fuße bis Benedict-Baiern ohne Abhilfe, meinen Tornister zu tragen, so flink und rüstig in den Abend hinein, als hätte ich mich erst auf die Reise begeben. Den 8. ging ich um 6 Uhr Früh von Benedict-Baiern weg, kam um 10 Uhr nach Wolfrathshausen, später begegnete ich einem Getreidewagen, der brachte mich bis 7 Uhr nach Baierbrunn. Hier bekam ich ein Zimmer ober dem Backofen, auch roch der Malz so heftig, daß ich bei offenem Fenster fast zu ersticken vermeinte. Da ich mir die Zeit gegen München zu gerne verkürzt hätte, machte ich es mit dem Getreide-Wagen gleich, um nach 2 Uhr in der Nacht mit ihm fortzufahren. Man weckte mich, und ich war bereit. Auf einem Bund Stroh machte ich mich so bequem, wie in keiner Postchaise. Bei aufgehender Sonne kam ich dieser schönen Stadt immer näher, um 6 Uhr stand mir die Wahl aller Kirchen frei. Ich kam in die der notre Dame, und kniete etwas zu lange, das üble Nachtlager, das frühe Aufstehen, das Rütteln des Wagens, mochte mich wohl ein wenig müde gemacht haben, mir ward schwarz vor den Augen und kaum konnte ich noch die Klosterpforte erreichen, um zu läuten, so lag ich auch schon ohnmächtig auf ihren Stufen. Kann mirs denken, daß sich ihre

Bewohner nicht wenig ob eines solchen Besuches erstaunten. Ich er=
holte mich gleich wieder, doch die Oberin, eine würdige Tochter de
notre Dame, ließ sogleich den Arzt holen, der versicherte, daß mir
nichts fehle, als etwa eine kleine Ueblichkeit vom Nüchternsein, man
brachte mir ein Frühstück und ich war zu Hause. Nach meiner Aussage,
daß ich Willens sei, sogleich zu Fuß nach Landshut zu gehen, schickte
die gute Dame ihr Mädchen auf die Post, bestellte und bezahlte für
mich einen guten Platz, auf dem ich zu Mittag, nachdem man mich
noch mit guter Kost versehen hatte, meinen Dank dieser wür=
digen Handlung eines Frauenklosters von notre Dame an einer Frem=
den hinterlassend, nach Maria Landshut abfuhr, wo ich um 7 Uhr
Abends ankam. Am Thore und durch die ganze Stadt hinauf fand ich
einen Andrang von Menschen, die schon seit 3 Uhr auf den Bischof
von München = Freisingen warteten, der morgen die Firmung halten
wird. Bald darauf kam der Bischof, der mit aller Feierlichkeit in Pro=
zession von allen hohen Staatspersonen begleitet unter dem Himmel in
die Kirche St. Judoc einzog. Heute Früh ging ich sogleich zu den Ur=
sulinerinen, um mein liebes Gnadenbild M a r i a L a n d s h u t aufzusu=
chen. W a s   i c h   w ü n s c h t e ,   d a s   h a t t e   i c h   e r r e i c h t. Noch be=
suchte ich die Kinderwartanstalt, die von barmherzigen Schwestern ge=
führt wird, besah die St. Martinskirche mit dem allerhöchsten Thurme
und wanderte zu Fuß zurück, nach der Burg Traunitz, welche Otto
von Wittelsbach in der Mitte des 12. Jahrhunderts erbaute und die jetzt
noch bewohnbar ist; 1595 wurden die Wände neu bemalt, sie sind
noch ziemlich frisch erhalten. Um dieselbe Zeit grub Renata, Gemalin
Wilhelm des IV., eine unternehmende Frau, die mit Bauen ihre Freude
hatte, den tiefen Brunnen durch den Berg bis zur Isar 370 Fuß ab=
wärts, um das Schloß gegen feindliche Anfälle, durch Ausdauer mit
Wasser, sicher zu machen. Um sich eines Streites willen, daß
der Brunnen sein Wasser nicht von der Isar habe, zu über=
zeugen, stieg im Jahre 1780 der Brunnenmeister von Landshut,
Hr. Seil, an einem Seil mit 4 angebundenen Laternen hinunter, und
ehe man sein Glöckchen herauf konnte läuten hören, steckte er schon
halb im Wasser der Isar. Zwei brennenden Strohbuschen, die man hin=
unterwarf, um in die Tiefe zu sehen, sah ich ganz schauerlich nach. De=
sto angenehmer aber war mir der Anblick aus der Höhe der Burgfen=
ster auf die entzückend schöne Umgebung von nah' und von fern'. Der
Turniersaal hat noch seine eigenthümliche Gestalt. Groß, mit einem klei=

nen Fenster am Boden, das in die Burgkapelle führt, in welcher der
Kaplan wartete, bis man ihn rief, um Einem die Seele auszusegnen,
dem im Kampfe sein Lebenslicht ausgeblasen wurde. Neben steht noch
der steinerne Sarg, worin man den gebliebenen Helden legte, damit
die anderen Kämpfer in ihrem Turniere nicht weiter unterbrochen wur=
den. Die Schloßkapelle ist noch so gut erhalten, als ob täglich darinnen
Messe gelesen würde. Sehr klug angebracht ist auch ein Zug mit star=
ken Seilen von dem obersten Theile bis zur Tiefe hinunter, um sich
bei einer feindlichen Verfolgung schnell hinablassen zu können. So gut
es mir auch in der Burg Traunitz gefiel, so mußte ich sie denn doch
verlassen, tröstete mich jedoch bald mit der 5 Stunden langen Eschenallee
bis Moosburg, einem recht artigen Städtchen, wo ich jetzt schreibend
meine angenehmen Wanderungen mir vor Augen führte, um sie Ihnen
mitzutheilen.

---

## Hundertunddreiundfünfzigster Brief.

### An den Herrn Cameralrath L. und seine Frau.

Augsburg, den 13. September 1848.

Ich zweifle nicht, daß Sie auch aus dem Baierlande meinen Gruß
freundlich aufnehmen werden, und es gerne hören, wenn ich Ihnen
von der alten Stadt Augsburg, von Kaiser Angustus erbaut, etwas
erzähle. Ich ging von Moosburg Früh um 6 Uhr zu Fuße weg, ohne
Hoffnung, München an demselben Tage noch erreichen zu können, und
doch war's mir so sicher, als sollte ich diese Nacht noch in Augsburg
schlafen; was ich auch recht sehr wünschte. Indeß bewunderte ich in
den Dörfern, die ich durchging, die kleinen Kirchen, die Gottesäcker, die
überall gleich einem Garten Gottes würdig mit Trauerweiden, Blumen
und Kränzen, jedes Grab mit schönen Weihwassergefäßen geziert, einen
freundlichen Anblick des unvermeidlichen Todes bieten. Auf einmal kam
ein hübscher Glaswagen hinter mir drein gefahren mit zwei Herren
und einem Knaben, der 4. Platz war leer. Der Wagen hielt, der
Kutscher sprang ab, mir den Schlag zu öffnen, denn der Herr des Wa=

gens lud mich freundlich ein, mitzufahren, verwunderte sich über meinen wackern Schritt, und noch mehr, daß ich aus Palästina komme. Der Wagen fuhr nach München. Um 11 Uhr hielten wir in Freisingen zu Mittag, ich kümmerte mich wenig, um etwas zu essen, mich interessirte die Stadt und der alte Dom, eines der größten Kirchengebäude mit einer Menge heil. Gebeine in Glaskästen gefaßt. Es steht auf einem unterirdischen Säulengebäude, welches ein heidnischer Tempel war. In der Höhe sind rechts und links der Länge des Kirchenschiffes breite Gänge angebracht, die wieder eigenen Kirchen gleichen. Die Kirche selbst ist ungewöhnlich hoch und sehr schön bemalt. Nachmittags erhob sich ein heftiger Wind, ich hätte zu Fuße nicht mehr weiter gekonnt, um 5 Uhr kam ich unter starkem Regen in München an. Ich ging in die Frauenkirche, wo so eben das Hochwürdigste hervorgetragen wurde, um es auf einen andern Altar zu stellen; ich blieb bei dem Segen und der Litanei, um Gott für alle Gnaden zu danken, die ich auf meiner Reise und namentlich im Baierlande erfahren hatte. Von da ging ich in die heil. Geist-Kirche, die so voll Menschen war, wie an einem Festtage. Nun war es Zeit, auf den Bahnhof zu gehen, Regenschirm und Reisetasche zu tragen bei so nassem Wetter, war ein wenig beschwerlich, da bemerkte ich eine freundliche Frau an ihrer Gewölbthüre, die bat ich, sich meiner entbehrlichen Gegenstände anzunehmen, und ging dann ganz munter dem Carlsthore zu; im Bahnhof wollte man meine Banknoten nicht nehmen und ich hatte kein anderes Geld mehr, ich war in keiner kleinen Verlegenheit, wie ich denn mein Papier zu Silber machen könnte, da wies mich Jemand an einen Kaufmann, der mir gegen guten Einlaß wechselte. Ich setzte mich ohne weitere Umstände in den Waggon und fuhr bei verschlossenen Fenstern, weil es tüchtig regnete und stürmte, eilends davon, bemerkend, daß mir die österreichische Eisenbahnfahrt besser gefällt. Bei Nacht und Finsterniß war ich um 9 Uhr in Augsburg, man fährt nur zwei Stunden. Zum Glück hatte der Regen einem schwachen Mondenschimmer Platz gemacht, und ich ging in Begleitung einer Frau in die Stadt, um bei dem weißen Roße einzukehren. Den 12. Früh, nachdem ich in der Kirche St. Moriz die heil. Messe hörte, ging ich zu Maler Hölzl, um ihm von seiner Tochter Walburga, die bei der Appellations-Räthin Gf. in Innsbruck diente, Grüße zu bringen. Frau H. lud mich sogleich ein, bei ihr zu bleiben, und gab mir einen Lehrjungen mit, der mich den ganzen Tag umherführte, um Augsburgs Merkwürdigkeiten

alle aufzufinden, deren wahrlich nicht wenige find. Die Kirchen find
sehr schön, eben so die Stadt mit ihrer langen Hauptstraße, und den drei
großen Brunnen mit herrlicher Bildhauer = Arbeit. Der Augustusbrun=
nen an dem Platze, wo der Erhabene sagte: „da baut es hin,"
nämlich das Rathhaus, welches heute noch dasselbe, seinen Alterthums=
werth behauptend dasteht. Die majestätische Größe des Gebäudes
von außen, der prachtvolle Saal von innen, den man nur sehen muß,
um sich eine Vorstellung davon machen zu können; der Berlachsthurm,
den ich ganz erstieg, um von seiner schwindelnden Höhe den Ueberblick
über die ganze Stadt zu nehmen. Die um ihres Namens willen
merkwürdige Philippine Welser = Straße, ihr älterliches Haus, der
steinerne Mann zum Andenken an die bekannte Geschichte vom Laib
Brot und dem blutigen Ochsenfell zur Zeit der Hunnen, wie St. Ulrich,
Bischof von Augsburg, in eigener Person gegen sie zog, und die Stadt
befreite. Die Gebeine dieses heiligen Bischofs ruhen in einer Kapelle,
über die in der Kirche ihm zu Ehren ein Altar gebaut ist. Die Ge=
beine der heil. Afra, einer frommen Magd in Augsburg, werden ebenfalls
von ihren Landsleuten in einer ihr geweihten Kirche verehrt. Auch
das: „da hinab," gehört zu Augsburgs Merkwürdigkeiten. Es ist
ein abgelegener Hügel, wo hinab die Augsburger einstens den Martin
Luther aus ihrer Stadt verjagten. Die Augsburger Confession ist be=
kannt, und gegenwärtig ist ein großer Theil der Einwohner lutherisch.
Einstmal muß diese Stadt viel christliche Frömmigkeit besessen haben.
Sie hatte vierzehn Thore, wo an jedem eine Station des Kreuzweges
Jesu Christi gemalen war, welche die Stadtbewohner in Prozessionen
fleißig besuchten. An dreien Thoren sah ich noch Spuren von diesen
Gemälden. Auch das weltberühmte Zeughaus in Augsburg besuchte
ich, die allgemeine Weltagitation hat es seines Waffenvorrathes bei=
nahe ganz entladen, bis auf die alten Angedenken aus dem Mittelalter,
und die ungeheuern Kanonen mit den Namen Adam und Eva, die vor
dem Thore stehen, bei 100 Centner schwer, mit vieler Kunst und Zierde
im Jahre 1725 gegossen. Es stehen auch noch viele andere von nicht
viel minderer Größe neben. Die Feuerreserve verdient ganz gewiß einer
eigenen Bemerkung. Drei große Thore sind bereit, sich zugleich zu
öffnen, um die kunstvollsten Wasserschläuche aller Art mit ihren Pumpen
den Flammen entgegen zu führen. Auch sah ich ein von Asbest ge=
webtes Kleid mit Fuß = und Hände = Bedeckung, sammt Kapuze und
Visir über den Kopf, und einen Sack, um die aus dem Feuer zu retten=

den Gegenstände hineinzulegen. Eben so kostbar, ja noch bewunderungs=
würdiger ist die Wasserleitung in Augsburg, die Kunst ist wunderschön,
auf einmal wird man ganz begossen, bei hellem Sonnenlichte, in dem sich
die verschiedensten Gruppirungen von Wassertropfen spiegeln. Auf einer
Art orientalischer Terrasse zeigt man die Uebersicht der Stadt und ihrer
Umgebung in allen Farben, das heißt durch aufgestellte färbige Gläser.
Die Wasserleitung geht durch die ganze Stadt, nach Belieben in jedes
Zimmer, fast jede Küche hat ihren Brunnen mit einem leichten Drucker.
Auch die offenen Brunnen auf den Gassen sind so eingerichtet, daß
man seine Gefäße nur hinstellt und nach Aufhebung der Vorkehrung
wartet, bis sie voll sind, um den Brunnen wieder zu schließen. Thränen
der Rührung kostete mich die katholische Kinderwart = Anstalt mit 100
Kleinen, einer Wartfrau, einem Lehrer und zwei Mägden. Alle sehr
geeignete Personen für diese kleinen Unbehilflichkeiten, die trotz ihrer
unvermögenden Jugend durch die zweckmäßige Bemühung ihres Lehrers
ein Wissen und einen Verstand entwickeln zum Erstaunen. Besonders
lieblich sind die Singstimmen der Kleinen, die ein Schutzengellied mit
Violin = Begleitung ihres Lehrers sangen. Von der Religion zeigten
die Kinder in ihren Antworten so richtige Begriffe, daß man ganz
sicher gute Christen aus ihnen erwarten kann. Uebrigens ist das Haus
auch vollkommen gut eingerichtet. Einen Knaben von 6 Jahren sah ich
an einem kleinen, ihm angemessenen Webstuhl wirkliche seine Leinwand
sehr rein und nett weben. Den Kindern fehlt nichts am Unterrichte,
noch am Spielzeug, auch zur genügenden Mittagssuppe kam ich eben
recht, weil ich zweimal dort war. Die v. Stetten'sche Töchterschule
ist eben im Ausstauben begriffen, weil Ferienzeit ist. Was die Frauen=
klöster betrifft, so kann ich ihnen nur meine vollste Achtung zollen. Ich
fand Alles bei ihnen, was ich mir als Ideal weiblich geistlicher Ordens=
stände denke. Es sind Dominicanerinen zu St. Ursula, die ersten, die
ich sah, man führte mich mit der größten Freundlichkeit im ganzen Klo=
ster herum, bis in die liebliche Behausung ihrer Zellen, ich schied auch nur
nach innigem Freundschaftsbunde. Dann die Franziscanerinen zu Maria
Stern, die wie die Engel in ihrer heil. Behausung, mich von einem
Schulsaal in den andern führten. Gerührt über den Anblick meiner Au=
gen, in der Ueberzeugung der Wahrheit und Wirklichkeit des Bestehens,
und dem Wissen, wie man der stillen Ruhe dieser frommen Klosterbe=
wohner, mit erblindetem Eifer nachstrebt, lehnte ich mich an eine Glas=
thüre, um meinen Thränen freien Lauf zu lassen über den grausamen

32

Wahn der Weltbeglücker, diese Asyle weiblicher Tugenden auflösen zu wollen, und diese Gott ergebenen Jungfrauen in die offene Welt ohne sichern Obdach zu zerstreuen. Was hat denn die Welt für einen Nutzen, wenn die Klosterbewohner aus ihren Häusern vertrieben werden, um schutzlos herumzuirren? Gibt es der Menschen nicht ohnehin zu jedem Lebens-Erwerbe im Ueberflusse? Wäre es nicht wenigstens klüger, wenn sonst nichts, froh zu sein, wenn die Menschen in größeren Gesellschaften ihre Versorgung finden? und wie es die Erfahrung von allen Zeiten lehrt, noch für viele Andere sorgen. Wo finden denn die Armen mehr Unterstützung, wie in den Klöstern? Selbst für Verwandte und Bekannte kann so eine abgeschiedene Klosternonne im Einflusse anderer Personen sorgen, wie es keiner andern verheiratheten Verwandtschaft möglich ist. Ich kenne solche Beispiele aus unserem ehrwürdigen Ursulinerkloster.

---

## Hundertundvierundfünfzigster Brief.

### An den Herrn Medicin-Doctor K.

München, den 16. September 1848.

Den 13. um halb 3 Uhr Nachmittags nahm ich von der guten Frau Hölzel Abschied, die mich durch drei liebe kleine Mädchen an den Bahnhof begleiten ließ. Um 5 Uhr kam ich glücklich in München an, holte bei der Pelzhändlerin meinen Tornister ab und meinen Jordansstock, und ging in die Vorstadt Au zur Frau B, die ich von ihrer Tochter aus Athen zu grüßen hatte, und die mich schon lange erwartete, auch mit vieler Freundlichkeit zu bleiben einlud. Ich besuchte noch mehrere Kirchen, die in München so schön sind, daß sie mit den Prachtrchen in Italien in der Wette stehen. Des andern Tages begleitete mich ihr Sohn, Herr B, in die Pinakothek und Glyptothek, deren Gemäldesammlung in eleganter Ordnung mit oben hereinfallendem Lichte, dem Bereiche der Feder entflieht. Die Kapelle bei Hof, im gothischen Styl und reicher Vergoldung. Die Theatiner-Kirche in römischem Styl, noch der ältern Zeit angehörig. Die St. Michaels= oder Jesuitenkirche, ein großartiges Kunstgebäude, ohne Säulenstütze in seinem weiten Raume. Die Basilika oder Ludwigskirche in griechischem Style, noch nicht ausgebaut, ich sah dort eine Ausstellung von Kunstgemälden. Die neue große Auerkirche in gothischem Style mit ihrer ausgezeichneten Glasmalerei. Die St. Peterskirche mit zahllosen goldenen Figuren und 15 großen Altären. Die breite Ludwigsstraße mit neuen Pracht= gebäuden, alle nach der Zeichnung des Königs. Die Bibliothek, die größte in der Welt, mit 74 Sälen, wovon jeder für sich eine bedeu= tende Büchersammlung enthält. Das blumenreiche, freundliche Häus= chen des zu früh verblichenen Geschichtforschers und kenntnißreichsten Metaphysikers unserer Zeit, Herrn Görres, mitten in einem Garten. Das Waisenhaus und der botanische Garten mit seinem 75 Zimmerfen= ster langen großen Treibhaus. Kalbachs Gemälde, Schwanthalers plastische Werke, Stiegelmaiers Gießerei, dieß Alles in einigen Tagen zu sehen, macht einem herumlaufen, besonders wenn es einem daran liegt, irgend einen noch lebenden, bekannten, merkwürdigen Denker der Zeit kennen zu lernen, hier einen Sinzel, in Augsburg einen Doctor Haas. Die Feldherrenhalle ist eine Zierde der Stadt. Der unendlich große Bazar mit seinen gedeckten Säulengängen und undenkbar schö= nen und kostbaren Verkaufsgewölben, besonders der Glas= und Por= zellan=Fabriken, die Gemälde an den Wänden, meist griechischer und orientalischer Vorstellung, mit sich anschmiegenden Versen, von König Ludwig selbst gedichtet, der bei seiner beklagenswerthen Verirrung, die ihm den verdienten Ruhm in seinen alten Tagen raubt, dem unbefan= genen Geiste als Architekt, Maler und Dichter im höchsten Geschmacke, ein großer Mann bleibt, der Unglaubliches für Baierland und seine Hauptstadt that, daß es zu solcher Blüthe der Cultur heranreifte. Auch das Hoftheater habe ich gesehen mit der Oper „Marie." Es ist ganz in der Form, wie das in Graz gebaut, nur weiter und höher. Der Hof= garten und die Residenz kosteten mir zwei Nachmittage. Der alte Thron= saal, das alte Kaiserbett aus dem Mittelalter, von 80,000 R. im Geldwerthe. 40 Personen stickten 7 Jahre lang daran. Es ist auch ziemlich groß. Das Miniatur=Cabinet, die großen Spiegel, die Fenster von oben bis unten mit ungeheuren Glastafeln. Der Thronsaal im Neubau, die 12 vergoldeten kolossalen Statuen vom Kanonenguß, jede 30 Centner schwer, die Pfalzgrafen von Baiern vorstellend. Der Saal ist ein Säulengebäude von dem schönsten Marmor, der zum Handkuß am Neujahrstag im Gebrauch stehende Thronsessel, von rothem Sammt reich mit Gold, die königlichen Wohnzimmer, der Audienzsaal, mit dem feinsten Schnitzwerke an den Wänden vergoldet, die Plafonds nach altem Styl mit neuer Pracht, die Meubles weiß lackirt mit Gold. Die Gemälde theils griechischer Geschichte, theils aus den Balladen und dramatischen Werken der unsterblich deutschen Dichter Schiller, Bürger, Göthe. Die Nibelungensäle zu ebener Erde, der Kaiser Carlsaal, der Rudolf von Habsburgsaal, der Kaiser Friedrichssaal, mit denen aus ihrer Lebensgeschichte entnommenen wichtigsten Gemälden. Alle Zeichnungen sammt Ausführung von Münchner Künstlern. Die vaterländische Kunst hält das Vaterland in Ehren.

---

## Hundertundfünfundfünfzigster Brief.

### An den hochwürdigen Herrn Pfarrer Sch.

Salzburg, den 21. September 1848.

Nun geht's der Heimreise zu. Wenige Tage noch, und ich kann Allen, die sich meiner freundlich erinnern, meinen Pilgergruß aus Jerusalem überbringen. Den 16. um drei Uhr Nachmittags nahm ich Abschied von der guten Familie **B.** und ging von der Vorstadt Au weg, durch eine wunderschöne Allee; bald begegnete mir eine einspännige Kalesche, welche ein Landkaplan selbst kutschirte, er lud mich ein mitzufahren, was mir sehr lieb war, denn die Straße war naß. Als es schon ganz dunkel war, lief ein Mensch quer über die Straße in den Wald hinein, der geistliche Herr hatte im Nu sein Stilet in dem Munde und sah mit bedeutender Kopfwendung nach, und der Andere sah aus dem Walde auf uns zurück. Das ist ein Glück, sagte der geistliche Herr, daß mehrere Wägen auf der Straße sind. Ich fragte, ob ihm denn dieser Mensch so verdächtig sei. Ich kenne meine Leute, sagte er, der Freiheitsschwindel bringt keine guten Folgen. Kaum stieg ich aus, weil der Herr Kaplan seiner Station zufuhr, war schon ein bequemer Fuhrwagen da, mit einem Sitz, der mich nach Prais führte, denn es war schon finstere Nacht, wo ich mich im Posthause einquartierte. Sonntag den 17. fand ich früh Morgens Gelegenheit, mit der Post nach Aibling zu fahren. Kaum angekommen, zog Musik durch die Straße der Kirche zu, der ich auch sogleich folgte, um Messe zu hören, der Chorgesang hatte zwei Mädchenstimmen, die sich in jeder Stadt-Kirche könnten hören lassen. Für mich jetzt ganz etwas Seltenes. Nach der Messe frühstückte ich im Posthause in einem Nebenzimmer, worin sich einige so recht echt liebe, gute Landmütterchen befanden, denen es ein wahrer Festtag war, ganz unverhofft eine Pilgerin aus Jerusalem unter sich zu sehen. Ich ging dann zu Fuße weiter, es begegnete mir auch den ganzen Tag kein Wagen mehr. Kam durch den wunderschönen Badeort Rosenhain, dann durch Trauenstein. Eine halbe Stunde vor dem Dorfe Euberg, als es schon zu dämmern anfing, begegneten mir viele von dem dortigen Kirchtage heimkehrende Leute. Lobte eben in meinen Gedanken diese friedliche Heimkehr, und den Mangel am Weine, als Einer den Anderen vor mir mitten in die Straße warf, um zu produciren, was auch das Bier im Baierlande für Künste hervorbringen kann. Ich nahm im ersten Schreck meinen Jordansstock in die rechte Hand, um mir die Atmosphäre zu sichern. Da kamen 3 junge Burschen gegen mich, denen ich das gute Wetter ansah, die bat ich, bei mir stehen zu bleiben, bis die Andern, die sich ein wenig herum balgten, vorüber wären. Der Eine, eine Jesus liebende, zarte Seele, nachdem er vernahm, woher ich kam, konnte sich nun selbst kaum mehr trennen, gerne hätte er mich ins Dorf begleitet, wenn ihn nicht sein Dienst nach Hause gerufen hätte. Ich mußte denn doch allein wieder fort. Als ich das Dorf erreichte, wirbelte, jauchzte und schrie Alles durcheinander auf der Straße, ein für ein Dorf selten großes beleuchtetes Gasthaus mit Musik und einer Menge Leute vor dem Thore, konnte für mich nicht einladend sein, um darinen zu übernachten. Ich eilte den Pfarrhof aufzusuchen, um aus meiner Verlegenheit zu kommen; doch der Pfarrer hatte selbst das Haus voll Kirchfahrtsleute. Im Nachdenken, wohin ich mich wenden sollte, sah ich zwei Mädchen auf mich zulaufen, die luden mich in's nächste Haus zu ihrem Vater ein. Es waren arme Leute. Mit frommen Thränen in den Augen hörten sie mich bis Mitternacht von Jerusalem, Bethlehem und Nazareth erzählen. Man machte mir ein Bett, so gut es ging, und ich dankte Gott für diesen Schutz. In der Früh um 6 Uhr rauften sich die betrunkenen Burschen erst recht tüchtig auf der Straße im Nachhausegehen. Ich getraute mich nicht, mei=

nen Weg fortzusetzen. Um halb 8 Uhr kam ein Stellwagen durch den Ort, mit dem ich weiter fuhr, und die Straße nach Kimsee vorzog. Früher war ich gesonnen, nach Trauenstein zurück und über Reichenhall nach Berchtesgaden zu gehen, um König Ludwig von Baiern zu sehen. Nun tröstete ich mich mit der Uebersicht des 5 Stunden langen, und 4 Stunden breiten Kimsees. Im Umfange spiegeln sich 20 Stunden im Wasser, über die man in der Ferne Wald und Berge sieht. Mitten im See sind zwei bedeutend große Inseln, wo auf der einen das schöne adelige Stift der Herren Kimsee war, mit Wald und Jagdbarkeit. Man sieht auch noch die großen Gebäude zur Landeszierde dastehen, jedoch statt einer Gesellschaft religiöser Herren, deren Gebet und Gesang bei Tag und bei Nacht das Lob Gottes aus dieser wunderlieblichen Insel mitten im See zum Himmel emporsandte, und von der die kleine Bevölkerung des kleinen Erdstriches lebte, herrscht jetzt Hopfen und Malz, die ihren Dampf heraufschicken, wobei die Menschheit nun freilich auch nicht zu kurz kömmt. Es ist jetzt ein großes Bräuhaus auf der Insel, mit interessanten Biersendungen über den See. Auf der zweiten Insel eine Stunde weiter entfernt, besteht noch das Kloster der Frauen Kimsee, sie ist bedeutend kleiner, doch sehr lieblich und bis an den Rand mit Fischerhüttchen bebaut. Hier muß es sehr angenehm sein, als Nonne, abgeschieden von aller Welt, für Gott allein zu leben! Die Fahrt über den See auf dem kleinen Dampfer muß bei dem Glanze der Sonne einen herrlichen Anblick geben; ich traf es leider bei Nebel und Regen. Um 4 Uhr kam ich nach Eisenstein, mein Stellwagen ging mit Wechslung des Kutschers noch nach Salzburg, wo ich bei Regen, Nacht und Nebel um 8 Uhr ankam, und in der Judengasse bei dem Mohren einkehrte. Den andern Tag ging ich in die Franziskaner=Kirche und hörte gleich am nächsten Altare die heil. Messe, wobei mir eine bekannte Stimme in die Ohren klang, es war Pater Alexander von Graz, von dem ich nicht wußte, daß er hier sei. — Wir ver=schwätzten Nachmittags eine gute Stunde, und lachten herzlich über frühere Confusionen, die sich im Rückblicke durch die Auflösung unseres treuherzigen Gespräches lichteten, so dunkel sie in der damaligen Ge=genwart lagen. Auch hatte P. Alexander einen Brief für mich von meiner Schwester, der in so liebevoller Erwartung meiner Ankunft ver=faßt ist, daß ich mir's nun selber vorsage: „In einigen Tagen wirst du wieder zu Hause sein." — Zu Hause bin ich denn eigentlich immer dort, wo ich eine freundliche Umgebung finde, und wären es nur Blu=

men, Kräuter oder Bäume, um so viel mehr geliebte Verwandte. Darum kann ich mich auch in der ganzen Welt leicht zu Hause fühlen, doch ziehe ich meine Vaterstadt selbst der meines Hailandes vor, und zweifle nicht, daß es auf seine selbst eigene Anordnung geschieht. Hier in Salzburg besuchte ich meine theure Jugendfreundin Josefine A., verheirathete Doctor D., ihre lieben Kinder waren mir gleich zugethan, und ich unternahm in ihrer fröhlichen Gesellschaft meine Rundreisen, um die Stadt und ihre Umgebung kennen zu lernen. Gustav und Mina führten mich zuerst auf die Festung mit der alten Residenz der Erzbischöfe. Hier zeigte man mir ein ganz kleines Zimmer, wo Wolf Dietrich um die Zeit 1600 fünf Jahre lang eingesperrt lebte, der wegen seinem kriegerischen Sinn abgesetzt wurde. Da er sich's wohl dachte, daß man ihn nicht unter die Bischöfe im Dome begraben werde, so ließ er den, in wahrer Pracht noch bestehenden großen Kirchhof zu St. Sebastian im italienischen Geschmacke anlegen, mit einer schönen Kapelle in Mitte desselben, wo er seine Grabstätte anordnete, und um irgend einer Wegschaffung seiner Ueberreste vorzubeugen, ließ er die Worte auf seinen Grabstein einstemmen: „Fluch Dem, der meine Asche stört." Die Zimmer der Burg zeugen noch von fürstlicher Pracht. Nun gings in die Folterkammer und zur eisernen Jungfrau — schlimme Zeiten! Seien wir froh, daß die Zeiten, die vor uns waren, nun hinter uns liegen, und trachten wir, daß die künftigen für unsere Nachkommen besser werden, damit sie sich nicht mit Recht über uns zu beklagen haben, wenn ihnen die Geschichte unsere Handlungen vor Augen legt. Von dem Wartthurm hat man die schönste Aussicht, ich möchte sagen, die einzige, die mit der Aussicht auf unseren Schloßberg in einem anmuthvollen Streite auftritt, doch sind die lieblichen Parthien um Salzburg viel kleiner. Maria Plain, der bekannte Wallfahrtsort Aigen, das fürstliche Schloß, der lieblich grüne Hügel mit seinem Häuschen Hellbron, Hallein in der Ferne, der 8000 Fuß hohe Untersberg mit seiner ganz eigenen Form. Die Sage von seinen Einwohnern erhält sich in Salzburg nicht nur unter dem Landvolke, welches von diesem Glauben beinahe schon abgekommen ist; sondern bei den Stadtleuten. Man nannte mir einen Herrn von Distinction, der einmal in der Nacht über den Domplatz ging, und sich's nicht ausreden läßt, die Kirche beleuchtet gesehen und darin Gesang gehört zu haben, wie bei festlichem Gottesdienste. Nach allgemeiner Landes- Volkssage halten die Untersberger nächtlicher Weile ihren Gottesdienst im Dome, bei ausgestellten Wachen, so daß Einer, der sich näher überzeugen will, mit tüchtigen Schlägen beladen, gerne wieder weiter geht. Kurz, zwischen 'Ernst und Scherz können die Ungläubigen ganz sicher glauben, daß der ritterliche, gut christlich gläubige Kaiser Friedrich, wenn er einmal hervorkommt, gewiß gegen den Unglauben auftreten wird. Man zeigte mir den Lindenbaum, wo die letzte Siegesschlacht gehalten wird. Und die Festung steht noch fest genug, um wacker drein helfen zu können. Das Mirabellen-Schloß bietet einen freundlichen Anblick, so wie die ganze Stadt mit ihrer weißen Salza, die so wie die grüne Isar in Baiern dem Auge ein wunderschön fließendes Farbenspiel bietet. Der Mönchsberg mit der Klause des heil. Marentius, der das Christenthum in diese Gegend brachte. Der Nonnenberg mit dem Abtissen-Kloster der Benedictinerinen, deren Oberin seit 6 Jahren wieder die Insel mit dem Pastorale trägt. Der Kapuzinerberg mit dem noch bewohnten Kapuzinerkloster und dem schönen Kalvarienberg mit den drei gleich großen Kreuzen, wie es in der Wirklichkeit war; dieser Ort ist ganz besonders geeignet, um zur Andacht zu stimmen, ich brachte meine kleine Begleitung beinahe davon nicht weg. Wir hatten noch den Friedhof bei St. Peter in der Stadt zu besuchen; der einzige, der sich mitten in einem bewohnten Platze erhielt. Seine Lage und seine geehrte Haltung gleicht einem kostbar blühenden Garten mit den schönsten Kapellen als Familiengruften im Umkreise; wirklich ein dichtungsvoll erhabenes Ansehen, daß es groß Schade wäre, ihn zu versetzen. Er steht am Fuße des Mönchsberges neben der St. Peters-Kirche mit ihrem Benedictinerstifte wie ein Garten, neben seinem Hause da. Noch zeigten mir meine lieben Kleinen den Pegasus am Hannibalplatz, eine sehr schöne plastische Arbeit, so wie das Denkmal Mozarts am Michaelsplatze. Die ehrwürdige alte Domkirche, großartig von innen wie von außen. Das kunstvolle Wasserbecken mit dem laufenden Fürsten-Brunnen von Untersberg, der Hofbrunnen in der Residenz des Erzbischofs, und noch andere schöne Brunnen zieren die Stadt; besonders vier wiehernde Pferde, prächtig aus Stein gehauen, mit Wasserbogen aus Mund und Nase, auf die von oben herab ein Wasserkranz seine Perlen träufelt, und in seiner Mitte auf bedeutendem Höhepunct seine Wasserkunst springen läßt. Alle diese Brunnen erhalten ihr Leben durch die Wasserleitung von Berchtesgaden. Das Grabmal Haydns, des größten Tonkünstlers, in der St. Peterskirche, ist wohl nicht zu übergehen; sein Haus ganz nahe an der alten kleinen Kirche des h. Marentius wird sorgfältig erhalten.

In der Vorhalle der Kirche St. Sebastian ist das Grabmal des berühmten Chemikers Theophrastes Paracelsus, der von einem Apotheker mit einem Diamanten vergiftet wurde, ehe er die Welt mit den Früchten seines Denkens beglücken konnte. Sein Tod im Jahre 1752 sammt seiner Geschichte wird sehr mährchenhaft erzählt. Das Haus, welches er bewohnte und worin er starb, ist das 3 Stock hohe Eckhaus an der Salzabrücke. Heute noch führt mich mein Weg nach Maria Plain.

---

## Hundertundsechsundfünfzigster Brief.

### An Bruder Zeno.

Aussee, den 23. September 1848.

Es ist der letzte Brief aus dem letzten Nachtlager, den ich Dir von meiner glücklichen Reise zusende. Herr Dechant M. erstaunte sammt seinen Kaplänen nicht wenig über den abendlichen Besuch einer Pilgerin aus dem h. Lande. Auch er zählte sich unter Jenen, die mich für verloren aufgaben. Es wurde mir ein schönes Zimmer eingeräumt, in dem ich meine letzte Herberge noch recht angenehm zubringe. Morgen Früh kömmt der Postwagen, mit dem ich bis Bruck fahre, und übermorgen bin ich mit der Eisenbahn um 7 Uhr Früh in Gratz. Werde im Dom mein Dankgebet verrichten, und dann erfahren, was sich während meiner Abwesenheit zugetragen hat. Einen ganz neuen Geist finde ich unter den jungen Leuten geweckt, nur keinen guten. Als ich in Salzburg Abends um 8 Uhr in Begleitung einer Magd von der Frau v. D. in meinen Gasthof ging, schrie ein Zug solch' junger Herren vorüber, vielleicht haben sie sich die schwarze Fremde am Tage schon in's Auge gefaßt, weil sie jetzt so viel Interesse zeigten, ich wurde umrungen und umsungen, doch da ich gar nicht that, als ob ich's bemerkte, jedoch die Magd ganz gleichgiltig an meine Seite rief, verloren sie sich auf die andere Seite der Gasse. Einer jedoch ging nebenher und blies mir seinen Cigarrenrauch in's Gesicht, mit der Frage, genirt Sie das nicht? „'s ist freilich nicht gar höflich," sagte ich ganz laut, daß es auch die Anderen hörten, „doch gefällt's mir, wenn junge Leute lustig sind, so

lange fie bei Vernunft und Sitte bleiben." Brm, brm, Vernunft und
Sitte, wiederhallte es, und die ganze Gesellschaft zog gelassen und ganz
sittlich singend vor mir her, zum Glück war's die Judengasse und ich
war bei meinem schwarzen Mohren zu Hause. Nun nur noch einen Blick
auf Salzburgs bezaubernde Umgebung, mit den wunderschönen Eschen-
Alleen, mit ihren aufwärts strebenden Aesten, und sanft säuselnden, zit-
ternden Blättern in himmelanstrebender Höhe. Sie halten der südlichen
Cypresse gleichen Werth. Den 21. um 4 Uhr Nachmittags ging ich hinaus
zum Linzerthor nach Maria Plain, den gesegneten Wallfahrtsort in
ländlicher Schönheit, wie ihm nicht leicht ein anderer gleicht. Die glänzende in reichlicher Vergoldung erst neu renovirte Kirche zeugt von frommer, eifriger Verehrung. Die Stiftsherren haben ein schönes Haus.
Der Weg über den Berg hinauf beweist auch die genaueste Obsorge
mit kunstvoll beschnittenen Gartenspalieren und rein aufgeschüttetem Sande.
Schöne Kapellen mit guten Gemälden von den Leidensstationen des
Herrn, laden zur Andacht und zur Betrachtung ein. Im Gasthofe fand
ich fromme, freundliche Leute, besonders einige junge Mädchen, die sich
von der Pilgerin gar nicht trennen konnten. Den 22. zog ich fröhlich
den Wald entlang, man zeigte mir einen kürzeren Weg in die Triepl,
wo ich einen Straßenweiser fand, der mit seinen Fingern nach Ischl
und nach Graz zeigte: Die Straße heißt die Grazerstraße. Ich freute
mich eben darüber und begrüßte das erste Begegnen der nahenden Heimat, als ein Transport piemontesischer Gefangener, die aus Böhmen heimgeschickt wurden, vorüberzog, und ganz Italien mit
seinen freundlichen Erinnerungen lag vor mir. Eine echt adelig
italische Miene sah vom Wagen herab auf mich, und nickte mir freundlich, denn ich sah mit ganzer Theilnahme ihres Geschickes auf sie hin;
auch ich erwiederte freundlich den Gruß, mit dem umfassenden Gedanken, den ich oft ausgesprochen: „Friede und Freundschaft zwischen
Oesterreich und Italien." Daß die Gefangenen heimkehren, ist mir ein
hoffnungsvolles Zeichen für bessere kommende Tage. Wo ich wandle, ist
tiefer stiller Friede und der Krieg scheint zu fliehen, während welchem
ich bethete am Grabe des Herrn, am Orte der Auferstehung des Erlösers. Doch der überhand genommene Unglaube durch Sittenverderb-
niß wird noch Verheerung drohende Stürme herbeiführen; obschon
mir Europa von dem drohend gänzlichen Verfalle gerettet erscheint.
Das ganze Große besteht aus Kleinigkeiten, und Kleinigkeiten bleiben so gerne unbeachtet! — Mir fällt bei die-

fer ernften Ueberlegung eine Reifekleinigkeit ein, bas ift eine anmaßliche
Reifetafchen=Vifitation in Salzburghofen an der öfterreichifchen Grenze.
Während der Beamte mit mir in der Kanzlei voll Interefie über meine
Reife fprach, warf der Vifitator im Wagen alle Kleinigkeiten aus mei=
nem Tornifter, und hieß fie dann einer fremden Perfon, die im Wagen
faß, wieder einftecken, welche jedoch die Sachen liegen ließ, bis ich es
felber thun konnte. Sollten die Zollamts=Anweifungen wirklich fo weit
gehen? ich in meinem Hausftande würde gegen meine letzte Magd nicht
fo handeln. Wer erfetzt mir eine Bleiftifte, wenn fie mir werth ift! oder fol=
len die zarteften Gefühle der höchft undelikaten Durchfuchung und Nichtach=
tung des Eigenthums, wenn man feine mit Begier gefuchten Contrebande
nicht findet, unterliegen? In Trieft machte man mir mit meinem armen Pil=
gerkorb von Palmblättern und einer Schachtel mit Rofenkränzen Auffehens
und Zeitaufenthalt, endlich wollte man mir einen kleinen Bündel Schneider=
flecke von meinem Kleide ftraffällig machen. Ich lachte und fagte: das
ift wohl nur, damit fie etwas zu thun haben, mir ift aber meine Zeit
zu koftbar; diefes Päckchen werde ich felber nach Wien tragen. Dann
lachte man über die Spielereien, als man den Korb bis auf den
Grund durchgrub, und mein koftbarer Wüftenfand aus feinem Säckchen
rollte. Sonft hatte ich aber auch fürwahr auf der ganzen Reife keine
Unannehmlichkeit. Die Türken machten mir's zweimal auch nicht viel
beffer. Durch die Poft Hof kam ich in die Fufch, wo ich einmal
einen Kohlwagen benützte; den alten Vater freute es nicht wenig, daß
feine Kohlkrainze auch zu den verfchiedenen Reifegelegenheiten einer Pil=
gerin gehöre, er hätte mich gerne in den Wald hinein geführt zu
feinem Weibe, ich mochte mich aber an der Zeit nicht verweilen, fon=
dern ging zu Fuße St. Gilgen zu, wo ich auf der Poft blieb, und
des andern Tages Früh mit einem Poftkalefch nach Ifchl fuhr. Ein
wunderherrlicher Badeort. Ich durchzog nun zu Fuße eine Strecke von
Oefterreich, und wanderte mit frohem Sinn durch die beiderfeits mit
Frucht beladenen Fluren, auf belebter Straße der heitern Hüttenbewoh=
ner. Auf einmal vermiffe ich meinen Jordansftock; kofte es was es
wolle, dachte ich, meinen Stock zu fuchen, den ich fchon fo weit hier=
her bringe, zähle ich keine Schritte. Ich kehrte um, frage alle Leute,
begegne einer Botenfrau, die gerne mit mir fprach, und fich im Finden
glücklich pries; fie bat mich zu warten, bis fie im nächften Orte eilends
ihre Aufträge abgelegt hätte, denn ich konnte ihr von ihrer Pflege=
tochter Nachricht geben, die ich bei meiner Freundin in Salzburg fand,

und die ich durch ihre Rede erkannte; als die gute Frau zurückkam, hatte sie meinen Stock in der Hand, der in einem Gebüsche steckte, die fromme Seele erkannte in dieser kleinen Begebenheit die bis zu den Kleinigkeiten der Menschen sich herabneigende, vorsehende Güte Gottes; denn sie betete seit einiger Zeit fleißig, weil ihr das Mädchen, das sie aufzog, wie ein eigenes Kind lieb ist, und bat Gott um Nachricht von ihr, weil sie schon über ein Jahr lang nichts von ihr hörte, und um sie aufzusuchen, ließ sie der Mann nicht weg. Um ihr Gebet vor Gott erhört zu sehen, mußte ich meinen mir so werthen Jordansstock verlieren. Der Zeitverlust von zwei Stunden brachte mich wieder bei dunkler Nacht in den Wald, denn die Tage werden schon kurz, kaum sah ich den See ein wenig glänzen in der Tiefe, am Fuße schwarzer Gebirge. Um 8 Uhr klopfte ich an der Thüre des Herrn Dechants M., den ich mit meinem Besuche nicht übergehen wollte. Morgen ist Sonntag, wo er sich in der Kirche verweilt, während der Postwagen abfährt. Ich werde noch seine Predigt hören, die erste, seit ich wieder in Europa bin, und dann über Mittendorf, Steinach, Liezen, Rottenmann, Gaishorn, Kallwang, Tunersdorf, Leoben, auf den Bahnhof in Bruck ankommen; und nach einem kurzen Verweilen in zwei Stunden in Gratz sein. Gott hat mir mit seiner leitenden Hand geholfen, ich glaube eine meiner Lebens-Aufgaben glücklich gelöst zu haben.